QUAND ON RÊVAIT

Clemens Meyer

QUAND ON RÊVAIT

—

traduit de l'allemand par
Alexandre Rosenberg
et Sven Wachowiak

PIRANHA

La traduction de ce livre a bénéficié d'une subvention
du Goethe-Institut, financé par le ministère allemand
des Affaires étrangères.

www.piranha.fr

Édition originale :
Als wir träumten
© 2006 by S. Fischer Verlag GmbH,
Frankfurt am Main

ISBN 978-2-37119-018-4

Pour Jan et Martin

LES ENFANTS JOUENT

Je connais une petite comptine. Je me la murmure quand dans ma tête tout commence à déraper. Je crois qu'on l'a chantée en sautant à cloche-pied sur des cases en craie, mais si ça se trouve elle est de moi, ou alors je l'ai rêvée. Des fois je bouge les lèvres, mais sans bruit, d'autres fois je me mets à fredonner, comme ça, sans m'en rendre compte, c'est à cause des souvenirs qui dansent dans ma tête, pas n'importe lesquels, non, ceux de l'époque après le grand changement, les années où on entrait... en contact ?

Contact avec les bagnoles en couleurs, avec la Holsten Pils et le Jägermeister. On avait dans les quinze piges, et la Holsten c'était trop amer, du coup, le plus souvent, on buvait pour la patrie. Leipziger Premium Blonde. Faut aussi dire que ça revenait moins cher, vu qu'on s'approvisionnait à même leur cour. En nocturne, le plus souvent. La brasserie Leipziger, c'était le centre de notre quartier et de notre vie. Le départ des nuits méchamment arrosées dans le cimetière extérieur, des orgies de destruction infinies et des danses sur le toit des bagnoles quand la saison de la bock arrivait.

L'authentique Leipziger fabriquée selon la recette originale entre les murs de la brasserie, pour nous c'était une sorte de génie en bouteille, un génie blond qui nous chopait en douceur par les cheveux et nous soulevait par-dessus les murs, transformait les bagnoles en machines volantes, nous filait son tapis pour qu'on décolle en crachant sur la tête des flics.

Mais ces nuits-là où on volait, comme dans un drôle de rêve, elles finissaient presque toujours par l'atterrissage forcé en cellule de dégrisement, ou alors menottés au radiateur dans le couloir du commissariat du secteur sud-est.

Quand on était mômes (mais à quinze piges, t'es encore môme ? Peut-être qu'on l'était plus depuis notre premier face-à-face avec le juge, presque toujours une femme, en fait, ou depuis la première fois qu'ils nous ont ramenés en pleine nuit et que le lendemain, ce satané 8 encore imprimé sur nos poignets tout frêles, on a été à l'école, ou pas), quand on était des enfants sages, le centre du quartier c'était la Grande Manufacture est-allemande de jouets en plastique thermodurcissable et tampons encreurs. Un camarade de classe sans aucune importance nous refilait les tampons et les petites voitures par sa mère qui les sortait à la chaîne, voilà pourquoi on lui donnait pas de coups mais parfois quelques sous. La Manufacture du Peuple a mis la clé sous la porte en 1991, le bâtiment a été rasé, la mère du petit trafiquant en tampons et voitures s'est retrouvée au chômage après vingt ans de maison et s'est pendue dans les chiottes extérieures, c'est aussi pour ça que le gosse dont on se foutait a continué à pas ramasser de coups mais parfois quelques sous. Maintenant là-haut c'est un Aldi, je pourrais aller acheter de la bière ou des spaghettis pas chers.

C'est pas vrai pour la daronne du petit. Elle a trouvé du taf en 1992 dans une station Shell qui avait ouvert entre-temps, et elle faisait semblant de pas savoir qui on était quand on venait lui acheter de la bière ou du schnaps, parce que c'était la nuit, que les autres magasins étaient fermés et que des fois, les murs de la brasserie Leipziger montaient juste trop haut.

La brasserie était toujours là, mais le plus fou, c'est qu'on la voyait pas. Parce qu'à une ou deux rues d'écart, on était en train de ramener le sac d'une vieille dame à bon port, ou parce que c'était la nuit (en hiver, celles qui tombent vite, les nuits affreusement noires, tout ce que tu vois c'est les lumières, et t'es trop triste), ou parce qu'on fermait les yeux en passant devant. La vieille brasserie Leipziger, elle était là, dans toute sa grandeur. On la sentait. Elle sentait vraiment, mais vraiment putain de bon, houblon et épices, comme du thé noir mais en carrément mieux. Quand le vent était favorable, on la sentait à des kilomètres.

Et même si aujourd'hui je suis loin, je la sens toujours quand j'ouvre la fenêtre, sauf que les autres veulent pas en entendre parler. Et puis, d'où ils pourraient ? Je leur ai rien raconté. Quand on est allongés dans nos lits et qu'on cherche le sommeil, je me coince un bout de couette entre les dents pour pas parler de la grande époque.

Les nuits comme ça, je pense beaucoup à Alfred Heller. On l'appelait Fred, et à cause de la tise sa face était devenue gris-bleu, comme la plus fine des moisissures. Même avec ses quelques années de plus, il en faisait quinze, et c'est pas ses lunettes rondes de chouchou qui l'empêchaient de sortir sans permis dans le quartier et dans toute la ville avec des bagnoles volées ou achetées quelque part pour des clopinettes. Ça faisait drôle d'être là, dans sa caisse, y avait à peine la place de s'asseoir entre les piles de canettes, et quand on était en vadrouille, on tapait les pires délires. Dès qu'on montait avec lui, un truc se passait, un truc qui faisait qu'on oubliait toutes les limites, une liberté et une indépendance absolues qu'on avait jamais connues et qu'on expulsait en hurlant ; à croire que la Sorcière aux Cinq Chattes, ma voisine de palier, avait jeté un sort aux bagnoles cabossées de Fred. Des fois, on baissait la vitre, on calait les pieds dessus, et c'était parti pour le surf, une seule main agrippée au toit. Comme un tour de manège après une bouteille de Stroh 80.

Une nuit, on fonçait en ville à tombeau ouvert, avec Fred. Complètement raide, il a lâché le volant et il nous a sorti : « C'est mort, j'en peux plus. » J'étais sur la banquette arrière avec Mark et Rico, Mark drogué ras la moelle, Rico encore clean à l'époque, et nous non plus on en pouvait plus, on avait d'yeux que pour les lumières de notre ville qui filaient à une vitesse pas possible. Et si le petit Walter, assis à côté de Fred qui venait de laisser tomber d'un seul coup, Walter à qui plus tard j'ai sauvé la vie *deux* fois en une *seule* nuit (mais encore plus tard, dans une autre nuit, il nous a quand même lâchés sans prévenir), si à cet instant précis il n'avait pas chopé le volant en se mettant sur les genoux d'un Fred à moitié ratatiné au fond de son siège et stoppé la bagnole en cramant pas mal de pneu, à l'heure qu'il est je serais mort, ou alors j'aurais perdu mon bras droit, ce qui m'obligerait à me farcir toute la paperasse avec l'autre main.

En plus de ça, Fred Heller avait un frère, Silvio. Silvio n'avait pas la même énergie criminelle que lui, par contre il jouait aux échecs. Les frangins habitaient ensemble, et pendant que Fred & Cie étaient à magouiller des sales coups dans la grande pièce, je faisais des échecs avec Silvio dans la cuisine. Il avait une conception des règles disons personnelle, mais ça m'allait, étant donné qu'un jour, tout en plaçant son fou sur la bouteille de gnôle et en me mettant ou plutôt en mettant mon roi en échec, il m'avait expliqué qu'au temps de la zone, dans le Ghetto, ils l'avaient niqué à coups de médocs et qu'il ne lui restait plus que quelques années à vivre. Il devait y avoir du vrai là-dedans, vu qu'il traînait la patte et que son bras gauche était quasi paralysé. Sans compter que parfois, il avait la gueule qui se tordait, c'était horrible, ses yeux se révulsaient, le blanc tournait au vert et il se cognait le crâne frénétiquement contre l'échiquier (j'avais une sale peur que la pointe d'un fou lui reste plantée dans l'œil). Ça m'avait tellement marqué que même sur le point de gagner, au moment où d'après ses règles mon cavalier violait son roi, direct j'abandonnais, autrement dit je décapitais le mien avec les dents, j'allais mettre sa tête dans le congélo quatre étoiles et je me réfugiais dans l'autre pièce avec Fred & Cie pour magouiller des sales coups.

Médicalement niqué dans le Ghetto. J'ai mis un bout de temps à capter ce qu'il voulait dire, ce ghetto, dans les histoires de Fred et son frangin. Après avoir été abandonnés par leurs parents, ils avaient passé des années claquemurés dans un centre de redressement pour les enfants et les jeunes, le Ghetto, quoi. Apparemment, là-bas, ils avaient donné à Silvio un peu beaucoup d'antidépresseurs et de piqûres anti-bougeotte, ça lui avait bousillé le foie et les reins, des fois il dit aussi qu'on l'a pris comme cobaye, mais ça j'y crois pas.

Un jour, je demande à Fred s'il voit encore ses vieux. Il me fait : «Non. Mais si jamais j'les croise, mon schlass il va triquer.» Sauf qu'à l'heure qu'il est, dans sa taule de mes deux, c'est sûrement le vieux Fred qui a la trique au premier coup de vent. Je ne sais pas exactement quel truc il a fait pour encore échouer au bloc, tout ce que je sais, c'est qu'il était en liberté surveillée pour la ixième fois, avec un casier aussi épais que le Grand Meyer illustré, et au fond, ce que je sais, c'est ce qu'on a raconté là-dessus, presque une légende depuis le temps.

C'était la nuit, il tournait en ville avec les flics aux trousses et sa dose habituelle dans le sang. Ça lui a pris d'un seul coup, va savoir pourquoi. Il devait se dire que c'était son baroud d'honneur. Et faut avouer que ça manquait pas de style. Freins à bloc. Virage. Pleins gaz. Première condé-mobile éclatée. Deuxième condé-mobile éclatée. Marche arrière, et rebelote. Combien de fois, j'en sais rien. À ce qu'il paraît qu'à la fin, ils pouvaient même plus ouvrir leurs portières. Et ensuite, Fred sort les mains en l'air, comme Billy the Kid, et il leur fait : «Je me rends.»

Après, aucune idée de comment les flics sont sortis de leurs accordéons. Peut-être par le toit ouvrant ? En tout cas, au premier qui est arrivé vers lui en tirant des bords, il a pété le nez d'un coup sec, et après ça on l'a plus revu. Alors qu'il m'avait dit que plus jamais il retournerait dans le Ghetto, qu'il voulait en finir pour de bon avec toute cette merde. Et moi qui étais prêt à le croire. Parce qu'un jour où on était au bar, y avait aussi Mark, mon vieux pote du bahut déjà drogué ras la moelle, trois mecs se sont mis à titiller Fred (vieilles histoires, soi-disant). Lui, il laissait couler, même quand ils lui ont jeté de la bière à la gueule. J'attrape un tabouret, mais il me fait : «Restranquille, Daniel. Laisse pisser, c'est mes oignons.» Les mecs sont toujours au comptoir à côté de nous, l'un bouscule Fred qui se vautre de son tabouret. Ses binocles en prennent un coup, pas grave, il les remet sur son nez en clignant derrière les verres fendus, avant de me faire : «Restranquille, Daniel», puis aux autres : «Ch'fais que dalle, bande de pisseux, chuis surveillé.» Il répétait ça sans arrêt, mais eux le poussaient toujours, et soudain, l'un des mecs lui met deux trois claques. Alors Fred tire un cran d'arrêt, y a un déclic, la lame trique, il pose la main gauche à plat sur le comptoir et plante la lame en plein dedans. «Enculés d'fumiers, vous me ferez pas bouger d'un poil!» Sur quoi ils se sont cassés et j'ai appelé le docteur. Avant qu'il se ramène pour virer la lame enfoncée quand même assez profond, avec Fred on en a profité pour s'envoyer quelques doubles graines pendant que le taulier épongeait le sang. Bizarre, je pensais que ça pisserait un peu plus. Mais à en croire Fred, jamais il a autant kiffé sa vie, une main clouée au bar.

Quant à Mark, mon vieux pote du bahut assis tout près à moitié dans les vapes, il ne s'est rendu compte de rien. Et au moment où je parle, il continue à rien capter, vu qu'il est dans une chambre vide et blanche, quelque part, sanglé à un lit, en cure de désintox.

Un lit. En cure. Petite Estrellita. Je chante, ma petite Estrellita, je rêve. En vrai, elle ne s'appelait pas du tout Estrellita, mais j'aime bien lui donner ce nom, c'est petite étoile en espagnol, et la fois où un sombre trouduc a foncé dans un arbre avec elle sur le siège du mort, elle est restée cinq semaines dans le coma. Au réveil, elle était encore plus craquante qu'avant, toute petite, toute fragile, à me faire au moins cinq paires d'yeux doux. Je me souviens plus leur couleur. Je devais être plus ou moins amoureux, en même temps, c'était vraiment une belle petite… pouffe. C'est Walter qui m'avait dit, Walter aussi petit qu'elle mais pas aussi magnifique, il m'avait dit bas les pattes, parce qu'une bonne partie de Leipzig (y compris lui, ce merdeux) connaissait son corps sous toutes les coutures, mais pas la couleur de ses yeux. C'est comme ça que le petit Walter m'a préservé de la syph et plus ou moins rendu la pareille pour lui avoir sauvé la vie deux fois en une seule nuit.

C'était une nuit comme un rêve. On était posés dans le parc, le *nôtre*, bientôt j'y retournerai et je regarderai les enfants jouer dans le bac à sable, le même où à l'époque on pissait, quand on y gerbait pas. Cette nuit-là, au moment où Fred s'est refait tricard, il était perché sur le mur de la brasserie, en train de faire passer les caisses de bière à Rico qui les réceptionnait en bas. Rico, dans son dos on l'appelait Rico-le-Déglingo, parce qu'au temps de la zone, il avait croqué le bout du pif au chef des pionniers[1] au moment où l'autre avait voulu lui confisquer sa BD de Captain America, et la seule chose qui a empêché Rico de se faire virer du bahut, c'est que peu de temps après, les pionniers c'était fini pour de bon. Et plus de pionniers, plus de chef des pionniers. Mais je précise, Rico n'a jamais croqué un bout de nez au flic qui était venu confisquer la bière, le Rico et le Fred. Mark, censé leur filer un coup de main pendant la mission, était HS pour cause de défonce, le cul sur le rebord du trottoir, à jongler avec des cailloux. Les flics le calculaient même pas, mais lui, dès qu'il a vu le truc, il a décampé à travers toutes les toiles et les araignées pour débouler dans le parc où Walter, Stefan qu'on appelait déjà Pitbull, moi et mon Echtouillita, on attendait, la gorge à sec. C'était abusé comme on avait soif, normal, on venait juste de massacrer une des bagnoles semi-légales de Fred, un peu pour inaugurer la soirée. Fred disait qu'il en avait plus besoin, alors quelqu'un a envoyé un premier coup de latte dans une portière, et là-dessus on s'y est mis tous ensemble, la portière on l'a arrachée, on a éclaté vitre après vitre, crevé les pneus et ainsi de suite. Si on avait eu les mêmes facultés que le Français du Livre des records, je crois qu'on l'aurait bouffée, la caisse. Je saurais pas dire ce qui nous est arrivé, on planait de plus en plus, y avait aussi l'alcool, c'est net, mais un truc en nous a fait clic et on est passés en mode tempête-dans-ta-tête. Ma petite Estrellita criait en se trémoussant sur le toit de la bagnole, bon Dieu ce que je l'ai aimée.

La tempête, elle a éclaté une deuxième fois dans nos petites têtes quand Mark nous a dit où étaient Rico et Fred. On a décidé de les tirer de là, et sur la route du commissariat du secteur sud-est, on a réduit en miettes poubelles, panneaux de signalisation, bancs publics et une voiture sur cinq. Mais le plus hallucinant, c'est qu'au moment où on est venus shooter bien sagement dans le grand portail en fer pour leur exposer le motif de notre venue, les flics nous ont juste dit : «Allez ouste, vous reviendrez les chercher demain matin», alors que la casse, les vitres éclatées et les cris auraient suffi à réveiller la mamie sourde de Rico. Il habitait chez elle, et elle fermait pas l'œil tant qu'il était pas rentré. Ils l'avaient poussé au bout du couloir blanc, bras dans le dos, poussé jusqu'à la pièce toute blanche, poussé devant la machine à écrire, pour faire le procès-verbal. Présomption de vol. On l'entendait gueuler de l'intérieur : «Tout roule, vous faites pas de bile, c'est nous les plus grands!» Comme si à l'époque il s'était déjà habitué aux barreaux.

Dehors, Estrellita a posé sa galette sur le pare-brise d'une bagnole de flics en plein créneau, c'était le moment de la raccompagner, et en vitesse. Mais une fois chez elle, il a encore fallu que le petit Walter saute du troisième à cause d'une espèce de catin qui refusait de l'aimer et de partir avec lui à la mer, je l'avais empoigné par le col dans sa chute, et au moment où ce taré hurlait, enfin, bredouillait : «Ania, je t'aime!», le tissu a commencé à craquer, Mark était là en renfort, mais comme il ne maîtrisait plus ses membres, il a été à deux doigts de basculer dans le vide avec l'autre. Je ne sais plus très bien comment on s'en est sortis sans que personne se casse le cou, tout ce que je sais, c'est que le petit Walter a remis ça en se jetant devant les roues d'un camion, et après l'avoir traîné sur le bas-côté à la limite de l'écrabouillage, on a titubé jusque chez nous, les idées embrouillées d'alcool. Tout était en vrac, comme le cauchemar d'une nuit d'été par trente degrés.

Pas une nuit sans que j'en rêve, chaque jour les souvenirs dansent dans ma tête et je me torture en me demandant pourquoi il a fallu que tout finisse comme ça. Sûr qu'on s'est amusés comme des fous à l'époque, mais en même temps, c'était comme une perdition qui était en nous, j'ai du mal à l'expliquer.

C'est mercredi, ils vont ouvrir la porte dans deux secondes pour m'emmener voir le docteur Confesse. Je connais une petite comptine. Je me la murmure quand dans ma tête tout commence à déraper.

REGARDE LES JOLIES MINES

Y avait le feu au bahut. On était allongés dans les escaliers et dans les couloirs, pris au piège. Plus bas, des obus explosaient. Mark luttait pour arriver en haut des marches. Sur la pancarte qu'il avait autour du cou, les grandes lettres noires disaient : « Blessé par éclat d'obus ». Il est venu se coucher quelques marches plus bas, et il a chuchoté :

– Merde, chuis touché.

– Où ça ?

J'ai soutenu ma tête contre la rampe en le regardant pointer sa pancarte. Tout en bas, entre parenthèses et en petites lettres : « Région abdominale ».

– Éclat d'obus dans le ventre ! je lui ai fait. T'es foutu. Pareil qu'une balle dans le bide. Tu crèves !

– N'importe quoi, ils viennent me chercher dans deux minutes !

– À quoi ça sert. Tu vas mourir, hémorragie interne.

– Mais ferme-la, Dani !

Il a tourné son visage face au mur. Plus un mot, je l'entendais respirer. Je me suis glissé plus près de lui, la rampe faisait mal au crâne.

– Si t'avais un gun, tu serais obligé de te flinguer. Cap ou pas cap ?

Pas de réponse, il devait souffrir. Comme le type dans le western qui se fait sauter la cervelle quand il comprend qu'il est foutu. Moi, j'étais content de rien avoir au ventre. J'ai levé la tête en toussant bien fort, j'avais quand même plusieurs brûlures et une inhalation de fumée. Sauf que l'inhalation, elle était pas sur ma pancarte. J'ai toussé encore plus fort pour qu'ils m'entendent et qu'ils viennent me tirer de là. Quelqu'un dévalait l'escalier au-dessus de nos têtes. Là-haut, près de la porte, Katia était allongée sur une couverture. Au moment où j'avais voulu m'étendre à côté d'elle, ces crétins de secouristes m'avaient viré en annonçant : «Lésions des parties molles, brûlures. Premier et deuxième étages». La pancarte de Katia disait : «Blessure grave tête (possib. balle dans boîte crânienne)». Vu que c'était la cheftaine du conseil de groupe, elle s'était raflé le meilleur coin et la meilleure blessure.

– Les brûlures, c'est de la gnognote. Ils se dérangent pas pour ça. De toute façon, ils s'en foutent, vu qu'il suffit de mettre un peu d'eau...

Encore Mark, qui venait de se retourner et tapotait sa pancarte avec un sourire débile.

– ... alors que moi, ils doivent m'opérer. Là, faut que ça aille vite. Les filles de seconde elles vont se ramener, et je vais pouvoir poser ma tête sur leurs nichons !

Et les voilà qui déboulaient dans l'escalier, mais leur civière était déjà prise, elles embarquaient Katia, sa pancarte balle dans la tête à plat sur la poitrine. Ses seins, c'était pas encore des vrais, à part un tout petit peu en EPS et aussi les fois où elle faisait son discours aux après-midi des pionniers, si jolie quand elle se penchait en avant. Mais là, sa tête bringuebalait sur la civière, oh, faites gaffe, y a une balle dedans ! Glissant une main derrière sa nuque, elle m'a souri. J'ai serré ma pancarte en lui rendant le sourire. Manches retroussées, chemise kaki déboutonnée jusqu'aux seins (pas si gros que ça, en fait), les deux nanas de seconde faisaient pas mal de boucan avec leurs bottes. Mark leur barrait le passage, allongé en plein milieu de l'escalier :

– Oh ! Et moi, alors ? Chuis censé moisir ici ?

– Pousse-toi, toi ! Laisse-nous passer, on revient te chercher après !

– Mon bide ! J'ai un éclat dans le bide, un éclat d'obus, il est énorme !

Elles l'ont juste enjambé en se mettant à pouffer. Mes yeux suivaient la tête de Katia qui s'était remise à ballotter sur le bord de la civière.

– Zut, Dani ! a râlé Mark. Je commence à avoir mal au cul, moi !

– Et bah alors ? Qui c'est qui reste planté là, maintenant ?

– Oh, fiche-moi la paix !

Il s'est remis à bouder contre le mur, et je lui ai soufflé :

– Tu sais ce qu'elles vont me faire, à moi ? J'ai une inhalation de fumée, et une grave, en plus. Bouche à bouche. T'as pigé ?

– Tu déconnes !

Mark s'est redressé et m'a regardé par dessous en ouvrant de grands yeux :

– Franchement, tu déconnes ?

– Nan nan, tu peux me croire. C'est un sixième qui me l'a dit. Il a eu pareil l'an dernier. Intoxication grave par inhalation de fumée !

– Tu délires. Y a même pas marqué «inhalation» sur la tienne, et «grave», alors là !

– Peut-être, mais une inhalation de fumée, c'est toujours grave. Pas besoin de le rajouter. Quand tu te brûles, t'inhales forcément. Attends, j'étais en plein milieu du feu ! Et les nanas, elles doivent tout faire comme si c'était vrai !

Là-dessus, j'ai toussé et haleté en me pendant à la rampe.

– Tu veux dire qu'elles te soufflent de l'air ? a fait Mark. En te roulant des vraies pelles ?

– Exact. Enfin bon, pas beaucoup d'air, vu que t'as rien. Mais faut bien qu'elles s'entraînent. Et après, elles te fourrent la langue dans la bouche pour voir si t'as pas avalé la tienne. Des fois, ça arrive.

– Tu me charries, là !

– Non. Parole d'honneur. Parole de pionnier ! je lui ai fait en saluant. Elles te farfouillent dans la bouche avec leur langue, et tiens-toi bien : si ça se trouve, ben, elles aiment ça. Ouais, sûr qu'elles aiment. Avec moi en tout cas. Je m'y connais. Même qu'après, elles deviennent accros !

– Et leurs nichons, Dani ?

– Ben ouais, elles les écrasent sur toi, tu les sens trop bien !

– Viens, on échange !

Il a viré sa pancarte pour me la mettre sous le nez.

– Nan, oublie !

– Non mais attends, Dani, c'est quand même bien, une balle dans le ventre. Elles te caressent le bide, elles te pelotent pour de vrai. Y a que les filles qui font ça, tu vois, y a que les nanas qu'ont le droit de le faire, vu qu'elles savent mieux se servir de leurs doigts !

– Nan, Mark, laisse béton !

– Mais regarde un peu, t'as vu ce qu'y a d'écrit sur la mienne ? *Région abdominale ! Région abdominale*, Dani, t'imagines !

– Nan, j'échange pas. Dégage avec ton éclat d'obus de mes fesses !

J'ai pris mes distances en me collant au mur, mais il se rapprochait en douce.

– Mais écoute un peu, Dani. Attends : région abdominale, tu vois bien. Elles doivent tout vérifier à cet endroit-là !

– Dégage avec ta pancarte à deux balles ! j'ai gueulé en le poussant. C'est la mienne, d'inhalation ! Fous-moi la paix avec ta vieille blessure !

– Steupl, Dani ! Vas-y, donne. Vas-y, échange. On était potes, ch'croyais !

Il essayait toujours de choper mon bras et ma pancarte. J'ai dégagé sa main, mais en un éclair, son autre poing agrippait mon pull. Je me suis levé en essayant de lui filer des coups de pied, il s'est cramponné à ma jambe, on a roulé-boulé en bas des marches. Résultat, il m'est tombé dessus, j'ai reçu son genou en plein dans l'estomac et la ficelle s'est entortillée autour de mon cou.

– Mark ! j'ai grogné, le souffle coupé.

– Ma pancarte, Dani, file ! Tu veux toujours tout garder pour toi !

– Mark, putain !

Quand il a fini par me lâcher, mon visage devait déjà être en train de virer au bleu. J'ai avalé plein d'air :

– Non mais t'es zinzin !

Une paire de jambes. Deux pompes en cuir et deux plis de fute pile sous mon nez. Je me suis dégagé en levant les yeux. Le dirlo. Toujours affalé sur moi, Mark a roulé sur le flanc. Ma ficelle avait fini par casser, et quand je me suis redressé, la pancarte m'est tombée du cou.

– Nom et classe.

– Mark Bormann, 5ᵉ B.

– Daniel Lenz, 5ᵉ A.

– Nous nous connaissons, Daniel, je me trompe ?

Il a mis ses yeux droit dans les miens, mais j'ai hoché la tête en fixant le mur.

– Vous êtes au courant que nous avons de la visite, aujourd'hui. N'est-ce pas ?

On a hoché la tête.

– Vous le savez bien, que nous avons de la visite ?

– Oui, M'sieur le directeur, on a bredouillé pendant qu'il se baissait pour ramasser ma pancarte.

– Alors, Daniel, comme ça, tu as des brûlures ?

J'ai encore marmonné un oui.

– Daniel. Imagine un enfant… au Nicaragua. Tu dois être au courant de ce qui se passe au Nicaragua ?

Encore un oui, sauf qu'en fait, j'étais pas vraiment au courant de ce qui se passait par là-bas.

– L'enfant souffre de brûlures, Daniel, il attend l'arrivée des secours. Il attend que des secouristes qualifiés lui viennent en aide. Et même s'il a mal, il s'efforce de rester allongé bien sagement.

Le dirlo a refait le nœud de la ficelle pour pouvoir me passer la pancarte autour du cou.

– Tu es pourtant un bon élève, Daniel, et un bon pionnier. Tu sais à quel point notre cours de défense civile est primordial pour tes petits camarades de la Jeunesse libre, afin qu'ils apprennent à secourir les enfants blessés.

– Oui, j'ai répété tout bas.

Il a pivoté pour se planter devant Mark.

– Et toi aussi, Mark, tu sais pertinemment qui nous rend visite aujourd'hui.

Mark a tiré la main de sa poche :

– L'Armée nationale du Peuple, Herr Künzel !

– Un officier de l'Armée nationale du Peuple. Notre établissement est réputé pour la qualité de son cours de défense civile. Et vos petits camarades de la Jeunesse libre comptent sur votre coopération. Mais en ce qui vous concerne (il s'est encore tourné vers moi), en ce qui vous concerne, j'espère que dorénavant, et j'entends par là séance tenante, vous allez cesser de semer le trouble et participer en faisant preuve de discipline.

– Oui, on a répondu l'un après l'autre. Oui, Herr Künzel.

Avant de repartir dans l'escalier, il a hoché la tête deux ou trois fois en se grattant le menton. Et puis, arrivé au palier qui donnait sur le couloir, il a fait volte-face :

– N'oubliez pas : un bon pionnier est un pionnier discipliné !

Encore un sourire, et il a disparu.

– C'est lui qui mériterait son éclat d'obus ! a sifflé Mark. Deux, même. En plein dans le lard. Imagine, y en a un qui lui pète juste à côté !

– Tu sais, je lui ai fait en m'asseyant sur une marche, ces trucs sur les nanas… en fait, c'est moi qui les ai inventés.

– Cause toujours. Tu veux juste les avoir pour toi tout seul.

Il s'est accroupi trois marches en dessous, collant son visage au mur, et j'ai tendu l'oreille vers les bruits du bahut. Ça courait au-dessus de nous. Autre part, quelqu'un criait, son cri résonnait à travers les couloirs, un truc genre « et là, y a le feu ? » Des portes claquaient. Une poignée de secouristes sont repassés en bavardant, cette fois y avait aussi des gars, mais tout le monde rigolait sans nous prêter la moindre attention, vu que leurs civières étaient prises.

– Franchement, ça me dégoûte, a fait Mark, la voix assourdie contre le mur. C'est ça, ouais, laissez-nous ici, bande de débiles. Laissez-nous moisir ici toute la journée si ça vous chante, qu'est-ce que je m'en fous !

– Moins fort. Je parie qu'il est encore dans les parages, ce sale fouineur.

– Franchement, Dani, si Rico était là…

– Parle pas de Rico, steuplaît.

– 'scuse, Dani, c'est juste que…

J'ai rampé sur quelques marches pour atteindre la fenêtre. Les secouristes traversaient la cour avec leurs civières, ils venaient de dépasser l'annexe vers le terrain de sport. C'est là-bas qu'ils avaient installé les tentes où on devait être soignés. En levant la tête un peu plus, j'arrivais même à les voir ; elles étaient vertes, comme les arbres d'une forêt quand je clignais des paupières. J'ai fermé les yeux. En bas, une porte a claqué. La seconde d'après, ils s'engouffraient dans l'escalier.

– On est là ! a hurlé Mark. Hé, oh, on est là ! Vous venez nous tirer là, oui ou merde !

Deux filles ont débarqué pour s'occuper de moi, les mêmes qu'avant. Mais Mark avait droit à deux mecs.

– Nan ! C'est pas juste, Dani, dis un truc !

– Mets-la en veilleuse.

Ils l'ont empoigné par la tête et les pieds pour le placer bien droit sur sa civière, en annonçant :

– Brûlures.

Les deux filles étaient penchées sur moi, l'une vérifiait ma pancarte. Elles avaient les cheveux foncés, presque noirs, déjà.

– Bon, les brûlures, c'est pas trop grave. D'abord, on va rafraîchir.

Je gigotais sur ma civière en essayant de leur expliquer :

– En fait, j'ai même une intoxication, une vraie. Par inhalation de fumée !

Pendant qu'elles me replaçaient bien comme il fallait en gloussant, j'en ai profité pour jeter des coups d'œil entre les boutons de leur chemise. Elles avaient pas très bien emballé leurs nichons.

– Le croyez pas ! a gueulé Mark un étage plus bas. Il ment ! Il ment, c'est des bobards, son histoire d'intoxication !

Les deux filles ont encore éclaté de rire en soulevant la civière, et puis, sans se presser, elles m'ont descendu. Pieds en avant, je reluquais leurs seins qui tanguaient sous la chemise au rythme des marches. On a pris par la cour, les deux porteurs de Mark traçaient, ils étaient déjà presque rendus à l'annexe. J'ai vu passer la tribune avec son pupitre en pierre, les trois porte-drapeaux en métal. Vides. C'était toujours au moment du rassemblement qu'ils fixaient les drapeaux aux cordes, et ensuite ils les hissaient à deux à l'heure en jouant une marche militaire à la con. La civière se balançait doucement, le soleil brillait, mes yeux se sont encore fermés. Silence dans la cour, à part le frottement d'un balai, sûrement le concierge. La chaleur me chauffait le visage, les taches blanches grossissaient devant l'écran noir de mes paupières. Je me suis couvert les yeux. Hier soir, j'avais mis longtemps à m'endormir, j'étais crevé. Comme mon père avait deux jours de congés, il était resté à la taverne jusqu'à une heure du mat'. Moi aussi, j'aurais voulu être en congés, plus obligé d'aller au bahut, mais fallait pas rêver, et puis, au moins, ça faisait que je voyais Katia tous les jours, assise devant moi avec sa nuque si jolie.

– Alors, bien roupillé ?

C'était sa voix. En rouvrant les yeux, j'ai vu qu'on était sous une tente. Assise sur un tabouret à quelques pas, Katia s'enroulait un bandage autour de la tête. Enfin, non, elle le déroulait en commençant déjà à rassembler les bandes de gaze. J'ai répliqué :

– Déjà guérie, ta balle dans la tête ?

– Oh, Dani…

Elle m'a souri, alors j'ai fixé le plafond. Joli tissu vert.

– Tu vas arrêter de gigoter ! m'a ordonné une des filles alors qu'elles essayaient de me hisser sur la couchette. Tina, va me chercher le kit pour les brûlures !

Tina, c'était celle aux nichons. Elle est allée vers une table pliante recouverte de bandages, de sacs et de mallettes, et elle en a ramené une avec une grande croix rouge et une petite flamme dans le coin du haut. Ensuite, elle s'est installée près de moi et l'a déballée sur la couchette.

– Alors, il paraît que t'es chaud ?

Ça les a fait pouffer en chœur. À part les filles de seconde, personne sait rire comme ça. Tina gardait sa main sur ses lèvres, l'autre rougissait en farfouillant dans la mallette :

– Nan, j'veux dire… elle est où, ta brûlure ?

– À la jambe.

J'ai lancé un coup d'œil à Katia qui avait fini de dérouler son bandage. Elle a secoué ses cheveux et s'est mise à les démêler avec ses doigts.

– Si c'est ça, a repris Tina, faut que tu te déshabilles.

– Au cou ! j'ai protesté. Au cou, j'veux dire ! Il est tout brûlé, y a plus du tout de peau dessus !

– Pareil, t'enlèves quand même ta chemise, sinon on peut rien faire.

J'ai tendu les bras vers le haut pour qu'elles puissent me retirer ma pancarte, et puis elles se sont mises à me tripoter. Tina déboutonnait ma chemise.

– Et Mark ? je leur ai fait. Il est passé où ?

– Autre tente.

En même temps que les seins de Tina me rentraient dans le menton, je pouvais voir le visage de Katia entre leurs bras. D'un coup, elle m'a regardé dans les yeux, mais en tournant vite la tête. La chemise me tirait sur l'oreille.

– Aïeuh !

– Arrête ton cinéma !

– Arrêtez de me toucher, aussi ! j'ai répliqué bien fort, histoire que Katia l'entende.

– T'aimerais bien, pas vrai ? a ricané Tina en pliant ma chemise, avant de la déposer près de moi sur la couchette.

– Tu sais, Daniel…

Katia s'approchait de moi. J'ai baissé le menton. Ouf, maillot propre.

– … aujourd'hui, pas de bêtises.

– Compris, maîtresse.

– Arrête ! elle a souri. T'as très bien compris. Si tu viens pas cet après-midi, tu vas vraiment finir par l'avoir, ton avertissement…

– Je me le prendrai même si j'viens.

– Ah la la, Dani…

Tina et sa copine étaient en train de m'enrouler un bandage autour du cou. La copine a sorti une petite boîte en plastique de sa mallette et me l'a tendue sous le nez :

– Tiens, c'est ça qu'on t'aurait mis. Si c'était pour de vrai, j'veux dire. Pour rafraîchir, et tout. Par contre, faut surtout pas gratter la plaie, sinon les germes ils vont rentrer et t'auras une infection.

– Pas de germes, moi ! C'est bon, enlevez-moi les bandes !

Katia a posé la main sur mon épaule découverte. Une main toute froide.

– Écoute, Dani. Cet après-midi, il faut vraiment que vous soyez là, toi et Mark.

Elle s'est rapprochée un peu plus pour coller sa bouche à mon oreille :

– Je sais que vous aviez prévu de retourner au ciné. Mais il faut vraiment que tu viennes. Fais-le pour moi.

– Ouh les amoureux ! C'est quoi, ces messes basses ?

La copine de Tina battait des mains, leur fou rire repartait. Katia s'est reculée, deux petits froncements au-dessus du nez :

– Gardez vos remarques pour vous ! Sinon, je dis à Herr Detleff le bazar que vous mettez.

Elles ont continué à me tripoter le cou, mais ça les avait refroidies.

– Petite garce ! a susurré Tina.

Le temps qu'elle fixe une épingle de sûreté à mon bandage, ses seins me sont encore rentrés dans le menton. Mais Katia était sur le point de sortir.

– Katia, attends !

Et j'ai bondi pour la rejoindre en écartant les mains et les seins. Elle s'est arrêtée net, sans se retourner. Collé derrière elle, je lui ai chuchoté dans les cheveux :

– Tu sais, je vais venir cet aprèm. Sûr !

La gaze de mon bandage lui effleurait l'épaule.

– Promis ?

– Je te le promets.

– Parole de pionnier, Dani.

Elle s'est retournée pour me regarder dans les yeux.

– Parole de pionnier.

Et puis elle m'a lancé un dernier sourire en écartant la toile. J'aurais bien voulu croiser les doigts derrière mon dos : ce matin, sur le chemin du bahut, j'avais promis à Mark qu'on irait au cinoche. Mais pas moyen. Même si au Palace ils projetaient *Old Surehand, Main Infaillible*. Avec Mark, on l'avait vu trois fois, mais j'aurais pu y retourner encore et encore, rien que pour la scène du début avec le hold-up du train, quand Main Infaillible pulvérise la mèche au dernier moment en une seule cartouche. Sauf que là, même ça, ça comptait plus.

Des voix et des piétinements devant la tente. La toile s'est soulevée pour laisser entrer deux filles qui transportaient un CM2. Il ricanait en clignant de l'œil sur sa civière, et sa pancarte disait : «Trouvé sous les décombres». Ils l'ont hissé sur une couchette pendant que je restais là, à me frictionner les épaules, bras croisés sur mon maillot.

– Mais qu'est-ce que tu fiches encore ici, toi ? Tu vois bien qu'on a pas que ça à faire !

Tina venait de sortir un tube en caoutchouc relié à une sorte de masque.

– Et ma chemise ?

– Reprends-la. Allez !

Elle m'a dégagé du revers de la main en me montrant une chaise pliante. J'ai déroulé mon bandage par-dessus le siège.

– Trouvé sous les décombres ! criait une fille derrière. Déjà un bout de temps qu'il respire plus !

Le temps de rentrer ma chemise et je filais dehors. Malgré le soleil, ça soufflait pas mal. Je suis parti entre les tentes à la recherche de Mark. Un peu plus loin, Frau Seidel devant l'entrée d'une tente. J'ai voulu rebrousser chemin, mais j'étais déjà repéré.

– Daniel !

Fallait bien s'arrêter.

– Daniel !

Au bruit de ses pas, j'ai fini par me retourner. Elle avait son gros pantalon gris, plus une veste militaire à épaulettes laissée ouverte exprès, pour qu'ils puissent tous voir sa chemise bleue. Et elle me regardait par-dessus ses lunettes.

– As-tu terminé ton exercice, Daniel ?

– Oui, Frau Seidel.

– Bien, elle a acquiescé en rajustant sa monture qui lui glissait au bout du nez. Dans ce cas, va te présenter sous la tente du conseil de groupe. Tu as jusqu'à treize heures, il n'est pas encore trop tard. Coup d'œil sur sa montre, nouveau hochement de tête. Elle allait repartir, et puis, finalement :

– Encore une chose, Daniel. Cet après-midi, je tiens à ce que tu portes ton foulard...

– D'accord, Frau Seidel, je lui ai fait en palpant mon col. Bien sûr.

– Très bien, Daniel.

Nouveau hochement de tête, et elle a fini par s'éloigner vers la tente. Les jambes de son pantalon étaient trop larges, ça battait au vent.

– Daniel! elle s'est écriée en recommençant à me faire signe. Viens avec moi!

J'ai obéi en traînant les pieds.

– Attends-moi là.

Derrière l'entrebâillement de la toile, des chaises, certaines occupées par des profs. De la pointe du pied, j'ai dessiné une arme dans les graviers du terrain de sport. Je l'ai récupérée par terre, j'ai épaulé, mais comme c'était une mitrailleuse, pas besoin de viser un point précis. J'ai juste eu à diriger le canon vers la tente en appuyant sur la gâchette. Que dalle. Oublié de retirer le cran. Ensuite, j'ai vidé tout le chargeur à travers la toile. Les douilles me sifflaient aux oreilles. Frau Seidel est ressortie en me tendant une veste militaire. Elle avait deux trous à l'épaule.

– Tiens, Daniel. Mets ça, tu vas attraper froid. Mais où est passée ta veste? Je vous avais pourtant dit tout à l'heure qu'il faisait frisquet!

– Ben...

– Et n'oublie pas de la rapporter avant de rentrer chez toi.

Elle a fait demi-tour en rajustant ses lunettes. Sous la tente, quelqu'un se marrait.

La veste était carrément trop grande, elle me retombait plus bas que le genou. Et d'un coup, une main sur mon épaule, toute légère :

– Non mais regarde-toi! a rigolé Katia. Elle est beaucoup trop grande.

– Ben et alors? Normal, c'est la taille pour les soldats!

– Écoute, Dani, il faut que je te dise. Toi et les garçons, vous devez rapporter les civières. T'as pas le droit de t'en aller avant treize heures.

Elle a retroussé sa manche pour regarder l'heure à son bras tout frêle.

– Mais non, m'man, je lui ai fait en passant un doigt sur le verre de sa jolie montre. J'vais pas rentrer tout de suite.

– Alors, Katia ! Tu viens ?

Une autre fille du conseil agitait le bras entre les tentes, mais Katia m'avait pris la main et tirait gentiment dessus.

– Et au fait, Dani, trouve Mark. Qu'il participe, lui aussi. On m'a dit qu'il avait encore disparu. Il faut que vous alliez ensemble à la tente des profs, la 2. Aujourd'hui, tout doit être parfait, tu sais bien.

– À vos ordres.

Elle a souri en faisant signe à l'autre de l'attendre, avant de se tourner une dernière fois vers moi :

– Souviens-toi de ta promesse !

J'ai hoché la tête, boutonné ma veste jusqu'au cou, et je suis reparti lentement entre les tentes. Un groupe de CM2 défilait pas loin, tous en cadence. J'ai préféré leur tourner le dos, les mains dans les poches, et je me suis rapproché du mur pour aller m'asseoir sur le petit banc. Des élèves s'étaient mis en rang à l'autre bout du terrain de sport, d'ici, je voyais leurs uniformes verts. Ils ont commencé à lancer des trucs, des petites balles rouges. C'était des fausses grenades d'exercice. Un jour, j'en avais trouvé une et je l'avais ramenée chez moi pour peindre le métal cannelé avec de la laque noire, même qu'après on aurait dit une vraie. Et là, un peu plus loin, le blouson jaune de Mark. Il traversait la cour en longeant l'annexe, direction la grande porte. J'aurais pu me lever et lui faire signe, mais j'ai préféré le scruter dans mon coin. Il se baissait pour ramasser quelque chose, peut-être un caillou ou un pfennig. On devait se retrouver au Bateau Pirate à trois heures un quart, ça aussi, on se l'était dit ce matin. Mais il a disparu de l'autre côté de la grande porte.

Des gars de 6e C passaient face à mon banc. Derrière eux, le petit Walter, face écarlate, veste débraillée, traînant une civière vide. Il a fini par me remarquer, m'a fait un petit signe du menton avant de s'approcher et de se planter devant moi :

– 'lut, Dani. Ça va ?

– Peut aller. Tu l'as eue où, ta civière ?

– Ils les ont mises devant la tente du conseil de groupe. Faut toutes qu'on les ramène. On doit les ranger dans l'annexe. À la cave, tu sais.

– Affirmatif.

– Ça serait mieux que tu participes, Dani. Tu sais, pour le conseil...

– Je sais, ouais.

Je me suis levé en prenant tout le temps de m'étirer et de lisser les plis de ma veste.

– Besoin d'un coup de main ?

– Nan, Dani. Merci, mais je préfère pas. Je vais y arriver tout seul. J'ai pas envie de faire tièp, tu vois...

– Je vois, ouais.

Et je me suis remis en marche vers la tente du conseil pour aller récupérer une civière.

– Je t'attends là, il m'a lancé derrière. Comme ça, on pourra y aller ensemble.

– Ça roule.

Quelques profs étaient rassemblés en cercle autour du tas de civières. Les yeux baissés, je me suis faufilé entre eux, mais au moment où je m'accroupissais pour empoigner celle du dessus :

– Eh bien ! Toujours prêts à servir, nos petits pionniers !

Une paire de jambes. Deux pompes en cuir. Deux plis de fute sous mes yeux. J'ai levé la tête, les doigts serrés autour du manche. Le dirlo a eu un éclat de rire. À côté de lui, un type en uniforme qui ressemblait un peu au père de Rico, son père aussi avait été officier, sauf que le type avait plus de décorations sur la poitrine et qu'il était déjà assez vieux. Y en avait une avec un poing qui brandissait un flambeau, il avait dû la chourer sur la veste de Herr Singer. Sauf qu'après, j'ai vu Singer planté à côté des deux types, et sa décoration était bien là, au milieu de toutes les autres. J'ai extirpé une civière déjà enroulée pour me la caler sous le bras.

– Mes félicitations, jeune homme ! m'a fait l'uniforme. Un jour, tu feras un bon soldat, n'est-ce pas ?

Il m'a flatté l'épaule en souriant, bouche fermée.

– C'est notre petit Daniel, lui a fait le dirlo, sur quoi Herr Singer a hoché la tête, une, deux, trois fois. Daniel a participé au concours des jeunes talents. Récité des poèmes. Mention très bien. C'était l'année dernière, pas vrai ?

– Si.

Mon pied dessinait un cercle dans les graviers.

– Bravo, Daniel, a repris l'uniforme. Rester actif. Toujours s'impliquer activement dans la collectivité. Ne jamais démordre, toujours en avant avec le collectif ! Mais dis-moi, c'est une jolie veste que tu as là.

Il m'a flatté l'épaule en souriant, bouche fermée, pendant que le dirlo et Herr Singer acquiesçaient.

– C'est vrai, Daniel, a fait Herr Singer de sa grosse voix. Le camarade Colonel t'apprendra beaucoup de choses.

– Ne jamais démordre, m'a fait le Colonel en retirant sa paluche épaisse et lourde. Tiens, tiens, mais voilà déjà tes camarades.

– D'accord, je lui ai fait. Merci.

Et j'ai pris mes distances. Les 6ᵉ C sont passés en marchant super vite, presque au pas de course. Dans mon dos, la grosse voix de Singer :

– Nos petits pionniers.

Je suis reparti entre les tentes. Revenu près du mur, j'ai contemplé les immeubles gris de l'autre côté. Une femme aux longs cheveux blancs se penchait à sa fenêtre. Elle battait un oreiller, on aurait dit que c'était pour me faire signe.

Pendant ce temps, Walter était resté tout seul près du terrain de sport. Il s'appuyait sur les deux manches en fer de sa civière enroulée, un peu comme sur une double lance, la soulevait légèrement avant de la laisser retomber en faisant éclater de petits nuages de poussière.

– Dis donc, Dani. C'est pas trop tôt.

– Sympa d'avoir attendu.

– Normal.

On est repartis vers l'annexe. Walter avait calé sa civière sur son épaule, il avançait complètement de traviole.

– T'as vu ça ? il m'a fait. Comme les ouvriers.

– Yep. La classe.

On a pris l'escalier de la cave, les tubes à néon clignotaient déjà devant nous. Du fond du corridor, le concierge a ordonné :

– Gauche. Foutez dans le réduit.

Mais d'un seul coup, au moment où Walter faisait basculer la civière par-dessus son épaule, ça a pété. Sentant une pluie d'éclats de verre nous tomber sur la tête, j'ai rentré les épaules :

– Et merde !

Il avait niqué un tube. Du coup, le concierge nous courait dessus.

– Pétard à vos derches ! il a gueulé en gesticulant des deux mains juste devant notre poire. Nan-mé ! Pé-pé, pétard à vos derches !

Toujours ce truc qu'il nous sortait en cas de problème, ensuite ses bras faisaient de grands gestes et sa face devenait toute rouge. Mais je savais qu'il allait se calmer illico. Pas méchant, le concierge, juste un peu maboul. Tout le monde pouvait le piffrer. Quelqu'un m'avait raconté que des années avant, il s'était cassé la gueule du premier étage en voulant nettoyer un carreau. En plein sur le caillou. Depuis, il était un peu maboul et il bégayait, mais pas beaucoup, juste quand il était excité. J'avais aussi entendu dire qu'avant, c'était un vrai beau gosse et que les femmes profs venaient l'embrasser en cachette pendant la récré. À tous les coups, ils le faisaient même dans la cave. Maintenant il avait un nez de boxeur et un menton complètement de traviole.

– Pé-pé... nan-mé, nan-mé..., pétard à vos dé-dé, à vos derches... Bon allez, c'est rien, j'en refoutrai n'neuve à la place.

J'ai ébouriffé mes cheveux pour sortir le verre. Walter s'était accroupi et alignait les éclats sur sa paume.

– Désolé, m'sieur Nossif, il a fait au concierge.

– Mais arrête, a, arrête bonhomme, vas t'sai, t'saigner la peau avec ces saloperies d'popov. Là, là-derrière, prends le balai ! Pas avec les pa, paluches !

– D'acc, m'sieur Nossif.

Walter s'est éloigné vers le coin aux balais. J'en ai profité pour caler sa civière sous mon bras.

– Chier, bonhomme, file voir cette saloperie d'popov !

Monsieur Nossif m'a arraché la civière et l'a traînée derrière lui pour aller la ranger dans le réduit aux mille balles blanches. Après l'avoir projetée sans faire gaffe, il s'est arrêté sur le pas de la porte :

– Tu veux pas regarder là-n'dans ? Chais bien que vous aimez ça !

Il m'a laissé passer avec un sourire, et au moment où j'ai avancé la tête, sa main s'est posée en douce sur mon épaule. J'ai écarté les filets aux ballons de foot qui pendaient du plafond pour aller ranger ma civière à côté des autres, bien comme il fallait. Derrière, le concierge s'est mis à chuchoter :

– Hé, gamin ! Y a des balles de ping-pong, là, au fond, einsse-einsse-un seau à ras ! Des chouettes balles, mon bonhomme ! Remplis un peu tes poches, va. T'aimes bien jouer à ça, je le sais. Cinq étoiles, mon bonhomme, quatre ou cinq étoiles, toutes !

J'entendais Walter qui balayait ses éclats.

– … allez hop, bonhomme ! Magne, magne, les autres ils vont se ramener. Faut-faut-faut pas qu'personne y voie, bonhomme. Moi j'ai rien vu, bonhomme ! Cinq étoiles !

Sa figure était tout près de la mienne et elle me faisait un sourire tordu. Longeant les étagères, les cordes, les javelots et les grenades rouges, je suis allé m'accroupir devant le seau pour fourrer plusieurs poignées de petites balles blanches dans les poches de ma veste kaki.

– … balles de compète ! soupirait le concierge derrière. Cinq étoiles… Avec ça, tu peux y aller fort. Envoie la purée !

– Merci, m'sieur le concierge.

Je savais qu'il était content quand on l'appelait monsieur le concierge, d'ailleurs, il a souri en grattant son menton de traviole.

– C'est rien. Sinon ça va moisir là-n'dans. Là-n'dans c'est tout pourri.

Des pas résonnaient dans le corridor. La voix de Walter, d'autres voix aussi. Je suis repassé devant le concierge.

– 'tends, bonhomme ! 'tends un peu voir…

Mais j'ai pas eu le temps, les gars de 6e C encerclaient déjà Walter et se poilaient, leurs civières à la main :

– Alors, demi-portion ? T'as encore chié dans la colle !

Walter avait arrêté de nettoyer, il s'appuyait à son balai.

– C'est ça, ouais ! il leur a fait. Feriez mieux de la fermer, bande de nazes !

Il détestait qu'on l'appelle demi-portion, ça lui foutait vraiment les glandes, même s'il fallait avouer qu'il avait quasiment plus poussé depuis le CE1.

– Passe le balai, demi-portion ! Allez, balaye, et oublie pas les coins !

– Casse-toi, tu pues !

Il a plaqué ses deux mains contre la poitrine du plus grand. Lui, c'était Friedrich, meilleur pote de Maïk la baraque, et même s'il était pas aussi grand que Maïk, ça en imposait. D'ailleurs, il a pas bougé d'un poil quand Walter l'a poussé, il s'est contenté de baisser les yeux sur lui, et j'ai vu ses joues et sa bouche qui ruminaient. Le mollard est sorti tout doucement, une araignée au bout de son fil, avant de venir s'écraser sur les cheveux de Walter.

– Espèce de sale porc! Gros porc! a crié Walter en s'élançant pleine tête dans la poitrine de Friedrich qui est allé valdinguer contre le mur. Les autres ont reculé de quelques pas, laissant tomber leurs civières. « Vas-y, Frédé! Nique-le!»

Je me suis frayé un chemin entre eux. Thomas me barrait la route, lui aussi un 6e C, mais je l'ai aidé à se ranger grâce à un bon coup de coude dans l'épaule. Friedrich avait le poing brandi juste au-dessus du nez de Walter. Même avec ses poings de géant, ça restait un lâche qui s'en prenait qu'aux petits. Petit, je l'étais un peu plus que lui, n'empêche qu'une fois je lui avais foutu sa raclée. Mais ça avait pris le temps et c'était pas de la tarte. Ce jour-là, Rico était sur le côté à me crier ses consignes pendant qu'on se mettait sur la gueule. Aujourd'hui, c'était *moi* qui me retrouvais à côté de Walter et de Friedrich, mais même avec mes consignes, Walter n'aurait pas fait le poids, franchement trop petit. Friedrich l'avait chopé à la gorge, il avait plus qu'à lui en coller une, et c'était bon. J'ai refermé mes doigts autour de son poing :

– Lâche-le.

– Qu'est-ce tu t'mêles, toi?

– Lâche!

Il a lâché, et Walter s'est adossé au mur en pliant la nuque. Sorti de nulle part, le concierge nous a séparés en un clin d'œil.

– Nan mais ça va pas bien, ça va pas bien les gars! Pas d'ba-ba, ston! Et virez-moi ces saloperies d'popov! il a conclu en filant un coup de pied dans les civières.

– C'est la petite chouineuse qu'a commencé!

– Veux, veux pas le savoir. Virez-moi cette sa-sa, saloperie de popov et rentrez chez vos mères.

Friedrich et les autres ont porté leurs civières jusqu'au réduit aux mille balles blanches. Le concierge ronchonnait sur leurs talons :

– Scrogneugneu, foutoir dans ma cave.

J'ai voulu poser la main sur l'épaule de Walter, mais il l'a retirée en s'essuyant la figure avec sa manche.

– J'voulais pas chialer, Dani.

– T'as même pas chialé.

Tout le monde est repassé devant nous, sauf le concierge qui tripotait son trousseau au fond du corridor.

– Tu perds rien pour attendre! a fait Friedrich en frôlant Walter, poing levé.

J'ai couru lui barrer le passage dans l'escalier.

– Écoute-moi bien, je lui ai soufflé dans l'oreille, une main plaquée sur son bras. À partir d'aujourd'hui, tu vas lui foutre la paix. On s'est compris ?

Mais il s'est faufilé sur le côté en évitant mes yeux et il a continué dos aux marches, histoire de me regarder bien en face. Il s'est arrêté juste avant la porte :

– Tu crois que tu me fais flipper ? Ton pote Rico, et ben il est plus là, et si Maïk, si Maïk il a envie...

Je suis venu me poster sur la marche d'en dessous :

– Rico, y a des week-ends où il rentre. Maïk il sait très bien... et puis, à ta place, je me la fermerais pour ce qu'y a eu dans le parc, avec le foulard. Rico, il s'entraîne tous les jours... là-haut.

– C'est ce qu'on verra, Dani !

– Je te règle ton compte à moi tout seul, vieux nazebroque !

Il a envoyé voler la porte, et Walter est venu toquer contre mon épaule, le visage encore tout rouge.

– Chuis désolé, Dani.

– C'est rien, j'ai fait en lui passant un mouchoir. Allez, on rentre.

On a retraversé la cour vers le grand bâtiment. Friedrich était déjà dehors, Walter avait le sourire aux lèvres en le voyant s'éloigner, peut-être parce que l'autre avait l'air minus quand il a disparu au coin.

– Tu montes avec moi, rapidos ? J'ai oublié de reprendre mon blouson.

– Ça marche, Dani.

À l'intérieur, plus aucun bruit. Jusqu'au troisième, pas de blessés non plus. Mais Frau Seidel nous attendait en haut des marches, un gros thermos argenté à la main.

– Ah, Daniel. Ça tombe bien, tu vas pouvoir me rendre ta veste. Il faut justement que je retourne au terrain de sport.

– Mais... je peux aller la rendre tout seul...

– Allons, Daniel, donne-moi cette veste. Puisque je retourne à la tente. Et le Colonel qui attend son café.

Elle rajustait ses lunettes en souriant, l'autre paume tendue vers moi.

– ... mais... je peux le faire tout seul, Frau Seidel.

– La veste, Daniel ! Je n'ai pas le temps pour tes enfantillages !

J'ai fini par l'enlever en rechignant. Au moment de la poser sur son bras, j'ai senti les balles de ping-pong qui gigotaient comme des petites bêtes à l'intérieur des poches.

– Tout de même, Daniel, le dos est plein de poussière. Tu aurais pu la secouer !

Elle tapotait les traces blanches en me fixant toujours par-dessus ses lunettes.

– C'était dans la cave… avec les civières…

Elle a laissé son thermos sur la marche pour donner de grandes claques au tissu kaki. Les grosses poches latérales étaient sans fermeture. Et c'est là qu'elles sont sorties. Elles ont jailli en rebondissant, ping sur une marche, pong sur l'autre, me sont passées sous le nez, Frau Seidel a lâché la veste en poussant un cri très court et très aigu pendant que Walter se penchait pour les choper au vol, mais il a rien pu faire, décidément trop petit. Elles continuaient à dévaler l'escalier, alors il s'est posé sur une marche, le visage tout pâlot.

– Où as-tu trouvé ces balles, Daniel ? D'où viennent ces balles ?

– Je… les balles, c'est…

– C'est moi, a coupé Walter en se redressant. Z'étaient dans la cave, à côté des civières…

– Rien ne sert de mentir, Walter.

– Mais je mens pas, Frau Seidel. Elles étaient là, entre les civières. Alors moi, je me suis dit…

– Toutes ces balles de tennis de table, Walter ! Demain, je serai obligée…

– Je me suis dit, ils en ont plus besoin…

– S'il te plaît, Walter ! Ne m'interromps pas ! Je vais être obligée de parler de cette affaire à ta professeure principale, peut-être même au directeur. Et aussi à tes parents, bien entendu. C'est un larcin de matériel appartenant au collège, Walter, et donc à la collectivité. Quant à toi, Daniel, elle a fait me toisant par-dessus ses lunettes, pourquoi te laisses-tu entraîner dans ces histoires ? Tu le sais, nous allons bientôt décider si l'avertissement du conseil doit être prononcé à ton encontre. (Là, elle a repris son souffle.) Vous me décevez vraiment, tous les deux.

– Mais, Frau Seidel, elles sont… c'était pour le club de ping-pong…

– Je t'en prie, Walter, n'aggrave pas ton cas ! Allons, rassemblez les balles et allez les ranger dans mon tiroir. Dépêchez-vous avant que quelqu'un n'arrive. Vous savez bien que nous avons de la visite, aujourd'hui !

Elle a soulevé la veste pour vérifier les poches, mais plus rien.

– Cet après-midi, elle a conclu tout doucement, j'attends de vous que vous participiez en faisant preuve de discipline. Et que vous rachetiez vos erreurs.

La veste pliée sur le bras, elle a ramassé son thermos en nous regardant sans dire un mot, jusqu'à ce qu'on baisse les yeux. Et puis elle est descendue en secouant la tête, bien concentrée pour pas écraser les balles. Je fixais les pointes de ses chaussures qui en effleuraient une ou deux. Walter aussi plissait les yeux, je le voyais ; on va devoir lui passer une pancarte autour du cou, Tina et sa copine viendront la récupérer sur leur civière, et faudra leur prêter mainforte car Frau Seidel pèse son poids. Mais finalement tout ce qu'on a entendu, c'était l'écho de ses pas. Et nous, on était toujours plantés sur notre marche. Par la fenêtre, on l'a vue se grouiller dans la cour pour rejoindre le terrain de sport. Le thermos renvoyait des éclats de soleil qui faisaient plisser les yeux. Après, on s'est attaqués aux balles. Certaines avaient dégringolé jusqu'au premier, il a fallu faire des allers-retours jusqu'à ce qu'on en trouve plus aucune.

– J'en ai neuf, a annoncé Walter. Toi ?

J'en avais onze. J'ai dit huit, alors il m'a fait un grand sourire et on est montés quatre à quatre jusqu'à la salle de cours. Il a ouvert le tiroir du bureau de la prof pour y déposer ses balles pendant que je décrochais mon blouson du portemanteau. Puis j'ai abandonné les miennes, mais en en gardant deux.

– Tiens, prends celle-là. On pourra se faire des matchs.

– Merci, Dani, mais ch'préfère pas.

– Vas-y, fous-en une dans ta poche. Elles sont top, cinq étoiles.

Il a préféré reculer, en jetant quand même quelques coups d'œil autour de lui.

– C'est sympa, Dani, mais en plus chuis pas très fort au ping-pong.

– Si tu le dis.

Je les ai fourrées dans ma poche de fute, et on est redescendus. Tout en bas, il en restait une, juste avant l'escalier de la cave. Quand je lui ai marché dessus, elle a éclaté sans faire de bruit. Je l'ai poussée du pied pour qu'elle dégringole les marches, et elle est venue s'immobiliser devant la porte de la cave, tout aplatie, en se convulsant encore un peu. Walter me tenait la porte. Rendus dans la cour, on a longé le grand bâtiment jusqu'à la rue.

Devant la poste, sur l'autre trottoir, je lui ai fait :
– Au fait, Walter. Pour le Bateau Pirate... t'en es ?

Il est resté sans bouger, tout raide contre la boîte aux lettres, et m'a regardé avec ses grands yeux :
– Pour de vrai ? Au Bateau Pirate ? Mais attends... mais la manœuvre, Dani...
– C'est bon, y a le temps. Avant, j'veux dire. Trois quarts d'heure, ça va le faire.
– Mais attends... mais Mark il veut pas que je me ramène là-haut. Tu sais bien, à tous les coups il va gueuler.
– Si t'es avec moi, y a pas d'blème. T'as juste à me rejoindre avant. Je croyais que t'avais toujours voulu...
– Vrai, Dani. Toujours. Merci beaucoup.

Sa main n'arrêtait pas de sautiller sur la boîte aux lettres.
– Je peux vraiment venir, t'es sûr ?
– Ben ouais. Si ch'te le dis.

On est repartis sans se presser jusqu'au pont et on a fait une pause au niveau de la Colline d'argent. D'ici, on voyait les rails. Une loco diesel s'était arrêtée le long du quai de l'usine à jouets, avec ses quatre wagons de marchandises. Les gars déchargeaient des caisses, ça s'activait dans tous les sens.
– Dis donc, Dani, tu crois que ça leur arrive d'embarquer des trucs ? Pour leurs gosses, j'veux dire.
– Chais pas. Ça s'peut.
– Dis donc, et c'est vrai, pour Henry ? Les petites voitures que sa mère elle vous a...
– Qui c'est qui t'a dit ?
– Ben, je l'ai entendu, quoi.
– T'entends trop de trucs.
– Désolé.
– Pas besoin d'être désolé.

Appuyé à la rambarde, il dessinait des petites maisons dans la poussière.
– À tous les coups, doit y avoir plein de trucs dans les caisses. Des petites voitures, des tampons, et tout. Qu'est-ce tu préfères le plus, Dani ? Les chevaliers ou les soldats ?

– Les Indiens. J'en ai des tonnes.

– Pas con, les Indiens. C'est vrai que c'est plutôt chouette.

– T'as les jetons ?

– Un peu. Tu crois qu'on va vraiment avoir des ennuis ?

– Ch'crois pas, Walter. Te prends pas le chou. S'ils demandent au concierge, il trouvera bien un truc.

On s'est remis en marche. Sa rue partait à droite.

– Bon, on se retrouve dans une heure. Devant chez moi.

Je lui ai tendu la main. Il l'a serrée un long moment avant de tourner les talons.

– Nan mais ça craint, mon gars ! Qu'est-ci fout là, lui !

Mark était appuyé au mât, une main dans la poche, l'autre en train de frapper l'air.

– Eh, calme-toi ! Même Rico il aurait pas été contre, et tu le sais très bien !

– Rico, Rico ! Il est pas là... tu sais bien qu'il est... La prochaine fois, tu vas te ramener avec toute la classe, et y aura encore du grabuge !

Walter avait arrêté de se tripoter la jambe pour venir se cacher derrière mon dos :

– Eh ben moi... si j'aurais su, je serais pas venu. C'est bon, je préfère encore m'en aller.

– C'est mort, tu restes ici ! Reste là, ch'te dis ! j'ai crié en l'attirant à moi. Au moins, ça fait qu'on est trois ! Paul, il peut pas toujours venir, et Rico... rien que deux fois par mois, et des fois pas du tout... Ça craint, quand même !

– Ah ouais ? Eh ben vas-y, dis ça à Rico. Tu verras bien !

– Franchement, Mark, ferme-la ! Ferme-la, parle pas de Rico !

Là-dessus, j'ai envoyé un coup de pied dans le bordage et je suis monté au gaillard d'avant, mais en faisant exprès de le frôler. Perché là-haut, j'ai planté mes yeux dans les siens. Il a continué à gueuler :

– C'est toi qu'as commencé, aussi ! J'en ai rien à battre, moi !

À son tour, il s'est précipité vers la proue et il a disparu sous le pont, à travers l'écoutille. Avant de le suivre, j'ai tourné les épaules vers Walter, toujours adossé au mât, à regarder ses pieds.

– Bon, tu te dépêches ?

Il a plongé ses mains dans ses poches et m'a suivi à contrecœur. Au moment où on a pris la petite échelle, sa chaussure s'est écrasée sur ma main, mais j'ai pas moufté. La lumière passait mal à travers l'écoutille. Mark avait allumé les trois bougies. Il nous tournait le dos, assis sur sa caisse qu'il avait ramenée de la décharge. Walter zyeutait dans tous les sens, incapable de se décoller des barreaux.

– La vache.

– Ouaip, je lui ai fait. Y a pire, hein ?

– Et vous avez construit ça tout seuls ?

– Euh, y avait quand même pas mal de trucs. Mais pour le mât, ç'a été super chaud.

Il est allé voir le pied du mât, en fait c'était une énorme barre en métal rouillé qu'on avait enfoncée assez profond dans la terre pour pas qu'elle s'effondre, avec juste un petit bout qui dépassait à travers le pont, mais à peine plus haut que Rico. C'était lui qui nous avait trouvé le drapeau, il l'avait attaché à une latte de palissade qu'il avait fixée au mât avec de la ficelle, histoire qu'il soit encore un poil plus long. Le drapeau était orné d'une tête de mort dessinée par Rico lui-même. Donc, impossible de lui dire qu'elle ressemblait à rien. « Chiredé un bout de drap, vous captez, la nuit, vous captez. Là-haut. Toute façon les portes elles sont fermées, du coup, pas moyen de se tailler. Mais moi, toujours mon posca à portée de main. » Comme il avait rien eu d'autre qu'un posca rouge à portée de main, on aurait dit que la tête piquait un fard. Walter avait arrêté de tapoter le mât, maintenant, il l'empoignait à deux mains.

– Comment ça devait être lourd !

– Il m'est tombé sur le panard, a fait Mark sans se retourner. Tout ça parce que t'as pas fait gaffe, Dani.

– Pfff, l'autre. Tu sais très bien que c'est faux ! C'est toi, aussi, t'as rien dans les bras !

Walter fixait Mark en essuyant la rouille qui lui tachait les mains.

– Si t'es tout cracra en rentrant, c'est maman qui va crier !

– Même pas, a répondu Walter tout doucement. C'est pour les oursons. J'ai pas envie de les salir, c'est tout.

Il a sorti un petit sachet de son cartable et l'a déchiré avant de le tendre à Mark, qui lui a arraché des mains :

– Des oursons ! il s'est exlamé en commençant à farfouiller. Des vrais Haribo ! Où tu les as chopés ?

– C'est ma mère, a fait Walter, elle les prend à la gare. Intershop.

La mère de Walter était secrétaire d'église à Stötteritz, plus au nord, et ça arrivait qu'elle récupère des marks de l'Ouest. Il me l'avait raconté à moi, mais il le disait quasiment à personne, vu qu'au collège tout le monde se moquait de lui à cause de l'église. Il s'est assis sur la caisse à côté de Mark et je me suis rapproché pour prendre une poignée d'oursons. Mais vu que Mark s'empiffrait comme un goret, le sachet était déjà presque vide. En plus, les petits ours collaient entre eux, et quelque chose a crissé sous mes dents.

– Trop bons, les oursons ! j'ai quand même lancé à Walter.

Ça l'a fait sourire.

– Dis donc, il a repris en toquant au mur en bois, c'était quoi, avant ? Comment vous avez fait ?

– Un camion, a marmonné Mark la bouche pleine. Avant, c'était une remorque de cametard. L'ont foutue là. Maintenant, c'est à nous.

Il a encore plongé la main dans le sachet avant d'aller dégager les planches posées contre le mur, pour montrer l'une des grosses roues. Walter s'est accroupi devant et l'a boxée gentiment.

– Ouah, y a encore plein d'air !

– Ben ouais. Ici, tout est nickel. Même que si on veut, on peut accrocher la remorque à une bagnole, et hop, c'est parti. À la mer. La Baltique. Pas vrai, Dani ?

– Carrément. Quand on veut.

J'ai grimpé sur la poupe, histoire de vérifier les bâtiments et la cour à travers le hublot. Ensuite, le hublot d'en face, contrôle des rails. Personne à l'horizon.

– Au fait, Mark. Pour le cinoche, cet aprèm (mine de rien, je plissais les yeux vers la porte grillagée qui donnait sur les rails), hein, pour le cinoche…

– C'est râpé, Dani. J'avais pigé.

– Ouaip. C'est mort pour aujourd'hui.

De l'autre côté des rails, une deuxième porte grillagée. La cour de la halle marchande était juste derrière. Parfois, les trains de marchandises revenaient avec de la farine, de la bière et du chocolat…

– T'as décidé de faire la manœuvre, finalement ?

– Ouais. Obligé.

– Mais on avait dit qu'on y allait, Dani. Main Infaillible.

Je me suis retourné en le sentant s'approcher.

– Désolé, Mark, j'y peux rien.

– T'aurais pu me le dire avant. Au bahut. J'ai même pas mis mon uniforme, moi.

Il a commencer à tirer sur mon col de chemise pour m'arranger le foulard, en disant :

– Tu sais, j'ai compris dès que je t'ai vu arriver.

Il était très calme, c'était pas du tout pour m'engueuler. J'ai détourné les yeux vers Walter qui s'était assis devant une bougie et fixait la flamme.

– Je t'en veux pas, a continué Mark... enfin, peut-être un peu, quoi.

Et puis il est allé ouvrir la caisse pour sortir un sac à provisions vert. Il l'a posé à côté de lui et il a enlevé son pull, avant de déballer sa chemise blanche de pionnier, prenant tout son temps pour la déboutonner.

– Viens là, Walter. Tu me fais le nœud ? Toi, ch'te demande même pas, Dani. Même pas foutu de faire le tien.

Il souriait en fermant les derniers boutons. Walter lui a passé le foulard rouge autour du cou et s'est coltiné le nœud.

– J'ai aussi pris mon fute, a fait Mark en poussant le sac du pied. J'ai pris tout sauf le képi. Ça, pas besoin.

J'ai écrasé le mien dans la poche de ma veste. À la fin, il a lissé sa chemise et il a ajouté :

– Enfin bon, si t'es sûr de pas vouloir... C'est toi qui vois, hein. Heureusement que j'avais pris l'uniforme. Et puis tu sais, je t'ai vu, tout à l'heure. Avec Katia.

– Katia.

– Ouais, Katia. C'est pour ça, je m'étais dit...

Il a posé son fute sur la caisse et il a sorti le pantalon bleu avec les plis de repassage, son pantalon de pionnier.

– ... même que j'avais fait un pari... Je m'étais parié que tu viendrais quand même au cinoche. Le Palace, Dani.

Les genoux fléchis, il a tiré sur son fute pour le détendre un peu, et puis il a fourré ses affaires dans le sac avant de tout remettre dans le coffre.

– Eh ben... pari perdu !

Pour finir, il a calé deux briques sur le couvercle.

– Moi, a fait Walter en soufflant sa bougie, y a des fois, j'vous comprends pas. C'est pas si naze que ça. La manœuvre des pionniers, j'veux dire.

– À une époque, Rico aussi il aimait bien, j'ai murmuré en mouillant le pouce et l'index pour pincer la deuxième flamme. Il faisait presque noir. On est retournés vers l'écoutille, avec la dernière bougie qui brûlait juste à côté.

– Ouais, m'a répondu Mark. Mais ça, c'était avant. Déjà un bon bout de temps.

J'ai acquiescé. Walter continuait :

– Mais regarde, les fusils électriques. C'est quand même pas si nul.

– Les vrais, ils sont beaucoup plus classe. Ceux à air comprimé. On était pile sous l'écoutille. Mark a soufflé la dernière bougie.

– Mais regarde, répétait Walter, les mines ! Toutes les mines… Et en plus, t'en as de toutes les couleurs…

– Écoute-moi bien, a fait Mark en lui plantant l'index dans la poitrine. Si t'as envie de revenir, tu fermes ton claque-merde.

Walter a hoché la tête, et on a suivi Mark en haut de la petite échelle. Une fois sur le pont, on a remis les planches par-dessus l'écoutille, plus quelques pierres pour bloquer, et puis on a abandonné le navire.

Cessez-le-feu. La lampe verte du stand des fusils électriques clignotait encore. Mon dernier essai : en plein dans le mille. En tout, six sur dix, vraiment pas mal. Dans la salle n° 2, là où s'entraînait la Jeunesse libre, plus de détonations non plus. On a laissé nos armes sur la table.

– T'as vu ça, Dani ? J'ai tiré comme un pro, a rigolé Mark pendant qu'on ressortait dans la cour, en se donnant une grande claque sur la poitrine. Presque comme Main Infaillible ! Tu peux courir pour battre mon neuf sur dix !

« Mets-le toi où ch'pense, ton neuf sur dix, j'avais envie de lui dire. Pareil pour ton Main Infaillible ! », sauf que derrière, ça poussait et ça ruait, on se prenait les pieds dans la cohue, tout le monde essayait de trouver son groupe, les pionniers, la Jeunesse libre et les profs. Frau Seidel était là, Katia aussi, ma cheftaine. Ils nous ont répartis par ordre de taille, du coup, j'ai dû me mettre au tout dernier rang. Mark s'est retrouvé deux rangs devant. Tournant les yeux vers la petite tribune, j'ai vu Herr Dettleff, chef des pionniers, puis le dirlo, puis Herr Singer, c'était lui qui venait d'encadrer les exercices aux stands de tir, puis Mikloš Maray, chef du Conseil de l'Amitié², son père était hongrois, et puis le Colonel qui venait de se poster à côté d'eux avec ses épaulette qui avaient l'air énormes. Une marche militaire a retenti à travers les deux haut-parleurs placés devant la tribune, Frau Seidel s'est retournée, un doigt sur les lèvres. La musique a diminué, des couinements et des sifflements sont sortis des haut-parleurs en nous pétant les oreilles, c'était Herr Dettleff qui bidouillait derrière son pied de micro. « Gauche... gauche ! » Un ou deux cons sont partis dans le mauvais sens, comme d'hab. « Regard droit devant vous ! En avant, marche ! Et en cadence ! » La musique a repris, et on s'est mis en marche. On défilait en carré autour de la tribune, pendant que trois types du Conseil de l'Amitié hissaient leurs trois drapeaux au ralenti. Je me suis retourné sur un gars qui me piétinait les talons. Les 6ᵉ défilaient carrément trop vite, sans garder la distance réglementaire. Après avoir défilé un tour complet, on a fait une pause.

« Droite... droite ! Regard droit devant vous ! Avancez ! » Les couinements, encore. « Pionniers ! Je vous adresse le salut des Jeunes Pionniers et des Pionniers d'Ernst Thälmann. Pour la Paix et le Socialisme : Tenez-vous prêts ! »

« Toujours prêts ! » on a tous crié en repliant le bras droit et en tendant la main juste au-dessus de la tête, le tranchant vers l'avant. C'était le salut des pionniers.

« Jeunesse libre ! Je vous adresse le salut de la Jeunesse libre d'Allemagne : Amitié ! » Et les camarades de la Jeunesse libre ont répété : « Amitié ! » Devant moi, quelques glands ont aussi répété ! « Amitié ! » alors qu'ils étaient pas censés, ce qui les a fait marrer. C'était toujours pareil. « Mes chers Jeunes Pionniers, mes chers Pionniers d'Ernst Thälmann, mes chers Camarades de la Jeunesse libre. Je vous souhaite la bienvenue à notre Manœuvre placée sous le signe de "L'Engagement pour la Paix". De tout cœur, j'espère qu'elle portera ses fruits ! »

On traversait le parc de Stünz. C'était le plus grand de la banlieue est de Leipzig, plus grand encore que le *nôtre*, celui où je retrouvais toujours Mark et où j'avais toujours retrouvé Rico. Le seul à être encore plus grand, c'était le parc de la Paix. On marchait par groupes de trois, vingt et un élèves plus Frau Seidel. Le reste était de l'autre côté, au bord de l'étang, avec la prof de sciences nat. Mark avançait contre moi, Stefan le croqueur un bout derrière. Lui, il pouvait me piffrer, mais il avait du mal avec Mark. On avançait en éclaireurs, à cause de Mark et sa super bonne vue. C'était Herr Singer qui l'avait dit à Frau Seidel après le rassemblement, même qu'il l'avait complimenté pour ses résultats au tir. « Quant à Daniel, lui aussi, il s'est distingué au stand de tir. Son excellent résultat a fait honneur au collectif. S'il souhaite avancer, et je crois qu'il le souhaite, qu'il compte apprendre de ses erreurs, ma foi, il se trouve sur la bonne voie. » Je voyais pas de quelles erreurs il parlait, et pour la bonne voie, elle me disait rien non plus.

– J'en ai une ! a braillé Stefan derrière nous. Je crois bien que j'en ai une !

On a tourné sur nos talons pour courir vers lui.

– Portenawak ! a rigolé Mark. C'est juste une vieille boîte à grolles ! T'es bigleux ?

Sur quoi il a envoyé un bon coup de pied dedans, et elle est restée accrochée dans les fourrés.

– Ouvre un peu les yeux, mon gars ! il a ajouté.

– T'occupes, toi ! lui a fait Stefan avant de repartir en poussant une petite branche du pied.

– Sois pas vache, j'ai soufflé à Mark.

– Ben voyons, Dani. Et la prochaine fois, tu l'incrustes aussi au Bateau Pirate, c'est ça ?

– Arrête un peu, y a pas d'embrouille avec Stefan. Il a déjà assez d'ennuis comme ça. Avec Maïk, et tout.

– Ce gros con de Maïk. Là, tu marques un point.

Il avait beau jeter des regards peureux autour de lui, aucune raison de flipper. Maïk était malade, ça faisait quatre jours qu'il restait cloué au lit, plutôt mal en point. À cause de son père. C'était Katia qui m'avait dit, elle était allée le voir en tant que responsable du collectif de classe. Mais d'un seul coup, Marc a crié :

– Bouge pas, Dani. Les gars, personne ne bouge ! J'en ai trouvé une ! J'ai une saloperie de mine, même qu'y en a une autre tout près ! J'hallucine !

Il s'était accroupi devant un buisson. Avec la plus grande prudence, il a extirpé une boîte en carton camouflée par des branches et des feuilles. Quelques mètres plus loin, sous un arbre, Stefan s'était rué sur la deuxième. C'était toujours pareil, dès que t'avais une boîte, l'autre était jamais loin, ils pensaient qu'on ferait pas gaffe tellement on était contents d'avoir déniché la première. Je me suis accroupi près de Mark pour lui tenir le carton pendant qu'il s'appliquait à ouvrir le couvercle.

– Déconne pas, Dani. Ça peut péter!

À l'intérieur, un ballon de baudruche rouge. Les pointes des aiguilles plantées à travers les parois de la boîte le touchaient presque. Mark a posé ses dix doigts sur le ballon et l'a soulevé tout en douceur. Frau Seidel se tenait debout juste à côté, avec ses chaussures pointues.

– Tout doux, murmurait Mark, tout doux. Tu m'échapperas pas. Ça se marrait derrière nous, Frau Seidel a fait «chuchut». Et soudain, c'était bon. Mark l'avait extraite, déminage réussi. Il a gloussé en brandissant la mine à bout de bras au-dessus de sa tête.

– Beau travail, a fait Frau Seidel.

On est allés voir la deuxième, Stefan était toujours à tripoter la boîte. Manches retroussées et joues cramoisies, il fixait les nuages tout en palpant le ballon. Deux trois nanas s'étaient assises pas loin pour ramasser des châtaignes.

– Fais pas le con! a chuchoté Mark en baissant les yeux vers lui. Stefan l'avait extrait. Il était long et vert, avec le petit bout du haut qui rebiquait.

– Regarde-moi ce pauvre ballon en forme de zguègue, a ricané Mark en douce.

– Très bien, a fait Frau Seidel. Ça nous vaudra des points à la fin de l'exercice.

Quand Stefan a glissé le ballon sous sa veste, la bosse continuait à remuer comme un chiot. Deux filles sont venues ramasser les boîtes vides criblées d'aiguilles, on les emportait toujours car les pionniers se devaient de protéger l'environnement.

– Faites bien attention à ne pas vous blesser, a fait Frau Seidel. Plus loin, une détonation entre les fourrés. On a regardé nos ballons aussi sec, mais rien, Mark et Stefan les tenaient. On s'était encore mis par groupes de trois, tout le monde était là sauf Walter, et il m'a pas fallu deux secondes pour faire le lien.

– Walter il est plus là, a rapporté une fille, plantée devant Frau Seidel.

Je les ai laissées derrière en filant vers les fourrés.

– Daniel! Non mais, on ne s'en va pas comme…

Mais je voyais déjà sa veste pétante à travers les branchages. Il était là, assis par terre devant une boîte à mine, avec un machin bleu entre les mains. Je me suis accroupi tout près. Ballon foutu, c'était mort.

– Allez viens, c'est pas grave. On s'en tape.

– Je vais le regonfler, il a murmuré en tirant dessus. Je le répare. Regarde, Dani, le trou il est ici, faut juste un peu… En haut, là, le bidule où on met l'air, tu vois ? Je refais le nœud avec. Hein, Dani ?

Il continuait à le triturer en me regardant avec de très grands yeux.

– Allez, stop. Ça sert à rien, j'ai fait en lui arrachant le ballon ratatiné pour le projeter dans les fourrés. Arrête tes conneries, et mets-toi debout !

Il a quand même ramassé ce qu'il restait de la boîte.

– Complètement chtarbé, s'est écrié Mark qui arrivait derrière.

– Toi, ta gueule ! j'ai répliqué par dessus mon épaule.

Les autres espionnaient entre les feuilles. Frau Seidel est venue vers notre petit groupe et s'est campée face à Walter :

– Tu ne peux pas t'éloigner du groupe, Walter, comme ça, sans prévenir.

– Excusez-moi, M'dame, il a fait en lui tendant la boîte. Il m'a explosé entre les mains. J'avais presque réussi à le sortir, et là, ben, il m'a pété…

– C'est pour cette raison que nous sommes un groupe. Un collectif, Walter…

Elle s'est interrompue en nous toisant par-dessus ses lunettes, Mark et moi. On s'est magnés de rejoindre les autres et on s'est assis dans les broussailles. Toujours plantée devant Walter, Frau Seidel faisait des gestes avec les mains, comme la prof de musique quand on chantait. Ils ont fini par revenir, Walter juste derrière elle, les débris de la boîte serrés contre sa poitrine. Quand j'ai voulu lui mettre la main sur l'épaule, il m'est juste passé devant sans lever la tête.

On s'est encore répartis en groupe de trois pour reprendre l'expédition. On apercevait déjà le remblai du chemin de fer et l'entrée du tunnel qui passait sous les rails, avec le petit ruisseau en parallèle. Personne connaissait son nom. Il venait de Stünz, le lotissement des jardins ouvriers. Là-haut, beaucoup de jardinets étaient en friche à cause de l'eau qui schlinguait à mort. On s'est engouffrés sous le pont en retenant notre souffle. Il était assez long, y avait quand même trois voies au-dessus. L'une partait vers le dépôt des locomotives de Leipzig-Ost.

– Sale merdier, a soufflé Mark près de moi.

«Chuchut!» Frau Seidel avançait quelques mètres derrière, au milieu du groupe, histoire de tenir tout le monde à l'œil.

– Attaque au gaz! a soufflé Mark en me lançant son sourire débile.

«Attaque au gaz», ça a chuchoté derrière. «Chuchut!» Mais c'était pas le gaz, toujours Frau Seidel qui veillait de près à ce qu'on fasse notre devoir. On avait pénétré en territoire ennemi, interdiction de parler. Le ruisseau schlingue, attaque au gaz, tous les ans c'était pareil, et personne aurait pu dire quand ça avait commencé. Un train est passé au-dessus de nous en grondant, le tunnel a craqué comme s'il allait s'effondrer, les filles se sont mises à piailler, «chuchut!». Au même moment, un platch dans le ruisseau, alors que l'eau noire était toute calme depuis le début. Quelqu'un m'avait raconté que des rats habitaient sous le tunnel, des rats d'eau. Mais on était déjà à l'air libre.

Un peu plus loin, ils avaient installé une tente verte et des tables pleines de gobelets sur le petit pré. Quelqu'un a gueulé : «Popote roulante!» Et j'ai aperçu le canon à goulasch, posté juste derrière la tente. Tout autour, des types la Jeunesse libre distribuaient les assiettes. On a accéléré le mouvement, toujours par groupes de trois.

– Minute! a crié Frau Seidel, il faut aller au bout du dernier exercice!

Elle gesticulait vers un groupe de pionniers qui essayaient de projeter des medecine-balls dans des cerceaux jaunes posés par terre. Sauf qu'ils mettaient presque tout dehors, les medecine-balls étaient trop lourds, ils décollaient à peine et finissaient leur course à côté des cerceaux. Impossible de pas me marrer, trop drôle, comme tableau ; ils étaient là, à se tordre et à se plier en quatre au moment du lancer.

– D'abord, l'exercice! protestait toujours Frau Seidel en battant des bras. Notre dernier exercice!

Mais c'était peine perdue, on détalait tous ensemble vers le canon à goulasch, la tente et les boissons. Mark filait devant moi, presque au pas de course. Il avait lâché son ballon. J'ai lancé un dernier regard en arrière. Il a rebondi dans l'herbe, vers le ruisseau, avant de disparaître entre les fourrés.

AU PALACE

Mark avait disparu. Il s'était barré de sa cure et il avait disparu, simplement disparu. Si ça se trouve, on était un peu responsables : on avait pas été le voir, alors qu'on savait à quel point ça aurait compté pour lui. Rico, surtout. On avait demandé partout, mais dans le quartier personne ne savait rien, personne savait s'il était toujours dans les parages ou pas déjà barré à Berlin, étant donné que là-bas il trouvait sa came à tous les coins de rue, et Berlin, c'était pas un bled. Déjà plus d'une semaine que Mark était parti, alors on avait commencé à éplucher les rapports de police et les avis de décès qui sortaient tous les jours ou presque dans le journal, et c'est là que Thilo-l'Arsouille est venu me voir pour me dire qu'il savait quelque chose, qu'il avait entendu un truc, et Thilo-l'Arsouille, il entendait plein de trucs, car il se trimballait souvent dans la rue, à tiser.

– Dani, il m'a fait. Dani, ch'sais un truc. Dani, j'ai entendu un truc.

– Vas-y, dis.

– Rapport à Mark.

– Vas-y, dis.

Mais il s'est mis à bouger les lèvres et à toussoter en se frictionnant la gorge. Je suis descendu avec lui à l'épicerie pour choper des bières et cinq mignonnettes de Couronne d'or[3], après quoi on s'est posés sur le rebord du trottoir, et on a bu.

– Vas-y, je lui ai fait, dis.

Sauf qu'il était toujours pas prêt, il avait encore le goulot greffé aux lèvres, et ça a bu et bu, jusqu'à la dernière goutte. Ensuite, il a inspiré un grand coup en se frappant la poitrine :

– Merci, Dani, mais t'étais pas obligé… Je t'aurais dit quand même. Bref, pour Mark… Le vieux cinoche derrière le Bosquet de l'Est, tu connais, hein.

– Le Palace.

– Le Palace. Ça a cramé. Quelques années de ça.

– Je sais.

– Eh ben, à ce qu'il paraît que là-haut… y a quelqu'un qui l'aurait vu. Dans le cinoche.

– *Qui ? Qui* c'est qui l'a vu ?

Je lui ai passé une mignonnette et il se l'est calée entre les dents, renversant la tête jusqu'à la dernière goutte.

– Un collègue, Dani. Juste un collègue.

Après, je lui ai fait glisser le sac entre mes pieds. Tintement de bouteilles. Il s'est décapsulé une bière avec son trousseau. Masse de clés dessus, pourtant il avait même pas son appartement à lui, il squattait chez un autre pochetron pas loin de la station Esso. Un mec que je connaissais pas et que j'avais pas envie de connaître.

– 'tait Stefan, il m'a fait. Euh, Pitbull.

– C'est lui qui t'a dit ?

Je lui ai tendu une autre mignonnette, ça y était, il commençait à prendre son temps, les mains devenaient paisibles.

– Nan, Dani, nan. Pas dit. Je l'ai vu, moi. Au cinoche, avec Mark.

– Ça s'peut pas.

J'ai fait un nœud au sac et je me suis levé. Encore la veille, avec Pitbull, on était chez moi à se creuser la tête pour retrouver Mark. C'est vrai que Pitbull était devenu un sale dealer, au quartier tout le monde savait, mais bon, c'était notre pote, notre frère, au quartier, tout le monde savait aussi.

– Nan, Dani, en vrai, y avait pas Pitbull. Chais pas pourquoi j'ai sorti ça. C'est moi ! C'est moi que je l'ai vu !

Les doigts crispés sur ma jambe, il parlait de plus en plus fort, pas loin de gueuler, alors j'ai préféré me rasseoir et reposer les bouteilles entre nous.

– Dani. Le truc, sur Pitbull… Pitbull, et ben il…

– Sa race Pitbull. Alors, pour Mark ?

– Lui, il s'est terré. Il s'est terré là-haut. Faut que tu me croyes, Dani. Il est là-haut !

– Depuis quand ?

J'ai sorti une autre mignonnette de mon blouson. Mais c'est moi qui l'ai bue, et en une gorgée.

– Depuis… depuis… chais pas, Dani. Moi, c'est y a deux jours, je l'ai vu.

– Et c'est maintenant que tu viens me trouver ?

Je me suis fait la troisième et j'ai posé la quatrième en équilibre sur mon genou. La dernière.

– Chuis désolé, Dani, chuis désolé. J'ai zappé… j'ai pas pensé. Ch'té con, Dani.

Il s'est tapé le front, sa bouteille de bière s'est mise à trembloter, à valser, résultat son bras était plein de mousse.

– Je fais comment pour entrer ?

– Par-derrière. Faut traverser la cour, t'as un tas de poubelles collé au mur. Après, tu vois une fenêtre avec des planches. Tu les jartes, t'y vas.

– Merci, Thilo.

J'ai rempoché la mignonnette, repêché le sac, et j'ai pris mes jambes direction les rails. Plus que quelques heures avant la tombée de la nuit. Arrivé au coin, je me suis retourné une dernière fois. Thilo n'avait pas bougé. Il était posé sur le rebord du trottoir, les bras autour des genoux, à balancer le buste d'avant en arrière.

– Thilo !

Je l'ai vu pivoter lentement en agitant la main. Encore quatre bières dans le sac. Je lui en ai laissé deux sur le toit d'une vieille Wartburg, plus la petite fiole de Couronne, et j'ai continué vers le Bosquet de l'Est.

Debout au milieu de la route, les yeux sur la façade du vieux cinoche. Le Palace, il était en bordure de la ville, cent mètres et quelques après le panneau de sortie. C'était un petit cinéma, et même au temps de la zone, en général il restait quasi vide, aussi pour ça que le proprio y avait foutu le feu trois ans après la chute, à en croire les gens du quartier. Mais l'assurance se foutait de ce que disait le quartier. Elle a casqué, et le type est parti. Au fond, c'était bien possible qu'il y ait juste eu un accident, un court-circuit ou autre chose dans le genre, parce que l'été d'après la chute, leur programme de films de cul, c'était la grande classe. La moitié du quartier défilait pour venir voir *Josefine Mutzenbacher*, *Histoire d'O*, *Votre plaisir mesdames* ou encore *Rapports intimes au collège de jeunes filles*, sachant que dans la zone, tout ça, on connaissait pas. Et le proprio du Palace a vraiment ramassé gros.

J'ai levé les yeux vers les lettres de l'enseigne lumineuse, sous le toit. Les fois où on arrivait pour la séance du soir, elles brillaient.

Rouges. «Pa ace», vu que le «l» avait rendu l'âme bien avant la chute. Un peu au-dessus, deux lucarnes aux vitres pétées, et tout autour, le mur noirci. J'ai avancé le long du petit chemin jusqu'à l'entrée. Des planches condamnaient la grande porte marron à deux battants. Sur chaque battant, ils avaient foutu un panneau «Accès interdit. Les parents sont responsables de leurs enfants», comme si le vieux ciné en ruines et à moitié cramé était encore plus alléchant qu'à l'époque où le projectionniste ou le caissier faisaient la tournée des terrains de jeu du Bosquet de l'Est, pour rameuter un peu plus de marmaille aux après-midi ciné. Fallait dire qu'à part Mark et moi, seuls deux ou trois gosses d'alcoolos se ramenaient, et puis, le film pouvait démarrer qu'à partir de dix spectateurs. Y avait des consignes, tout le monde s'y tenait. Je me suis rapproché du panneau d'affichage. Le programme et les posters étaient encore collés derrière la vitre, ou ce qu'il en restait : des éclats de verre éparpillés à l'intérieur. Pareil pour les posters, c'était plus qu'un lambeau : «film pour», et un «a» coupé en deux.

J'ai fait le tour vers la cour de derrière. Les immeubles d'à côté étaient aussi délabrés que le cinoche, plus personne voulait habiter dans cette banlieue, trop loin au sud-est, et les gens du quartier disaient pour de rire que d'ici quelques années, le Bosquet de l'Est s'étendrait sûrement jusqu'au panneau de sortie. J'ai repéré le tas que Thilo-l'Arsouille avait dit, des briques, du bois cramé et des vieux meubles. Juste au-dessus, la fenêtre avec les planches. J'ai galéré pour escalader le monticule, obligé de me retenir aux bouts de bois tellement je dérapais. Mais du coup, bon investissement, les bières et les mignonnettes. J'ai viré les planches, certaines seulement appuyées à la fenêtre. Dedans, l'obscurité. Je restais là, silencieux, l'oreille tendue. Que dalle, alors je me suis hissé sur le rebord de la fenêtre pour me glisser par l'ouverture. Quand j'ai senti les éclats de verre crisser sous mes semelles, j'ai sorti mon zippo de mission, l'Authentique Briquet-Tempête. J'étais dans une pièce vide, sauf pour les affiches aux murs. J'ai repéré une autre fenêtre sans vitres dans le mur d'en face, et à côté, une porte. Donc, j'avais atterri dans le bureau du caissier, et ça sentait encore un peu le cramé. À l'époque, les flammes étaient parties de la cabine de projection, à l'étage du dessus. Avant qu'ils aient pu les éteindre, elles avaient tout dévoré jusque dans la grande salle. Cette nuit-là, avec Mark et Rico, on buvait dans le Bosquet de l'Est. Au moment où on a entendu les pompiers, et puis, la seconde d'après, aperçu la lueur des flammes qui montait au-dessus des arbres, on a couru. «Notre cinoche! répétait Mark en boucle, notre bon vieux cinoche!» Et voilà qu'il était revenu. Une fois les planches replacées tant bien que mal devant la lucarne, j'ai avancé le long du mur, zippo en main. *La longue chevauchée du chemin de l école. Deux super flics. Old Surehand, Main Infaillible.* Un temps devant celle-là. Il manquait la partie du dessous, quelqu'un avait voulu arracher l'affiche, mais c'était trop bien collé. J'ai caressé le papier déchiré avant de continuer vers la porte. Elle s'est ouverte sur le hall d'entrée. Face au petit comptoir, j'ai baissé les épaules : «Deux billets enfants, siouplaît.» J'ai coupé le briquet qui commençait à me brûler la main, fourré les deux bières dans mon blouson, une par poche, pour pouvoir abandonner le sac dans le noir. Bras tendus, j'ai traversé le hall jusqu'à me heurter à du bois. La porte de la grande salle? Au moment où je tâtonnais pour trouver la poignée, ça s'est ouvert tout seul dans un grincement. Nouvelle halte pour guetter. Que dalle. Alors, tout bas, je l'ai appelé : «Mark.» Et puis un peu plus fort : «Mark! C'est moi! Oh, c'est Daniel!» Un craquement, ça? «Mark! C'est moi, vieux, c'est Daniel!» Mais pas un bruit. Ça faisait peut-être un bon moment qu'il s'était tiré, peut-être qu'il était reparti en vadrouille... J'ai rallumé le briquet pour m'éclairer le long des marches qui menaient aux sièges. Rangées du fond, cramées, idem pour les murs, tout roussis. J'ai reconnu l'écran au-dessus de la petite scène, en lambeaux, et sans son rideau. En tendant le briquet à travers la porte des chiottes qui bâillait, j'ai distingué un lavabo en mille morceaux par terre. J'ai fini par grimper sur la petite scène pour scruter la salle. Le zippo recommençait déjà à chauffer, obligé de le laisser à mes pieds. Et soudain, juste devant l'écran, un truc. J'ai soufflé : «Mark.» Il était couché là, immobile, comme de rien. Peut-être qu'il pionçait et qu'il rêvait un peu, peut-être qu'il s'était flingué. J'ai plié les genoux pour étendre une main sur son visage. Tu gèles. Personne dans le sac de couchage, ni sous la couverture. Je les ai rabattus au pied de l'écran. Y avait aussi un sachet, mais pas envie de savoir ce qu'il promenait dedans. «Sale con! T'es où?» La flamme s'était éteinte toute seule, je cherchais le briquet à l'aveuglette. Tu brûles. J'ai sauté de la scène vers la première rangée et j'ai déplié un siège en bois. Je me suis assis et ma main s'est levée. Elle se découpait à travers le scintillement du faisceau coloré, toute noire, pile sur la tronche de Main

Infaillible au moment où il épaule son fusil, vise, et pulvérise la mèche fumante du bâton de dynamite en une seule cartouche, à la dernière seconde. «Non mais oh! Ça va, dis, on t'gêne pas?» Derrière, ça râlait dans le rang des mômes. Assis à côté de moi, Mark se bidonnait. «Sale con, t'es où?» Je me suis décapsulé une bière contre le rebord du siège et j'ai allumé une cigarette. Première gorgée. J'ai tiré la deuxième bouteille de mon blouson pour la caler par terre avec l'autre, histoire d'être tranquille en m'enfonçant dans le siège. Elles ont tremblé en douceur quand j'ai allongé les jambes. Les buveurs étaient là. Installés quelque part au fond, ils se fendaient la gueule et faisaient du bruit avec leurs bouteilles, ils se foutaient pas mal de *Winnetou 3*. Ils fumaient des cigares à deux balles, Handelsgold, d'après l'odeur ignoble, et leur fumée arrivait par bouffées jusqu'à chez nous, les petits nuages qui flottaient devant l'écran, c'était la poudre des coups de feu, les bandits avaient encore une tonne de munitions sous la main. «Ils vont finir par tout faire cramer! a soufflé Mark à côté de moi. C'est interdit, merde!» Mais il y avait des chances que la consigne «Interdiction de fumer» passe après celle qui imposait le «Début de la projection à partir de dix spectateurs», et à mon avis, le projectionniste se frottait les mains d'avoir enfin déniché quelqu'un qui voulait bien voir *Winnetou 3*, parce qu'au début, y avait que Mark et moi, pas moyen de convaincre un seul gamin des terrains de jeu du Bosquet de l'Est. N'empêche qu'il aurait pu les faire rentrer pour vingt sous, sachant que la plupart connaissaient déjà le film, mais on se doutait que ça leur disait trop rien de revoir Winnetou passer l'arme à gauche à la fin. Quand Winnetou expirait dans les bras de son frère de sang, tout le monde chialait. Pour nous non plus, c'était pas la première, mais ça changeait rien, on était toujours obligés de chialer un peu, et quand le moment était venu, fallait se mordre la langue sans se croiser les yeux. Les buveurs s'étaient ramenés, mais à tous les coups, ils se foutaient royalement de savoir si Winnetou crevait, dehors c'était temps de pluie, et si le projectionniste n'était pas venu les chercher, ils auraient continué à moisir sur leurs bancs face à la halle marchande. Ils faisaient du bruit avec leurs bouteilles, se fendaient la gueule et empestaient jusqu'à nous. Mais quand le moment était venu, quand Winnetou clamsait à cause de cette crevure d'assassin qui avait quand même sacrément bien visé, quand Old Shatterhand, Main-qui-frappe, prenait Winnetou dans ses bras, Winnetou déjà allongé sur le brancard, quand le soleil se couchait à l'horizon, qu'un clairon sonnait l'adieu et que même Main-qui-frappe avait les larmes en repensant à toutes leurs belles heures, aux chevauchées avec son frère de sang, là, d'un seul coup, ils ne faisaient plus aucun bruit. «Il meurt, a soufflé un buveur juste avant de se mettre à cracher ses poumons comme s'il crevait aussi. Il s'en va.» Un autre a soupiré : «C'est son pote. Son meilleur pote, vrai de vrai.» Et Main-qui-frappe tenait la main de son frère serrée dans la sienne en contemplant le soleil couchant. Il a tourné le visage vers celui de son frère, et ses yeux ont brillé. Je me mordais la langue pendant que derrière les buveurs reniflaient en silence. «Un pote, un vrai, le meilleur de tous.» «Mon frère», a dit Winnetou dans un soupir, presque à bout de souffle. «Son frère, a murmuré l'un des buveurs. Même que c'est son frère», et ils ont toussé de plus belle, «son seul frère, le seul et l'unique», et à la fin, quand le cortège funèbre a disparu avec le soleil, ils n'ont plus dit un mot jusqu'à ce que la lumière, doucement, se rallume. Quand on s'est levés pour sortir, ils étaient toujours assis là, leurs visages rouges luisant un peu au-dessus de leurs barbes en broussaille, et ils regardaient par terre.

– Dani, a dit Mark.

– Mon frère.

Ça l'a fait rire. Je l'avais pas entendu se poser derrière. Je me suis retourné en voulant rallumer le feu, mais il m'a fait :

– Nan, Dani. Steupl. Coupe ça.

– Comment t'as su que c'était moi ?

– Je savais, c'est tout. Première rangée, Dani. Notre cinoche. Ça pouvait être qui d'autre ?

– Thilo-l'Arsouille.

– Qu'est-ce qu'il a ?

– Rien. Tu veux une bière ?

– Fais rouler le long du mur.

– Gauche ?

– Gauche.

J'ai couché la bouteille, lui ai filé une tape vers l'arrière, et je l'ai entendue remonter la pente en douceur. Des pas se sont approchés, éloignés, un siège a grincé quelque part derrière, le bouchon a sifflé, ça y était, il buvait.

– Ch'te remercie, Dani.

– T'étais passé où ?

– Prenais juste un peu l'air.

– Reviens. C'est mieux.

– Ch'peux pas.

– Essaye.

– Tu m'en veux ?

– Nan. Un peu, peut-être.

– Et pour le fric, Dani ?

– Tout va bien, Mark. T'inquiète, tout va bien.

– Non, il m'a fait. Tout va pas bien.

Et il avait pas tort, y avait rien qui allait.

– T'aurais pu me taxer, tu sais.

– Tu m'aurais prê…

– Non. Pas pour la chienne de came.

Il était passé à la maison quelques semaines avant sa cure. Il lui fallait sa came, et vite, ça se voyait direct. Mais moi, de la came, j'en avais pas, il le savait, et il savait aussi que je lui faisais confiance quand je suis sorti de ma chambre. Mais j'avais perdu la confiance, je l'ai fouillé et j'ai trouvé mes cinquante balles glissées dans sa pompe. Ça m'a démangé de le mettre K.-O. et de le traîner chez un toubib, pour qu'il puisse dire Non, une fois pour toutes. Mais j'ai pas pu le mettre K.-O., j'ai rien pu faire du tout pour lui. Je l'ai laissé s'en aller, simplement s'en aller.

– Chuis désolé, tu peux pas savoir. Merde…

– Non. C'était cette chienne de came. 'tait pas toi, Mark.

– Ouais. Cette chienne de came.

Plus un mot, je l'entendais respirer. Au moment où je m'en suis allumé une, son briquet a cliqueté aussi.

– Et notre zippo, tu l'as toujours ?

– Non. L'ai perdu, chais plus comment. Pas fait gaffe.

C'était net qu'il avait pas pu le perdre. Un super zippo comme ça, sûr qu'il l'avait revendu quelque part pour cinq dix balles.

– Tu t'en rappelles, Dani…

Ça lui disait rien de parler de son zippo, parce que c'était moi qui l'avais tapé sur le stand des Niaques[4] devant la halle pour lui offrir, même si à l'époque, au quartier, on disait tout le temps que les Niaques n'hésitaient pas à se servir de leurs épées de samouraï pour trancher les phalanges aux voleurs qui leur tombaient entre les pattes.

– Tu t'en rappelles, Dani…

– Quoi ?

– Les films. Les films de boules. Dernière rangée.

– 'videmment. Sûr que je m'en rappelle.

Ça faisait à peine quelques minutes que *Josefine Mutzenbacher* avait commencé, tout le monde était déjà là, et le caissier avait fini par nous laisser rentrer pour dix balles par tête alors qu'on avait même pas seize piges. Mais après la chute, les consignes, il s'en battait.

– Tu t'en rappelles. Tu te rappelles comment on était chauds.

– 'videmment. Enfin, surtout toi. T'avais une de ces triques. Même que t'as dû te foutre deux places plus loin.

Il s'est marré, s'est pris une autre gorgée et s'est encore marré.

– Tu t'es pignolé, Dani. Tu t'es branlé.

– Eh ouais, je lui ai fait, obligé de rire aussi. Et toi, alors. Toi, mon gars.

– Un peu, ouais !

Il riait de plus en plus fort, son rire retentissait dans la salle.

– … comment je l'ai arrosé !

– Qui, arrosé ?

– Le mec, là !

Il criait, j'entendais ses coups sur les sièges.

– … le mec de devant, Dani. J'ai déchargé sur son blouson, même pas il a capté !

Il riait et riait, il tapait, tapait sur les sièges que ça en résonnait dans tout le cinoche. Mais d'un seul coup, il s'est calmé. Je me suis penché pour soulever ma bière, je l'ai finie et j'ai lâché mon mégot dedans. Derrière moi, il a repris :

– C'était quand même bien, avant.

– C'est clair. Et maintenant ?

– Chais pas, Dani.

– Reviens, retente le coup. T'y arriveras.

– Possible.

– Comment il va ton bras ?

– Déjà mieux. Du coup, ch'tape dans la jambe.

Ça me démangeait de me lever pour aller le choper et lui cogner sa gueule, le tabasser bien comme il fallait et puis le traîner chez un toubib, un qui pourrait peut-être l'aider. Mais je suis resté assis, à fixer l'écran, et je m'en suis allumé une.

– Au fait, Dani…

– Ouais ?

– Ils vont comm…

– Rico, ça va. Il a encore fait de la merde, il repart bientôt. Mais sinon, super bien. Paul, il est OK. Et Pitbull… Pitbull, c'est un sale…

– Et toi, Dani ?

– Peut aller. Comme d'hab.

– Toi aussi, t'y retournes ?

– Pas tout de suite.

– C'est bien, Dani.

Il s'est mis à tousser et à renâcler dans mon dos, comme s'il avalait sa morve. Probable qu'il avait les boules de se shooter en ma présence, en plus il faisait beaucoup trop noir, et puis ça prenait pas deux secondes. Un jour où on était en bas à tiser dans la cave de Pitbull, j'avais trouvé une seringue sur lui. Je l'avais chopé à la gorge en immobilisant l'aiguille pile devant son œil, la pointe à un millimètre de la pupille. « Si je te prends en train de t'envoyer ça dans les veines, je te tue. » Mais je ne l'avais pas tué, je l'avais plus jamais touché, et parfois, je regrettais de ne pas avoir essayé, juste essayé, même si, au fond, ça n'aurait rien changé.

– Dis, Dani…

– Ouais ?

Maintenant, il parlait tout bas, je l'entendais plus qu'à peine. Y avait des pauses entre les mots, la came qui lui montait progressivement.

– … quand t'as plus été là, Dani, eh ben… eh ben, y avait personne pour moi. Personne qui m'a dit : le fais pas, Mark. Personne. Pourquoi tu t'es barré comme ça, Dani ?

– Me la joue pas comme ça.

Ça revenait tout le temps. Dès qu'il était en manque, il remettait la faute sur nous. Y avait-il un responsable ?

– … allez. Me la joue pas comme ça.

– Pourquoi vous êtes pas venus me voir, Dani ?

– Mark. Allez. Ça sert à quoi ? C'était toi. Toi et personne d'autre.

– Chuis tellement désolé, Dani. Je crains, ch'crains trop.

– Nan, tu crains pas. Tu te rappelles quand tu m'as appris à faire de la mob ?

Il chialait, et sûrement qu'il tremblait aussi, vu le couinement des sièges. J'étais à deux doigts de me lever et de partir, car tout ça ne menait à rien. Il bafouillait :

– Tu sais pas, Dani. Ils m'ont dit un truc comme quoi y a une pilule, eh ben, elle peut dire *Non*. Mais ils… ils m'ont menti, ces crevards. Ils ont menti.

– Tu te rappelles le hangar ? La misère qu'on leur a mis, aux keufs…

Mais il voulait pas en entendre parler. « Ch'crains trop, putain. Je crains, Dani », alors j'ai continué à raconter, à raconter la grande époque, l'histoire du petit Walter, de Fred, de l'Eastside, du rade de Goldie où on avait passé tellement de moments à boire ensemble, j'ai raconté l'histoire de la Prairie et de Goldie qui la haïssait, parce que, quand ça nous arrivait d'aller voir ailleurs, il restait à poireauter tout seul derrière son zinc, l'histoire de la Vioque et de l'apfelkorn[5] de la Vioque, « comment il brillait, de l'or, tu te rappelles », celle de Pitbull avec son chien, à l'époque où Pitbull c'était encore Stefan, mais pas de réponse, alors j'ai raconté, j'ai raconté l'histoire de Rico, le meilleur boxeur de Leipzig à l'époque, il dansait sur le ring, et sûrement qu'un de ces jours il va se remettre à danser, j'ai raconté l'histoire des gonzesses du quartier, elles qui nous attendaient toutes, qui n'attendaient que nous, raconté l'histoire de Chemie Leipzig, ils vont remonter, pas de doute, j'ai continué à raconter, à raconter jusqu'à tant que ma bouche soit toute sèche et que moi aussi je me mette à trembler et que je m'affaisse sur mon siège. Pas de réponse. J'ai tourné les yeux dans le noir, et puis, tout doucement : « Mark… Mark… » Mais pas de réponse. Alors, j'ai rallumé le briquet et je l'ai tendu vers lui. Il avait disparu. Et je m'en doutais, non, je le savais, je savais que j'allais plus le revoir.

LES RAYONS

Quand Mark m'a sorti le truc sur le micro-ondes de ses vieux en rentrant des cours, j'ai fait comme si je m'en foutais. Parce que nous, on en avait pas. C'était juste après la chute, et que ce soit dans notre classe ou dans le quartier, presque personne avait de micro-ondes.

– Boaf. J'vois pas ce qu'il a de spécial, ton machin.

– Mais Dani, tu m'écoutes ou quoi ? Ch'te dis, tu fous de la bouffe dedans, même de la soupe, si t'as envie. Après, t'attends deux minutes, et hop ! c'est déjà prêt.

– Pareil qu'un four tout bête, quoi.

– T'es con, pas comme un four. La soupe, elle va pas au four. C'est beaucoup plus petit, ce machin-là, et ça va carrément plus vite. Parce que ça marche avec les rayons !

– Radioactifs, ch'parie ?

– Pfff, nan mais voilà ! T'as les boules parce que vous en avez même pas !

Il me barrait la route.

– Les boules ? Dans tes rêves ! j'ai répliqué en l'écartant. En plus, ma mère elle va bientôt en acheter un. Grundig. C'est les mieux !

– N'importe quoi. C'est les Siemens, les mieux. Toute façon, c'est eux les plus chers !

– Ma calculette aussi, c'est une Siemens. Classes, leurs calculettes. Mais leurs micro-ondes…

En vrai, la calculette, je l'avais eue en cadeau sur le stand de Siemens la fois où j'avais été à l'Expo avec Rico, et elle avait presque aucun bouton. Même pas moyen de faire des soustractions. Mais j'ai préféré garder ça pour moi.

– Allez, viens à la maison. Que ch'te montre comment il est génial.

– Quoi, tout de suite ?

– Ben ouais.

– Et tes darons ?

– Ils sont au boulot, tu sais bien. Mais ch'te jure, pour le micro-ondes, t'as jamais vu un truc comme ça !

– Si, si. À l'Expo.

– C'est pas pareil.

– Et au fait, et les mags ? Il en a racheté, ton daron ?

– Ouais, trois autres. J'les prends quand j'veux.

– Et ta frangine ? Elle est là ?

– Pourquoi ? Encore envie d'aller voir ses petites culottes, hein ? Eh bah nan, elle est pas là.

– D'acc, j'ai fait en regardant ailleurs, fallait pas lui montrer que je rougissais à cause des culottes de sa sœur. Alors on y go. Mais que pour les mags. Je m'en fous, moi, de ton pauvre micro-ondes.

– Attends un peu avant de parler. Tu verras quand on mangera un truc, c'est vraiment autre chose. C'est les rayons, tu vois, ça passe carrément mieux à travers...

Il était déjà parti droit devant lui, sans s'arrêter de déblatérer. Je lui ai emboîté le pas.

L'extérieur du micro-ondes était tout blanc. Sur le devant, c'était écrit Siemens, et on pouvait regarder à travers la petite vitre teintée. Ça ressemblait à un mini-poste de télé. Ils l'avaient installé sur une table près du poêle, avec un petit vase de fleurs séchées au-dessus du boîtier.

– Je voyais ça beaucoup plus petit, moi.

– C'est vrai que ça fait un peu gros... Mais bon, faut bien que la bouffe elle rentre dedans. T'imagines, en plus petit... Faut quand même pouvoir foutre une pizza entière, ou un truc genre poulet.

J'ai tiré sur la petite porte.

– Force pas comme ça, toi ! Appuie là, t'as un bouton exprès.

Il a pressé le bouton carré, ça s'est ouvert d'un coup.

– Voilà. Sert à rien de forcer. Tu vas la péter, à la fin !

– Te pisse pas dessus, mon gars.

Dedans, une assiette ronde en verre. Mais quand j'ai voulu la faire tourner, elle m'est restée dans la main.

– Euh, ça s'est barré...

Il a éclaté de rire :

– Mais c'est rien, ça ! T'enlèves, et hop, tu remets. Je croyais que monsieur s'y connaissait ?

– Bien sûr que je m'y connais. Mais ils sont tous différents, t'as au moins mille marques.

– Peut-être, mais Siemens, c'est vraiment les mieux. Vise un peu ça !

Il m'a écarté pour avoir la place de refermer la petite porte et tourner le gros bouton rond avec les chiffres. La lumière est apparue et le micro-ondes s'est mis à bourdonner. Je sentais l'air sortir. Mark a encore tripoté le bouton, une cloche a fait ding, la porte s'est rouverte. Il a plaqué sa main sur le haut du boîtier :

– T'hallucines, hein ? Total automatique, tu peux tout régler. Quand c'est prêt, ça fait ding. Pour te prévenir, tu piges... Moyen de tout régler, même la porte.

– Et tes rayons ? Où ils sont, tes rayons ?

– Regarde. C'est par là que ça sort.

Il a glissé une main dedans. Des deux côtés de l'assiette, sur chaque paroi, une petite grille protégeait une lampe.

– Sérieux ? Tu veux dire que ça sort des ampoules ?

– Regarde bien.

Après avoir refermé la porte, il a encore appuyé sur les petits boutons, encore tourné celui avec les chiffres. Le micro-ondes s'est remis à vibrer, l'assiette tournait, la drôle de lumière était revenue. Cette fois, je l'ai regardée de plus près.

– Les rayons, ils sont dans la lumière.

J'avais le front à un millimètre du hublot.

– ... tu les vois pas, Dani. Ça passe à travers la bouffe et ça ressort de l'autre côté.

Il a tourné le minuteur, encore un ding, mais là, la porte est restée fermée.

– Vas-y, fous un truc !

– Nan, Dani, il m'a fait en ouvrant le frigo. Y a que dalle. Ma daronne elle a pas fait les courses. Mais attends voir, si on essayait avec un bout de pain ?

– Du pain ! T'as pas un vrai plat ?

– Arrête de pleurnicher. T'es quand même pas venu que pour grailler ? J'essaye juste de te montrer un peu comment ça marche !

Il a sorti une miche du garde-manger, coupé deux tranches sur la table de la cuisine et les a disposées sur l'assiette en verre. Réglage : trois minutes.

– Ça va être trop bien grillé. Super croustillant ! Mille fois mieux qu'au four.

On a tiré deux chaises pour pouvoir contempler les tranches qui tournaient sur leur assiette.

– J'vois que dalle, moi. On devrait quand même voir un truc, ils devraient bien se mettre à griller un peu, nan ?

– T'es pas foutu d'attendre une minute, Dani ?

– Bon, et les mags ? T'avais dit qu'on irait les voir.

– Ouais, ouais. Mais d'abord, mate un peu là-dedans !

– Ça craint. Ch'pensais qu'on allait bouffer une pizza.

– J'y peux rien. Ma daronne elle a pas fait les courses. Chais pas, elle avait dit qu'elle…

Ding ! Une seule fois, bien nette. Le plateau s'était arrêté en même temps que la lumière. Mais derrière la petite porte, les tranches avaient la même tête qu'avant. Mark en a pincé une entre ses deux doigts, mais en la laissant échapper direct.

– La vache ! C'est giga chaud !

Je l'ai repêchée en faisant bien gaffe :

– Tout ramollo. Et un peu mouillé. Grillé comme un toast, mais bien sûr !

Il a préféré retirer l'assiette avec un chiffon. Et puis, plantant un doigt dans la tranche d'à côté :

– J'en sais rien, Dani. C'est vrai que c'est un peu mou. J'ai dû me gourer dans les réglages. Parce que t'as vu : tu peux changer la puissance. J'ai dû mettre sur…

– Je croyais que c'était toi, le pro. Et tu me fais venir ici pour un bout de pain tout raplapla.

– C'est bon, ça va ! Je me suis trompé dans les réglages, c'est pas un crime. On l'a que depuis deux jours, c'est normal si j'connais pas tout.

– Bon, et les mags, alors ? je lui ai fait en goûtant un petit bout de pain. T'avais dit que tu me les montrais.

Mark s'est aussi détaché un morceau et l'a ruminé lentement :

– Bah alors, tu vois que c'était mangeable. Les rayons, ils rentrent dedans, mais grave… Allez, viens !

Je l'ai suivi jusqu'à la chambre des parents. Il est allé ouvrir une petite commode à côté du lit. À l'intérieur, une pile de journaux. Mais sans femmes à poil. C'était *La semaine foot*.

– Vise un peu, Dani ! Ils sont quand même pas mal, ceux-là.

Il en tiré un de la pile. En titre : «Le Dynamo de Berlin encore champion».

– 'culés de Berlinois. Tu crois que ça parle aussi de Chemie ?

Il m'a passé le mag, j'ai commencé à le feuilleter, mais pour le remettre illico sur le tas.

– Bon, on verra ça après. D'abord, les gonzesses.

– D'acc. Elles sont toutes cachées sous le foot.

Il a soulevé la pile des *Semaine foot*. Et elles étaient bien là : deux autres petites piles rangées l'une à côté de l'autre. Sur les deux premières couv, les nanas nous montraient déjà tout.

– Naaan. Comment elles sont canon.

– C'est celles du dessus les mieux. Et t'as aussi *Praliné*.

– *Praliné*. Pas dégueu.

On s'est installés sur le tapis, chacun avec sa pile. Le papier de la couverture était tout lisse et tout brillant. J'effleurais une paire de seins.

– C'est à partir de dix-huit ans. Mon père, il les achète au sex-shop de la rue des Moulins.

– Ch'connais.

Pour connaître, je connaissais. Avant, c'était un magasin de jouets. Le vendeur n'avait pas bougé, sauf qu'il faisait plus vraiment dans les mêmes joujoux, j'y allais souvent après les cours pour reluquer les vidéos et les mags en vitrine. Y avait aussi des soutifs, d'autres fringues transparentes et même des gonzesses à gonfler. Une fois, j'avais vu un fouet, mais il avait pas mis longtemps à disparaître, sûrement un pochetron du quartier qui l'avait choisi pour cogner sa femme. Elle avait peut-être fini par se barrer, et il s'était offert une gonzesse à gonfler.

– Mate un peu elle !

Il m'en a mis une autre sous le nez, sûrement une acrobate vu comment elle arrivait à écarter les jambes.

– Tu savais que c'était rose comme ça ? Dingue, nan ? Mate un peu steu chatte, mec ! Ah la la, c'est quand même beau !

– Ben ouais…

Mes doigts se crispaient sur le papier glacé.

– … évidemment que je le sais. Tu crois que c'est la première fois que je vois des mags ?

– Et les films, Dani ? Les vrais films de boules ?

– Tu crois quoi ? C'est mon rayon.

Des fois, le grand frère de Karsten se matait des pornos avec sa bande. Il connaissait un type qui bossait dans une vidéothèque, mais ils avaient jamais voulu me laisser voir avec eux. « Pas de ton âge. » Karsten m'avait même raconté qu'ils s'astiquaient devant et qu'ils s'en foutaient complètement que les autres regardent.

– Même que ça nique pour de vrai ? m'a encore demandé Mark.

– Carrément. Ça y va à fond.

On s'est rapprochés en continuant à tourner les pages.

– Regarde-moi ces méga nibards, la vache !

C'était ceux d'une blonde assise dans une sorte de pataugeoire avec un ballon rouge serré contre le bide.

– Nan, il m'a fait. Trop gros pour moi.

– De quoi, trop gros ?

– Ben… Je trouve pas ça très beau. Daniela, elle en a pas des aussi gros. Je t'ai déjà dit, je l'aime bien.

– Mais elle a quatorze ans.

– Ben et alors ? Comme moi.

Il en avait treize. J'ai feuilleté jusqu'au bout, et on a échangé.

– Mate un peu celle-là ! Elle s'enfonce la main presque en entier.

– J'ai déjà vu.

– Comment ça brille. Han.

On se lassait pas de tourner les pages. Il restait plein de *Praliné* et de *New Week-End* en bordel par terre, plus abordables que les vrais magazines de cul, seulement un mark cinquante, et même si leurs gonzesses nous en montraient moins, ça nous allait très bien comme ça. Cette fois, je me suis pris un *Praliné*.

– Franchement, a fait Mark, c'est pas mal. T'as aussi de bons articles, sur le cul et tout ça.

– Ouaip. En plus, eux, tu les as à partir de seize ans.

– Quoi, t'as essayé ?

– Ben ouais. À la papeterie de Rudi. Mais bon, il a pas voulu.

– Faut les chourer, Dani. T'en fous un sous ta chemise, tac !

– T'en as déjà piqué ?

Je l'ai toisé en lâchant mon *Praliné*.

– Ouais, il a fait. Une fois, chez Rudi. Il est vieux, tu sais, il capte rien.

– J'y crois pas. Pourquoi tu me l'as jamais montré, alors ? Il est rangé où ?

– Il… ça fait longtemps que je l'ai balancé. Euh… c'était tout arraché tellement que je l'avais lu.

Son sourire débile.

– Comment t'as fait, alors ? Pour le piquer, j'veux dire ? T'as pas flippé ?

– Nan, Dani, pourquoi j'flipperais. Suffit juste d'être rapide. Bon, un tout petit peu quoi. Mais comme tout le monde parle de ça, les mags de cul, ben, j'en voulais un aussi. Sauf que maintenant (il s'est marré en caressant le papier glacé), même plus besoin de chourer ! Ici, y a tout ce qui faut.

– Bon. Va falloir que je rentre, moi… Bientôt l'heure de dîner.

– 'tends, Dani ! T'en va pas déjà ! Tu peux manger un truc avec moi. On fout une pizza dans mon micro-ondes.

– T'en as même pas, de pizza.

– T'as encore le temps ?

– Ben…

– T'as du temps ?

– Ouais, un peu…

– Eh ben, voilà ! On bouge à la halle pour se choper une pidz.

– Mais t'as du blé ? J'ai plus qu'un mark et quelques, moi.

– Pas besoin, il m'a fait en rangeant les mags. Ta pièce elle suffira. T'es dans le coup ? Tu le fais avec moi, ou t'as les jetons ?

– Nan. J'ai pas peur. Tu le sais très bien. Évidemment que j'en suis.

– Trop classe.

En retournant vers la porte, il souriait. Et il avait toujours la gaule. Avant de le suivre dans le couloir, je me suis dépêché d'enfiler mon blouson : je triquais aussi, et ça voulait pas s'en aller.

– Ton cartable, Dani. Embarque.

– Pour quoi faire ?

– Tu verras bien. Et vire aussi quelques bouquins.

Alors, je l'ai embarqué. J'avais découpé les bretelles en cuir quelques jours avant, maintenant je le tenais comme une mallette d'homme d'affaires, vu que tout le monde faisait pareil dans la classe. J'ai laissé les bouquins près du téléphone, livre de bio et livre de maths, les plus épais. Là-dessus, on a pris l'escalier et on est passés par-derrière. La cour, notre raccourci. Direction la halle, près de l'arrêt de tram.

Face aux caddies, j'ai sorti ma pièce de un.

– Attends, Dani. Garde-la pour après.

Il a sorti une petite pièce en carton de sa poche et l'a glissée dans la fente.

– … j'ai trafiqué ça en cours de dessin. J'en ai même filé une autre à ma mère. Tu colles deux bouts de carton ensemble, sinon c'est pas assez épais.

J'ai lâché mon cartable dans le caddie. C'était Mark qui poussait.

– Et c'est parti. On commence par se choper une limo, la moins chère.

Hop, deux canettes dans le caddie, quarante-neuf pfennigs chacune.

– Combien il te reste, là ?

– Trente-cinq pfennigs.

Il a raclé ses poches pour sortir une pièce de dix.

– Et quarante-cinq. Avec ça, on se prend deux petits pains. C'est notre couverture, tu piges. Pour pas se faire griller à la caisse.

On a avancé vers les casiers à pain. Mark en a pris deux minis, il s'est même servi de la pince en métal accrochée à la chaînette, près des boîtes transparentes.

– Et notre pizza ? je lui ai soufflé.

– Direction les bacs à glace. Tranquille.

On s'appuyait sur la poignée du caddie, mine de rien. Pourtant, impossible de pas me retourner, y avait quand même du monde, pas mal de gens rentraient du boulot dans ces eaux-là.

On a bifurqué au rayon liqueurs. Là, ça se bousculait carrément. Mark a roulé sur le pied d'un vieux croûton, ce qui n'a pas eu l'air de trop déranger le type. Son caddie était rempli de bouteilles, et vu comme il refoulait on aurait plutôt dit qu'il y créchait, au rayon liqueurs. On s'éloignait déjà qu'il nous a bafouillé :

– Woh ! Gave, les giards !

Probable que la douleur mettait un bon bout avant d'arriver à son cerveau de pochetron.

– SDF, a soufflé Mark.

– Vieux sac, j'ai marmonné.

À peine arrivés aux bacs des surgelés, Mark farfouillait déjà.

– Hé, je lui ai chuchoté, vérifie quand même que c'est marqué «micro-ondes». J'veux dire, faut qu'elles aillent aussi au micro-ondes, pas qu'au four. C'est quelqu'un qui m'a dit.

– N'imp. Tu peux tout foutre au micro-ondes. Tout réchauffer et tout faire cuire. C'est les rayons, je t'ai déjà dit.

Il en a extirpé une.

– Attends, Mark ! T'es sûr ? « Cuite au four à pierre ». On sait pas qui c'est, Pierre. À tous les coups, ça va être dégueu.

Il en a choisi une autre.

– Pour moi, Chorizo. Tu prends laquelle ?

– La Spéciale.

– Un peu naine, il m'a fait. La mienne elle est plus grosse !

Mais je l'ai quand même jetée dans le caddie :

– Ça fait rien. En plus, ça dit que c'est une Gourmet.

Mark a contrôlé le périmètre, avant de souffler :

– On bouge au rayon lessive, tout au fond. Tu peux commencer à ouvrir le cartable.

On a poussé le caddie en douceur vers les lessives. Personne. J'ai fait glisser la fermeture.

– Attends ! Revoilà l'autre croûton.

Le vieux repassait devant nous avec son caddie et son sourire d'abruti. Il a déposé un paquet de lessive Persil trois kilos parmi ses bouteilles de gnôle. Autre sourire, avant de fourrer sa chemise dans son fute. Et là, sa main s'est enfoncée sur le devant comme s'il se grattait le paquet. On a roulé plus loin, les yeux rivés à notre caddie.

– Vieux dégueu. Sale vieux dégueulasse.

– Sûrement que c'est un vieux vicelard, un montreur de zguègue. Fais vraiment gaffe, Dani. Ils t'enferment chez eux et ils te pelotent jusqu'à ce que t'en crèves.

En même temps, il coinçait la Chorizo entre les bouquins et les cahiers. J'ai chopé ma Spéciale, tellement glacée qu'elle collait aux doigts. Mark est venu me couvrir, mais j'avais beau plier et écrabouiller la boîte, ça voulait pas rentrer.

– Chiasse, Dani ! Y en a qui se ramènent !

En un éclair, je me suis débraillé pour planquer la pizza sous ma chemise. Deux gonzesses nous sont passées devant juste au moment où je refermais mon blouson.

– Putain ! a chuchoté Mark. T'es dingue, ou quoi ? Suffisait juste de virer plus de bouquins, je t'avais quand même…

– Bah alors ! Qui c'est qu'a la trouille, maintenant ?

– Cause toujours. Même pas j'flippe.

Il a refermé le cartable et on a poussé vers les caisses. Une seule d'ouverte sur les trois. J'ai soulevé la poignée au moment où on prenait la fin de la queue. Mark a approuvé :

– Mieux vaut ça, ouais. Surtout pas attirer l'attention.

Ça avançait à deux à l'heure. D'un coup, quelqu'un m'a touché l'épaule. Encore le croûton, qui articulait :

– Fous ai vus, moi.

J'ai dû retenir mon souffle tellement ça empestait la gnôle. Ses yeux luisaient.

– … rien à craindre, les jeunes ! Moi, j'moufte pas…

Il en a profité pour effleurer ma main serrée sur la poignée. La pizza me glaçait le ventre.

– Un mark trente-huit.

C'était pour nous. Derrière la caisse, Mark a remis les petits pains et les limos dans le caddie. Ils venaient d'ouvrir l'autre file, je me suis retourné vers le croûton qui s'engageait déjà. Au même instant, une femme aux cheveux noirs s'est avancée dans la nôtre, ses loches oscillant progressivement vers moi. En me voyant trébucher à reculons contre le caddie, elle m'a lancé un sourire. Jean serré. J'ai maté le triangle sous sa ceinture, puis encore le sourire (possible que c'en soit pas un), puis le triangle, puis le sourire…

– Un mark trente-huit !

Tellement glacée contre mon ventre, la pizza, jamais je pourrai retriquer, plus jamais. J'ai raclé ma poche pour sortir les pièces, je les ai comptées une par une sur la paume de la caissière, elle a hoché la tête en faisant sonner son tiroir-caisse et m'a enfin rendu ma pièce de deux.

– R'voir ! je lui ai lâché en filant vers la sortie, une main sur le caddie, l'autre empoignant le cartable, et Mark contre mon épaule.

– Bordel, il a gueulé pendant qu'on rapportait le caddie. Mais qu'est-ce qui t'a pris ? T'as vu comment elle te guettait.

– Qu'est-ce j'en sais ? C'était la première fois, aussi.

– Allez, pas grave. On est vraiment des pros !

Il m'a fait son sourire de malin en reprenant la pièce en carton, et puis on est repartis vers notre rue. J'ai attendu que la halle sorte de notre champ de vision pour baisser ma fermeture éclair et tirer la pizza de sous ma chemise. Tout trempé, le maillot.

Pas moyen de la couper normalement. C'était tout ramolli, même en la laissant au moins vingt minutes au micro-ondes. On se l'est mangée quand même, mais il a fallu la verser dans un grand saladier et l'attaquer à la cuillère. J'ai fait à Mark :

– Nan mais attends. Tu l'as bien vue tourner, toi aussi ? Et la lumière qui brillait dessus, la lumière avec les rayons dedans...

Il a souri :

– Mouais... Mais bon, c'est pas si dégueu que ça. J'ai encore dû me planter dans les réglages, voilà. En même temps, c'est tout nouveau.

– Ouais. Et puis, t'as raison, c'est pas si dégueu. C'est autre chose, quoi... Par contre, Mark. La deuxième, on la met au four, hein ?

– D'acc. Ça vaut mieux. Et après, on retourne voir les mags. Je t'ai déjà montré la gonzesse du mois ? La brune ? C'est la plus chouette de toutes.

– Ça roule. Les mags.

LE TROU NOIR

«Je suis amoureux.» Ça, c'est Walter. Entre nous, on l'appelle aussi le P'tit. Faut dire que petit, il l'est, et pas qu'un peu. Mais Rico va te dire qu'en fait, c'est qu'il en a vraiment une petite. On est en bas, à tiser dans la cave de Pitbull. Y a Mark, Walter, Pitbull et Rico. Pitbull a tiré du fric à sa mère et on est allés chercher une caisse de bière à l'épicerie de nuit des Deux Fiottes. Ils acceptent de nous vendre du schnaps dans l'espoir de nous culbuter. Walter, je lui fais :

– Amoureux de qui ?

Il se rapproche en tirant la caisse vide qui lui sert de siège :

– Tu vois le Loto ?

– Coin de la rue aux Charbons ?

– Nan, maintenant y en a un autre. Au nord, t'sais. Près des Expos.

– La baraque pourrie, dans le Trou Noir ?

Je m'esclaffe. Le quartier juste avant le Parc des Expositions, on l'appelle le Trou Noir. Parce que là-bas, y a plein d'immeubles abandonnés, tout tombe en ruine, les gens se volatilisent sans prévenir, et même les réverbères sont presque tous crevés. À vrai dire, c'est pareil que notre quartier à nous, Reudnitz, d'ailleurs c'est pareil que toute la banlieue est de Leipzig. Sauf que là-haut, dans le Trou Noir, y a plein de putes, y a les petites Niaques qui se vendent dans le parc, pas loin de la Grand-Rue, et nous, on économise notre argent de poche en rêvant d'elles la nuit, mais le jour venu, elles nous foutent les jetons.

– Plus belle boutique de toute la ville, tu veux dire ! reprend Walter en écrasant son mégot sous son talon. Enfin bref. En tout cas, y a cette meuf, là-haut. Ch'crois même que c'est à elle, la boutique. J'y vais tout le temps pour ramener les bulletins de loto à ma daronne. Bref, elle est trop canon.

– Canon, ça coûte bonbon. Dans le Trou Noir, y a rien qu'est gratos, le P'tit !

Ça, c'est Rico. Il va vers la porte en tripotant sa ceinture.

– Ah, écrase-toi ! chuchote Walter pour que je sois le seul à entendre.

Il aime pas se prendre la tête avec Rico, personne aime trop se prendre la tête avec Rico. Depuis qu'il est revenu, revenu de *là-bas*, il se met vite en rogne. C'était au temps de la zone, mais ça, on en parle pas.

– Pas dans la cour, Rico ! rage Pitbull. J'vais encore avoir des embrouilles. Déjà que ça pue la mort ! Va chez les voisins !

Mais Rico est déjà dans le couloir.

– Moi j'dis, la douche dorée c'est pas leur kif ! fait Mark, assis dans son coin sur le vieux canap, avec le dernier *Praliné*.

À la base, on l'avait piqué pour Paul, chez Rudi, mais ce soir Paul est pas là. Sa mère l'a encore enfermé de peur que ça devienne un criminel à force de traîner avec nous. Ce qu'elle ne sait pas, c'est que son fiston est surtout le plus gros collectionneur de films pornos et de mags de cul du quartier, si c'est pas de toute la ville. Une légende. Face à lui, même la collec du père de Mark ne fait pas le poids. C'est aussi pour ça que dans le quartier, tout le monde peut le piffrer. Son bazar, Paul le prête et le revend, il fait tout un business avec ses vidéos, mais au bout du compte, il revient toujours parmi nous.

Mark fout sa bouteille vide dans la caisse et s'en reprend une.

– Dis voir, le P'tit (il commence déjà à plus savoir articuler), â s'rait pas un peu veill' pour toi ?

Et de lui filer une petite tatane sur la joue.

– Nawak, fait Walter en lui jartant la main. Pas vieille du tout. Trente max. Même pas, vingt-six balais, p'têt.

– Vieille comme la forêt vierge ! articule l'autre.

Et là, impossible de pas glousser. Pareil pour Pitbull, même s'il était en train de déglutir. La mousse déborde en lui coulant sur le menton.

– Ta gueule ! reprend Walter. Toute façon, t'es déjà plein !

– Ouah l'autre ! gueule Mark en faisant semblant de tituber. C'est çô, ouais ! Chuis total fracass. Peux pu marcher !

Même avec ce qu'il encaisse, Mark boit largement plus que nous. Il prend sa cuite plus tôt, et d'ailleurs, presque à chaque fois, il nous fait : « En plus, j'en ai déjà descendu quatre au bahut. » Et le voilà qui se vide la moitié d'une bouteille cul sec. Walter s'allume une clope et recrache la fumée contre le mur. Il fume des cent S, qui ont toujours l'air gigantesques dans sa petite trogne. Je lui tapote la poitrine de l'index :

– Bon, et alors, c'en est où avec elle ?

– Personne en a rien à foutre, toute façon. Vous en branlez tous.

Mark s'est retiré pour continuer à feuilleter son *Praliné*.

– Évidemment qu'on veut savoir ! relance Pitbull. Vas-y, raconte. Un peu plus vieille, ouais ? C'est bon, ça. Femme d'expérience !

Walter sourit en appuyant sa tempe au mur :

– Elle est vraiment canon. En plus, j'ai jamais vu d'autres gars là-haut. Son mec, ou quoi. Pratiquement sûr qu'elle est pas maquée. Y a jamais personne qui vient la chercher après le boulot.

– Dis voir, t'es déjà à ses trousses ? Tu la harcèlerais pas un peu ?

– Mais nan, putain ! C'est le hasard, mec ! J'y vais tout le temps, tu sais très bien. Ma daronne, elle joue les mercredis et les samedis. Des fois, ch'prends des jeux à gratter, conneries dans le genre. Mais j'vous dis, dès que je lui file mon billet, à la caisse, eh ben, elle prend ma main. Comme ça. Elle la prend, sérieux, elle a les mains trop douces.

– T'as cru qu'elle allait choper ton bifton avec des pincettes ? crie Mark en brandissant le dernier *Praliné*. Tiens, gars ! En voilà de la vraie teuch !

On mate la girl de la semaine qui paye ses seins en double page.

– Laisse-moi voir steu cochonne ! gueule Pitbull en se collant à lui.

Pitbull, il aime énormément la girl de la semaine. Sur le mur au-dessus de son canap, il a accroché tout le mois d'avant, huit loches, histoire de pas pioncer tout seul, et il pionce presque toujours dans sa cave. Walter le suit des yeux, il mate les filles alignées au mur en triturant les boutons de sa chemise, à les arracher. Mark et Pitbull découvriraient le t-shirt Mickey et se foutraient de sa gueule. Parce que même si Walter touche pas mal en braquage de bagnoles, il en adore pas moins Mickey. Je reprends :

– Vas-y, continue. Donc tu lui causes, à la gonzesse ? Elle t'a dit quoi ?

– Ben ouais. Attends. Enfin, un peu, quoi…

Il lève le menton, tout sourire :

– … exemple, semaine dernière. Elle me demande si j'ai des chiffres porte-bonheur. Vu qu'elle sait pas que j'viens pour ma daronne…

– Chiffres porte-bonheur. Pas mauvais pour un début.

– Tu sais, le plus frappé, c'est qu'elle vient même pas de chez nous. Elle vient de là-bas. De l'Ouest. Ça s'entend quand elle cause, espèce de dialecte… et en plus… même que c'est elle qui m'a raconté.

– L'Ouest, je lui fais avec un hochement de tête et une tape sur l'épaule. Pas mauvais…

Mark et Pitbull jettent leur *Praliné*.

– Quoi ? Une meuf de l'Ouest ? Et elle est sur toi ? Tu te fous de nous !

– Eh ouais. Attends, tu crois quoi ?

Il penche la tête pour avaler une gorgée et se rallume une clope en laissant le paquet sur la table. J'en pique une. Quand Pitbull prend place sur la caisse de bière déjà pas loin d'être vide, les bouteilles tremblent.

– Ça s'trouve qu'elle se fout de ta gueule. Ou c'est juste pour un plan cul.

Walter se gratte la tête en tirant les lèvres :

– Un plan cul… t'imagines… un plan cul…

D'un coup, quelqu'un déboule dans l'escalier à toute blinde. Ils sont plusieurs, comment ça gronde ! On saute en l'air, j'attrape ma bouteille moitié pleine, mais pas la peine, c'est Rico, face écarlate, même pas eu le temps de reboucler sa ceinture.

– Ramenez-vous, et fissa ! Y a une vieille mémé avec des charbons dans la Zwanzig. Elle sait pas faire toute seule. Ça paye dix balles !

On détale, Rico en tête. Escalier de la cave, hall de l'immeuble, cour. Le soir n'est pas loin, bientôt il fera sombre, on se faufile dans un trou de clôture qui tombe direct dans la cour d'à côté, pleine d'ordures. Des fois on trouve des chouettes trucs. Sur la pelouse, un vieux frigo. Rico freine devant, le temps d'envoyer trois quatre directs et deux crochets en plein dans le métal blanc. Rico, il balance pas mal sur le ring. Il veut devenir boxeur pro et ne rate pas une occase de le montrer. Et voilà qu'on aperçoit la Vioque, posée sur un petit banc au pied de la tour, les mains repliées sur le pommeau de sa canne. On se regarde. Rico opine, et on s'approche en douceur. Elle a d'énormes lunettes à verres fumés, on se plante devant, mais elle nous calcule pas.

– Elle m'a branché sans prévenir, chuchote Rico. J'étais à deux doigts d'y pisser dessus.

– Elle aurait pas eu grand-chose à voir, fait le petit Walter. Si t'avais ouvert ta braguette !

On se marre, sauf Rico qui ne relève même pas. Il rajuste le col de sa chemise, se campe devant la Vioque et lui crie :

– Madame ! On est revenus. C'est bon, vous pouvez l'ouvrir, votre cave !

Il crie très lentement, articule le plus possible et met de longues pauses entre chaque mot. Comme si, en plus d'être à moitié aveugle et dure de la feuille, la Vioque était complètement gâteuse.

– Dudiou ! elle s'exclame en projetant les bras et faisant tomber sa canne par la même. Ah, vous voilà ! Oui, vous y êtes ! J'vous vois mâtenâ !

Comme elle cherche la canne à tâtons, Pitbull lui recale dans la main. Là-dessus, elle gesticule vers la porte de derrière.

– Déjà un pied dans la tombe, je leur fais.

– 'coutez un peu, souffle Rico. La Vioque, c'est une mine d'or. T'as capté ? Si on lui fait ses courses, et tout, y aura toujours du rab. Et puis, dix balles pour les charbons, ça suffit pour la teille, ou pour deux paquets.

– Ou la demi-caisse, ajoute Pitbull.

– Exact. Et maintenant, calcule voir sur un mois. On se les pèle déjà. L'hiver qu'arrive, tu captes ?

– Ça fera pas tant que ça, je lui fais.

– Juste, attends. L'hiver il se ramène.

Et j'opine, et les autres opinent avec un sourire en coin.

– Coucou ! Où êtes-vous ? Mais où êtes-vous don', les enfants ? Elle nous tient déjà la porte du hall, alors on lui passe devant.

– Si contente que vous soyez là !

La Vioque referme. Noir complet dans le hall. Elle reste au milieu de nous à taper le sol avec sa canne, et elle schlingue. D'une telle force qu'on croirait que Rico lui a vraiment pissé dessus. Avec un souffle de gnôle en plus. Quelqu'un allume un briquet, c'est Pitbull, dans un sourire qui découvre son incisive fendue. Au moment où je repère l'interrupteur, la Vioque pointe une petite porte du bout de sa canne :

– La cave. Voilà, l'est là, ma cave. Et pi mes charbons, les enfants.

Elle s'appuie sur le pommeau en vacillant. Rico va pour la poignée :

– La clé ! il lui beugle. Il nous faut votre clé !

Une épaule appuyée au mur, la Vioque farfouille dans la poche de son manteau et sort une énorme clé attachée à une plus petite par un fil de fer.

– La petite, c'est mon cadenas. Pour qu'ils viennent pas à me dérober mes charbons.

Elle se met à glousser, puis à tousser, je range ma tête pour éviter les crachouillis en filant la clé à Rico, et on s'engouffre.

– Remplissez bien les seaux à ras ! elle nous crie de là-haut. Pour ma boîte à charbons ! Je remonte, les enfants, je vous attends là-haut !

– Celle-là, fait Walter, elle a une case en moins.

– Oh ! Mais elle est où, votre cave ? lui gueule Rico derrière.

– Remplissez bien !

Alors, Rico se fait toutes les portes, l'une après l'autre, en rouspétant :

– Faut bien qu'elle aille quelque part, cette clé de mes deux.

– Hé, j'ai trouvé un charbon !

Mark le shoote sur Pitbull qui lui refait une talonnette. Hilares, ils foncent en dribblant au bout du corridor.

– À l'aide ! crie la Vioque d'un seul coup. Aidez-moi don', les enfants ! Lumière !

La cage d'escalier est plongée dans l'ombre. Pitbull éclate son charbon contre le mur :

– Pas foutue de monter toute seule ! Elle y voit que dalle, ça change quoi ?

Briquet en main, il repart dans l'escalier de la cave. Je vois sa flamme qui bouge. Ensuite, ça se rallume.

– Ah, ma lumière ! piaille la Vioque.

Pendant que le bruit de ses pas monte vers les étages, Rico trouve enfin la porte. Toute la petite cave de la Vioque est bourrée de charbons, un gros monticule qui vient presque toucher le plafond et l'ampoule, comme si elle avait l'intention de vivre aussi longtemps qu'elle aura de charbons, seize hivers ; à part ça, juste un petit tas de bois devant la porte, avec, à côté, une hache plantée dans un billot.

– Stylée, fait Pitbull en la dégageant.

Elle tournoie lentement devant ses yeux.

– … presque mieux que la mienne.

Dans sa cave, il a une hache de jardin, on l'appelle machette à mômes tellement elle est petite, n'empêche qu'il la trimballe dans pas mal de nuits depuis qu'il s'est fait déchiqueter. C'est ce qu'on dit quand les raclures nous font les poches et qu'ils embarquent même les fringues et les pompes, pourvu que ce soit de la marque. Cette nuit-là, Pitbull a dû traverser la ville pieds nus et à moitié à poil, il portait ses bonnes fringues, il avait économisé longtemps pour ça, pour ça et pour la fille qu'il allait voir. Depuis, il arrête pas de dire : « La prochaine fois, ça va être une boucherie. » Mais là, il prend son élan et replante la hache dans le billot, à toute volée. Moins une pour le bout de mon pif.

– Toujours prêts ! fait Rico en repliant le bras droit au-dessus de sa tête, lèvres tirées. Et n'oubliez pas : un pionnier est toujours honnête et prêt à servir !

On catapulte les charbons dans les seaux. Rico, Mark et Pitbull repartent dans le corridor avec une pleine cargaison, leurs rires résonnent dans l'escalier. Pendant ce temps, Walter me paye une Lucky, sachant que je les préfère à mes Gold 25 que je vais chercher chez les Niaques.

– Dis, Walter. Comment tu vas t'y prendre ? Avec ta Princesse du Loto, j'veux dire. Ça va marcher, tu crois ?

– Sûr, Dani. Elle arrête pas de me chauffer ! À ce qu'il paraît que les femmes, elles préfèrent les hommes plus petits.

– Ah ouais ? Pas con, en fait.

– Tu sais, Dani, je crois qu'une fois, j'irai la chercher quand elle débauche. Dix-huit heures, c'est le bon moment. P'têt, j'vais l'inviter à prendre un verre, truc dans le genre.

– Et ta mère ? Elle a déjà gagné ?

– Nan. Trois numéros qui sortent de temps en temps, pas plus. Mais quand même, ça serait quelque chose. Le gros lot, j'veux dire. Avec ça, on pourrait se barrer d'ici, tu vois le plan…

J'approuve.

– … enfin, bref. Et en plus, moi, je pourrais la sortir, la meuf. Vrai truc, quoi, pas juste un vieux bistro à la con.

On fume en matant les charbons, on jette les clopes dans la cave. Les autres redescendent en trombe et viennent nous claquer leurs seaux par terre.

– Quel merdier! fait Rico. Elle a deux caisses mastoc près de son poêle, faut les remplir en entier. Boulot de furieux!

– T'inquiète. Le syndicat veille aux grains, je le rassure en frottant le pouce et l'index.

Il sourit, mais sans me calculer.

– Son appart il est rempli de gnôle!

Mark exhibe une 70 cl de Feuille d'or. Première gorgée pour lui, avant de faire tourner. Vu que je suis au bout du cercle, la bouteille me revient presque vide. La Feuille d'or, c'est le plus cheap des tord-boyaux, mais les buveurs du quartier ne jurent que par ça. J'envoie valser la bouteille vide dans les charbons pendant que Mark et Pitbull s'accroupissent pour remplir leur seau. Walter en hisse un et retraverse la cave tout courbé. Je vais pour en empoigner deux, mais Rico m'arrache le premier et démarre au pas de course. Il aime bien se coltiner des trucs lourds, c'est pour les muscles, et il lui en faut, vu qu'il boxe et qu'il veut devenir pro. Seau dans le poing gauche jusqu'au deuxième palier. Le gauche, c'est son bras avant, c'est avec celui-là qu'il les attendrit avant de les mettre K.-O. de son droit massif. Même si on a pas attendu le premier palier pour dépasser Walter, je m'accorde une pause au troisième.

– Du nerf, l'ancêtre!

Rico me lance un grand sourire à travers les barreaux de la rampe. Il agite le seau rempli à ras et danse sur les marches comme sur le ring. La Vioque attend devant la porte, appuyée sur sa canne depuis tout ce temps. Toujours son manteau sur le dos. Sous la sonnette, on lit Böhme.

– Entrez donc, les enfants.

Et elle se remet à tousser. Elle crache ses poumons en se retenant au mur pendant qu'on traîne les seaux jusqu'au grand poêle en faïence du salon, avant de faire basculer les charbons dans les caisses en bois.

– Finalement, ça allait, je fais à Rico, qui opine. Y avait l'air d'en avoir carrément plus.

Rentre la Vioque :

– Je vous remercie bien, les enfants. Voulez boire un p'tit coup?

Sur la table, quelques bouteilles, plus une assiette avec un gros bout de fromage fossilisé.

– Plus tard, je lui fais en empoignant mon seau.

Au moment de redévaler l'escalier, je l'entrevois qui enlève son manteau dans le couloir. Dessous, rien d'autre qu'une chemise de nuit. On dégringole en faisant un maximum de vacarme.

– Là, je passe mon tour, fait Rico. Demain y a entraînement, faut pas que je me chope des contractions. Après, ton muscle il devient tout dur.

– Lequel, de muscle ?

Je lui fais un grand sourire et il m'envoie un gentil coup dans l'épaule. Le petit Walter se faufile entre nous, agitant son seau vide, et clame :

– Cette fois, c'est moi le prem's !

Son rire sonne un peu plus bas.

On est assis autour de la table, avec la Vioque, à boire de l'apfelkorn dans des tasses à thé. Le feu gronde derrière la petite porte du poêle, la lueur des flammes tremblote sur le mur. La Vioque a rajouté un peignoir par-dessus sa chemise de nuit. Enfoncée dans un grand fauteuil près du poêle, elle boit le grog qu'elle s'est préparé. Tout l'appartement empeste la gnôle.

– Z'avez fait du beau boulot, les enfants, qu'elle nous sort en levant sa tasse dont elle aspire la moitié dans un bruit de succion. Elle a rempli une pleine marmite de grog. Nous, on est plutôt korn.

– Qui sait ce qu'elle a bien pu foutre là-dedans, fait Rico.

Il a pas tort : à la voir comme ça, on s'étonnerait pas si des fois elle s'effritait un peu.

– Un vrai feu de joie ! lance la Vioque. Comme ça flambe joliment.

On a mis le temps avant de réussir à le faire prendre, elle était à court d'allume-charbon. D'abord, on a tenté le coup avec le fromage fossilisé, « c'est de la graisse, ça crame bien, la graisse », nous avait expliqué Mark. Reste que le fromage a pas pris le feu comme il fallait, résultat toute la pièce refoule encore un peu. Quoique le grog de la Vioque couvre relativement bien.

On a même voulu prendre la gnôle, mais la Feuille d'or, c'est pas assez costaud, trente-deux degrés seulement, sans compter que la Vioque a fait des histoires : « Mon bon vieux schnaps, les enfants !

Ma Feuille d'or! Ah çà, non, vous pouvez pas! Je vous interdis de la brûler!»

Obligés d'attendre que Pitbull trouve une bouteille de Stroh 80 dans la cuisine. Sauf qu'on s'est d'abord enquillé la moitié. Maintenant, il a les sourcils un peu roussis, une chance qu'il ait la boule à Z. Trois millimètres, histoire de passer pour une vraie baraque et qu'on le respecte dans le quartier, même quand il promène pas sa machette. Je vais pour jeter un coup d'œil au feu, ça va, charbons incandescents, je peux refermer la petite porte.

– Vos étrennes, nous fait la Vioque. Je vous les donne tout de suite. Les avez bien méritées. Comme ça, vous pourrez aller guincher!

Ça nous fait bien marrer.

– ... sur de la bonne hard-tech, précise Mark.

– Mais oui, mais oui! se poile aussi la Vioque.

Rico s'en allume une.

– Non! Ah çà, non! Ça, c'est balcon!

Du coup, elle recommence à tousser et se plaque une serviette sur la bouche.

– C'est bon, lui fait Rico, c'est bon, je file!

– Attends-moi!

Je me mets sur ses talons.

– On est bien, chez mère-grand! fait Mark en se resservant un petit coup.

– Non. Chez moi, pas de fumée dans le salon. Même mon Jochen à moi, il a pas le droit de fumer ici. Sauf au balcon.

Le balcon, c'est par la cuisine. Sur la plaque, la grosse marmite avec le grog. Rico veut balancer ses cendres dedans, mais je le guide vers la sortie.

Le balcon ouvre sur la cour. D'ici, on voit le bloc de Pitbull. Il fera bientôt nuit noire. Derrière certaines fenêtres, des soubresauts de lumière bleutée. Rico me paye une clope, lui aussi, c'est des 25 de chez les Niaques. On fume en jetant nos cendres par-dessus la balustrade.

– Franchement, Dani, elle doit moisir si personne s'occupe un minimum.

– Chais pas. Sûrement que quelqu'un passe, de temps en temps. Le gars qu'elle a dit, là, Jochen chais pas quoi.

– 'coute, Dani. Si on raboule ici plus souvent, on pourra se faire des ronds pour de vrai. En plus, y a à tiser, largeos.

– Chais pas, Rico.

– Écoute. Celle-là, elle a de l'oseille. Garanti. Je peux te jurer qu'elle a une retraite bien pépère. Elle sera contente si on rapplique plus souvent. Pour lui filer un petit coup de main, tu vois le tableau ?

– Mais si on trouve que dalle ? Et si elle se rend compte ?

– Nan, Dani. Écoute, on va trouver. On est quasi pro, l'oublie pas.

Il me rictusse.

– … juste un peu à chaque coup, tu captes. Pas tout. Nan, pas tout. On est des hommes d'honneur.

– Rico. Elle est à moitié bigleuse.

– Mais c'est ça, Dani ! C'est pour ça, faut qu'on l'aide un peu ! Tu piges !

– Bien sûr. Peut-être qu'elle sera contente, ouais. Que ça l'arrangera.

– À mort, il fait en m'entourant les épaules. À mort, que ça l'arrangera. Sûr de chez sûr !

Nos yeux sont sur les immeubles d'en face, leurs arrière-cours glauques. On file une chiquenaude aux mégots et on suit les petits points rouges jusqu'à tant qu'ils s'éteignent. Après, on rentre.

La Vioque est aux fourneaux, à remplir sa tasse à gros coups de louche. En en foutant la moitié par terre. Rico s'y colle :

– 'tendez. Je vous le fais.

La main de la Vioque a la tremblote. Elle reste silencieuse quand Rico lui retire la tasse.

– C'est bon, je vous l'amène.

Retour au salon, la Vioque clopinant derrière. Mais plus de Pitbull.

– Il est où, Pit…

– Tour du proprio, fait Mark en nous envoyant son grand sourire.

– Tout noir, souffle la Vioque. Fait nuit, on dirait.

À tâtons, elle cherche la lampe à pied près du fauteuil, finit par l'allumer et ramène une couverture en laine sur elle. Plus que la tête qui dépasse. Pitbull revient s'asseoir :

– Que de la gnôle et des liqueurs. Mais masse. Sinon, que tchi.

– Mais oui, mais oui ! fait la Vioque. Mes bonnes vieilles Feuilles d'or. Allez, prenez encore un p'tit, les enfants ! Y en aura pour tout le monde !

On ouvre un autre korn. La Vioque s'empare de la bouteille et rajoute une bonne larme à son grog. Une fois qu'on a trinqué, elle recommence :

– Autrefois, j'allais souvent danser. Ce que j'ai pu guincher, guincher...

– ... et guincher ! ricane Walter.

Il cherche nos yeux, mais devient écarlate : personne a approuvé. Sauf la Vioque, qui se marre et dodeline en sirotant son grog au korn.

– Mais oui, mais oui... Toute la nuit... Jusqu'aux aurores...

Elle nous parle de son mari avec qui elle allait danser et qui est mort y a quelques années de ça.

– ... parti. Parti ! Comme ça, d'un coup, le salopiaud !

Elle nous parle de son fils qui passe la voir deux fois le mois.

– Jochen, mon Jochen à moi. Mais oui. Quand il vient, il m'apporte mon argent, et pi une bonne bouteille. Viendra jamais sans une bonne bouteille.

– Et c'est quand la prochaine fois qu'il vient, votre Jochen ? lui fait Rico.

– Peut-être bien demain. Sinon, plus tard. Jochen, il vient toujours me voir.

Elle aspire la fin de sa tasse et clopine vers la cuisine.

– Voulez qu'on vous aide ? lance Pitbull.

– Non, non ! Ça va, ça va comme ça.

On l'entend bricoler. Walter se lève pour aller au grand meuble encastré dans le mur, qui abrite la télé.

– Tirage du loto, il annonce en souriant.

– Laisse tomber, lui fait Mark. C'est de l'arnaque, le P'tit.

– Oh, la ferme, steuplaît !

Il sort un bloc-notes et un stylo de la poche intérieure de son blouson. Le tirage a déjà commencé, mais ça me dit trop rien. Je détourne les yeux, j'entends juste le toc-toc des boules pendant que Walter note les numéros.

– Alors ?

– Nan.

– T'inquiète, à la place t'auras ta gonzesse. Ta Princesse du loto, j'veux dire.

Là, son sourire revient.

– Bon, et il se passe quoi avec nos tunes ?

Pitbull le remplace face au meuble et se met à inspecter tiroir après tiroir :

– ça s'trouve, elle a que tchi. 'garde, que de la camelote.

Il soulève une petite poupée toute nue par les cheveux, la replonge et referme le bazar.

– On va voir ça tout de suite, lui fait Rico.

La Vioque revient avec une assiette. Des tartines, et puis, au centre, une nouvelle tasse de grog.

– Pour vous.

Elle dépose l'assiette au milieu de la table. Les tartines font la gueule, tout de guingois et desséchées comme le fromage qu'on a voulu cramer. Pour la charcute, elle est déjà un peu nacrée de vert.

– Moi, j'ai toujours ce qu'il faut. Allez, les enfants ! Servez-vous !

Elle écarte les tartines tant bien que mal pour retrouver sa tasse, s'affale sur son fauteuil et boit.

– C'est gentil, je lui fais en me prenant une tartine, et je pousse l'assiette vers les autres. Miam, miam ! j'ajoute avant d'éjecter la tartine vers la caisse aux charbons. C'est drôlement bon !

La Vioque continue à siroter le grog, ses yeux presque aveugles en allers-retours entre le fond de la tasse et la porte.

– Panier ! approuve Mark en soulevant la sienne.

À son tour, il vise la caisse, et là-dessus tout le monde se met à balancer les tartines une par une vers le poêle. On se fout de Pitbull qui rate son coup.

– T'as les pattes en vrac, gars ! C'est que tu te pignoles trop !

– Fermez un peu vos gueules ! Z'êtes cons, ou quoi ?

La Vioque se trémousse dans son fauteuil en rigolant de plus belle.

– Ah çà, oui ! Chez moi, ça rigole bien. C'est ce qu'il faut, les enfants. Dans le temps…

Nouvelle quinte, Rico en profite pour chuchoter :

– Avant de se barrer, on fout les tartines dans l'enculé de four ! Ça roule ?

– Toujours prêts ! lui fait Mark en pliant le bras droit.

Je souris, ç'a l'air aussi con que du temps de la zone. Rico fait un signe de tête à Pitbull qui se met sur ses jambes.

– Bon. Faut qu'on y aille, m'dame Böhme. Y a école, demain…

– Ça, c'est bin vrai, les enfants. C'est bin vrai qu'il est déjà tard.

Elle se lève en enroulant la couverture autour de ses épaules.

– 'tendez, les enfants. Vos étrennes. Je reviens tout de suite…

Elle clopine vers la pièce d'à côté, Pitbull collé au derche.

– Attends, mais qu'est-ce qu'il…

Walter ouvre de grands yeux vers moi.

– Fais pas le con, p'tit braque-bagnole.

Je lui file un coup dans la poitrine, il rougit. On vide les tasses. Boucan dans la chambre d'à côté.

– Et ça y est, il la dérouille ! sourit Mark comme un imbécile.

– Tu fermes ta gueule !

Le doigt de Rico est tout près de son nez.

– Ça va, t'excite pas… lui fait Mark en tripotant l'anse de sa tasse.

Il s'en remet un coup. L'apfelkorn luit comme de l'or dans la bouteille, les gouttes coulent sur sa main et s'écrasent sur la table.

On lève tous les yeux vers la porte et Pitbull qui réapparaît avec une liasse de billets et un sourire tordu. Et du sang sur les doigts.

Non. On lève tous les yeux vers la porte et la Vioque qui tient un billet de dix serré dans sa main. Dans l'autre, elle fait tinter les pièces.

– Et voilà, les enfants ! Vous qui avez été si mignons !

Elle pose les tunes devant nous sur la table, rigole, crachote et s'écrase dans le fauteuil. Rico me jette un coup d'œil, j'empoche la monnaie. Elle a mis cinq marks en rab. Levant le bras tel un chef d'orchestre, Rico prend un grand coup d'air, et là, tous en chœur :

– Merci madame Böhme !

Pitbull fait le pitre derrière la Vioque, il tire des grimaces débiles en frottant le pouce et l'index. Obligé de regarder ailleurs pour pas éclater de rire. La Vioque est presque à se noyer dans son fauteuil, elle souffle et halète comme si elle était en train de clamser.

– Vous allez revenir, les enfants. Vous reviendrez, hein ?

– Bien sûr, je lui fais. On reviendra, on reviendra avec plaisir, m'dame Böhme.

– Ça a tellement fraîchi, elle fait en se levant. Moi, j'ai besoin d'être bien au chaud.

Pendant qu'elle clopine vers le couloir, son trousseau tintant à la main, Walter et Mark s'accroupissent devant le poêle et mettent les tartines au feu. Le temps que les autres la rejoignent, elle est à genoux devant la porte, à la recherche des clés qu'elle vient de lâcher. Mark les repêche et lui tend le bras :

– Allez, m'dame Böhme. Debout.

Elle se hisse, une main sur lui, l'autre au mur, et il donne un tour de clé. Sur le pas de la porte, on serre la main de la Vioque.

– Comme vous êtes nombreux.

Pendant qu'on redescend, elle reste sur le palier à nous faire des au revoir.

– Vous revenez bientôt, dites ? J'ai toujours du bon grog, pardi !

On l'entend qui verrouille, puis la lumière s'éteint. On descend dans le noir. Dans la cour, nos regards grimpent le long du mur.

– Le Chariot, fait Mark en souriant, une main levée vers les étoiles.

La lumière s'éteint aussi dans la cuisine de la Vioque.

– Elle va au lit.

– Tu crois qu'elle se lave, avant ?

– Alors, t'as raflé combien ?

– Cent, fait Pitbull en tirant un billet de sa poche. Plus qu'à faire la monnaie.

– Cent, murmure Walter en sortant son paquet pour payer sa tournée.

On s'est rapprochés autour de Pitbull, on s'agrippe par les épaules en reluquant le billet bleu qu'il tient entre ses pattes tremblantes. Et c'est reparti vers la clôture.

« Tu vas la fermer, espèce de vieille salope ! »

– Qu'est-c'est qu'ça ?!

On lève la tête, une lumière s'allume deux étages sous la Vioque.

« Morue ! Espèce de vieille morue ! »

– C'est les pochetrons, souffle Pitbull. Des fois, on les entend jusqu'à chez nous. C'est… des pauvres diables.

Il respire la bouche ouverte, des taches grossissent sur ses joues. On se colle à lui.

– Allez, Pitbull. Viens.

Mark file un petit coup de pied à la clôture.

– Vas-y, on retourne dans ta cave !

Un bruit sec, et la porte du balcon s'ouvre en grand.

« À l'aide ! Au meurtre ! Meurtre en Allemagne ! »

Une femme court se pencher à la balustrade, et même dans le noir, je vois qu'elle a les cheveux longs.

« Rentre, sale catin ! Rentre que je t'achève, sale pute ! »

Il essaie de la tirer en arrière.

« Tu vas me lâcher ! Tu vas me lâcher, sale porc ! Je saute, je saute en bas ! »

Elle a déjà enjambé la balustrade, mais impossible de tomber, le type la traîne en arrière, sur le balcon, puis à l'intérieur.

« Meurtre en Allemagne ! »

Un claquement de porte, silence.

— Ce sale fils de pute la tabasse à mort, fait Pitbull en balançant sa clope à moitié entamée.

— T'occupe pas de ces cassoces. Perso, je retourne dans la cave.

Mark se faufile par le trou de la clôture. En haut, toujours rien. Mais d'un seul coup, ça pète, ça pète, ça explose et ça vole en éclats, pas impossible que le type soit avec des potes ou alors ses frangins, mais plus un cri.

— Je monte. Je vais donner une bonne dérouillée à ce salopard. Ça le calmera pour aujourd'hui.

— Sert à rien, fait Rico en lui plaquant une main sur l'épaule. Pas de bêtises. Ça fait qu'attirer la merde. Viens, on bouge. On va se partager le fric. Cent quinze, garçon !

Mais la main de Rico retombe dans le vide et les yeux de Pitbull remontent vers le balcon. Toujours rien. Et elle crie.

— Nan, fait Pitbull en fourrant les mains dans ses poches. Nan, c'est mort. Faut que j'aille voir, j'entends ça trop souvent, j'en ai ras-le-cul. Vous comprenez, les gars, quand un salopard il cogne sa grosse comme ça… tu comprends…

Connaissant ses vieux, je comprends. Sauf que Pitbull tient son daron fermement depuis l'histoire avec le clebs. Mais ça, on en parle pas.

— Si tu montes, je viens avec toi. On sait jamais.

— Nan, Dani. C'est mes oignons, faut que tu me laisses. Je vais juste taper un peu sur la gueule de cet enculé. T'inquiète, ça va aller vite !

Et le voilà parti, la lumière s'allume dans la cage, on le voit grimper à travers les carreaux. Dans l'appart, tout est calme.

— Et chiasse, fait Walter. Ça y est, il se remet à partir en couilles. Pourquoi tu l'as pas retenu ? On fait quoi, maintenant ?

— Que dalle, coupe Rico. Dani, file-lui la monnaie.

Je racle mes poches pour filer les quinze marks à Walter.

– Pars devant, va chez les Deux Fiottes. Tu nous ramènes un paquet de chips et une bonne teille. Pas de Feuille d'or, t'entends. Prends aussi des clopes. Et grouille-toi, ils vont fermer.

– Et vous ?

– Vas-y, t'attends quoi ? On se retrouve dans la cave.

– Mais allez, Rico ! J'ai pas les jetons, moi. Je reste !

– Personne a dit que t'avais les jetons. Je sais très bien que tu gères. Mais si Pitbull il a un blème là-haut, c'est mieux d'être que deux.

– Bon. Mais si vous avez besoin d'aide, gueulez et je débarque !

– Ça roule. On fait comme ça.

Walter se glisse dans l'ouverture, enfin, vu sa taille, il a juste à baisser la tête. Ses pas résonnent dans la cour d'à côté.

– Trois minutes, fait Rico. T'en dis quoi ? On laisse trois minutes à Pitbull. Max.

J'acquiesce. La gonzesse pousse un cri très court et très aigu.

– Nan mais c'est quoi, cette merde. D'abord la vieille tarée, et puis ce délire…

– Tu connais le topo.

Il en allume une pour lui, une pour moi. Mon regard monte le long du mur. Les étoiles se cachent derrière les nuages. Plus de Chariot.

– Et merde, Rico. Viens, on monte.

– Ça vaut p'têt mieux, Dani.

On jette nos clopes et on y va. Dans la cage, pas un bruit.

– C'est les seuls à crécher ici, ou quoi ?

– Qu'est-ce j'en sais.

La voix de Pitbull résonne derrière la porte d'entrée. Ouverte. «C'est fini, ça va aller… pas t'inquiéter, tout ira bien…» On prend le couloir. Dans la première pièce, un grand lit. Pitbull est assis dessus, la gonzesse allongée tout près, tête posée sur ses cuisses. Il lui caresse les cheveux. Je toque à l'encadrement, et, doucement, il se retourne :

– C'est vous.

L'autre gémit en sourdine, la gueule en sang. Sa poitrine pend d'un bloc à travers son chemisier arraché, pas une jolie poitrine, une d'ivrogne avec plein d'éraflures.

– Et le type ? fait Rico.

Pitbull tend un pouce vers la cloison :

– Il est à côté.

– Et merde.

J'ai la trouille qu'il lui ait réglé son compte. Faudrait camoufler le truc, et ça, ce serait pas cool.

– Laisse-moi en paix, baragouine la vieille.

J'entrevois ses dents mortes sous la boursouflure des lèvres. Soit la soûlerie, soit le bonhomme.

– ... laisse-nous en paix. S'il te plaît.

– C'est fini, répète Pitbull, la main sur ses cheveux. Faut plus avoir peur, ça va aller.

On bouge à côté. Aucune trace du type. Il pourrait être enseveli sous le bordel. Tous les tiroirs du grand meuble au mur ont été arrachés, le contenu jonche le sol, mélangé à des restes de bouffe qui devaient être sur la table. Et puis, des bouteilles, plus que chez la Vioque, mais presque toutes pétées. Dans un coin, une paire de pompes : les pieds d'un homme caché sous une couverture.

– Rico...

– J'avais déjà grillé.

Les déchets crissent et craquent sous nos semelles. On s'accroupit devant le mec pour soulever la couverture. Gueule à peine reconnaissable, Pitbull a fait du sacré boulot. Ça y est, il remue. Sa gorge travaille comme si y avait un poing à l'intérieur. Il émet une sorte de gargouillis, masse de sang lui coule de la bouche, plus un truc pas loin du vomi, même odeur en tout cas.

– Chier, fait Rico. Penche sa tête.

Je l'incline sur le côté, mais ça coule encore plus. Dans la purée, des petits cailloux blanchâtres ; j'entrouvre ses lèvres du bout des doigts. En haut, presque plus rien, et en bas aussi il en manque quelques-unes.

– Qu'est-ce t'en dis, Rico. Il clamse ?

– La blague. Juste un peu sonné. D'abord, on se le traîne dans la baignoire pour le débarbouiller un peu. Après, on gère Pitbull et la bobonne de l'enculé.

– Bordel. Tu te rends compte, un truc pareil. Peuvent le coffrer.

– Personne saura, Dani. T'as cru que les voisins ils appelleraient les keufs ? En plus, ils sont mis dans la merde tout seuls. Déjà oublié demain.

– C'est p'têt pas faux...

– La vérité, Dani.

– Quand même, il a mérité, ce gros porc.

D'une main, j'empoigne le col, de l'autre, la tignasse, et je le tire de son coin. Rico attrape les pieds, on se le traîne dans la salle de bains. Le type marmonne, peut-être qu'il est en train de revenir.

– Toi, je lui susurre, t'as intérêt à fermer ta sale trogne.

Petit coup d'œil dans la chambre, maintenant, Pitbull appuie sa tête à celle de l'autre. La salle de bains est fermée. Rico met un coup de pied dans la porte, il a les mains prises. On agenouille le gars devant la baignoire, Rico ouvre l'eau et je pousse la tronche défoncée sous le jet. Il le rince en faisant bien gaffe, d'abord les cheveux, ensuite le cou, d'abord à l'eau tiède, puis froide, pendant que j'agrippe le gars plus fermement en écrasant ma poitrine contre son dos, vu qu'il commence à remuer et à ânonner en se balançant de droite à gauche.

– Tiens-le fort !

Rico chope une serviette.

– Son pif est foutu, il me fait en lui tamponnant la face. Peut-être même la mâchoire, mais ça, c'est que dalle. Le principal, c'est qu'il ait rien au crâne.

Rico s'y connaît dans ce genre de trucs, il cartonne à la boxe. On allonge le type par terre en balançant sa chemise trempée. Il s'est calmé, la poitrine se soulève sous le t-shirt. Sur son biceps, un œil tatoué, un œil qui pleure des larmes bleues, made in cabane, ça se voit direct. Quand j'étais tout môme, j'en connaissais un qui avait une larme bleue tatouée sous l'œil. Son vrai œil.

– On le laisse là ?

– Nan, Dani, pas sur les carreaux. C'est gelé.

Après l'avoir fait passer dans le couloir pour le tirer sur une petite carpette tout près de l'entrée, on retourne voir Pitbull. Il est à genoux, penché au-dessus de la femme cassée. Il lui rentre les seins sous la blouse et reboutonne. Elle a la respiration paisible, on dirait qu'elle dort, sauf pour l'œil ouvert, qui nous fixe. Presque plus de sang sur le visage. Pitbull a dû l'essuyer.

– Sale porc. Quel putain de porc !

Rico s'accroupit à côté de lui :

– Tu connais le topo.

– Ouais, ouais, fait Pitbull en se levant. Elle arrive pas à s'arracher de ce tas de fumier.

– La vieille rengaine.

– Ouais.

Pitbull s'assoit par terre à côté de la porte et appuie le crâne au mur. Je lui jette une de mes clopes, il hoche la tête, sourit, l'allume :

– J'ai fait ça dans le vent. Hein, Dani ?

– Possible.

– Sert à rien. Mark a raison, au fond. Des cassoces. Ils feront ça jusqu'à la fin des temps.

– T'as quand même eu raison. L'avait cherché grave, la raclure.

On se pose à côté de lui, on fume. Plus un bruit dans l'appart, plus un bruit dans la tour, juste quelques bagnoles qui passent.

– Et les autres, ils sont rendus où ?

– Dans la cave, je lui fais. Ta cave. On a des chips et des teilles.

– Moi qu'ai eu l'idée, fait Rico. Vu le temps qu'on a devant nous. Sur le lit, elle s'est mise à ronfler. Ses soupirs puent la gnôle.

– Et l'autre ? fait Pitbull en se tournant vers le couloir au ralenti.

– T'inquiète. Il roupille, il roupille juste un peu.

– J'voulais pas, il nous fait, et son buste se détend et s'affaisse contre le mur. En vrai, j'voulais pas.

– Nan, coupe Rico. T'as fait ce qu'y avait à faire, t'entends. Il l'a cherché, tu peux me croire, cherché pour de vrai, ce vieux porcin. Nan, Pitbull. Cogneur de rombières, la pire espèce.

– C'est ça. Écoute Rico.

– J'aimerais pas avoir à me battre contre toi. T'es une vraie baraque.

Rico claque sa main sur la nuque de Pitbull et lui pince les muscles.

– … sur le ring, j'veux dire. Là, tu serais une vraie baraque.

– T'es sérieux ? sourit Pitbull.

– Clair et net.

Même si le tapis est parsemé de brûlures, on pense à écraser nos clopes contre nos semelles avant de se lever. On ouvre la fenêtre pour les jeter dans la cour, et je fais à Pitbull :

– Vas-y, on te rejoint dès qu'on a couché le clodo. En attendant, jette-t'en déjà un p'tit pour nous.

Le type est resté couché sur la carpette, immobile. Soudain, des spasmes lui parcourent les jambes, comme s'il galopait dans son rêve. On passe à côté pour escorter Pitbull en douceur jusqu'au seuil. Il appuie sur l'interrupteur, l'ampoule juste au-dessus de sa tête. Il a seize ans, mais d'un seul coup, il fait très vieux.

– Rico… Dani…

– Vas-y, Pitbull. Dis.

– Le foutez pas près d'elle. Surtout, le foutez pas à côté d'elle, pas dans le pieu.

– Te fais pas de bile. Et laisse-nous un peu à boire.

Juste avant de prendre les marches, il sourit encore. On traîne le type dans la chambre pour le coucher près de sa grosse. Elle ronfle toujours, la voilà qui se tourne sur le côté et pose sa main sur la jambe de l'autre. Il se requinque peu à peu, babille dans les draps, et elle se roule en boule, tout contre. Il s'est remis à saigner, le drap rougit sous son crâne.

– Euh, Rico…

– C'est juste le pif. Ça s'répare tout seul.

Au pied du lit, une couverture en laine. On borde les deux pauvres diables. Rico hoche la tête :

– Viens, Dani. Faut s'arracher.

On envoie voler la porte avant de dégringoler et de retraverser la cour, direction la cave de Pitbull.

L'écho de la musique depuis l'escalier. De la tech.

– Vous avez mis le temps !

Walter claque une bouteille de sky sur la table pendant que Pitbull sort les verres du vieux placard. C'est du Full House, avec les zigs qui jouent aux cartes sur l'étiquette.

– Qu'est-ce tu nous as encore trouvé comme pisse ?

– De quoi ? fait Walter en dévissant le bouchon pour renifler un coup. Eh ben, une bonne teille, Rico avait dit. C'est de la bonne, quoi. Full House, pas dégueu… Hein, Rico ?

– Clair et net. C'est le top.

Il rictusse en me faisant un clin d'œil. On se pose autour de la table, c'est Pitbull qui sert la tournée.

– À la nôtre.

– À la tienne, on lui fait, et il sourit.

On déglutit, Mark fait exploser un paquet de chips et l'envoie sur la table. On s'en jette encore un.

– À Paul, fait Rico.

– À Paul.

On s'en jette encore un, et Pitbull reprend :

– Bon, et ta meuf ? Vas-y, le P'tit. Parle-nous encore de la Princesse du Loto. Elle est vraiment canon ?

– À balle ! beugle Walter, ou presque. Si j'vous le dis. On va trop bien ensemble. Ma parole qu'elle va finir par craquer !

II. Concurrence

On est chez la Vioque, on tise. Sans Pitbull. Jamais il reviendra dans l'immeuble, c'est à cause des pochetrons, qu'il dit. Parce que s'il les entend encore beugler et que le fumier recommence, il descendra lui faire son affaire.

On est venus avec Paul. Il est en train de feuilleter le nouveau *Praliné* qu'il s'est ramené exprès. Mais la Vioque ne capte pas qu'y a un nouveau, elle arrive même pas à retenir nos noms, alors qu'on arrête pas de lui répéter. On a été prendre le charbon, après, on a fait les courses. En gardant la moitié de la monnaie. Pour le charbon, elle veut donner dix balles en plus. Et là, Rico revient de la chambre au trésor. Il se rassoit parmi nous en toisant la Vioque qui boit dans son fauteuil. Des fois, elle est toute calme, elle nous écoute, mais j'ai pas l'impression qu'elle entrave tant que ça.

– On va pas pouvoir ramasser autant que d'hab, souffle Rico. Y a presque plus rien dedans.

– En même temps, on a déjà ce qui faut, je lui fais en tapotant ma poche poitrine.

Paul nous zyeute par-dessus son mag :

– Jamais abuser. Ça finit par se voir.

– Le p'tit génie, fait Mark.

– Il a pas tort, fait Walter. Comme pour les gonzesses. T'en chopes trop à la fois, ça se barre en couilles.

– Mais oui, mais oui ! se marre la Vioque. Les donzelles, faut les emmener danser, les jeunots… Dudiou !

Elle se dresse d'un bond, tombe dans son fauteuil, retente le coup :

– Le grog ! Mon grog qui crame !

L'odeur de schnaps nous arrive de la cuisine, à tous les coups la mixture a déjà débordé. La Vioque réussit à se lever, elle clopine vers la porte, puis on l'entend trafiquer dans la cuisine. Mark prend l'apfelkorn et s'envoie une gorgée au goulot.

– On l'embarque, après ? Pour la cave ?

– Nan, fait Walter. On avait dit pas sa gnôle.

On entend le rire de la Vioque, elle revient avec une grande tasse, la vapeur lui monte au visage et fait de la buée sur ses lunettes. Toujours hilare, elle retourne au fauteuil, sa grosse tasse à la main, et recouvre ses jambes avec la laine en continuant de glousser. Le grog lui dégouline sur les doigts et la couverture, mais ça n'a pas l'air de la déranger. On lève nos verres. Walter s'en ressert un coup, l'apfelkorn luit comme de l'or dans la bouteille qu'il fait doucement tanguer devant ses yeux.

– Et au fait, dis. Elle va comment, ta p'tite Princesse du Loto, dans le Trou Noir?

Ses yeux se brouillent à travers la bouteille et le korn :

– Sa mère!

Il claque le cul de la bouteille sur la table, et on se paye un grand sourire.

– … maintenant, y a un autre type qui vient là-haut, un pauvre clodo du quartier. Tous les mercredis. C'est un pro. Dix biftons, qu'il aboule. Cent vingt grilles. Elle déblatère avec lui tous les mercredis! Pour qui s'prend avec ses dix biftons?

Ça sonne. On se dévisage. Mark saute en l'air et se rue vers le poste de radio installé sur une étagère du grand meuble collé au mur. Il pousse le volume, cuivres et accordéon. La sonnette s'efface derrière. C'est la chaîne folklo, ça, la Vioque, elle aime. Elle pose son grog et se met à battre des mains :

– Vous m'avez mis un peu d'musique!

Elle dodeline dans tous les sens, ses jambes frétillent sous la couverture. Rico traverse la chambre bien calmement pour aller jeter un œil dans le couloir.

– Allumé. Ils sont déjà en haut.

– Ça doit être Jochen, souffle Mark près de moi. C'est ce connard de Jochen.

– Ça s'peut pas, elle avait dit il revient pas avant la semaine prochaine.

– Elle saurait même pas te dire quelle heure qu'il est!

Quelqu'un tambourine contre la porte. Pas assez des trompettes et de l'accordéon pour couvrir le bruit.

– La police, murmure Paul en écrasant son *Praliné* contre lui. Et merde, c'est la police.

– Mais ferme-la, putain!

– Qu'est-c'est qu'ça? Qu'est-c'est qu'ça?

La Vioque s'excite, elle tourne la tête dans tous les sens, ses yeux de bigleuse remuent sous les verres fumés.

– C'est dans la radio, je lui fais. Mauvais temps.

– L'hiver, fait la Vioque. Ah çà, je l'aime pas, moi, l'hiver. Ça se remet à cogner. Je tousse le plus fort possible, pareil pour Walter et Paul qui mettent le paquet pour couvrir le bruit.

– Bon coup de froid! fait la Vioque en attrapant son grog, et elle aspire la moitié avec un bruit de succion.

Mark et Rico me font signe de les suivre dans le couloir. Walter va pour se lever, mais je l'arrête :

– Toi, tu restes. Faites gaffe qu'elle sorte pas.

Il opine en attirant la bouteille à lui.

– Où allez-vous don' ! piaille la Vioque. Partez pas, restez encore un peu!

– Pas de panique! fait Walter dans mon dos. On est toujours là. Sont juste allés s'en griller une. On va tout de même pas enfumer votre bon vieux salon!

– Non, se remet à rire la Vioque. Ah çà, non, pas chez moi. Pas dans le salon. Là, ça rigole pas. C'est que j'ai l'œil!

Derrière la porte, Mark et Rico louchent à tour de rôle dans le judas.

– Alors, c'est qui?

Je pousse Mark pour regarder dans le trou. Debout sur le palier, trois bougres à grosse tête qui fixent la porte. L'un avec boule à Z. Les éraflures, je les vois très bien. Le mec porte un bomber vert, des pompes à bouts ferrés, et le regard qui va avec. Les deux autres sont en baskets, pas l'air aussi dangereux, et malgré leurs efforts, eux, ils ont pas le regard.

– Alors, Dani, t'en penses quoi?

– Nan. Jamais vus.

– Peut-être des mecs à Ange, souffle Mark.

– Nan, ça, je saurais. Par contre, le crâne d'œuf, il se pourrait bien que ce soit un gars de la Piste à rollers…

– C'est ce que j'me disais, fait Rico.

– Chier, marmonne Mark.

Les Skins, ils se retrouvent dans le quartier d'à côté, devant l'ancienne Piste à rollers, et à ce qu'il paraît, certains font partie des Radicaux de Reudnitz. À Reudnitz et dans les autres quartiers de l'est de Leipzig, une maison sur trois porte leur tag, RR, et même Ange ne se risquerait pas à leur chercher des noises. Pourtant, Ange, Dieu sait que c'est pas un clown. Il connaît des gens au Terr. Pitbull, il en connaît, des Skins, mais on va la jouer sans lui. Les types sonnent et maltraitent la porte en beuglant : «Ouvrez, mam' Böhme ! C'est nous ! Allez, mam' Böhme !»

– Ça commence à bien faire, lâche Rico. J'vais leur causer.

J'inspecte le couloir : balai dans le coin du fond, grand parapluie-canne à pointe en fer accroché dans la penderie. Rico ouvre la lucarne de gauche et colle son œil à la grille.

– Yo, Heil Hitler, y a un blème ?

Les trois crânes rasés font un bond en arrière. L'éclair d'un instant, on dirait qu'ils vont raidir le bras et gueuler Heil.

– Merde alors ! T'es qui, toi, et qu'est-ce tu fous là ? La lourde, bordel !

Je me positionne à côté de Rico pendant que Mark entrouvre l'autre lucarne :

– Arrachez-vous.

Je remarque ses jambes qui flageolent un peu, mais c'est rien, ça me le fait aussi chaque fois qu'on va se mettre à valser.

– C'est déjà pris, lâche Rico. Pas ton secteur. Not' Vioque.

– Ouvre bien grand tes oreilles, lui fait le Skin en tapant de l'index contre la grille, pile sous son nez. Essaye pas d'nous la faire à la Van Damme. Ça fait déjà une paye qu'on a notre couvert réservé, tu saisis ? Alors vous prenez vos cliques et vos claques, et adios !

Rico ouvre la porte pour affronter la concurrence. Campés juste derrière, Mark et moi. Il se tient bien à la verticale face au crâne d'œuf, juste assez de place pour tendre une main entre leurs deux gueules.

– Si j'ai bien compris, tu veux faire des histoires ? lui sort Rico en même temps que l'accordéon arrive jusqu'à nous. T'as décidé de nous gâcher notre soirée, peau de derche ? Tu sais quoi, ch'peux te péter le nase, et en instantané.

Il avance la tête et pose le front une demi-seconde entre les yeux du mec. Ça, c'est l'école Ange, Rico a vachement appris grâce à Ange la fois où il a perdu de justesse contre lui. Le Skin recule d'un pas, les deux autres restent là où ils sont, à nous fixer, je lâche pas celui de gauche, j'ai capté que Mark se chargeait de l'autre.

– 'tain ! relance le Skin. Tu dois pas savoir qui chuis, alors ? Le Cador, ça fait tilt ? Suffit que je lui en touche un mot pour que tu te retrouves avec vingt bonhommes au cul. Ils te saignent. Et vous pareil, têtes de nœuds !

Ça, en tendant le menton vers Mark et moi.

– OK, fait Rico.

Il hausse un peu son gauche, vraiment efficace, le gauche, je l'ai déjà vu plusieurs fois à l'œuvre, sur le ring et sur le pavé.

– Dans ce cas…

Il recule d'un poil et va pour se tourner vers nous. Le mec pourrait lui en coller une dans les reins, mais il laisse couler.

– Eh ben voilà. Tout s'arrange, conclut le Skin. Et maintenant, vous vous taillez.

Sauf que là, ça part très vite. Rico fait volte-face, saute sur le type, le saisit à la gorge de la main droite et le plaque au mur pour lui donner de son gauche. J'essaie de la jouer aussi rapide, j'attrape mon homme par les épaules et lui écrase mon genou dans l'estomac, non, il s'est faufilé, j'ai juste touché la hanche. Plus de lumière dans la cage. Le poing qui vient se planter sous mon épaule, pile dans les côtes, me fait résonner un boum jusque sous le crâne. « Et moi j'y dis : coucou chérrri ! Et moi j'y dis : coucou chérrri ! » Le refrain s'entend jusque sur le palier, je flippe que le type ait une lame, alors je balance à l'aveuglette jusqu'à sentir du mou, la gorge d'après son cri, et je l'entends s'affaisser. Quelqu'un rallume, c'est Mark, le dos cloué au mur par son type qui lui allonge des poings en pleine trogne. « Et moi j'y dis : coucou chérrri… » Mark s'écarte comme il peut et le poing de l'autre part droit dans le mur. N'empêche qu'il a déjà bouffé, ça se voit aux marques rouges. Rico a toujours son gars par la peau du cou. Je saute sur celui de Mark par-derrière. Le temps qu'il aille au carreau, Mark est déjà à califourchon et lui avoine la poitrine et la gueule des deux poings, quasi en rythme avec l'accordéon. « Et moi j'y dis… » Le crâne rasé de Rico commence à se réveiller, normal, c'est lui qui a le sale regard ; il articule un truc avant de claquer son poing droit derrière le crâne de Rico, mais Rico encaisse sans broncher et lui renvoie son gauche dans le flanc. L'autre se couche et la boucle. Plein foie. On regagne le seuil pendant que les types se redressent au ralenti et font du reculons vers les marches. Même s'il se tient le flanc et que la bave lui dégouline du menton, le crâne d'œuf se remet à déblatérer.

– Le Cador saura. On va vous fumer !

– Attends… mais dis-moi que j'hallucine ?!

Rico se précipite et lui éclate son gauche en pleine face. Le crâne d'œuf se prend les pieds en arrière, valdingue dans l'escalier, mais seulement quelques marches vu que les deux autres sont là pour réceptionner. Quand ils le remettent sur ses jambes, le nez pisse.

– T'as toujours pas pigé ! vocifère Rico. Si y a embrouille avec ton Cador et compagnie, si d'autres types se pointent, peu importe qui, ch'te fais ton affaire pour de bon. T'as bien compris, je te rétame la gueule ! Je connais assez de monde au quartier !

Il fait un mouvement pour s'avancer, mais plus la peine : le trio vient de décamper en une seconde.

– Nan mais vous êtes pas bien ! gueule Walter qui vient d'apparaître à la porte. C'est quoi ce boucan, la Vioque elle est morte de trouille ! Elle veut même plus écouter sa musique.

– T'as tout raté, le P'tit. Comme d'hab.

Mark se pose sur la première marche, une tache rouge sous l'œil gauche, une autre sur le front.

– Mais, t'avais dit j'dois rester à mon poste ! J'aurais voulu en être, moi, tu sais très bien !

– On sait, Walter. Mais bon, faut bien qu'y en ait un pour surveiller dedans. C'est important, aussi.

– C'est bien c'que j'dis. C'était qui, ces mecs ?

– Rien que des crânes d'œuf, lui fait Rico. Retournes-y, on se ramène. Commence déjà à remplir.

– Ça roule.

Il file dans le couloir, on se pose à côté de Mark.

– Tout baigne ?

– T'as cru quoi ? Que j'allais me chier dessus pour deux mandales ? L'enculeuse a eu du pot, et voilà.

Il tâte la bosse rouge sous son œil.

– C'est net, je lui fais. Il a même pas visé. Tu l'aurais calmé même si j'étais pas là.

– C'est ça. Calmé.

Il paye ses clopes.

– Rico, le mec rigole, à ton avis ? Pour les Skins, j'veux dire.

La lumière s'éteint encore, je reste à fixer le point rouge de sa tige.

– Pourquoi, Dani ? Tu flippes ?

– Trop pas. Je demande.

– Pitbull, il les connaît p'têt, ces mecs, fait Mark en rallumant, l'œil plaqué contre le bois froid de la rampe. Ça s'trouve qu'il arrangera un truc. Avant, il se baladait souvent près de la Piste.

– Pfutain, mais vous allez arrêter ! Vous croyez que ces cassoces me font peur ? On les a rétame. Pas vrai qu'on les a rétame ?

– C'est ça. Rétame.

On écrase nos mégots sur les marches avant de les jeter à travers les barreaux. On verrouille de l'intérieur, retour à la table pour se remettre à tiser. La musique est toujours là, mais en beaucoup plus faible, et la Vioque est heureuse qu'on soit de retour. Elle va vers le grand meuble, farfouille dans un tiroir et revient étaler des photos sur la table. Il y a une femme qui soulève un bébé au-dessus de sa tête. Elle est belle et elle rit. Au dos, « Maman et Jochen ».

– Mon petit Jochen à moi. Il est encore tout petiot là-dessus, j'arrive à peine à le voir.

Elle se courbe par-dessus la table, les lunettes à un millimètre de l'image, pendant qu'on fait tourner les autres photos en buvant d'autres korns. Sur la plupart (et y en a peu), on voit la Vioque encore jeune, avec Jochen. Je me lève pour aller à la fenêtre, personne dans la rue, la Vioque se poile en racontant un truc avant de remballer ses photos.

– Faut qu'on y aille, m'dame Böhme.

Elle clopine vers la porte.

Chez la Vioque, on est bien. C'est mieux que de rester chez nous, ou dans la rue. Ni darons ni flics. On a enlevé la sonnette, concurrence trop rude, et pas seulement des Skins. Même deux mecs à Ange qui se sont ramenés. Eux, ç'a pas été aussi simple de leur régler leur compte. On a été obligés de leur filer quarante sur le fric de la Vioque. Y a quelques jours de ça, c'est les mecs de Friedrich qui s'y sont mis. Ils ont réussi à pousser jusque dans l'appart. Depuis que Maïk est plus là, c'est Friedrich le chef de leur petit gang, sauf que c'est tous des bleus, on les fumait déjà quand on était mômes. Cette fois, il a fallu les expulser de force et se les traîner dans l'escalier. Et attendre d'être dans la cour pour leur en fourrer deux trois, fallait pas que la Vioque se rende compte. La moitié du quartier veut venir chez elle pour palper, mais c'est notre Vioque à nous, notre blé, on la protège, et personne passe la porte.

III. Fugues

On est dans la cave, on tise. Sans Pitbull. Lui, il est dans le couloir, il gerbe. Mark pète de rire :

– Nan mais t'entends ça !

– Allez, bé-gère ! Allez, bé-gère ! on chante en chœur pendant que Pitbull éructe à se déchirer le gosier. Il s'est fait un mélange apfelkorn-petite brune[6] dans le verre doseur, pas l'idée du siècle. Sur la table, des bouteilles, un billet de dix chiffonné et de la ferraille. Tout ce qui reste de notre butin. Walter est allongé sur le canap, les mains crispées autour de la bouteille de schnaps qu'il écrase contre sa poitrine. On a passé la soirée à s'enquiller, et il est pas loin d'avoir son compte.

– Ça craint trop, pour la gonzesse. Franchement, ça craint trop.

Il dévisse le bouchon, ça commence à lui dégouliner sur le pull, alors j'interviens.

– Donne ça, putain.

J'arrache la bouteille et commence par m'en prendre un peu avant de lui verser le gorgeon dans la bouche. Il tousse comme s'il était sur le point de rendre.

– Vas-y mais sors ! je lui gueule. Va te vider avec Pitbull !

– Tu peux courir !

Il saute en l'air, s'essuie la gueule et tourne un peu en rond avant de se recoucher. Je me fous près de lui et coince la bouteille entre les coussins, tout près de sa tête.

– Raconte. S'est passé quoi ?

– Rien, Dani. S'est rien passé.

Il colle le front à la bouteille en fermant les yeux. Mark et Rico déboulent :

– Alors, t'as fini par la kène ?

– Écrase ta sale gueule !

La bouteille de Walter pète en plein dans le mur, faisant gicler le schnaps et les petits éclats jusqu'à nous.

– Mais t'es complètement con ! 'culé !

Pendant que Mark se rue sur lui pour le prendre par le col, Rico se fend la gueule en silence. Il repêche sa clope, va pour se la recaler entre les lèvres, mais elle se casse encore la gueule.

– Laisse couler, je fais à Mark en le tirant en arrière.

– Nan mais c'est vrai, mon gars ! L'est devenu taré, l'autre !

Rico attrape un nouveau korn sur la table :

– On va se calmer un peu.

Il se pose, l'ouvre et prend une lampée avant de la tendre à Walter.

– Et maintenant, tu racontes, le P'tit.

– M'appelle pas comme ça, fait Walter en repoussant son bras.

– Elle s'est foutue de ta gueule, alors.

– À fond ! il gueule encore. Une pauvre salope, c'est qu'une pauvre salope de l'Ouest.

– Pas besoin de te mettre dans cet état, lui fait Mark. T'avais pas pigé, pour les femmes ? C'est comme ça, elles te la font à l'envers. Demande à Paul.

Il cherche Paul des yeux, mais lui, ça fait une demi-heure qu'il s'est barré. Si à onze heures il est pas encore rentré, sa mère l'enferme. Ce qui fait qu'il a aucune chance avec les gonzesses du quartier, elles commencent à être chaudes qu'à partir de là.

– Moi qui croyais que ça roulait, je reprends.

– Un peu, que ça roulait.

Il ne tient pas en place sur le canap. Pitbull est de retour, la face relativement blême, et un truc qui lui coule du menton.

– Chais pas, il nous fait, j'ai dû abuser.

J'attrape la 20 cl de grains[7] :

– Viens me voir. Un peu d'eau de Cologne, c'est ça qui te faut !

Pitbull se traîne vers moi. Je lui tends la bouteille, mais après ma gorgée. Il imbibe un mouchoir, s'essuie les lèvres et ravale un coup de schnaps en faisant des gargouillis, avant d'aller tituber dans le mur.

– Pourquoi vous m'écoutez pas ! Pourquoi personne m'écoute jamais ! gueule Walter en calant sa tête à l'accoudoir. Alors que je l'aime, moi.

On est sur du vrai coup de foudre, il a plus honte de rien.

– Et merde, fait Rico à part. S'il commence à se donner en spectacle à cause de la grosse…

– J'ai entendu ! hurle Walter en bondissant. J'ai très bien entendu, boxeur en carton. Je me donne en spectacle si j'veux !

Il arrache le korn de la poigne de Rico, écluse la moitié et va se recoucher sur le canap, la face enfoncé dans les coussins miteux.

– Pas de foutage de gueule, je leur fais. Nan, on reste solidaires. Et maintenant, tu racontes !

Et il raconte, et on l'écoute, et les passages où on peut pas s'empêcher de s'esclaffer, on détourne le visage, sauf Pitbull, assis par terre contre le mur, à respirer très fort et à lâcher des rots. Mais ça, Walter s'en balance.

– … et après, ben, je l'ai emmenée en balade. À Stünz, dans le parc. Y a un nouveau café. Pas çui des pochetrons, nan, un autre, truc classe, pile devant le lac. Et là, elle me chope la main, gars, sa peau elle était vraiment toute douce.

Il soulève le korn à hauteur de ses yeux :

– … mais y a eu rien d'autre. Alors que juste avant, elle m'avait mis la fièvre. Avec sa main, là. Chuis trop jeune, qu'elle dit. Elle dit que ça donnera rien…

– Elle a quel âge, elle ?

– Ben, vingt-huit, qu'elle dit. Mais attends, j'ai bientôt seize, moi. J'voulais lui braquer une bagnole, tu vois. Pour quand on irait bouffer ensemble. Mais elle aime pas trop.

– Laisse-moi te donner un tuyau, fait Rico. Tu tises un bon coup et tu te la sors du crâne, une fois pour toutes.

– Mais je l'aime à fond.

Pendant que Walter continue de loucher à travers la bouteille, Pitbull se lève et tire des bords jusqu'à la chaîne hi-fi sur l'étagère.

– Bon coup de tise ! il reprend. Pour te la sortir du crâne !

Il bidouille la chaîne, ça dure un peu, et hop, il y est. En premier, les basses, ensuite les bips et les couinements, avec des brins de mélodie entre les deux. Acid-tech. Mark éteint la lumière en beuglant : « Mets-nous le feu ! » et Pitbull nous le met pour de vrai. Il commence par pousser le volume à la limite, puis il lance le strobo. Ça, il a économisé longtemps pour se le payer. La semaine dernière, quand on lui a filé l'argent de la Vioque, il est allé le chercher chez les Électroniaques. Pitbull, il aimerait avoir un vrai club techno dans sa cave, mais ça va pas le faire, c'est là qu'il crèche.

Bouteille en main, Walter chancelle à travers la pièce, non, il danse, il serre la bouteille dans ses bras comme si c'était sa petite Princesse du Loto, voilà Mark qui se met sur ses jambes et bouge dans les flashs du strobo, ses bras palpitent, son grand sourire, ses bras et son sourire, il a encore gobé, sûr. Rico aussi se met à danser, à balancer comme un boxeur, il danse à travers la cave comme sur le ring, roule les bras et les épaules, gauche-gauche-droite, rentre la tête, feinte, plus vif qu'Oscar de la Hoya à travers les flashs du strobo, et même la gueule de gentleman d'Henry Maske n'aurait aucune chance contre lui. Devenir pro, c'est son rêve, mais ça marchera pas, on le sait, et lui aussi. Il cartonne pas mal sur le ring, mais y en a des meilleurs, et puis il tise et ne dit jamais non. N'empêche que sur le bitume, c'est lui le plus grand. Arrivé là, je danse avec les autres. Pitbull zigzague entre nous, les bras en l'air, les yeux fermés.

Mais ça se rallume. Le daron de Pitbull dans l'encadrement. À part le fute, il est juste en marcel, je peux voir l'épaule tatouée. Mon père avait le même, Chemie Leipzig, les insignes du club par-dessus, le C en boucle autour du sifflet vert. Le daron de Pitbull est fan du club qu'il faut, mais ça reste une merde. Quelques pas vers l'étagère, et il arrache la prise.

– De Dieu, les gosses ! Stefan ! Mais qu'est-ce que t'as dans le crâne ? On entend votre saloperie dans tout l'immeuble !

Je vois à ses yeux qu'il s'est méchamment arsouillé. Pitbull a une épaule au mur.

– Casse-toi, arschlor !

– 'tention ! Pas d'ça avec moi ! Avec moi ça passe pas, ch'te le dis ! Et maintenant, tu montes illico, sinon… je t'aurai prévenu !

– Sinon quoi, papoune ? Tu vas faire quoi, sinon ? C'est fini, ça, papoune !

Pitbull se rapproche, tenant à peine debout. Quand le paternel comprend que son fils est plus raide que lui, il l'agrippe par le col.

– Tu montes avec moi, et que ça saute ! Et vous, vous dégagez ! Allez, rentrez chez vous ! Vous allez rentrer, oui !

Je me campe face à lui, Rico en parallèle, Mark derrière. Le vieux pue la gnôle. Il recule en attrapant le bras de Pitbull.

– Tu montes avec moi, bonhomme.

– Lâche-le, je lui fais en tirant l'autre épaule.

– C'est mon fiston, fait le vieux. Et maintenant, il vient avec moi. Non mais regardez-le !

Là, il s'est mis à articuler comme s'il était redevenu complètement net, sauf que je vois ses traits qui travaillent et le coin de sa bouche qui tique.

– Vous voyez bien qu'il a son compte. Allez, soyez raisonnables. Vous êtes ses copains, oui ou non ?

– Pitbull, il reste.

Je lui entoure les épaules. C'est vrai qu'il a son compte, obligé de s'agripper à moi pour rester debout, mais je le tiens bien.

– Non, fait le paternel. Si vous plaît…

– Allez, casse-toi ! crie Mark en claquant des mains sous son nez. Tu t'arraches ! Allez, remonte cogner bobonne !

À partir de là, le visage du père tique comme pas possible. Rico s'y colle. Il lui tapote gentiment l'épaule :

– Et au fait, pour la maman de Pitbull, à l'avenir, t'oublies ! À ce qu'il paraît que maintenant notre Pitbull il te met sur la gueule bien comme y faut. Et tu sais pourquoi… papoune !

D'un seul coup, le paternel est tout calme. Il reste à fixer le mur, l'air au bout, fait demi-tour et disparaît. Ses pantoufles s'éloignent en traînant dans le couloir. Je me tourne vers Pitbull :

– Eh bah. On lui en a fait voir de toutes les couleurs, à ton daron. Ou bien ?

– Ouais.

Il est resté collé à moi, je l'emmène jusqu'au canap. « Pauvre papoune », il murmure en se couchant, mais je fais comme si j'avais rien entendu. Mark éteint le strobo. Posés à côté de Pitbull, on fume.

– Et Walter, il est passé où ? fait Rico.

– Sûrement parti pisser, fait Mark. Ou bégère. L'était là y a deux secondes.

Pitbull se redresse et galère vers la sortie. Il se donne du mal, ça tangue presque plus.

– Je vais checker.

On l'entend arpenter le couloir. Un bruit sec. Il revient avec une bouteille de Selters pétillante :

– Au voisin. J'ai tapé dans sa cave, il fait en prenant une gorgée d'eau, avant de se verser le reste sur le crâne.

– Et Walter ?

– En tout cas, pas dehors.

– Les gars, fait Rico. Vu comment il était full, il s'est sûrement cassé. Il va déconner. Croyez-moi, il va faire de la merde !

– Ch'te crois. Je sais où il a bougé.

– Quoi, il t'avait dit un truc ?

– T'as oublié que Dani donne la bonne aventure ? se tord Mark.

– Des jours qu'il en peut plus à cause de sa grognasse, je leur fais. C'est là-haut qu'il a bougé, chez la Princesse du Loto. À sa boutique, j'veux dire.

– Sauf que là, elle est fermée.

– Ben justement. Justement.

Rico se redresse :

– T'en es sûr, Dani ?

– Je crois bien.

– Alors, faut y aller. Sinon il va faire de la merde. Tellement full, ils te le coffrent en deux-deux.

Il enfile son blouson et fourre un korn dans la poche intérieure. Depuis que la Vioque nous a initiés, on en boit pas mal.

– Dix balles, fait Pitbull. Sur dix balles, Dani. Sinon j'viens pas.

– T'es devenu con ?

– Mais nan. On parie, j'veux dire. Moi, ch'crois pas qu'il est là-haut. Ça s'trouve il est autre part, tu piges. Sur dix balles, Dani.

– Ça roule, dix balles.

On se serre la main. Rico vient casser avec le flanc de sa paume :

– Ça vaut.

Et on est partis. Pitbull tenait à emmener sa machette, mais Rico lui explique qu'il peut s'en passer. Alors, il fait une caresse à la lame avant de la remettre à sa place dans l'armoire, puis se grouille d'aller vérifier au cas où une clope brillerait encore entre les coussins du canap. Celui d'avant avait moitié cramé, y avait eu une sorte de feu couvant, sans flammes, mais les pompiers étaient venus quand même. À cause de la fumée dans tout l'immeuble.

On attend devant la porte de la cour qu'il ait verrouillé les trois cadenas. Ensuite, raccourci par les cours voisines, sous les fenêtres de la Vioque, toutes noires, silence aussi chez les pochetrons, qui ont dû se bercer de coups. On escalade les poubelles, on glisse à travers les clôtures pour atterrir dans la rue, et en route pour les Expos, le Loto est par là-bas. Presque tous les rétros des caisses garées le long du trottoir sont cabossés, quand ils ont pas disparu. La piste de Walter. « Boulot nickel chrome », fait Rico. On s'arrête devant une jolie Golf bleutée qui a passé un sale quart d'heure. Vitres et pare-brise enfoncés. Quelqu'un a dû danser la farandole sur le toit et le capot.

– Changement de trottoir, fait Rico. Si les keufs raboulent, c'est pour notre gueule, ils savent qui on est.

– Les keufs, on leur chie dessus ! vocifère Mark tellement fort que ça résonne jusqu'en bas de la rue. Trop longtemps que j'en ai pas fumé un !

– Ferme ta bouche et ramène-toi.

Mark se remet en marche derrière, les lèvres tirées. Plutôt sombre, la rue, c'est aussi parce que tous les lampadaires sont pétés, ou presque. Mais c'est pas la faute à Walter. Gyros. V'là les flics. On plonge dans un hall d'immeuble, porte ouverte, et on guette à travers la vitre.

– J'espère qu'ils vont pas nous repérer, fait Mark.

– Et alors ? fait Pitbull. C'était pas nous.

– Ouais. Et comment tu leur expliques ?

Rico sort l'apfelkorn et fait tourner la bouteille. Un pack de six s'arrête devant la Golf éclatée, deux poulets sortent et se mettent à parler dans leurs talkies en griffonnant sur leurs petits blocs. Ils avancent le long du trottoir, Walter a dû niquer d'autres caisses.

– Ça s'trouve qu'il est déjà assis derrière, je leur souffle.

Rico se dresse sur la pointe des pieds :

– J'vois rien. Nan, on dirait pas.

Les flics remontent et le pack s'éloigne au pas.

– J'en connaissais un, ch'crois, fait Mark. Secteur sud-est.

– Ouais, et ch'parie que tu lui as déjà tapé sur la gueule, fait Rico. Pas vrai, killer de keufs ?

Ça rigole. Rico file une autre tournée et rouvre la porte du hall sans faire de bruit, pour prendre la température.

– On est bons. Plus là.

On repart vers les Expos, la bouteille refait son tour, même Pitbull s'y est remis et commence à reprendre ses couleurs.

– Si jamais l'ont tricard avant qu'il arrive là-haut… Enfin, on est pas sûrs qu'il voulait vraiment y aller. Bref, si les keufs ils l'ont chopé, les dix c'est pour ma gueule.

– T'es vraiment trop con ! je lui fais en stoppant pour lui donner un gentil coup de coude. Dis pas de la merde, ça porte la poisse. C'est la misère, chez les keufs. T'es quand même au courant !

– Touche-moi pas, gars ! Le P'tit, il sera fier d'atterrir chez les keufs, tu le sais très bien. Il est aussi chtarbé que nous !

– Ferme ta bouche !

Je le tire par le blouson et l'éjecte vers le mur. Mais au fond, c'est la vérité, à chaque coup on est fiers de se retrouver chez les flics, même qu'on en vient à se prendre la tête pour savoir qui a atterri le plus souvent là-haut, qui a eu le plus de plaintes, sauf que face à Rico et au vieux Fred, c'est même pas la peine.

– Calmez votre joie, putain ! gueule Rico pendant que Mark nous sépare. Arrêtez vos merdes, pensez à Walter !

– OK.

– OK, lâche Pitbull, et on se serre la main.

Rico nous passe la bouteille. Une fois tuée, Pitbull l'explose contre le mur. « Labagâr ! » Et ça rigole. On met la tête en arrière, les yeux dans le ciel, les yeux dans la nuit, on est tout seuls et on flippe devant rien. Chacun s'en allume une, c'est reparti.

– Là ! Juste devant ! C'est bon, on y est !

– Le Trou Noir, murmure Pitbull.

Et là, tout le monde se calme d'un coup. Nos pas résonnent entre les barres d'immeubles. Seulement quelques carreaux éclairés, une ampoule rouge derrière certains, on se regarde avec de grands sourires, bon nombre de putains vivent dans le Trou Noir, elles travaillent à domicile. La boutique de Walter, c'est à l'intérieur d'une petite bicoque d'un seul étage collée à un gros bloc quasi délabré et moitié vide. Comme presque tous les immeubles du coin. On jette nos clopes avant de s'approcher de la vitrine en catimini.

– C'est tranquille, on dirait, souffle Pitbull en tournant la poignée de la petite porte. Alors, j'avais dit quoi ? Il est pas là.

– Porte de derrière, je lui fais.

On contourne vers la cour, j'appuie sur la poignée, verrouillée aussi, non, porte entrouverte, la serrure a déjà été fracturée, les éclats de bois tout autour. « Tout le monde dedans ! » Je m'engouffre en ouvrant mon feu, les autres collés aux basques. Mon pied bute sur un truc, je me penche, bouteille de petite brune vide aux trois quarts. Je la montre à Rico.

– Ça vient de la cave, il me fait. Couronne d'or.

Il dévisse le bouchon et se prend une gorgée.

– Amène un peu, chuchote Mark tout près de moi.

On se fait le reste à deux. La Couronne, c'est bien au-dessus de la Feuille d'or (boisson préférée de la Vioque). Sinon, y a aussi le Pré d'or, mais eux, ils savent faire que du korn. Devant nous, deuxième porte entrebâillée, je repère la vitrine un peu plus loin. Plus besoin de briquet, le faisceau d'un réverbère tombe dans la boutique. Direct après la porte, je manque les marches et me prends les pieds. Pitbull me retient par le blouson :

– Mec ! Fais moins de boucan !

Il a la rage à cause du billet qu'il me doit. On entend un truc, Mark rallume son briquet.

– Coupe ça, souffle Rico. Tu veux qu'ils nous grillent de l'extérieur ?

On avance prudemment derrière les caisses. Walter est couché sur le comptoir, immobile. On dirait qu'il est endormi, mais en fait il sanglote tout doucement, les bras croisés sur la poitrine. Éparpillés sur lui et autour, masse de billets de loto, certains lui collent aux larmes.

– Walter, je chuchote. Debout, merde !

– Même plus la peine de l'aider.

On s'est mis autour de lui, Mark sort un mouchoir et lui vire les billets de la figure. En dessous, il nous sourit.

– C'est là que je l'ai baisée, il nous murmure. Franchement, elle est trop belle.

– Bien sûr, je lui fais. Bien sûr qu'elle est belle.

– Mais elle est où ? Elle est où, maintenant ?

Il fait un tour sur le flanc et ne dit plus rien. Je me retourne vers les autres après l'avoir bordé avec mon blouson. L'inventaire a commencé. « Vise les jeux à gratter ! » Mark enfonce les mains dans un bac en plastique et projette des poignées de bouts de papier en l'air comme des confettis. Pitbull s'en met plein les poches face au présentoir des barres en choc. Tout près, Rico grogne en découvrant la caisse déjà ouverte :

– Que dalle ! Rien de rien, la sale rate !

– Allez, on chope Walter et on se casse. Si les keufs débarquent, on se fait embarquer pour effraction.

– Ben quoi ? Tu flippes ? me fait Pitbull, appuyé au comptoir, en train d'engloutir un Kinder Surprise.

– Ch'te l'ai déjà dit tout à l'heure : tu la fermes !

D'une pichenette, je lui fais voler le petit jouet en plastique des mains.

– Connard ! T'arrive quoi ?

Il ramasse son cadeau :

– Oh, c'était un petit panda, en plus. Les nanas, elles adorent !

— On va se calmer un peu, fait Rico en nous enserrant l'épaule. T'as raison, Dani, on se tire dans deux secondes.

— C'est pour Walter. C'est juste pour lui que je veux me barrer. Le gars est complètement HS, vaut mieux le ramener chez lui.

— Tant mieux, fait Mark en se remplissant les poches de jeux à gratter. C'est tout pourri ici. Elle a même pas de clopes.

— Un peu qu'elle en a, fait Rico en pointant un coffre en acier collé au mur derrière la caisse.

— Faudrait un truc genre pince-monseigneur.

— Une bagnole, une chaîne, et hop, fait Pitbull avec un sourire roublard.

Je souris aussi, même Rico fronce un chouia le coin gauche de sa bouche, on repense au truc avec Fred y a quelques mois, on avait pris sa bagnole pour arracher un distributeur de clopes. Fred était fait, il s'est même pas arrêté, le distrib est resté accroché derrière tout le temps qu'on roulait en faisant un bruit pas possible et en raclant toutes les bagnoles garées, jusqu'au moment où les flics se sont pointés et où il a fallu quitter le véhicule. Sauf Fred, qui, comme d'hab, n'a pas bougé de son siège.

— Matez un peu ça, lance Mark en farfouillant dans les étagères. *Praliné*, *New Week-End* et toutes les saloperies.

— Si elle avait de la vraie came, au moins… fait Pitbull.

— J'vais quand même en choper deux trois. Pour Paul. Juste pour Paul, hein.

— C'est parti ! fait Rico en se plantant devant Walter, toujours à comater sous mon blouson. Tous dessus !

— Deux secondes, deux secondes ! fait Mark, agenouillé par terre pour rassembler les jeux à gratter. Y a moyen de ramasser le pactole !

On s'accroupit pour se remplir les poches.

— Jackpot à vingt mille, relance Mark. Vingt mille, tu vois le délire ! Vas-y, Rico, embarques-en aussi, tu vas enfin pouvoir te gratter autre chose que le paquet ! Vrai keutru !

Ça rigole, mais on en oublie pas notre Walter. J'enlève le blouson et on l'empoigne pour le sortir.

— Nan ! il vocifère en pédalant. Nan, vous avez pas le droit ! Bande d'enculés, je l'aime, moi !

Il couine comme un goret, je lui plaque ma main sur la bouche, ça essaie de mordre, je retire, et là, voyant qu'il continue à beugler, Rico lui pose un coup sur la mâchoire. Bien gentiment, mais pile là où il faut. L'autre la met tout de suite en veilleuse. Après l'avoir traîné dans la cour, on passe devant la vitrine pour reprendre la rue en sens inverse.

– Stop, fait Pitbull. 'tendez voir.

On reste plantés là sur le bitume.

– Vous voulez continuer comme ça jusque chez lui ? Même pas la peine. Il a beau être nain, il pèse son poids.

– T'as plus de bras, ou quoi ? fait Rico. T'as qu'à demander si tu veux que je me le tape seul tout !

– Ou avec une caisse, fait Mark. Là-bas, y a l'embarras du choix.

– Tu délires, je lui fais. Pas ce soir, pas là. Les keufs, t'as oublié ?

– Bougez pas, fait Mark en rebroussant chemin vers la cour.

– Pas de tire ! je lui lance dans le dos. Tu m'as compris, pas de tire !

– Lâche-le. Si ça lui fait plaise.

Rico couche doucement Walter le long du trottoir.

– Avec une tire, plus vite rentrés, tu captes.

– Ou pas, fait Pitbull.

Mais c'est pas une tire qu'il nous ramène. Il ressort de la cour en remorquant un petit caddie.

– Ça tétonne, hein ?

– T'as fait comment pour l'avoir aussi vite ?

– Tombé dessus.

Grand sourire. On se réjouit, il a même droit à ses petites tapes sur l'épaule, sauf de la part de Rico qui lorgne toujours les voitures garées. On hisse Walter dans le chariot, Mark saisit la poignée, et on est partis. Ses jambes raclent le bitume, mais à l'heure actuelle, il s'en fout.

– Ç'aurait été tellement plus simple avec une caisse, fait Rico. Mille fois plus rapide.

– C'est toi le rapide ! crie Mark.

Il fonce avec sa nouvelle caisse. Le caddie accélère en beauté, les guiboles de Walter rebondissent sur le ciment, on court à sa poursuite. «Vas-y, mets la gomme !» Mark accélère. Au moment de négocier une courbe, son bolide lui échappe des mains et part en dérapage. Le caddie se retourne avec Walter qui fait un roulé-boulé jusqu'à la bande blanche. Tout le monde vient s'appuyer au mur en fou rire, Walter glisse un bras sous son crâne pendant que Mark paye une tournée de clopes. Après, on l'évacue du milieu de la route pour le rasseoir dans le caddie, direction sa tour.

Le hall est resté ouvert. Il habite au quatrième, on le traîne le long des marches en disant des gros mots, mais tout doucement, faut pas exciter les voisins. Aucune clé dans ses poches, alors Rico sonne trois coups. Ses darons s'agitent, on l'assoit devant la porte et on file. Dernière chose, aller replacer le caddie en plein milieu du croisement. On se remet en marche vers notre secteur. Ensemble, car nos rues sont dans le même coin.

– Et pour le blé, fait Mark, vous feriez quoi avec ?

– Quel blé tu parles ?

– Bah, celui que vous allez gagner. On a chopé des centaines de tickets ! Quand même, doit bien y avoir une chance…

– Moi, j'fais agrandir la cave. Et un jardin, pour quand j'aurai d'autres cabots…

– Ring de boxe. Ring de boxe pour ma gueule. Sac de frappe, et tout. Que pour ma gueule. Ou une bagnole, tu vois le plan, une légale.

– T'as même pas dix-huit piges.

– Et alors. On s'en bat.

– Cent patates, et moi j'me tire d'ici. Je me tire, tu comprends. Point barre.

– De la chiasse, tout ça. N'toute façon, personne il gagne rien. C'est niqué, et voilà.

– Hé, Rico. Tu dis quoi, on y retourne quand, chez la Vioque ?

– On y était pas plus tard qu'hier. Semaine d'après. Semaine d'après, si ça tombe.

On est rendus au carrefour de la rue de l'Est, coin de la Martin. Rico avance la main, tout le monde met ses paumes par-dessus.

– Demain dans la cave.

– Demain dans la cave.

On est chez la Vioque, on tise, avec Mark, Paul et Rico. C'est vendredi après-midi, on a pas été en cours, de toute façon c'est bientôt les vacances. Walter n'est pas venu. Il traîne de plus en plus avec les Braque-bagnoles des Moulins. Ces cinglés passent leur temps à braquer, nuit et jour. Ils font rien d'autre de leur vie.

– Nous, on allait tout le temps danser, fait la Vioque en nous montrant les photos qu'elle nous a déjà montrées une paire de fois. Mon Horst à moi.

Elle passe la main dessus.

– Faut bien qu'il soit quelque part, mon Horst.

On lui tend celle du mariage, un jeune homme et une jeune femme en blanc. Elle la tient tout près de ses yeux. «Même blase que ton père, Dani», souffle Mark. La Vioque pose ses lunettes. Son œil gauche est foncé et trouble comme du verre coloré.

– Longtemps que je suis plus allée le voir. Longtemps que j'y ai pas rendu visite.

Voyant que ses mains se remettent à racler la table, on lui avance son verre. Elle est encore à la petite brune coupée à l'eau. Parce que d'habitude, elle s'y met pas avant seize heures, c'est elle qui le dit.

– Le taxi, c'est bigrement cher. Et moi, j'ai pas grand-chose, les enfants. Vous savez bien.

– Ah ouais, les taxis c'est cher sa mère, fait Rico, et on acquiesce.

Absorbé par la lecture de son *Praliné*, Paul nous fait montrer la girl de la semaine. La Vioque aussi tend les yeux, mais à tous les coups elle la calcule pas. Même si la girl a des énormes loches qu'elle presse avec ses deux mains, pour nous chauffer.

– L'arbre, fait la Vioque en dodelinant.

Et vu comment elle est attaquée, ça doit être vrai que d'habitude elle s'y met qu'à partir de seize heures

– … au moins, il a un bel arbre.

– De quoi, son arbre ?

Le grand meuble du mur est à trois pas, mais la Vioque s'appuie quand même sur sa canne pour y retourner. Elle farfouille dans un tiroir, obligée de s'incliner très bas et presque de foutre la tête dedans pour y voir. Elle tire un truc et le ramène sur la table. C'est un cadre doré. Sur la photo, un grand arbre, genre chêne. Pas loin, une tombe, mais pas évident de déchiffrer l'inscription. Mark avance la tête et renverse son verre déjà vide. Son épaule est à un millimètre de la tête de la Vioque qui flanche.

– C'est là que je l'ai allongé. Même que c'est moi que j'me suis occupée de tout.

– Et c'est où ? fait Rico.

La Vioque veut attraper le cadre, mais il le ramène à lui pour mieux contempler l'image.

– C'est loin. J'peux plus m'y rendre toute seule. Là-haut, cimetière du nord. Là-haut qu'il est.

Rico lève la photo à hauteur de ses yeux :

– Si vous voulez, j'vous emmène. J'ai une bagnole, moi. Vous savez. J'vous ai dit.

Je le dévisage en me tapant le front :

– Nan mais t'es con.

– C'est vrai ? fait la Vioque en tremblant si fort que le verre de schnaps qu'elle tient serré contre la table se met à valser. Ça, ça me ferait bien plaisir.

Mark se lève et vient se mettre à côté de Rico :

– Carrément, m'dame Böhme, on vous emmène ! Comme ça, vous pourrez revoir votre Horst. Rico, il a une bagnole flambant neuve, jamais vous avez vu un truc comme ça !

Mark enlace l'épaule de Rico, ils me regardent tous les deux en tirant les lèvres, toutes dents dehors.

– Mais j'ai rien à me mettre ! crie la Vioque.

Elle a juste sa chemise de nuit grisâtre et une couverture en laine sur les épaules.

– Teuh teuh teuh, fait Rico. Y a juste à rajouter votre joli manteau par-dessus, et on est bons.

– Mais oui, fait la Vioque. Mais bien sûr.

Elle se lève pour clopiner vers la chambre, et après, on l'entend bricoler dans la cuisine. Je me remplis un verre de petite brune.

– Bordel, Rico. Tu veux vraiment choper une caisse ? Il est midi, mec.

– Cool Raoul, fait Mark. Laisse bosser les experts.

– Toi, tu la fermes ! je lui fais en me jetant mon schnaps, et je m'en remets un autre. T'faut toujours une demi-heure pour en braquer une !

– Écoute, me fait Rico. Si t'as pas envie de venir, on peut aussi y aller seuls tout.

– À quoi ça rime ? je lui fais en me jetant mon schnaps, et je m'en remets un autre. J'ai jamais dit que j'voulais pas venir !

– Eh ben voilà ! fait Mark en me tapant sur l'épaule. Tu te raisonnes un peu.

Au moment de passer la porte, lui et Rico tombent sur la Vioque, déjà en manteau, un petit chapeau rouge sur la tête.

– On est partis, m'dame Böhme! Juste que j'aille vite fait chercher ma voiture. Cinq minutes, m'dame Böhme.

Je les entends au bout du couloir, ils passent la porte d'entrée et prennent l'escalier.

– Qu'est-ce que chuis contente! elle s'exclame en se remplissant un verre à ras. Allez, les enfants, resservez-vous. Fait frisquet, dehors.

– Caille pas tant que ça, m'dame Böhme.

Je pousse la bouteille vers Paul :

– Tout va comme tu veux?

– Ça va.

Il roule son *Praliné* en forme de tube et me regarde à travers.

– Allez, vieux, bois encore.

– Ça va.

Il remplit à faire déborder le verre, le lève doucement et le vide d'un trait.

– Tchin.

– Tchin, ouais.

La Vioque s'est remise dans son fauteuil, les deux mains serrées sur sa canne.

– T'en es, Paul? Au cimetière.

– Sûr. Pourquoi pas.

Il me regarde me lever à travers son télescope. Je vais m'en griller une sur le balcon. On a le soleil dans le dos, la cour est pleine d'ombres. Je me penche par-dessus la balustrade pour jeter un œil au balcon des deux pochetrons. Partout, des bouteilles vides. Je balance ma clope à moitié fumée en plein milieu et je m'en rallume une. La sonnette de la Vioque m'arrive de l'intérieur en étouffé. Quelqu'un piétine dans le couloir. Doit être Paul. Je tire encore quelques taffes avant d'écraser ma clope dans mon poing. Le bout picote un peu la peau. Je la jette en bas et plaque ma main sur le froid de la balustrade. Rico est à la porte de la cuisine.

– T'es là, toi!

– 'coute, Rico, si jamais on se fait prendre… J'veux dire, moi j'en ai rien à foutre des keufs et tout le reste. Mais la Vioque, tu vois, la Vioque…

– Putain, mais dis pas des trucs pareils! De quoi tu me parles? Qui va se faire choper?

Il s'approche tout près et me cale la main derrière la nuque :

– Suffit qu'on se grouille un peu, et pas un péquenot nous remarque. Après, on a qu'à ramener la tire. Tu connais le topo. Tu connais. Tout ça, c'est rien. Et pour les keufs...

– C'est pas ça que j'voulais dire. Tu me connais. Les keufs, je m'en bats l'œil.

– Sûr, Dani, 'videmment que je sais. C'est nous les plus grands. Il éclate de rire. Impossible de me retenir. Il m'entoure les épaules, on rejoint les autres dans le couloir. La Vioque est devant la porte, en train d'emballer un demi-litre de petite brune et des verres dans un sac en tissu. Mark lui retire des mains :

– Mais c'est trop lourd pour vous, m'dame Böhme. Laissez-moi faire.

– Allez, m'dame Böhme, on est partis ! lance Rico en refaisant un détour par la chambre.

Le temps que j'enfile mon blouson, il ressort en tapotant sa poche poitrine avec un rictus.

– Frais de transport, il me fait dans un souffle.

Mark et Rico dévalent l'escalier en tête. Avec Paul, on escorte la Vioque.

– Tout doux, m'dame Böhme. Un pied devant l'autre.

Mark et Rico ont choisi une Opel Kadett, les plus rapides à braquer. Elle empiète à moitié sur le trottoir, calée entre une Golf II et une Wartburg.

– Pourquoi vous avez pas pris l'autre, là ?

– Carrément trop voyant, fait Mark. Merde, faut t'apprendre ça ? Toujours une ou deux rues d'écart. C'est plus sûr.

– Une quatre portes, ç'aurait été plus pratique, je lui fais en rabattant le siège du mort.

Paul glisse sur la banquette arrière pour se mettre près de la vitre. La Vioque est restée dehors, agrippée à la portière.

– Quelle jolie voiture, vous avez une jolie voiture.

– On est partis, m'dame Böhme, je lui fais en glissant près de Paul. Grouille, Mark ! Amène-toi derrière !

– C'est moi qui conduis à l'aller, il fait en cognant le toit avec sa paume.

– Arrête ton délire ! le coupe Rico, en train de faire le tour pour ouvrir la portière conducteur. T'as l'air trop jeune, je t'ai déjà dit. Un autre jour.

Mark se pose à côté de moi et rabat le siège vers lui :

– Jamais entendu un truc pareil. Trop jeune. Trop jeune toi-même. Dix-huit piges, à l'aise!

Rico est déjà à tripoter les fils, mais la Vioque reste toujours plantée sur le trottoir.

– Allez, quoi! lui crie Mark en tapant contre la vitre. Mais allez, montez!

– Calmos, les gars. Tout est inclus dans le tarif!

Rico rouvre sa portière et fait le tour pour aller installer la Vioque.

– ... z'avez vu? Encore mieux qu'un taxi!

Et il rebalance la portière. La canne en équilibre contre le tableau de bord, la Vioque enlève le petit chapeau rouge qu'elle porte tout de traviole. Rico fait jaillir plusieurs fois les étincelles avant que la caisse ronronne, cette fois ça y est, on est partis.

– Bonne tire! il fait en poussant le levier de vitesse.

Il met les gaz, vrai chauffeur, manque plus que la casquette.

– Sûrement que les flics l'ont déjà dans leur ligne de mire, lâche Paul à côté de moi.

D'habitude, il se mêle pas de ces trucs-là. Quand on fout la merde, il se contente de faire tapisserie, surtout à cause de sa mère, et puis bon, son trip c'est plutôt les pornos.

– T'as craqué, je lui fais. Sont pas aussi rapides.

– Appuie sur le champignon! crie Mark. La petite flèche est verte!

On était resté arrêtés au feu. Rico met le cligno à droite :

– Déstresse. D'abord, vérifier qu'y a personne en face.

La Vioque reste toute calme, j'ai ses lunettes fumées dans le rétro. Quand je me penche pour lui boucler sa ceinture (il serait temps), elle reste immobile, et soudain je me dis qu'elle est morte. Après tout, largement assez vieille, mais au même moment je vois ses doigts se crisper sur son pommeau. Je me rapproche un poil de Paul et cale mon front à l'appuie-tête de Rico.

– Dis! je lui chuchote. S'ils te grillent avec la Vioque à la place du mort, c'est notre alibi, pigé? C'est ta mamie, et tu l'emmènes au club du troisième âge.

– Yes. Ma mamie.

Et il se marre, parce que sa mamie à lui, il crèche chez elle, sauf qu'elle est pas aussi vieille que la Vioque. Nouveau feu rouge. Rico ralentit au point mort, tranquille. Ça fait une paye qu'on a quitté le quartier et même le secteur est. On traverse le secteur nord, direction le cimetière. Rico connaît toute la ville, la nuit, il est souvent en vadrouille.

– La police !

Paul gigote sur sa banquette, les doigts écartés contre la vitre. Je lui plaque le bras en dessous. Quelques mètres derrière, un pack de six, et même si j'arrive pas à distinguer les flics, je sens qu'ils nous ont à l'œil et qu'ils parlent sur nous. Rico :

– T'en dis quoi, Dani, on tourne ?

– Chais pas. Vaut p'têt mieux.

Il met le cligno et on passe sur la voie de droite pour bifurquer dans une petite rue. Eux aussi clignotent, mais on est plus réactifs. Rico prend à gauche, encore à droite, ils sortent de mon champ de vision, peut-être qu'ils en avaient pas après nous. Dans le doute, Rico gare la caisse, plutôt rapide et plus propre qu'un mono d'auto-école.

– Tout le monde se couche !

On s'écrase au fond de nos sièges, tête baissée. Sauf la Vioque qui continue à dodeliner.

– On est arrivés ?

– Non, m'dame Böhme. Encore un p'tit moment.

On reste plaqués, à tendre l'oreille. La tête de Paul tape mon genou.

– La police, il expire. La police, Dani.

Mais pas de police. Dans la rue, tout est calme. On se redresse avec un grand sourire.

– Z'ont aucune chance contre nous, tu vois bien ! crie Rico en remettant le contact.

Pendant qu'on repart, Mark sort la petite brune du sac de la Vioque. Il me la tend après sa gorgée. Paul boit aussi son coup et tend la bouteille à Rico, qui décline. On y est. Cimetière du nord, en marge de la ville. Rico gare la caisse juste en face de l'entrée. À part nous, seulement quelques bagnoles.

– Tout est OK.

Il refait le tour pour tenir la portière à la Vioque.

– On est rendus, m'dame Böhme.

– Dites don' ! elle fait en levant le menton, flairant comme un chiot. Ça sent pas pareil. Ça sent pas du tout pareil.

Pendant que Rico lui donne le bras, Mark rabat son siège, et on s'extirpe. Je balance la portière :

– On ferme de l'intérieur ?

– Nan, Dani. Laisse. Qui va braquer une tire devant un cimetière ? En plus, après, j'devrai me la recasser.

– Ch'te la recasse sans problème, moi, fait Mark en montrant son tournevis.

On passe la grande porte. Paul et Rico encadrent la Vioque.

– Et maintenant ? C'est où, la tombe ?

– La chapelle, fait la Vioque. Tout au bout, le petit chemin à gauche. Y a un arbre. Il est grand.

On remonte l'allée centrale. À force de tanguer, la Vioque en perd son chapeau. Paul le rattrape en demi-volée et lui remet sur la tête. De chaque côté du chemin, un peu de monde entre les tombes. On dépasse déjà la chapelle.

– 'tendez un peu, fait la Vioque. Ça va trop vite.

Elle s'appuie sur sa canne, la respiration difficile, des taches lui grossissent sur le visage.

– Pas qu'elle nous claque entre les doigts, fait Mark.

On l'escorte jusqu'à un banc pour lui remplir l'un des verres à schnaps. Comme elle en a pris que deux, on boit à la bouteille.

– Merci, fait la Vioque en nous tendant encore son verre.

Rico lui en remet un coup, elle retire ses lunettes et cligne des yeux dans le soleil. Je paye ma tournée de clopes ; on fume en regardant les tombes, tout autour.

– Là-bas, fait Rico. Derrière. On dirait votre arbre.

– Où ça, derrière ?

Je cherche aussi des yeux.

– Ben, là. Devant le mur.

– Mon arbre, fait la Vioque. On continue, les enfants.

Elle laisse échapper son verre. Paul le ramasse, l'essuie avec le sac et le remet dedans. Après, on est devant la tombe et on soutient la Vioque, d'un coup elle est très lourde. Horst Böhme, 20 août 1912 – 13 février 1984. La tombe est toute petite. On dirait une urne. Un peu de verdure, rien d'autre. Elle tend les bras vers la pierre, on la lâche, elle va tout près et caresse l'inscription.

– Ma gnôle. Où elle est ?

On lui tend encore un verre à ras.

– L'autre aussi, les enfants. Si vous plaît.

On lui remplit le deuxième, et elle le verse sur les mauvaises herbes avant de boire le sien.

– 'core un. Encore un, les enfants.

Paul va se balader dans les allées et revient avec quelques fleurs. Il les dépose sur la tombe, mais la Vioque a rien vu, elle reste là, à boire en fixant la pierre. On lui confisque les verres, la bouteille est presque vide.

– Horst. À moi, bon sang. Qu'à moi.

On s'en fume une dernière avant de ramener la Vioque à la bagnole.

LES GROS COMBATS

C'était l'époque des gros combats. Ça faisait longtemps que celui de Rico était derrière lui. Depuis, il n'était plus monté sur le ring, mais quand Sir Henry Maske, Rocky Rocchigiani, le Tigre ou le gros Axel Schulz boxaient et que Rico n'était pas en redressement ou en taule, «en cage», comme il disait, on se retrouvait au rade de Goldie, sous le poste, et il faisait le combat avec eux. «Le Tigre, disait toujours Rico, c'est un bon. Il mord, il les allonge tous.» Mais ce qu'il préférait par-dessus tout, c'était les combats de Rocky, Graciano Rocky Rocchigiani, «un sale bâtard, qu'il disait. Un vrai chien de rue, pareil que moi. Il te creuse les tripes et il finit par te bouffer.»

Et puis, le jour est arrivé où Rocky a voulu bouffer world champ' Maske, «steu gueule de gentleman», disait Rico qui avait mis quelques biftons sur Rocky chez des types qu'il avait connus en taule, car la cote était à neuf contre un. Contre Rocky.

Alors, on est retournés chez Goldie, dans son rade, parce que c'était lui qui avait le plus gros poste du quartier. On a débarqué une bonne heure avant le combat, fallait se préparer un peu, «chauffer, disait Rico, juste chauffer un peu. Jamais bon de monter à froid sur le ring», et aussi se prendre les meilleures places ; enfin, comme d'habitude, y avait pas grand monde chez Goldie. Juste une poignée de pochetrons du quartier, et presque tous pour Maske, on l'avait vite compris à les entendre discuter aux tables d'à côté.

– Steu gueule de gentleman, a lâché Rico. C'est leur mascotte tout ça parce qu'il vient de la zone.

– Un mec à femmes, quoi, je lui ai fait en jetant un regard autour de moi.

Mais chez Goldie, de femme y en avait pas, à part la bonne femme à Berger qui avait déjà la tête sur l'épaule de Berger et respirait si pesamment qu'on l'entendait jusqu'à chez nous. Mais ça, c'en était pas une vraie.

– Tu parles d'un mec à femmes. Couille molle, voilà ce que c'est. Rocky, ça, c'est un mec à femmes. Tu vois, lui, il a… comment on dit…

– De la personnalité. Du charisme.

– C'est ça, Dani, c'est exactement ça. Steu gueule qu'il a ! 'tends, un guerrier, un vrai guerrier. C'est ces trucs-là que les femmes elles kiffent.

« Une blonde, Goldie ! » a braillé la bonne femme à Berger deux tables plus loin. Elle venait de revenir à elle, et pas qu'un peu, droite comme un I à côté de l'autre, les yeux rivés au poste installé sur une petite étagère près du comptoir. C'était la pub, et sûrement qu'elle en pouvait plus d'attendre que le Gentleman danse pour elle sur le ring.

– Balance-nous un autre round ! a crié Rico en faisant signe à Goldie.

J'ai poussé ma pinte vide vers le bord de la table et je lui ai demandé :

– T'as misé gros ?

– La question n'est pas là, putain. L'honneur, Dani. L'honneur, tu piges ? C'est un gars de la rue, pareil que…

– Toujours ta rue, Rico.

– Pfutain. Tu vois très bien ce que je veux dire, en plus. Il s'est battu pour en arriver là. Mais attends, tu serais pas pour steu gueule de gentleman, par hasard ?

Goldie ramenait notre tournée, bière et deux petites graines. Avant de repartir au comptoir, il a toqué trois fois sur la table.

– Alors, messieurs ? Ça approche ?

– 'core un petit moment, a fait Rico. Il commence à se chauffer. Rocky va se chauffer. Pan-pan-pan, droite, gauche, droite, gauche, en plein dans les pattes d'ours.

Les poings de Rico boxaient l'air. J'ai dû lui tenir sa pinte. Il était encore assez vif, mais Goldie ne pouvait plus s'en rendre compte, il était déjà revenu derrière son zinc.

– … droite, gauche, droite, gauche, soufflait Rico en valsant des poings. 'tit crochet, 'tit crochet…

Mais il s'est arrêté d'un coup et il a calé sa tête contre le mur, en fermant les yeux.

– Tu sais, Dani, boxer, j'ai aimé ça.

– Je sais. T'inquiète.

J'ai levé mon schnaps :

– À Rocky. Et puis… au Rocky de Leipzig.

Il a rouvert les yeux et levé son verre en souriant.

– Rocky de Leipzig… franchement, Dani, t'en racontes de ces histoires.

On a trinqué et on s'est envoyé nos schnaps.

– Toi aussi, Dani, t'aurais été pas mal sur le ring. Tu te souviens Baraque à frites, comment t'avais… tu lui avais méchamment avoiné la gueule, à lui…

– C'est bon.

J'aimais pas parler de l'affaire Baraque à frites, j'en rêvais déjà assez comme ça. Rico a hoché la tête en souriant encore, « l'époque, Dani, l'époque », et il s'est pris une gorgée de bière.

La pub était finie, on voyait Maske le Gentleman dans son vestiaire en train d'envoyer de longs directs dans les pattes d'ours du coach.

– Faut dire qu'il a les bras bien longs.

– Seul truc long chez ce mec, a fait Rico, et on s'est marrés.

Ensuite, on a vu la salle pleine à craquer et le ring vide illuminé par les spotlights, le commentateur racontait un truc, Goldie n'avait pas encore poussé à fond, et puis on a vu Maske dans un vieux combat à lui. Il boxait contre un type qui lui arrivait même pas à l'épaule, et chaque fois que le gars cherchait à s'approcher, il se heurtait à la longueur du bras avant du Gentleman. « Creuse-lui les tripes ! » a gueulé Rico en flanquant un coup en l'air, comme si ç'aurait encore pu aider le bonhomme à s'en sortir, alors que ça faisait déjà plusieurs mois qu'il s'était craqué. « Faut lui creuser les tripes, garçon ! » Et il s'est pris une autre gorgée de bière en baissant le bras d'un air dégoûté.

– Çui-là, ils lui ont donné en pâture, Dani. Largement trop petit, zéro chance… Sait pas s'y prendre. Il serre sa garde alors qu'il devrait rentrer dans son homme. D'abord, mi-distance, après, travail au corps. Directement. Tu captes ?

– Comme Iceman. L'homme de glace.

– C'est ça, ouais, il a lâché en vidant sa pinte. Comme Iceman, à l'époque.

Et il s'en est allumé une en recrachant la fumée dans sa chope. J'ai posé la main sur son bras, mais il l'a retiré.

– 'scuse-moi, Rico.

– Ça va, y a pas de mal. C'est fini. J'ai avalé, tout ça, j'ai tourné la page. Ça m'fait plus rien.

Il a étendu ses bras de chaque côté de la banquette, souriant encore. J'ai opiné en me contentant de tasser ma clope contre le paquet.

– Iceman, a repris Rico en s'enfonçant un peu plus dans la banquette, hilare. J'y chie dessus, moi, Iceman.

Steffen Eismann, c'était un boxeur solide qui venait du Pré vert, banlieue ouest. Il était au Leipzig-Ost, et c'est contre lui que Rico avait fait son dernier combat, mais d'habitude on parlait jamais d'Eismann quand Rico était présent. Eismann boxait dans le championnat amateur de Saxe, il avait même participé au championnat allemand, là où Rico voulait en arriver un jour ; et Rico était fort, chaque boxeur de Leipzig le savait. Avant, il s'entraînait au Motor Süd-Ost, mais le grand Centre pugilistique de Leipzig voulait l'avoir, car il avait battu les meilleurs amateurs de sa catégorie en combat non officiel, dans les salles d'entraînement de la ville, et aussi en compètes et en galas. Il ne restait plus qu'Iceman, et Iceman aussi était fort, « l'homme de glace est bouillant ! qu'ils disaient tous, l'homme de glace lui met le feu ! », mais Rico ne voulait pas y croire.

– Tu vois ce mec ? il m'a fait en pointant sa clope vers l'écran. Le Renoi. Lui, maintenant il est niqué. Une vraie pointure, à l'époque. Iran Barkley. « La Lame ». Bien tranchante, à l'époque.

– Ouais. Il l'a dérouillé. Maske l'a dérouillé.

Pendant quelques secondes, le visage de la Lame est passé sur l'écran, lèvre supérieure retroussée presque jusqu'au pif, pif large comme un poing. Le Gentleman avait fait du bon boulot, à l'époque.

– Vraie pointure, a repris Rico. Ch'te le dis. Triple champion du monde. Il allonge Hitman dès le troisième round. Tu nous en balances un autre, Goldie !

Hitman, je savais pas qui c'était, mais j'ai pas insisté.

– … l'ont donné en pâture à Maske. En pâture, le pauv' gars. Sur un plateau d'argent, Dani.

– Il était balèze, ch'croyais.

– C'était avant. Moitié bigleux. Contre Maske, il était déjà moitié bigleux. Décollement de la rétine. La lame elle coupe plus, Dani.

Le menton enfoncé sur son avant-bras, il a souri, et Goldie nous a apporté notre tournée en retoquant sur la table. « Alors, messieurs ?

Ça approche ? » Rico a retroussé sa manche pour jeter un coup d'œil à sa montre. Maintenant, il était obligé de remonter ses manches : même si ses bras étaient encore pleins de force, il portait des t-shirts à manches longues. Peut-être qu'il avait pas envie que tout le monde voie ses tatouages. Alors qu'à l'époque il en avait été tellement fier.

– Tu peux commencer à pousser, Goldie, on devrait être bons.

Goldie a fait OK, il est retourné au comptoir et s'est mis à tripoter la zapette. J'ai pris mon schnaps pour trinquer avec Rico, mais il descendait déjà le sien. Il l'a claqué sur la table en murmurant :

– Bouillant. Rocky il est bouillant. Rocky il y met le feu.

Et il s'est levé pour aller aux chiottes. Pas la première fois depuis qu'on était posés chez Goldie, et à chaque fois qu'il revenait, j'essayais de le regarder dans les yeux, mais il me grillait et détournait le visage. Et là encore, revenu des chiottes, il a rangé sa tête quand j'ai cherché ses pupilles, mais pas assez vite. Elles étaient minuscules.

– Goldie ! il a gueulé. Goldie, le son !

Goldie était à genoux devant le comptoir, en train de ramasser les piles.

– Ça revient, ça revient dans deux secondes. J'ai un peu la tremblote, ce soir.

La main de Rico tremblait aussi, tout son bras tremblait au moment de porter la chope à ses lèvres.

– Goldie ! a braillé la bonne femme à Berger deux tables plus loin. Goldie, le Gentleman débarque !

J'ai levé les yeux vers l'écran, mais c'était pas le Gentleman qu'on voyait se frayer un chemin avec son escorte dans les rangs des spectateurs, descendant la longue, très longue travée jusqu'au ring, non, c'était Graciano Rocky Rocchigiani, la tête encapuchée de noir. Dur de bien voir son visage, car il gardait tête baissée. Et il avait l'air méchant de chez méchant.

– Henry ! continuait à brailler la bonne femme à Berger en se mettant debout. Le voilà, mon Henry !

– Rocky, bon sang ! C'est Rocky, lui, pas ton merdeux de Sir Henry !

Berger venait d'attraper sa bonne femme par le bras pour la rasseoir violemment sur la banquette, les buveurs attablés aux autres coins se fendaient la gueule. La télé s'est éteinte, « Goldie ! chier, Goldie ! » tout le monde vociférait dans tous les sens, Goldie encore à genoux devant le comptoir à tripoter la zapette, alors Rico s'est levé en repoussant sa pinte. Il était redevenu très calme, ses bras n'ont pas tremblé au moment où il a attrapé une chaise et où il s'est frayé un chemin entre les tables jusqu'au comptoir. «Rico! j'ai crié, Rico!», sauf qu'au lieu de pulvériser la chaise sur Goldie, il l'a carrée sous la télé et grimpé dessus, tête devant l'écran, pour atteindre les boutons. «Ça revient, a fait Goldie. C'est bon, j'ai!» L'image revenait, le son remontait progressivement, «in the red corner... dans le coin rouge, wearing black, weighing seventy eight point nine kilogram...» Les sifflets. De plus en plus nombreux, de plus en plus assourdissants, plus moyen d'entendre ce que disait Michael Buffer qui s'était envolé exprès des USA pour venir annoncer le match. Toujours les sifflets et les huées pendant que Rico ramenait la chaise à notre table et revenait se poser à côté de moi, Michael Buffer donnait tout, Rocky balançait le buste sous les spotlights et commençait à sautiller sur place, «... mesdames et messieuuurs... il nous vient de Berlin, the challenger and former super middleweight champion of the wooorld... Graciano... Rocky... Rochiiiieee – giaaaaniiieee!»

«Ro-cky! Ro-cky!» Rico s'était dressé, bras en l'air, poing serré, et sa manche retroussée me laissait voir les muscles de son avant-bras qui se bandaient et roulaient sous les tatouages. Même si ça faisait longtemps qu'il ne s'entraînait plus, il tenait encore la forme. «Deux fois la même punition, Goldie! On est lancés!» Goldie s'est précipité derrière le bar comme s'il était le coach de Rico et qu'il devait encore le rafraîchir un peu avant le premier coup de gong. Mais le ring n'était pas encore dégagé. Silence dans la salle, presque plus de sifflets dans les travées, «... and now, as a professional he has a perfect record of twenty six victories without a loss, including twelve K.O.s...».

– C'était que des frapettes! a crié Rico. C'était tous des frapettes!

«... mesdames et messieurs, il nous vient de Francfort-sur-l'Oder... presenting the undefeated light heavyweight champion of the wooorld... gentleman... Hen-riiiieeee Maaaaaskaaa!» Triomphe. Applause. «Hen-ry, Hen-ry!» Même la bonne femme à Berger s'était remise debout, l'autre à essayer de la rasseoir. «Hen-ry, Hen-ry!» Rocchigiani et Maske face à face. La tête entre les deux, l'arbitre donnait sa dernière recommandation dans le micro : «... we've seen to the instructions in the dressroom... good luck to you... and shake hands.»

– Fait chier! a gueulé Rico. Tout en anglais, putain. Je bitte rien à ce qu'il dit.

– Bonne chance, il leur a dit.

– C'est ça, ouais. Bonne chance, Rocky.

Rocky était accroupi dans son coin, gants sur les cordes, bras tendus de chaque côté pour s'étirer le torse. «Messieurs, touchez les gants. Premier round!» Coup de gong, et c'était parti. Goldie nous a ramené nos bières et nos schnaps, Maske a tâté la garde de Rocky d'un long direct du bras avant, pareil pour Rocky qui cherchait la distance avec sa main droite.

– Va au contact! a gueulé Rico en enquillant son schnaps, le poing tellement serré autour du petit verre que j'avais peur qu'il le pulvérise. Au contact, Rocky!

Et comme s'il entendait, Rocky va au contact. Il se faufile contre Maske en restant derrière sa garde serrée, rentre les épaules, cherche le corps à corps, ça y est, il commence à creuser, droite, gauche, droite, gauche, rafale de crochets au corps, et pour finir pan, uppercut gauche sous le menton, la tête de Maske claque en arrière.

– Dedans! crie Rico. Dedans bien comme il faut!

«Quelle surprise, cet uppercut du gauche!» fait le commentateur. Maske aussi est surpris, sa longue droite ne fait que frôler le crâne de Rocky, il s'immobilise une seconde, recule d'un pas en balançant le buste pour repartir vers la tête de Rocky avec un poing avant qui se heurte à sa garde serrée. Rocky commence par revenir à mi-distance avant de réattaquer au corps et de faire valser la tête de Maske avec deux nouveaux uppercuts.

– Gaffe, Henry! S'il te plaît, fais gaffe! braille la bonne femme à Berger en moulinant des bras.

Et son Henry se fait un peu plus prudent, il essaie de garder la distance, donne encore et encore du bras avant, et là tac, combinaison droite-gauche, assez vif, sauf que le tout vient se briser contre la garde de Rocky, «... et voilà bien le point fort de Maske! reprend le commentateur quand la bonne femme à Berger finit de brailler. ... ce une-deux rapide et sans élan!»

– Sauf qu'il touche que dalle! gueule Rico. Mais ouvre un peu les yeux, garçon! Que de la garde, il touche rien du tout!

C'est Rocky qui s'est remis à toucher, il est revenu tout près de son homme, il se penche pour éviter la droite de Maske et riposte avec un uppercut du gauche. Tête contre tête, joli sac de nœuds, sauf que Rocky place ses crochets du droit et du gauche par en dessous, en plein dans le sac.

– Il reste collé, chuchote Rico près de moi. Maske reste collé et Rocky touche. Il se le fait, là. Il se le fait grave. Ma parole qu'il se le fait.

Et à l'époque, nous aussi on avait cru, non, on avait su, on avait su qu'il se le ferait, son Eismann, celui dont tout le monde disait dans l'ouest de Leipzig, «l'homme de glace est bouillant! l'homme de glace est en feu!», et si on les avait eus, on aurait parié encore plus de biftons que Rico allait souffler sur l'homme de glace et qu'il allait l'éteindre. Il se battait à domicile. Le combat avait lieu dans le vieux gymnase du Motor, la moitié du quartier était là, avec aussi pas mal de types du Pré vert et même des entraîneurs du Centre pugilistique de Leipzig, et presque tout le monde avait misé quelques biftons sur l'un ou l'autre, la majorité sur Rico. Cette nuit-là, c'était des potes à Ange qui s'occupaient des paris, des mecs de son quartier, et quand je les ai vus compter les billets et les foutre dans des enveloppes A4, je me suis dit que j'aurais bien voulu être le facteur pour me tirer à la gare avec le blé et sauter dans le premier train pour Paris, mais les directs n'allaient qu'en Pologne, ou alors bien en dessous, vers Prague, et puis, mon pote Rico était sur le ring, non, Rico mon frère, versus Iceman, et son heure était venue.

– Bouffe-le! a crié Rico près de moi. Bouffe-le tout cru!

Rocky balançait à mi-distance, droite, gauche. Maske a trébuché en arrière, encore une main dedans pour Rocky, au moins une. J'ai opiné vers Rico qui serrait le poing en sifflant, «yes! yes!», et je me suis pris une gorgée de bière. «Sors-toi, Henry, sors-toi!» piaillait la bonne femme à Berger, si fort que le verre vibrait sous mes doigts, j'ai vu Goldie assis derrière avec eux, tellement serré contre elle que leurs crânes se touchaient presque, travail au corps, je savais que Goldie n'avait levé aucune gonzesse depuis un siècle, et parfois, je le savais aussi, quand il se sentait vraiment trop seul il embarquait une des pochetronnes au moment de plier boutique, et je savais aussi qu'il se foutait de savoir que c'était la bonne femme à Berger, vu qu'au fond Berger ne captait plus grand-chose. Goldie aimait bien s'en jeter un petit derrière le bar, et même la bonne femme à Berger finissait par se transformer en beauté aux longues jambes et aux mains toutes fines. Et là, vu le tableau, la transformation avait déjà eu lieu.

– D'où, ils scorent tous les deux ? D'où ? T'as entendu, Dani, soi-disant qu'ils scorent tous les deux, il a dit.

– De qui ?

– La grande gueule de la télé. T'écoutes rien, ou quoi ? L'enculeuse de commentateur. C'est Rocky qui touche, y a que Rocky qui touche !

– T'as raison…

Sauf qu'à la même seconde, j'ai vu le crochet droit de Maske toucher pile là où il fallait.

– … y a que Rocky qui touche.

Coup de gong, fin du premier round. « La vie est devenue plus périlleuse. Aujourd'hui, même un accident qui paraîtrait anodin peut vous coûter très cher… »

– Puuutain de pub, a fait Rico. Tu peux même plus mater les ring girls.

Nous aussi, on avait eu nos ring girls. Estrellita et Anna. On leur avait donné masse à boire et elles s'étaient presque foutues à poil.

– Alors, il m'a fait en se levant. Premier round pour Rocky, ou bien ?

À l'écran, le type des assurances déblatérait un truc rapport à la prise en charge immédiate.

– Ouais, premier round pour Rocky.

Il a acquiescé avant de repartir aux chiottes. À l'époque, contre Iceman, Rico aussi avait emporté le premier round. Vu que c'était une rencontre non officielle, le combat devait se dérouler en cinq rounds, alors que normalement c'était trois. En plus, ils avaient décidé de ne pas appliquer le règlement amateur sur le ring. « Juste pour l'honneur, disait toujours Rico à l'époque. Juste une question d'honneur. Je le tue, que ce soit en cinq ou en trois. » Mais faut dire que ç'aurait peut-être mieux valu pour Rico que ça se passe en trois, étant donné qu'il ne refusait jamais un verre et que ça lui arrivait aussi de prendre des amphètes. Mais bon, il avait tout arrêté plusieurs semaines avant le combat, même qu'il ne fumait presque plus. Mais tout le monde voulait voir cinq rounds, les types d'Iceman aussi étaient pour, ceux du secteur ouest. « Regarde, Ali. Pareil pour Ali, au début il a dû boxer en cinq rounds, nous racontait le proprio du café des sports du Motor, juste à côté du gymnase. C'était contre Stevenson en ce temps-là, Teofilo Stevenson, meilleur amateur du monde entier. 'fin, il était quasi pro. » Rico aussi rêvait de devenir pro un jour ou l'autre, « et là, je laisserai tomber toute cette merde, plus de tise, plus de came, plus de clopes », et cinq rounds, qu'est-ce que c'était ? Plus tard, il en ferait douze.

« Second round », a fait le commentateur, mais ils avaient déjà repris depuis quelques secondes. Rico est revenu s'asseoir à côté de moi, ses pupilles redevenues minuscules, je ne comprenais pas comment il arrivait à suivre le combat avec des pupilles aussi petites, et il s'en passait déjà de belles dans ce deuxième round. La garde bien haute, Rocky cherchait le corps à corps, « creuse-le, creuse-lui les tripes, garçon ! » et comme au round précédent, il réussit à caler de bons crochets. Maske aussi place quelques bons coups, sauf que Rocky s'est mis en marche, il ne va rien lâcher.

– Donne-lui ! je criais. Sers-lui pour de vrai !

Rico s'était mis en marche, il n'allait rien lâcher. Il avait fait tout le premier round en surrégime, touchant Iceman plusieurs fois. À un moment, il l'avait même envoyé dans les cordes sans s'arrêter de taper, gauche, droite, gauche, droite dans le crâne, et comme c'était pas de l'officiel ils n'avaient ni casque ni maillot, et puis gauche, gauche au corps, et ensuite une droite dans la tête qui avait envoyé voler le protège-dents d'Iceman, mais Rico l'avait jouée fair-play, il s'était immobilisé pendant que l'arbitre suspendait le combat pour qu'Iceman puisse remettre son protège-dents que le coach venait d'essuyer en une seconde. Dans les deux premiers rounds, Rico avait joué au chat et à la souris avec Iceman, elle était peut-être là son erreur, car vers la fin du deuxième ça lui est tombé dessus, mais sévère. Rico catapulte une longue gauche vers la tête d'Iceman, mais la droite d'Iceman passe à travers en remise et vient taper en plein le coin de la mâchoire. Rico plie les genoux une seconde, courbe le buste, se met à reculer. Et là, c'est Iceman qui est en marche, il ne va rien lâcher. Il lui colle plusieurs directs, plusieurs crochets, pas mal dans la tête, quelques-uns au corps, « l'homme de glace est bouillant ! l'homme de glace est en feu ! », sauf que là, on commençait à y croire pour de vrai. Le round a quand même été pour Rico. Il avait clairement dominé les deux premières minutes et demie, laissant à peine Iceman s'approcher, et maintenant, dans les dernières secondes du deuxième, j'étais sûr qu'il ne serait pas K.-O. ; Rico était capable de bouffer plus que ça, jamais il avait été K.-O., sauf une fois, contre Ange, mais pas sur le ring, dans une cour du quartier, et même là, il avait été à deux doigts de l'avoir. Ils s'étaient entrecognés à n'en plus finir, jusqu'à ce que le genou de l'autre plie l'affaire. Ange, c'était pas un boxeur, il disait toujours qu'il ferait une chiffe molle sur le ring, à cause des règles. Mais sur le bitume, c'était une pointure, il avait déjà esquinté des mecs qui comptaient parmi les plus grosses baraques de Leipzig, mais peu d'entre eux avaient tenu aussi longtemps que Rico et aucun n'avait été aussi proche de le foutre K.-O.

– Round pour Rocky, a fait Rico en griffonnant un 10-9 sur le rond-de-bière, juste sous le 10-9 du premier round.

– Ou 10 partout. Maske a quand même eu des jolies ripostes.

– Nan, Dani. Oublie. Commence pas à parler comme ça. Si y a match nul, c'est l'autre qui garde le titre, t'es quand même au courant. Rocky frappe mieux.

– T'as raison. Rocky frappe mieux.

Rico a acquiescé en me tapant sur l'épaule, comme si c'était à nous de décider et pas au jury. Goldie nous a apporté un autre round, il avait vu nos verres à sec. Il se frayait un chemin avec son plateau, slalomant entre les tables, les chaises et les buveurs, il se penchait, se faisait tout petit pour pas boucher l'écran. «Messieurs!» On lui a lancé un signe de tête en faisant tinter nos verres, on les a descendus, Rico a secoué le sien pour faire tomber les dernières gouttes de schnaps dans sa pinte. Au troisième round, tout s'est passé comme aux deux premiers, à chaque fois qu'un crochet de Rocky faisait brusquement tilter la tête de Maske en arrière, Rico tirait un petit trait sur son rond-de-bière.

– Tout dans le crochet, il a conclu à la fin du round. C'est un crocheteur, presque pas de directs. En même temps, il a pas besoin contre steu gueule de gentleman.

Sur le ring, Rico n'avait jamais été un as du crochet et du rentre-dedans, même si en matière de rentre-dedans et de crochet, il gérait bien. Les deux premiers rounds contre Iceman, c'est lui qui les avait maîtrisés grâce à ses longs directs. Et au début du troisième, il était de retour à cent pour cent, remis sur pied par son coach pendant la minute, et il donnait l'impression d'avoir bien encaissé les coups d'Iceman, bouffé, comme il disait. À ce qu'il semblait, Maske aussi avait eu le temps de bouffer les coups de Rocky sans broncher : car à l'entame du quatrième, il est de retour à cent pour cent. Le voilà qui tient mieux Rocky à distance au bout de son long bras avant, il est plus leste, il frappe même à reculons, score grâce à des droite-gauche bien secs, «fighte, Rocky, fighte!», et Rocky fighte, il cherche la mi-distance et le corps-à-corps et balance ses petits crochets vers la tête et le menton de Maske, mais sans toucher autant que dans les trois premiers rounds. Au début du cinquième, Maske essaye encore de garder le dessus et passe au travers avec quelques bons coups. Et là, même les buveurs attablés aux autres coins, qui jusqu'ici buvaient en silence, commencent à se requinquer. Réveillés peut-être par les piaillements et les battements de mains de la bonne femme à Berger. «Vas-y, Henry! a braillé l'un. Vas-y, montes-y d'où tu viens!» «Montes-y un peu, à steu RFAnculé, Henry!» J'ai maté Rico. Immobile, les deux poings ancrés à la table, ses pupilles minuscules fixées sur l'écran. «Vas-y, Henry! Fais-lui voir la frappe de l'Est!», et la bonne femme à Berger qui tapait dans ses mains, le bruit qui éclatait tellement fort dans le rade qu'on aurait dit qu'elle flanquait une sacrée fessée à son époux. Sauf qu'il restait assis près d'elle, bien sage, à contempler les petits verres vides alignés sous ses yeux. Lui, ça faisait longtemps qu'il avait abandonné le combat. «…premiers signes de fatigue chez Rocky?» a fait le commentateur vers la fin du cinquième, voyant que Rocky avait un peu ralenti sa marche, et à ce moment précis, comme s'il avait entendu, il se remet à creuser, ses crochets atteignent de nouveau leur but, et Maske se retrouve acculé dans le coin pendant plusieurs secondes. Non, il ne fatigue pas, il sera pas fatigué de sitôt, Rico aussi se remet debout, la pinte à bout de bras, il crie :

– Te laisse pas abattre! Tiens bon, te laisse pas abattre! Mont'-leur que t'es là, mont'-leur que t'es encore là!

Et moi, je criais : «Décroche pas, bonhomme! Décroche pas!», car Rico commençait à fatiguer. Il avait réussi à maîtriser la première moitié du troisième round en baladant Iceman du bout de ses longs directs, mais là, dans la dernière minute, Iceman était revenu, et pour la deuxième fois, ça lui est tombé dessus sévère. C'était toujours avec sa droite en remise qu'Iceman le surprenait. Dans le gymnase, les gens commençaient à se taire, car ils sentaient que le vent tournait. Rico heurte le sol. Jamais je l'avais vu au sol, sauf la fois avec Ange, mais ça comptait pas, et puis juste une autre fois, celle d'après, quand il s'était retrouvé face à quinze Skins, ou peut-être qu'ils étaient dix, c'était dans ma cour mais j'étais recroquevillé sur le balcon à guetter par le trou de la balustrade, Rico s'en est jamais douté, «… trois… quatre… cinq…», la main de l'arbitre s'agite juste devant sa face.

À sept, Rico est debout, il roule les épaules, s'ébroue, cligne des yeux une seconde vers la salle, et au moment où il nous aperçoit, Mark, moi, le petit Walter (qui nous avait pas encore lâchés) et les autres, il veut sourire. Il rajuste son protège-dents qui s'est un peu barré, l'arbitre redonne le signal, et là, Iceman tente le tout pour le tout. Il charge Rico tête baissée, Rico sautille en arrière, tente de contrer, réussit à le toucher plus d'une fois, mais Iceman n'a même pas l'air de le sentir, il bouffe, il bouffe tout, il lui envoie des doublés au corps que j'entends péter jusqu'à moi. L'éclair d'un instant, Rico plie les jambes, baisse sa garde, les poings d'Iceman y sont tout de suite, l'homme de glace est bouillant, l'homme de glace est en feu, Rico se retrouve encore au tapis. Sauf que cette fois il est debout en un clin d'œil, il sait que le règlement amateur ne s'applique pas et que l'arbitre le sortirait ; il projette son gant droit à la verticale en beuglant, la salle trépigne, « redonnes-y ! Montes-y que t'es encore là ! », l'arbitre se colle à lui, prend son bras et le fait toucher sa poitrine, Iceman sort du coin neutre, « boxez ! », mais le gong retentit déjà, fin du round. Round pour Iceman.

– Alors, Dani, qu'est-ce t'en dis pour le cinquième ?
– Pas sûr. Vers la fin, il s'est remis à toucher. Rocky, j'veux dire. Maske fait que taper dans sa garde.
– Yes. Rocky défend sa race.

Le sixième round était déjà reparti, mais Rico regardait plus souvent dans sa pinte que vers l'écran. Il pliait l'échine, les deux mains coincées entre les jambes, comme s'il était frigorifié.

– Tu sais, Dani, boxer, j'aimais grave ça.
– Je sais.

Et je me suis penché pour le regarder dans les yeux. Ses pupilles avaient regrossi, la chienne de came finissait par lui entrer dans le cerveau, elle le tenait fermement. Rocky envoie un doublé dans la tête de Maske, les deux mains y sont, mais Rico n'a même pas relevé.

– Et puis, tu boxais bien. Pourquoi tu t'y remets pas ?
– Nan. Ch'peux plus.

Il commençait à se frictionner le bras gauche.

– ... tu sais, Dani. Tu sais tout.
– Nan.

Et il a continué à gratter jusqu'à la fin du round.

– Goldie ! j'ai gueulé. Goldie, deux sky. Jack Da !

Goldie a acquiescé, en train de soulever un verre à cocktail monstrueux qui attendait sur le comptoir avec petit parasol, paille et compagnie. Il est allé le poser devant la bonne femme à Berger. «Avant que vos souvenirs s'effacent, grondait la pub, capturez-les avec la nouvelle Camcorder. Samsung.» Le dernier combat de Rico aussi avait été filmé, c'était le frangin de Karsten qui avait ramené une caméra, pas une Samsung, une marque pas cher de chez les Niaques, je sais plus laquelle. Sauf qu'après le combat, Rico avait sorti la cassette et l'avait pulvérisée, mais moi, mes souvenirs ne se sont pas encore effacés, et je n'oublierai jamais comment Rico s'est retrouvé au sol deux fois pendant le troisième, et puis, au quatrième, il a encore fallu qu'il se couche alors qu'à l'entame c'était lui qui cognait sur Iceman avec tout ce qui lui restait et qui le poussait dans les cordes. Rico avait arrêté de se reposer sur ses longs directs, ses combinaisons et sa technique, il avait commencé à rentrer dans son homme, il lui décochait des swings et des crochets imparables, un petit Mike Tyson, résolu à assommer l'homme de glace, non, à le démolir, il voulait l'étendre sur le sol, il a réussi à l'étendre sur le sol, mais Iceman s'est relevé. Rico frappait aussi fort qu'il pouvait, certains coups le faisaient beugler, pas seulement expulser de l'air en sifflant comme le font presque tous les boxeurs, non, il mugissait, comme si le mugissement ajoutait à ses frappes, comme s'il allait toucher Iceman plus durement encore, mais l'homme de glace s'était relevé. Goldie nous a ramené nos whiskies en toquant sur le bois.

– Alors, messieurs, contents du match?

– Ouaip, je lui ai fait pendant que Rocky calait un crochet sans élan avec son bras arrière, le gauche, pile dans le coin de la mâchoire de Maske.

– Ouille! a sifflé Goldie. Ç'a dû piquer.

– Ben ouais, lui a fait Rico en levant les yeux de la table. Tu crois quoi?

D'entrée de round, Maske s'est accroché. Les deux bras cramponnés au buste de Rocky, la tête dans son épaule.

– Dis-moi, on dirait que t'es passé du côté de Sir Henry? j'ai fait à Goldie en levant le menton vers la table de Berger où sa femme s'attaquait au cocktail monstrueux.

– Mouais, il a répondu en se grattant le nez de sa main tremblotante. J'essaie d'être sympa, quoi.

– Tu t'en sors plutôt bien…

Je lui ai fait un grand sourire, et il est retourné au zinc. J'ai levé mon sky.

– Allez. À notre combat.

– À notre combat, a répété Rico en faisant tinter les glaçons dans son verre.

Je savais qu'il adorait le Jack Daniel's et que ça l'avait déjà remis sur pied plus d'une fois quand il était de mauvais poil ; à une époque, Rico tapait masse de bouteilles à la halle pour aller les revendre à la Colline d'argent. Mais il en gardait quelques-unes pour moi et les autres. Pour lui, c'était de beaux souvenirs, à l'époque il tenait la grosse forme, et j'espérais que le bon Jack lui viendrait encore une fois en aide, car Rico était dans une mauvaise passe. Ses yeux sont remontés vers l'écran, mais il est resté avachi près de moi sur la banquette.

– Putain, Rico, déjà le huitième round. Il se bat bien, ton Rocky, super bien !

– *Mon* Rocky ?

Il a reposé son verre en souriant.

– Notre Rocky, j'ai ajouté.

– Il a fait le score ? a repris Rico, les yeux sur son rond-de-bière où il avait écrit quatre fois 10-9. Il a scoré des rounds ? .

– 'videmment. Il a eu tous les rounds. Presque tous. Cinq, six, sept. Tu l'as vu comme moi.

– C'était serré ?

– Disons que Gentleman a pas été mauvais dans le sixième.

– Le Gentleman, a fait Rico avec un geste de dégoût. Steu gueule de gentleman. Si c'est serré, ils lui filent. Tu peux en être sûr.

Il s'est redressé sur la banquette en flairant le peu de whisky qui lui restait dans le verre.

– Jackie, il déchire tout. Ch'te remercie, Dani.

– T'inquiète. Je sais que tu l'aimes.

J'ai entouré ses épaules pour le secouer un peu, et il a ri. C'était parti pour le huitième. Rico était de retour, cent pour cent présent, les yeux plissés vers le poste. Pas un bon round pour Rocky. Il avait l'air cuit, tapait beaucoup moins, pas mal de ses crochets se perdaient dans le vide. Et son œil gauche saignait. Rico aussi avait saigné de l'œil gauche, à cause de l'autre et sa remise du droit qui tombait sans arrêt dessus, et quand Rico est rentré tête baissée dans Iceman au quatrième round, il lui a refilé masse de son sang avant de le clouer au tapis. D'abord, je me suis même dit Iceman aussi va se mettre à pisser, et puis quand il s'est remis debout, j'ai vu que ses arcades étaient pas mal gonflées, mais toujours closes. L'arcade droite d'Iceman, Rico l'a ouverte un peu plus tard d'un coup de tête, tout le monde a vu que c'en était un, tout le monde sauf l'arbitre. Mais là, l'arbitre laissait boxer, Rico a encore coincé Iceman dans les cordes en l'avoinant méchamment, mais Iceman se couchait plus, il ne se couchait plus.

Et Maske non plus ne veut plus se coucher au moment où Rocky, dans le neuvième round, lui assène un crochet du droit au menton et le fait reculer dans les cordes. Il vient juste de passer le poing sur son arcade ouverte, clignant des yeux sur son gant ensanglanté sans avoir l'air d'y croire, et peut-être que ça lui a mis la rage, car le voilà qui rebalance un droit à Maske toujours coincé dans les cordes avant d'envoyer un gauche puissant dans l'autre côté de sa face ; le gauche, c'est son bras arrière, Maske se met en boule, rebondit dans les cordes, Rocky veut le faire craquer, « … et nous y voilà ! Voilà l'instant où il devrait se coller, il devrait s'accrocher, crie le commentateur… et nous y sommes ! Il est possible qu'il s'effondre ! », sauf que Maske reste debout, chancelle mais reste debout. Rico est debout et gueule à se faire gicler la salive :

– Tue-le ! Mais tue-le ! Mais allez ! Mais détruis-le !

Rocky donne tout, mais Maske reste sur ses jambes, « Rocchigiani serait-il en train de vider ses batteries ? demande le commentateur. Sera-t-il capable de relancer si le combat se prolonge ? » Rico s'était rassis.

– Non. Non. Pas Rocky. Rocky il le bouffe, Rocky, il fera pas comme…

Il a levé l'œil vers moi avant de vider sa pinte. Il refaisait encore son combat contre Iceman, encore et toujours, et puis un autre combat, mais ça, c'était Pitbull qui m'avait dit, bien placé pour le savoir, et j'avais bien vu ses pupilles minuscules au moment où il était revenu des chiottes juste avant, mais je ne voulais toujours pas y croire. Rico gobait par-ci par-là, j'étais au courant. Mais plus que ça… plus que ça, c'était pas possible. « La dernière minute du neuvième round a commencé ! Il y a une minute, nous avons vu Henry Maske en difficulté… »

– S'il te plaît, Henry, s'il te plaît ! piaillait la bonne femme à Berger ; mais à l'entendre, on aurait dit qu'elle chouinait.

Le cocktail monstrueux s'était renversé devant elle, la purée coulait sur la table, «... il y a quelques instants, nous l'avons vu immobile dans le coin, sans armes, incapable de réagir... » a fait le commentateur.

– Sans armes. Incapable de réagir, a fait Rico près de moi en balançant doucement le buste d'avant en arrière.

Il fixait l'écran, la bouche ouverte, mais je savais qu'il était autre part. Face à Iceman. Iceman qui rebondit dans les cordes et réussit à peine à tenir sa garde. La dernière minute du quatrième round a commencé, Rico donne tout, mais Iceman ne flanche pas. La salle hurle, la salle trépigne, je suis debout juste devant les cordes, Walter, le petit Walter qui nous a pas encore lâchés me serre le bras très fort, je crie avec lui : « Mets-lui son compte ! Achève-le ! », et Rico donne tout, mais Iceman ne flanche pas. Il réussit à s'écarter de Rico en quelques petits pas, les jambes flageolantes, puis il s'accroche et passe la garde avec une série d'uppercuts, mais Rico le repousse et l'attaque du droit, Rico vient de changer de main, c'est son grand truc, mais c'est trop tard : le temps que l'autre reprenne ses esprits et commence à contrer, c'est déjà la fin du round. Plus qu'un round devant eux, Rico tient encore l'avantage, mais à le voir affaissé dans son coin, sur le tabouret, avec son coach qui lui parlait en lui passant l'éponge mouillée sur la poitrine et le visage, je savais qu'il avait déjà perdu.

– Au dixième ! a crié Rico près de moi. Au dixième il lui met son compte !

– Possible, a fait Goldie en posant deux autres pintes et deux whiskies sur notre table. Possible.

Goldie commençait à avoir l'air crevé, au bout du rouleau, même. Peut-être qu'il était chagrin à cause de la bonne femme à Berger qui lui avait envoyé son beau cocktail au plancher. Mais dans le dixième, Rocky n'envoie pas Maske au plancher, Maske a récupéré pendant la minute et travaille pour tenir Rocky à distance au bout de son bras avant, Rocky n'arrive pas à passer aussi bien à travers qu'au neuvième, peut-être qu'il a vraiment fini par vider ses batteries, comme dit le commentateur. Mais Rico continuait à y croire, ne laissait pas tomber, « tu l'as, Rocky, tu l'as ! Assomme-le, mets-le K.-O. ! », sauf qu'à la fin du round, Rocky ne l'avait ni assommé ni mis K.-O, alors Rico a crié :

– Au onzième, il l'envoie au tapis. Au onzième !

À l'époque, dans la salle, Ange était venu se coller au ring juste avant la fin de la minute, et lui aussi avait crié : «Au prochain! Au prochain tu l'envoies au tapis!» Sûrement qu'il aurait préféré voir Rico crever sur les planches, mais c'était ses potes du quartier qui avaient géré les paris, et même si Rico était favori, pas mal de gens du secteur ouest avaient misé sur Eismann, et si Eismann l'emportait, le business était à l'eau. Onzième round pour Maske.

– Alors là, j'ai fait à Rico, là, le Gentleman il s'est vraiment battu. Il a… il a fighté. T'as bien vu comment il s'est mis à castagner. Il veut pas le perdre, son titre…

Rico commençait à s'exciter, il gigotait sans arrêt sur la banquette. Après avoir enquillé son whisky, il a recommencé à se frotter le biceps.

– Au douzième. Si Rocky il a le douzième, il pique le titre à steu gueule de gentleman.

Et il s'est levé.

– Tu vas où? Ça reprend dans deux secondes.

– Ch'passe juste aux chiottes, Dani. Je passe juste aux chiottes.

Je l'ai retenu par la manche.

– T'en va pas, Rico. Reste. Steupl.

Alors il s'est arrêté, et puis, les yeux baissés vers moi, il a souri. L'espace d'un instant, on aurait dit qu'il allait se rasseoir, mais j'ai vu que c'était pas un sourire, c'était sa face qui tiquait et travaillait, et il a rangé son bras.

– C'est quoi, ton délire? Qu'est-ce tu m'fais, Dani? J'ai encore le droit d'aller aux chiottes, nan?

Mes yeux l'ont suivi. Début du dernier round. Ils sortent de leur coin en même temps, l'arbitre debout entre eux, les bras tendus. Il donne le signal. Je croyais qu'ils allaient se jeter l'un sur l'autre d'un coup d'un seul, mais ils commencent par se jauger, les secondes s'écoulent, dix, quinze avant les premiers coups. Aucun des deux ne touche vraiment, ils sont à plat, c'est net, plus de jus, mais les voilà qui s'accrochent, corps-à-corps, ça tombe sur la gueule de Rico, deux fois, trois fois. Il chancelle, il est sonné, tout le monde capte, et là, Iceman lui met son compte. Gauche. Droite. Gauche. Droite. Menton. Tempe. Nez. Front. Rico se couche, ses jambes remuent, il veut se lever, se traîne un bout à quatre pattes, s'agrippe aux cordes, ses jambes ne tiennent plus, l'arbitre le compte.

– Putain t'sa mère! J'hallucine! Putain, mais il se le fait!

Rico se lève d'un bond, pas vu revenir des chiottes, Maske est en train de tituber d'un bout à l'autre du ring, tenant à peine sur ses jambes, Rocky relance direct et fait basculer Maske dos dans les cordes. Maske réussit tant bien que mal à l'esquiver pour rejoindre le milieu du ring, recule, mais Rocky le touche encore une fois à la tête, uppercut du gauche. Chancelant, Maske s'écroule contre le buste de Rocky et se raccroche à lui.

– Tu l'as ! Tu l'as ! Envoie-le au sol ! Allez, envoie-le au sol ! Mets-le au tapis !

– Non ! gueulait la bonne femme à Berger. Non, non et non !

Son verre se brise dans un fracas. Plus de cocktail pour celle-là, Goldie. Maske se prend les pieds en dérivant vers le coin bleu, Rocky frappe sans s'arrêter, Henry va au sol, je hurle :

– Mais compte ! Compte-le, merde !

Mais l'arbitre ne le compte pas : Rocky vient d'écarter le Gentleman juste au moment où il était sur le point d'accrocher, et le Gentleman s'est laissé tomber, simplement laissé tomber. Il est au bout.

– Antijeu ! Mets-toi debout au lieu de nous vendre ton putain d'antijeu ! Pousse-le pas, Rocky ! Frappe, frappe, frappe !

Dernière minute. Même moi, je m'étais levé, et Rico me serrait le bras.

– Il l'a, Dani ! Il l'a ! Il a le round, c'est obligé !

– Salope d'arbitre ! Il va le mettre K.-O., Rocky le met K.-O. !

Et Maske chancelle à travers le ring, chancelle mais ne s'écroule pas, ne s'écroule pas, tente encore de contrer, frappe au ralenti, Rocky plonge par en dessous sans problème et le récupère du droit ; Maske chute contre lui, s'accroche, Rocky frappe et frappe encore.

– Recule, Rocky ! Recule et il tombe !

Mais Maske ne tombe pas. Il chancelle, s'accroche, titube à reculons mais ne tombe pas.

– Vas-y, Rocky ! Vingt secondes !

– Sauve-toi, Henry, sauve-toi ! glapit la bonne femme à Berger. Fais attention, par pitié, fais attention !

Fou rire.

– C'est ça, Henry, sauve-toi ! Sinon il va te bouffer !

Et Rocky voulait le bouffer pour de vrai, il n'arrêtait pas de relancer, relançait toujours, le gong a retenti, fin du combat. « ... et nous voilà suspendus au verdict... » a fait le commentateur. Les deux boxeurs retournaient à leur coin en jetant les bras à la verticale, Maske tanguait plus qu'il ne marchait, son coach s'est avancé vers lui et l'a agrippé fermement. «… et la foule acclame déjà Rocky!» a fait le commentateur, et nous aussi on l'acclamait, on tapait dans nos mains, «Ro-cky! Ro-cky!», on cognait nos verres, «autre round pour nous, Goldie! Le treizième!», on se marrait, la bonne femme à Berger braillait, «c'était Henry le meilleur, c'était Henry le plus beau!», encore une page de pub, on s'est rassis.

– Ça va être tendu pour le verdict, j'ai fait en m'en allumant une.

– Yes. Pas la même qu'avec Iceman, a fait Rico avec un sourire et une tape sur mon épaule. Lui… lui, il m'a mis K.-O., il m'a mis K.-O., vrai comme ch'te parle.

Il souriait toujours, on aurait dit que le gros combat de Rocky l'avait aidé à faire la paix avec son dernier gros combat à lui, qu'il l'avait encaissé, bouffé, comme il disait.

– T'as raison, je lui ai fait. Pas la même qu'avec Iceman.

À l'époque, même s'il était sorti perdant, il avait détruit Iceman. À neuf il était sur ses jambes, adossé aux cordes, mais trop tard, l'arbitre agitait déjà ses deux mains devant sa face et le retirait du combat. Mais Rico l'écarte, tout simplement, il l'écarte et titube vers Iceman en train d'attendre dans le coin neutre, et avant qu'Iceman ait le temps de réagir, Rico est face à lui. Trois coups de boule dans le nez, le sang d'Iceman sur son visage, coup de coude en plein dans la gorge, Iceman s'est couché, il ne se relève pas. Je grimpe sur le ring, un monde fou grimpe sur le ring, «Rico! je crie, Rico!», mais il n'entend rien, il y va du pied contre Iceman plié en deux par terre. Goldie était revenu avec nos pintes et nos schnaps.

– Alors, messieurs? il a fait en toquant sur la table. Qui est le vainqueur?

– Deux rounds d'avance pour Rocky, a fait Rico. Le dernier, tu peux même le compter à 10-8.

– C'était tendu.

– Ouais, j'ai fait à Goldie. Combat ric-rac.

– Sont obligés de lui filer, a fait Rico. Ils doivent lui filer, c'est tout. Mais pourquoi il l'a pas assommé, aussi? Il aurait dû le mettre au tapis. La même que moi avec Ange, à l'époque.

– Avec Ange?

– Bien sûr, Dani ! Avec Ange ! Dans ta cour. La… la revanche, tu te souviens…

– Exact. Tu l'avais mis au tapis.

Je souriais. Il n'y avait jamais eu de revanche, ni contre Iceman ni contre Ange, Ange qui était peut-être la plus grosse baraque de toute la ville ; et Rico, c'était quelque part dans ses rêves qu'il l'avait battu, ou dans ses autres rêves, quand il avait avalé quelque chose.

Fin de la pub, « verdict », a fait le commentateur. L'arbitre était à côté des deux boxeurs qui se donnaient l'accolade. Il est venu se placer au milieu, un bras dans chaque main. Dans le rade, tout le monde s'était levé, les yeux sur l'écran. Plus un bruit. « Ladies and gentlemen, we go to the score-cards. Judge Scarla scores about one seventeen to one eleven, judge Mühmert scores it one sixteen to one thirteen, judge DeCasas scores it one sixteen to one thirteen… for the winner and… still… light heavyweight champion of the wooorld… Gentleman Hen-riiiieeee Maaaaskaaa ! » L'arbitre projette le bras de Maske à la verticale, Graciano Rocchigiani se détourne.

– Non ! crie Rico. Non !

Il attrape son whisky, le descend d'un seul coup et le balance sous le poste, en plein dans le mur, les éclats volent jusqu'à nous.

– … bande de salauds ! Je vous maudis, bande de salauds !

Il boxait l'air, boxait l'air de ses deux poings, encore et encore, gauche, droite, gauche, droite, ses manches ont commencé à se retrousser, j'ai vu les points rouges dans le pli du bras gauche. Il disait toujours qu'il allait au don du sang, pour le fric, et j'avais bien voulu y croire. « Maské vraiment, Maské vraiment, Maské vraiment, phé-no-mé… », braillait un buveur, il braillait comme une bête parce que ça faisait déjà des années qu'il était au bout du rouleau, et creux, et c'était comme si Rico ne l'entendait pas.

– Vendus ! Sales vendus ! Mon blé, Rocky, mon blé !

Il continuait à boxer l'air, gauche, droite, gauche, droite, il frappait, frappait, ne s'arrêtait plus de frapper, « Rico… je criais, Rico… » J'ai grimpé sur le ring, vers lui, et là, sentant que je le tirais en arrière pour l'écarter d'Iceman, il a fait volte-face en me balançant des coups, mais sans me toucher. Il a chancelé dans les cordes poitrine en avant, s'est arrêté sur les genoux. C'est comme ça qu'il est resté. « Rico… je criais, Rico… »

C'était l'époque des gros combats, et il les avait tous perdus.

BARAQUE À FRITES

Le type à qui j'avais pété le nase, on l'appelait Baraque à frites. C'était pas son vrai nom, mais tout le monde l'appelait comme ça. C'était Rico qui m'avait dit. Par contre, Rico ne savait pas si on l'appelait Baraque à frites parce qu'il avait un faible pour les frites, tout ce qu'il savait, c'était qu'à Paunsdorf, au nord-est, Baraque à frites avait une grosse réputation, et je lui avais foutu masse de ketchup. « Tu peux être fier de ta gueule, m'avait sorti Rico. À ce qu'il paraît qu'il s'était jamais fait démonter. » Mais moi, j'étais pas fier de l'avoir démonté. Bon, un peu, parce que je l'avais jouée comme dans les films. Avec le front. Il s'était planté devant moi, et comme il était beaucoup plus petit, je l'avais soulevé par les épaules avant de lui claquer mon front en pleine face. Ça, c'était la méthode Ange, ça lui réussissait bien, il était connu pour, et sûrement qu'il avait la rage quand les gens lui disaient que je l'avais copié. Ça avait fait crac, Baraque à frites avait crié, son sang m'avait giclé au visage.

– Putain de prouesse, m'a fait Rico. T'as été un bon, tu leur as mis comme il fallait.

J'ai préféré hocher la tête, ça faisait mal d'ouvrir la bouche.

– Pour les autres, j'en sais rien. Mais c'était tous des baraques de Paunsdorf. J'vais essayer d'en savoir plus.

Quand il m'a tendu son paquet, j'ai juste hoché la tête.

– On sort s'en griller une ?

J'ai hoché la tête en essayant de me coincer la clope derrière l'oreille, mais pas moyen, pas la place, alors j'ai préféré la laisser tomber dans la grande poche de ma blouse, avant de me rasseoir au bord du lit et de chercher mes pantoufles du bout du pied. Rico me les a poussées, j'ai hoché encore une fois, ça voulait dire merci.

– Putain, tu peux plus du tout causer, ou quoi ? Vas-y mais dis un truc, tu me fous les jetons !

– Vise le minou, j'ai susurré.

Le moindre mot me lançait dans la mâchoire et le larynx.

– Où ça, Dani ? Où ça le minou ?

J'ai tendu le bras avec précaution vers le mur à grande vitre et l'infirmière assise derrière.

– Tu te fous de moi, là ? Elle est vieille, l'autre, vieille comme la forêt vierge.

– Pas grave, j'ai murmuré.

Il s'est rapproché en me faisant son rictus, j'ai calé mon bras autour de ses épaules, et il m'a soutenu pour traverser la pièce. L'infirmière nous attendait déjà dans le couloir.

– Vous n'avez pas le…

– Veut juste se dégourdir les jambes. Je vous le ramène direct.

– Il faut qu'il garde le lit. Il doit rester allongé. Et puis, c'est bientôt l'heure de la prise de tension !

– C'est bon, je lui ai murmuré, et on a avancé.

– Le docteur en sera informé ! elle nous a lancé derrière.

– Sont comme ça. Faut toujours qu'ils mouchardent.

– Elle est coole, j'ai murmuré. Mains toutes douces.

– Mouais, sans vitre elle était passable. Mais bon, ici, pas moyen de t'astiquer, hein ! Z'ont leurs yeux partout ! il s'est marré.

– Dugland.

Il a poussé la porte en verre du bout du pied, et on est allés se poser sur un banc de la cour. Quand il m'a allumé ma clope, ma toux l'a éjectée. Il a soufflé sur le filtre avant de me la recaler entre les lèvres, mais je me suis contenté de la laisser brûler jusqu'en bas, sans tirer, les poumons piquaient trop.

– Ton avis, Dani ? Ils te relâchent quand ?

J'ai levé trois doigts.

– Trois semaines ?

– Jours, abruti.

– Bah ça va, alors. Te remettent en forme en si peu de temps ?

– Va de mieux en mieux, je lui ai fait en haussant les épaules. Même pour causer.

– Nan, Dani. Dis rien, dis rien, faut que tu t'économises, boucle-la.

J'ai hoché la tête en me passant la main sur la nuque, ces enculés l'avaient piétinée plusieurs fois alors que j'étais déjà au tapis depuis un moment.

– 'coute moi, Dani. J'les trouve, ces fils de pute. Ma parole !

– Laisse tomber, Rico…

– Nan, Dani, nan ! Ça croit que ça peut te défoncer comme ça. Ils auraient pu te tuer, et t'es mon ami… mon frère.

Il s'était mis debout et son poing boxait l'air. Même un sourire me faisait mal.

– Bouge pas, Dani. J'ai un truc pour toi.

Sa main a plongé dans la poche de son blouson, il en a ressorti un couteau. Cran d'arrêt noir, bouton argenté, même tête que le mien.

– Eh ouais. Avoue, ça te la coupe.

– C'est le…

– Nan, Dani, nan. Pas ton vieux schlass, lui, c'est les keufs qui l'ont, tu sais bien. Mais attends, je l'ai chouré dans la même boutique, première heure ce matin !

Il l'a allongé sur ma paume, j'ai appuyé sur le bouton avec mon pouce, un déclic et la lame a triqué. Non, pas mon vieux schlass, même s'il avait exactement la même tête et qu'à le soupeser, ça faisait le même effet. En même temps, le mien, je l'avais laissé dans l'épaule de l'autre, un des hommes de Baraque à frites, en plein dans son tatouage. Le gars était juste en marcel. Pas mal foutu, son dessin, truc genre trogne de monstre avec un nez de traviole, sauf que mon couteau l'avait bousillé pour de bon. « Mon tattoo, sale merde ! T'as pourri mon tattoo ! » Alors que j'avais même pas fait exprès, je voulais le toucher au ventre, moi, mais il avait réussi à faire dévier ma main au moment où le couteau était à deux doigts de rentrer, du coup la lame avait fini dans son épaule. C'était pas une bille, ce mec, j'étais sûrement pas le premier à lui faire tâter ma lame. « Plante-moi, qu'il arrêtait pas de vociférer. Vas-y mais plante-moi, sale merde ! »

– Hé, Dani ! Gaffe avec ça !

J'ai rentré avec un hochement de tête et j'ai laissé tomber le couteau dans ma blouse.

– T'es un guerrier, m'a fait Rico en posant une main sur mon bras. En vrai, t'es un guerrier, Dani. Plus balèze que oim.

– C'est bon, Rico. Stop.

– Si ch'te le dis. Ça te plaît, le schlass ?

– Sûr.

– La nuit, plus besoin de te faire du mouron.

J'ai chuchoté un merci en sentant les palpitations dans ma gorge et sous mon crâne, rien à faire.

– Coucher, je lui ai dit dans un souffle en même temps que la clope me glissait encore des lèvres.

– Carrément, Dani ! Je t'escorte.

Il a passé mon bras derrière sa nuque, et on est repartis dans l'autre sens. Tout redevenait flou, même certains trucs en double, deux portes, deux infirmières qui rouspétaient, traumatisme crânien, « commotion cérébrale », avait dit le toubib, mais dès que j'étais sous mes draps, ça passait nickel.

– Encore besoin d'un truc, Dani ?

Il était à mon chevet.

– Tu veux que je ramène un truc ? Schnaps ? Des binouzes ?

– Merci, Rico. C'est gentil, mais bon…

– J'dis à Anna de passer ?

– Non, Rico. Non.

J'ai remué la tête en matant le groupe d'étoiles qui dansait dans ma chambre. Même en fermant les yeux, elles étaient là, dans le noir.

– Dès que t'es sur pied, on reprend l'entraînement comme avant. Je dois faire un combat, là, un gros combat, et il me faut… il me faut un bon partenaire. Le meilleur, Dani, le meilleur de tous…

Maintenant, je l'entendais aux environs de la porte.

– Je repasse demain ?

– D'acc.

– C'est cool, Dani. Les autres aussi. J'leur dirai quoi.

Là, j'ai hoché la tête tellement doucement qu'il a pas pu voir.

– Allez, Dani. J'y go… Allez, et prends soin de toi.

Ses pas résonnaient au fond de la chambre. La porte s'est ouverte. Des voix dans le couloir, urgence, opération de la mâchoire, pas le seul à m'être fait rétamer.

– Allez, Dani. On se voit demain.

– Yes.

J'ai montré le poing. Quand il a refermé, j'ai tiré le drap par-dessus ma tête en respirant le tissu. Sur le flanc, je sentais le couteau à travers ma blouse. Je beuglais : « Arrachez-vous ! Laissez-moi ! Du balai ! » J'avais déjà fait sauter la lame, je poignardais l'air, mais ils n'avaient pas peur. Mon schlass leur faisait pas peur, je pigeais pas, il aurait suffi que je les plante au ventre ou à la gorge pour qu'ils risquent gros, mais non, ils étaient là, à se marrer en m'arrivant dessus. Y en avait trop, trop, une dizaine au bas mot, et c'est le moment où j'ai compris qu'il allait falloir en planter un, peut-être même deux si je voulais qu'ils me foutent la paix. Ça me donnerait le temps de me carapater pendant qu'ils appelleraient l'ambulance. Ils sont passés où, Mark et Walter ? Je me retourne sans les voir. Pourquoi ils ne m'aident pas ? Je les avais perdus depuis que le type m'avait balancé son pied en pleine face, comme ça, sans élan, sans un mot, beaucoup plus petit que moi, en plus. « Mais pourquoi ? j'avais crié. Mais qu'est-ce qui te prend, putain ? » et là-dessus il m'en avait envoyé un deuxième pile sur le menton, mais je sentais rien, je criais toujours : « Mais pourquoi ? » Je le connaissais pas, ce mec, jamais vu avant, et au moment où il m'en a balancé un troisième, j'ai fini par lui choper la jambe en m'agrippant bien fort et j'ai commencé à lui faire goûter mes deux poings. Il essayait de se dégager, je lui collais mes poings dans le dos, et ensuite, j'ai lâché sa jambe pour qu'il se viande. « Mais pourquoi ? » Quelque chose dans ma main. La lame. Et tout d'un coup, dix, douze mecs. « Vas-y, sale merde ! Plante-moi ! Vas-y, plante ! » Je l'ai planté. La lame était dans son épaule, lui à gueuler, moi à garder le manche. Je voulais la sortir, étant donné leur nombre j'en avais bien besoin, mais j'y arrivais pas, je n'y arrivais pas. J'ai lâché prise, la lame même pas enfoncée à moitié dans le gars. Le couteau s'est détaché, et j'ai hurlé, sans mes draps.

— N'ayez pas peur, monsieur Lenz. On vous a bien dit qu'on devait prendre votre tension.

L'infirmière baissait les yeux vers moi. De grands yeux bleus.

— Ça marche.

Je me suis redressé en lui tendant le bras et elle m'a retroussé la manche pour enrouler le brassard.

— Comment vous sentez-vous ? Toujours mal à la tête ?

— Peut aller.

Le sang me battait dans le bras. Elle a regardé les résultats, « ça ira », puis elle a dégonflé.

— Et votre gorge ? La mâchoire ? Toujours douloureux quand vous parlez ?

— Non, je lui ai fait aussi distinctement que je pouvais. De mieux en mieux.

— Ouvrez bien grands les yeux.

Elle a saisi une petite lampe torche et s'est penchée pour m'éclairer la rétine.

— Excellent. Allez, tournez-vous sur le ventre.

Après, déboutonné ma blouse pour me palper le dos.

– Bon, il faudra encore qu'on s'occupe des hématomes. Tout à l'heure.

Ensuite, elle m'a passé la main sur le dos, tâté ma gorge, reboutonné la blouse avant de ranger l'oscillomètre.

– On viendra vous chercher dans à peu près une heure.

Je l'ai vue réapparaître derrière la vitre. La nuit, y avait une petite lampe, ils restaient là, à me surveiller ou à lire le journal, ou un bouquin. Juste après mon entrée, la première nuit, ils m'avaient foutu dans une grande chambre avec d'autres gens, des diodes collées au front et à la poitrine, un oscillomètre au bras, ça s'activait en automatique toutes les quinze minutes pour pas que je dorme. Et ça me réveillait en sursaut quand je perdais connaissance.

Je me suis redressé pour atteindre le verre d'eau posé sur la table de chevet. Malgré la fatigue, aucune envie de dormir. Et pas moyen de boire sans en renverser les trois quarts, tellement le menton était gonflé. J'ai déposé un peu d'eau dans ma main, histoire de me rafraîchir le visage. Sur la table, cinq clopes et un feu. Rico, j'imagine. J'en ai pris deux, plus le briquet. Tirant une béquille de sous le lit (je les avais cachées là avant l'arrivée de Rico), j'ai clopiné vers la porte en jetant un regard derrière la vitre. La petite pièce était vide. De l'autre côté, derrière une deuxième glace, une autre chambre, la même que la mienne, avec une silhouette allongée sur un lit, les jambes suspendues à des cordes, sa tête, une grosse boule blanche. J'ai clopiné le long du couloir, aux cabinets.

Ils étaient silencieux. J'ai tourné le robinet en levant les yeux dans le miroir. Les taches noires avaient encore grossi sous mes yeux, elles devenaient bleues sur les bords, ça se mélangeait avec l'écarlate des joues gonflées. Quant aux côtés des pommettes, ils étaient verts. Mais c'était plus les miennes de pommettes, ni ma mâchoire, ni mes joues. C'était des bosses, mais pas des bosses habituelles, on aurait plutôt dit que leurs poings m'étaient restés encastrés sur la figure et avaient pris racine. D'ailleurs, ils ne s'étaient pas contentés de leurs poings, à la fin ils étaient revenus avec des lattes de palissade arrachées pas loin, mais ça, je pouvais comprendre : au début, moi, j'avais une barre de fer. Dénichée à côté d'un chantier. Et quand je les ai eus face à moi, j'ai matraqué dans le tas. Ils se sont dispersés en gueulant, le vent avait tourné, c'était moi le chasseur, mais une seconde seulement. Mais quel sens ça avait. Même en en chopant deux ou trois, ils étaient trop, juste trop. J'ai penché la tête sous le jet en sentant l'envie de rentrer chez moi. Ma mère était déjà venue me voir, d'abord sans me reconnaître, et après elle était pas restée longtemps. J'ai coupé l'eau en jetant un autre coup d'œil dans le miroir. Mark avait eu la même trogne. Quatre ou cinq types qui l'avaient chopé aux Moulins. Ils étaient tellement. À chaque fois. Je m'en suis allumé une en ouvrant la fenêtre et je me suis assis sur le rebord, la béquille posée au mur. Devant moi, en diagonale, le dortoir. Vingt étages, mastoc. Une blouse blanche à lunettes passait par-là, elle m'a lancé un regard, je lui ai craché ma fumée par-derrière. L'après-midi, du soleil encore, les patients prenaient l'air dans la cour, certains fumaient aussi. À l'époque, on était passés voir Mark. Plus tard, on avait coincé un des types qui l'avaient éclaté et on l'avait éclaté *nous*, bombe lacrymo, histoire qu'il ait des détails à donner en rentrant. Pourquoi étaient-ils si nombreux ? Pourquoi c'était pas comme sur le ring, un contre un ? Pourquoi est-ce qu'ils étaient toujours autant à se jeter sur un seul bonhomme ? Je pensais à la cour où on s'était retrouvés vautrés dans les ordures avec Walter, laminés par les mecs à Ange, je pensais à toutes les embrouilles de ces dernières années. Et puis je pensais aux types qui s'étaient fait niquer par nous. Par nous. Et je suis reparti en boitant le long du couloir.

– Enfin, Monsieur Lenz ! Votre dos !

Encore l'infirmière, elle m'attendait dans la chambre. Il a fallu que je me foute en chaise roulante, vraiment un comble, chais pas marcher, peut-être. Elle m'a fait rouler au bout du couloir, on a tourné au coin, porte, deuxième couloir, ascenseur, deuxième étage, longs couloirs à croiser des toubibs et d'autres gens qui s'étaient fait rétamer pareil.

Et puis, la nuit. Silence partout, la petite lumière qui brille derrière la vitre. Toujours pas envie de dormir. Je restais à regarder l'infirmière attablée derrière la vitre avec son journal et son thermos. Parfois, elle se levait pour jeter un œil soit chez moi, soit chez le type aux jambes pendues. À d'autres instants, je l'entendais s'éloigner dans le couloir. J'avais mis le couteau de Rico tout près de l'oreiller, je préférais le garder à portée pour pouvoir faire sortir la lame à tout moment. Baraque à frites n'était pas là, ni aucun des autres que j'avais chopés, Rico s'était renseigné et ç'avait été confirmé par le toubib. Longtemps qu'ils devaient être rentrés chez eux. Même si j'avais lutté pour leur faire vraiment mal, y avait pas le compte : nez pété et plaie de couteau à l'épaule, pas suffisant pour quelques jours d'hosto. Sauf qu'il y avait eu l'autre. Lui, à ce moment précis, j'espérais qu'il était aveugle, au moins d'un œil. J'y étais quand même allé sévère avec mes doigts en V. D'abord, j'avais juste touché les os sous les yeux. L'autre main crispée sur sa gorge, je sentais le larynx, et arrivé là, quelque chose a fait que cette main est devenue toute flasque, impossible de broyer, alors rebelote avec l'autre, le V dans sa face. Ça y était, je touchais du mou. J'appuyais, je creusais, lui beuglait à tel point que son beuglement rentrait en moi… et c'est là qu'ils se sont ramenés. Je les entendais arriver dans la rue, arriver dans la cour. Au début, c'est lui qui avait été le plus rapide, mais à présent je le tenais allongé sous moi. Trop cuit pour détaler, j'avais l'intention d'en éclater au moins un avant de me faire coincer. Il gigotait des jambes en beuglant encore plus fort, maintenant c'était lui qui essayait de m'enfoncer ses doigts dans les yeux, comme si j'étais couché en miroir, mais finalement j'ai eu qu'à repousser sa main d'un sursaut de la tête. J'ai resserré mon étreinte en basculant sur le dos pour l'allonger sur moi. Les autres, toujours pas en vue, mais ils nous encerclaient déjà. J'ai carré mes jambes derrière son dos et je l'ai empoigné par la tête, pour la heurter bien fort contre mon front, la heurter, la heurter. Je ne sentais plus rien. « Pitié, mais enlevez-le ! Enlevez-le-moi ! » qu'il chialait à me mouiller le visage, en fin de compte j'avais sûrement réussi à lui abîmer les yeux. « Pitié ! pitié ! qu'il chialait toujours. Mais enlevez… » Ils lui tiraillaient dessus, sinon comment m'atteindre ?, et c'est le moment où je lui ai si bien planté mes jambes dans le dos qu'il est devenu tout sage. Eux aussi travaillaient en silence, j'entendais juste leurs piétinements et leurs souffles. Leurs pointes de pieds s'abattaient dans mes flancs et mon crâne. Un bout de bois m'est rentré dans le cou, plus d'air, je criais en m'étonnant que le cri soit si faible. À bout de forces, j'ai tout lâché. Ils ont fini par m'enlever le gars, mais je matais une poignée d'étoiles, là-haut, et les fenêtres des tours, noires.

– Vous avez mal ? elle répétait derrière la vitre. Vous êtes sûr que vous vous sentez bien ?

Étant donné que j'étais debout la gueule plaquée contre le carreau, sous son nez, elle avait cru bon d'enclencher l'interphone. Elle s'est levée en me voyant acquiescer. Le journal, c'était celui d'hier. La porte s'est ouverte alors que je me traînais vers le lit.

– Monsieur Lenz !

Sa main sur mon épaule.

– Monsieur Lenz, si jamais vous avez be…

– Non. Ça ira, je lui ai fait en m'asseyant au bord du matelas, les yeux sur elle. Juste un petit rêve. J'ai pas fait gaffe…

– Je vous donne quelque chose ? Pour la douleur. Et puis, ça vous fera dormir.

– C'est gentil. Ça va comme ça.

Je me suis allongé, et elle a commencé à me border.

– Mais… mais vous… vous n'avez pas besoin de ça !

Le couteau, allongé sur sa paume, et elle, pas bien assurée.

– Gaffe avec le cran ! je lui ai fait.

– Je l'emporte, ça vaudra…

– Non. Laissez-le là. S'il vous plaît.

J'avais sa main dans la mienne.

– Mais si vous vous blessez, monsieur Lenz… Ici, il est interdit de…

– S'il vous plaît… s'il vous plaît, laissez-le là !

Elle le tenait toujours, mais je la fixais sans lâcher sa main.

– Bon, je le range dans le tiroir du chevet. Mais promettez-moi…

– Ça marche, j'ai fait en rouvrant les doigts. Mais l'emportez pas. Franchement.

– Le tiroir reste fermé, monsieur Lenz. Et interdiction de le montrer. Vraiment… mais à quoi ça peut bien vous servir ?

– Merci.

– Allez, et passez une bonne nuit.

Elle était derrière la vitre, avec la petite lampe qui brillait. J'ai allongé le bras pour pouvoir laisser ma main sur la petite table, et j'ai cherché le sommeil.

– Attends, mais ch'te jure ! On a rien pu faire, ils nous tenaient !

Walter arpentait la chambre. Je lui en voulais pas, il était trop nain, ils l'auraient démoli.

– J'ai essayé ! Ma parole, Dani ! Ils m'ont retenu tout le temps, ces fils !

– Voulaient juste faire joujou avec toi, t'sais.

C'était Mark. Il était là, assis à mon chevet. Rico aussi, adossé près de la vitre, à nous toiser, tranquille, rien à se reprocher, il avait pas été de la partie. Mais lui, même s'il avait fallu qu'il se fasse tabasser à mort, il m'aurait aidé. C'était clair et net.

– Ton schlass, a fait Mark.

– Il a quoi ?

– Me l'a tenu sous la gorge, cette crevure.

– De qui ?

– L'arschlor, là. Avec le tatouage… Nan mais regarde !

Il penchait la tête en faisant voir la petite entaille rouge.

– M'aurait planté.

J'ai acquiescé en reprenant :

– Si je m'étais pas défendu… ils me seraient tous passés dessus. Fin de l'histoire.

– Arrête de dire de la merde ! a coupé Rico en s'approchant. T'as fait ça nickel. Vrai pro !

– Ouais, a renchéri Mark. À toi tout seul. Mais moi, ch'te dis, s'ils m'avaient pas mis le couteau…

De l'autre côté du lit, Walter est venu me poser la main sur le bras.

– Putain, mon gars, comment j'ai la haine !

– C'est bon. À quoi ç'aurait servi ? Vous seriez ici avec moi, et voilà.

– Au fait, a commencé Rico en prenant la place de Mark. Pour les vitrines…

– Quoi, les vitrines ?

Je savais quoi, mais j'avais pas envie d'entrer dans les détails.

– 'coute, Dani. Hier, chuis allé là-haut. Y avait au moins sept vitrines d'éclatées. T'avais une barre de fer, ou pas ?

– J'en avais une, ouais.

Je m'étais remis à murmurer, la gorge et la mâchoire me lançaient encore.

– Tu les as toutes fracass ?

– Ouais, ouais.

– Pas mal, Dani, pas mal ! Sauf que pour ça, ils vont te retrouver, et ça coûtera bonbon.

– C'était pour quoi faire ? a demandé Walter en se posant au bord du lit.

– Les alarmes.

– Je pige, a fait Rico. T'es smart, Dani. L'expert !

Il m'a toqué l'épaule avant de tapoter ma gorge, gentiment.

– Sauf qu'y a rien eu, j'ai soufflé. Aucune qu'a marché.

– Et là, t'en fracass sept d'un coup! applaudissait Mark. T'es un as, Dani!

– N'empêche que j'vais devoir raquer.

– Yes, a fait Rico. Y a pas une seule crevure de juge qui peut comprendre. C'est ça, la rue, c'est la guerre, pas un juge qui peut comprendre.

– Ouais, j'ai murmuré.

– Les crevards, a fait Mark. Dire qu'ils ont juste voulu tripper avec toi!

– Et ils ont réussi.

J'ai préféré ne pas leur raconter le moment où j'avais été à deux doigts de m'enfuir, moi qui étais un bon sprinter en cours d'EPS; je tapais le soixante mètres en sept secondes six, alors les types, je les avais semés, après quoi j'avais déniché la barre et j'étais revenu sur mes pas. Histoire de leur en remonter un peu. Et puis, impossible de me tirer comme ça, les chiens tenaient quand même Walter et Mark. Impossible de me casser en les laissant derrière, impensable. Ils nous étaient tombés dessus sans raison, pas un seul que je connaissais, et maintenant je voulais leur montrer. «Allez, venez me chercher! Allez, venez me prendre, bande d'arschlors!» Plus personne à l'horizon. J'avançais en plein milieu de la rue, tout seul, barre de fer en main. Et puis ils ont réapparu, encore super loin, s'amenant bien lentement dans ma direction, un seul rang sur toute la largeur de la route. «Venez me chercher, bande d'enculés! Que j'vous rétame la gueule!» C'est là que ça a explosé. Une grosse pointe de verre fichée dans ma poitrine. Explosé encore, et j'ai arraché ma barre de la vitrine, la main en sang.

– Pas une seule, j'ai soufflé en calant ma tête au mur. Pas une seule saloperie d'alarme qui s'est…

– Sinon, a remarqué Walter, suffit de toucher une bagnole. Là, ça sonne direct.

Sauf que le coup des vitrines, c'était pas uniquement pour que les flics se ramènent à cause de l'alarme, c'était aussi que je voulais leur foutre les jetons, aux mecs. En fait, tout s'était enchaîné en automatique : uno, barre de fer dans les vitrines, deuzio, barre de fer dans les crevures, toizio, barre de fer valdinguant entre les crevures et moi, et là, précipiter un mec tête dans le mur; tout s'est enchaîné en automatique, et je slalomais entre eux, épaules rentrées, «je vous fume, sales chiens!»

– Et après, y en a d'autres qui se sont ramenés.

– C'était qui ?

– Des clampins dans les immeubles.

– Z'avaient appelé les flics ?

– Nan, sont ramenés sur moi. Pour se venger des vitrines.

– Mais quels chiens, quels chiens de leurs mères !

– Ch'te jure, Dani ! criait Mark, pas loin de beugler. L'autre, là, çui avec son couteau, eh ben, s'il m'avait pas…

– Ça va. C'est fini.

– Nan, a fait Rico. C'est pas fini. C'est jamais fini. Ces mecs-là, j'vais m'en choper quelques-uns. Crois-moi, Dani ! C'est jamais fini.

L'infirmière donnait des petits coups de l'autre côté de la vitre, le doigt sur les lèvres. Alors, Rico est allé donner un coup de langue juste sous son nez. On s'est marrés. Elle s'est retournée vers la porte, et on a entendu ses pas résonner dans le couloir.

– Mais voilà, toi ! a fait Walter. Tu lui as foutu les jetons !

– T'inquiète, a fait Rico. Elle est juste allée rameuter ses p'tites collègues. Partouze. Tu vois le plan ?

On s'est marrés.

TOUJOURS PRÊTS

La dernière fois que j'ai vu Rico avant qu'il soit obligé de partir, il me regardait derrière sa fenêtre, et il secouait la main. D'ici, il avait l'air tout petit. J'avais sonné en bas, mais sa mère n'avait pas voulu me laisser rentrer. J'ai reculé de quelques pas en arrière pour aller me mettre au milieu de la route, et j'ai encore levé les yeux vers lui, en amenant ma main droite juste au-dessus de ma tête. Le salut des pionniers. «Toujours prêts», j'ai dit d'un souffle. Il a éclaté de rire de l'autre côté de la vitre. L'instant d'après, il détournait le visage, sa mère venait d'entrer pour tirer les rideaux. Une voiture m'a klaxonné, alors j'ai repris le trottoir, direction chez moi. Rendu en bas de la rue, à l'entrée du parc, j'ai lancé un dernier regard en arrière. J'apercevais encore la fenêtre du troisième, les rideaux fermés. En me voyant faire le salut, il avait ri. Là-haut, il avait ri, alors qu'il devait partir le jour d'après, aux aurores. «Je dégage à six et demie, il m'avait dit la veille. En train. Chanmé, nan?» Et en disant ça, il avait essayé de rire un peu.

Je rentrais par le parc, notre parc. Ce matin, il y avait eu de la pluie. On sentait toujours son odeur, et elle gouttait des arbres. Notre arbre, il était là, tellement grand qu'on pouvait voir l'école et le cimetière extérieur en grimpant tout en haut. C'est là qu'on se donnait rencard les après-midi où y avait pas de manœuvre ou de collecte pour le recyclage. Sauf que par la suite, Rico a arrêté d'aller aux trucs des pionniers. De temps en temps, je le voyais assis dans l'arbre, tout seul, c'était quand j'allais aux points de rassemblement ou au bahut, disons plutôt que j'y filais, vu que d'habitude j'étais à la bourre à cause du satané nœud de foulard que j'arrivais jamais à faire correctement. Rico, il avait plus son foulard. Il l'avait cramé. Il l'avait cramé dans notre parc, j'étais là. Maintenant, à ma gauche, le bac à sable avec l'araignée, c'était là-dessus qu'il avait attaché son foulard pour le cramer. Et j'étais là. D'abord, je m'étais dit il déconne, mais après, il avait sorti ses allumettes et foutu le feu pour de vrai. « T'es cinglé, Rico ! Purée, mais arrête ça ! » C'était trop tard, déjà la troisième allumette et plus qu'un petit lambeau calciné sur une corde de l'araignée. Rico l'a balancé dans le sable. « Voilà », il a fait en me toisant. Je m'étais assis au bord du bac, les yeux fixés sur le petit bout grillé, avec une drôle de sensation dans le ventre. « Purée, Rico. Mais pourquoi… » Je savais pourquoi. Il m'avait tout dit. Le truc sur son père, l'officier. Des fois, quand Rico m'invitait, il venait à table dans son uniforme. Mais aujourd'hui, il était plus là. « Il a sa grognasse à Berlin », m'avait dit Rico. Aux après-midi des pionniers, du moins à l'époque où Rico participait encore et où tout roulait, ou bien en cours d'histoire-géo, les fois où ils nous demandaient ce qu'on voudrait faire plus tard, la réponse de Rico, c'était toujours officier. Pas soldat, officier. Même les fois où on se retrouvait après les cours, Rico gardait ses habits de pionnier : pantalon bleu foncé, chemise blanche à épaulettes, foulard bleu, sans oublier le képi. C'était son uniforme. Mais c'était fini.

Les yeux sur le chemin, je pressais le pas pour m'enlever les images de la tête. Rico s'en va, je pensais, rien à faire, c'est que Rico est un cas difficile, Herr Dettleff l'avait dit, je comptais les flaques d'eau sur le chemin, et mes yeux ont vu Maïk. Il était perché sur le haut d'un banc, un genre de gourdin en bois posé contre le dossier, et aussi quatre ou cinq bouteilles vides dans un filet à provisions, des bouteilles de schnaps en verre blanc qui valaient trente-cinq pfennigs pièce à la consigne, chez Böhland, spécialiste du matériel recyclable. Maïk a levé le menton.

– Attends, Dani ! Deux secondes !

J'ai fait marche arrière et je suis venu me planter face à lui, en appuyant une main au dossier.

– 'lut, Maïk. Qu'est-ce t'as ?

– On fait la paix, Dani. Aujourd'hui, pas d'embrouilles. Assistoi.

Il a éjecté le gourdin du bout du pied, je me suis posé à côté de lui, pour une fois qu'il avait pas envie de me chercher des noises. On s'était pas mal frités, Maïk et moi, et presque toujours je sortais perdant. Il était balèze, c'était le plus balèze de la classe, deux ans de plus, logique, il avait redoublé deux fois. Au fond, j'avais rien contre Maïk, par contre, lui et ses potes passaient leur temps à traîner dans le parc, et en général c'était là qu'y avait de l'embrouille.

Maïk traînait dans le quartier du matin au soir, même l'hiver. Son daron, c'était une arsouille, tout le monde savait. Y avait toujours des emmerdes chez lui, des fois ça arrivait que les prises de tête s'entendent à plusieurs blocs d'écart, raison pour laquelle il rentrait à des heures pas possibles, parfois la nuit tombée. Au bahut, quasiment tout le monde le respectait, parce qu'il se mettait vite en rogne, et dans ces cas-là, ça finissait mal. Y avait qu'avec Rico que Maïk se tenait sur ses gardes, Rico savait boxer, son père lui avait appris. Une fois, Rico avait poché l'œil de Maïk tellement gros que tout le monde avait cru que c'était le daron de Maïk en état d'ivresse.

– Tu sais, il a lâché à côté de moi, ça craint, pour Rico, grave.

– Ouaip.

Je regardais l'herbe de l'autre côté du chemin, le menton calé sur les paumes.

– Tu sais, chais pas comment dire, mais en fait chais pas, chuis désolé. Franchement. J'voulais faire un combat de boxe avec lui, moi, genre un vrai combat de boxe. Même qu'on avait dit. Franchement, Dani, ç'aurait pas dû se passer, j'voulais pas.

– De quoi ?

Je me demandais ce qu'il me voulait, en fait je m'en doutais un peu, et du coup, j'espérais juste qu'il ferme sa bouche.

– Tu sais d'quoi ch'parle. Mais c'était pas mon idée, sérieux. C'était Friedrich, c'est lui qu'a voulu. N'toute façon, il doit pas partir que pour ça. Et puis, pas besoin de m'expliquer l'enfer que c'est là-haut. Mon frangin…

Pas au courant qu'il en avait un. Il ne voulait plus s'arrêter de jacter, je me mordais les doigts de m'être assis avec lui au lieu de tracer ma route.

– Franchement, Dani, c'était pas juste à cause de ça… Rico, il a pété un câble, mais grave, et son daron, 'fin tu vois, le divorce, machin, et puis ses trois frangines…

– Tu veux quoi, Maïk ? Mais qu'est-ce tu veux, à la fin ? Tu vas arrêter de raconter de la merde sur Rico !

– C'est bon, Dani, c'est bon, calme, je voulais juste dire que chuis désolé qu'on leur a dit. En plus, c'est Friedrich qu'a eu l'idée. J'y ai déjà collé des mandales pour la peine. Il s'en est pris plein la gueule.

Je me suis rappelé de Friedrich avec ses yeux au beurre noir, quelques jours avant.

– Pour *quoi*? T'es désolé pour *quoi*? T'as dit *quoi*?

Arrivé là, je savais très bien où il voulait en venir, mais je voulais qu'il me le dise en face. J'avais pas eu la conscience tranquille quand ça s'était passé; j'aurais pu nier en bloc, j'aurais pu le défendre, Rico, peut-être même prendre un bout de la faute sur moi. Mais je ne l'avais pas fait.

– L'histoire avec le foulard, a fini par accoucher Maïk. Tu sais bien, Dani. Toi aussi, t'as… mais bon, c'est vrai que j'aurais pas dû le dire, mais bon, c'est Friedrich qu'a eu l'idée. Et en plus, chiasse, t'as bien vu comment il l'a cramé !

Au fond de moi, j'avais toujours su que c'était Maïk qui avait cafté. Lui ou ses potes. Ils l'avaient vu, comment, j'en sais rien, sûrement depuis l'arbre, et ils avaient cafté. Mais moi aussi j'avais cafté, dans le bureau du chef des pionniers, ils m'encerclaient tous : le dirlo, le chef, Frau Seidel, Herr Singer dans sa veste pleine d'insignes. D'un bond, j'étais face à Maïk.

– Salaud. Sale balance. T'es vraiment trop con !

J'ai plaqué mes mains le plus fort possible contre sa poitrine, il s'est croûté du banc, et au moment où il a voulu se redresser, je me suis précipité pour lui bloquer la tête et lui flanquer coup sur coup dans la face.

– Salaud ! Balance de mes deux !

Non. On était toujours perchés sur le banc, à se taire en regardant l'herbe de l'autre côté du chemin. Deux gamins étaient venus planter des lattes en bois dans la pelouse. Pendant que l'un se foutait au milieu pour garder le but, l'autre est venu nous voir.

– Vous jouez ? Onze-donze.

– Va t'faire ! a craché Maïk. Ou ça barde pour ta gueule !

Le gamin l'a fermée, et il est reparti. Je me suis levé aussi, en lâchant à Maïk :

– C'est peut-être la merde de A à Z, mais toi, t'es une sale balance.

Là-dessus, j'ai traversé la pelouse direction notre rue.

– Toi aussi ! il m'a lancé derrière. Toi aussi, t'as chanté !

La balle m'est arrivée dans les pieds, je l'ai shootée à toute volée, elle a rebondi sur le trottoir avant d'atterrir sur la route.

«Oh le bouffon !»

J'ai pas relevé. J'avais juste envie de rentrer chez moi direct pour mettre la musique à fond, ou la télé, car dans ma tête leurs voix s'étaient remises à tourner, toutes ces voix autour de moi, là-haut, dans le bureau du chef.

«Quelqu'un vous a vus, Daniel!»

«Mais nous savons que tu n'étais pas complice.»

«Rico est un cas difficile, a fait Herr Detleff, chef des pionniers. Son comportement est tout sauf digne d'un jeune pionnier, et tu le sais pertinemment!»

«Il n'a aucune excuse.»

«Et quand bien même. Ça ne serait pas la première fois! a fait Herr Singer, j'ai baissé les yeux sur ses insignes, un poing qui brandissait un flambeau. Rico n'a pas une bonne influence sur toi, Daniel. Qui plus est, son caractère révèle certains penchants destructeurs. Personnellement, il me semble, continuait Herr Singer en faisant circuler son regard, tout le monde hochait la tête, il me semble que nous ne pouvons tolérer cela plus longtemps.»

«Il vaudrait mieux, a ajouté Frau Seidel, que tu nous racontes tout ce que Rico a fait dans le parc et que tu nous assures que tu n'as pu l'en dissuader.»

«Cela échappe à notre compréhension: comment toi, un pionnier exemplaire, comment peux-tu continuer à le fréquenter après tout ce qu'il s'est permis durant cette année scolaire? Il abuse de ton amitié, Daniel!»

«C'est dans ton intérêt. Et puis, n'oublie pas que tu te prépares cette année pour le diplôme du Conseil des ministres.»

«Et ne perds pas de vue le concours des jeunes talents, Daniel. Nous croyons fermement que tu représenteras notre école tout aussi brillamment que l'an dernier.»

«À moins que Rico ne t'en empêche!»

«Comme il serait fâcheux d'infliger une autre déception à tes parents, Daniel!»

«D'autant que c'est justement ce que tu voulais éviter!»

«D'accord», j'ai répondu. Et après… après, je leur ai tout dit.

Arrivé sur le palier, j'ai fouillé mes poches à la recherche du trousseau. Nulle part. Peut-être que je l'avais laissé dans ma piaule, ou perdu en cours de route. J'ai sonné. C'était dimanche après-midi, demain matin, on avait cours. Sans Rico.

Ma mère est sortie sur le pas de la porte. «Eh ben, c'est pas trop tôt.» J'ai enlevé mes grolles.

« La Présidente du Conseil de groupe déclare que la classe de CM1 B est au complet et prête à commencer le cours ! » « Pour la Paix et le Socialisme : soyez prêts ! » a clamé Frau Seidel, debout devant le tableau. « Toujours prêts ! » on a répondu tous en chœur, bras droit replié au-dessus de la tête. Le salut des pionniers. « Vous pouvez vous asseoir. » On s'est assis. Elle fixait la classe par-dessus ses lunettes en disant un truc, « … manuel de lecture, page… début du… », mais j'étais déjà ailleurs. J'ai ouvert mon manuel sans vérifier la page, les yeux toujours fixés sur le banc de devant. La place de Katia. À côté d'elle, une chaise vide, celle de Rico. Ma mère m'avait dit que je ferais mieux de l'oublier vite fait, tout le monde m'avait dit ça, mais je n'y arrivais pas.

« La mandarine est vert-dorée, charnue et ronde, un poing fermé.

Pourtant, telle une pomme, peux-tu la déguster ?

Fruit abracadabrant, Leka, un prodigieux bourgeon. »

C'était Katia qui lisait. Sa belle intonation.

« … et celui qui la croque, il danse et dansera !

Mais hausse-t-il la voix ? »

J'ai levé les yeux vers Rico. Il avait écarté son livre et penchait le front sans rien dire. Sujet de la rédac : « La lutte de l'Armée Rouge contre le fascisme hitlérien ». Rico avait commencé à présenter. Et puis il s'était interrompu, d'un seul coup.

« Et alors ? a dit Frau Seidel. Tu ne veux pas continuer ? » « Non. Non, j'ai plus envie de parler de ces soldats soviétiques à la con. Non. » On était à côté, je lui ai filé un coup de pied sous la table. « Non », il a répété en claquant le livre tellement fort que j'ai rentré les épaules, « non », et il l'a balancé par terre, en plein milieu de l'allée entre les bancs. « Debout », a soufflé Frau Seidel. De l'autre côté de la vitre, sur le terrain de sport, les cris du match de foot couvraient le sifflet du prof d'EPS. « Katia, surveille la classe pendant cinq minutes. Vous lisez le texte jusqu'au bout. Rico, tu t'avances ! » Il s'est traîné vers le bureau. Il a fallu qu'il ouvre la porte lui-même, et puis il a quitté la classe, Frau Seidel sur les talons. « Maxim quant à lui se démène pour ne pas abandonner sa précieuse cargaison. Il leur suffirait de projeter leurs boulets enflammés pour que les enfants ne connaissent jamais la couleur de ces mandarines, songe Maxim. Et l'ennemi qui menace à nouveau ! » Je contemplais la nuque de Katia, si jolie, sa nuque qui oscillait légèrement pendant qu'elle lisait. Quand Rico était revenu, ils l'avaient mis à côté de Katia. «Peut-être, m'avait dit Frau Seidel, peut-être qu'elle aura une bonne influence sur lui.» J'avais essayé de le convaincre, moi aussi : «Allez, Rico. Redeviens comme avant. C'est bon, ça va aller.» Ça n'avait servi à rien. J'aurais voulu que son père revienne. Les fois où j'aurais été invité, il se serait mis à table dans son uniforme…

«Daniel!» Frau Seidel, plantée devant moi, ses lunettes encore en train de lui glisser au bout du nez. «Je te le demande pour la troisième fois : poursuis la lecture! Ces derniers temps, ta concentration laisse vraiment à désirer!» Je m'emmêlais dans mon manuel en essayant de trouver la page. Katia s'est tournée vers moi en entrouvrant les lèvres.

J'ai murmuré : «Pardon Madame, j'étais… je me suis trompé de page.» Sans élever la voix, elle m'a répondu : «Daniel. Tu viendras me voir à la fin de l'heure. Maïk, termine la lecture du passage et fais-nous un petit résumé.» Il s'est mis à ânonner : «Leka… avale une tranche du fruit a… bra… ca… da… brant. Il chancelle vers la fenêtre. Cherche un point d'appui. Et entonne : Regarde les deux grives, si petites et si frêles, elles sont dans leur nid, et restent toutes seules.»

DE RETOUR

Rico était revenu. Ils auraient dû le garder plus longtemps, mais ils avaient fini par lui épargner ce qu'il restait à tirer. Chaque semaine, il devait aller voir une assistante sociale, sa « marraine », à qui il était censé raconter tous ses problèmes quand il en avait.

– Mais Rico, je lui ai fait, t'es blanchi.

– Trop classe, la meuf. J'y ai été hier, première fois. Blonde, mais pas naturel. Les nibs, pas trop gros, nan, pas trop gros. Et truc moulant comme pas possible. Alors qu'elle sait très bien d'où je sors. Elle me chauffe. Eh ouais, Dani. Elle est en chien…

– T'as craqué. Tu t'imagines ça parce que t'as rien chopé depuis plus d'un an. Quoique, attends, tu te serais pas fait des p'tits copains à l'intérieur ?

Mon poing lui a taquiné l'épaule juste au moment où il approchait la pinte de ses lèvres. Elle lui a échappé des mains.

– Vas-y mais ferme ta gueule !

Ça faisait quatre jours qu'il était revenu et c'était aujourd'hui qu'il me faisait signe. Du coup, j'étais un peu déçu, mais je l'avais invité quand même. On était descendus aux Tractoristes, la binouze était moins chère. Goldie est venu ramasser la chope.

– Çui-là qui fait tomber, il nous paye sa tournée.

– 'tention, toi, 'tention. Tes phrases à la con, tu te les gardes !

Il gardait l'index tendu sous le nez de Goldie.

– Calmos. On garde son calme. J'vous ramène deux p'tites graines, ouais ?

– C'est cool, Goldie. Merci.

Rico jartait la flaque de la table avec un rond-de-bière. En même temps, il a fait tomber quelques clopes en tripotant sa poche poitrine. Je les ai repêchées pour lui en caler une entre les lèvres, et j'ai tendu la flamme.

– Tranquille, vieux, je lui ai fait en m'en gardant une.

– T'as pas les tiennes ?

Il gigotait toujours sur sa chaise en clignant des paupières.

– Rico ! Viens un peu me voir.

Et je l'ai attiré à moi, une paume calée sur sa nuque.

– T'es plus dedans, t'entends. Retour à la normale. T'es chez toi. Mais regarde-moi. Là, c'est moi, c'est Dani. Ici, t'as le droit de regarder dans les yeux !

– 'scuse, il m'a rictussé en tiquant du coin de la bouche, avant de poser son paquet ouvert sur la table. Chuis pas encore là pour de vrai. Mais ça va venir. Ça va venir, t'inquiète. Tiens, prends. Tu comprends, Dani, les clopes, dedans ça comptait grave…

– Je sais.

Goldie revenait avec nos deux schnaps.

– Écoute, Goldie, j'ai pas voulu…

Mais Goldie lui a souri.

– C'est bien que tu sois de re… ça fait plaisir.

Il est retourné à ses chopes et ses bouteilles, et on a levé nos petits verres.

– À la tienne, j'ai fait à Rico.

– C'est ça.

Une femme est entrée et s'est mise au bar. Pas mal foutue, jupe courte et décolleté avec plein de peau.

– Elle rigole, a fait Rico. C'est novembre, là.

On avait le regard collé à sa jupe, ses jambes et son dos moitié nu, mais elle ne sentait rien et restait tournée face au comptoir. Elle s'est perchée sur un tabouret, Goldie n'avait pas de miroir derrière son zinc.

– Ça, c'est de la professionnelle.

– Mon œil, a répliqué Rico. Elle cherche un gars. Ouais, elle se cherche un truc pour ce soir. Nom de Dieu, si tu savais comme je la…

– Hé, pas si fort. Elle est pas obligée d'entendre.

– Hier, j'étais chez Anna, mais elle est partie. Chais pas où. Personne sait. Et Janine, elle veut plus que je m'approche. T'es au courant, à cause de la fois…

J'étais pas précisément au courant de « la fois », peut-être la soirée où il avait voulu l'emmener chez l'Italien dans une bagnole volée, même qu'il avait déjà réservé une table et qu'y aurait sûrement eu un violoniste, comme dans les films, sauf qu'à la fin elle a été obligée de passer toute la nuit avec lui en garde à vue, secteur sud-est, parce que Rico avait choisi un putain de cabrio, je crois que c'était une Porsche. «C'est de l'emprunt», qu'il lui avait dit avant de se faire repérer par la première patrouille venue. Tu m'étonnes, va trouver un jeune bonhomme dans l'est de Leipzig qui roule en Porsche cabrio.

– T'as vu ce que j'ai vu ? T'as vu ce que j'ai vu ? Elle s'est retournée, là, elle m'a maté !

J'ai risqué un regard, mais elle était juste à siroter une espèce de jus rouge, sûrement le meilleur pinard de Goldie.

– … comment j'vais faire… Chuis tout rouillé, tu sais.

Il s'est passé la main dans les cheveux, toujours à gigoter sur sa chaise. D'habitude, il savait y faire avec les nanas, c'était aussi le premier d'entre nous à en avoir mis une dans son lit. À part que c'était un banc du Bosquet de l'Est, d'après son récit. Il l'avait connue à l'Apple, et elle devait en avoir gobé une de trop, vu qu'après elle s'était croûtée dans la neige (c'était l'hiver), ce qui avait forcé Rico à fracturer une bagnole et à l'allonger dedans pour pas qu'elle devienne trop froide.

– J'vais la baratiner. J'y vais, j'la baratine. Direct.

– Attends un peu. Tu veux lui dire quoi : Hallo, je sors de taule ?

– Je trouverai bien. Encore un gorgeon et j'vais la voir. Ch'te jure !

Mais c'était vite dit. Un type est entré, et j'ai su direct qu'il venait pour elle. Il s'était bichonné grave, costume violet et cravate bleue, plus les petites chaînes en or qui lui sortaient des deux manchettes en clignotant. Sa fausse Rolex lui pendouillait sur la main, fallait que tout le monde puisse voir. Il s'est posé à côté d'elle en disant un truc à Goldie. Et d'un seul coup, ce mec avait une rose à la main. J'avais pas vu d'où elle venait, peut-être qu'il était prestidigitateur et qu'il l'avait sortie de sa manche.

– Regarde-moi ce mac en carton pâte, a fait Rico en écrasant sa clope à moitié fumée. Cette raclure de maquereau se permet de venir ici pour bouffer dans mon assiette !

– C'est un arschlor, Rico, chuis d'accord. Mais lui tape pas l'embrouille. Tu vois bien que c'est la sienne.

– Nique sa mère, tu peux pas savoir comment je hais ce genre de mecs. Ça se fringue comme des tarlouzes, et après ça vient nous piquer nos gonzesses !

– Fous-lui la paix. Tu viens juste de sortir, merde !

– T'as raison, il m'a fait en clignant des paupières.

J'ai appelé Goldie pour avoir deux autres pintes.

– Dis-moi, Goldie, tu le connais ?

– Nan. Mais il est en train de s'en acheter une, si tu vois ce que…

Et il est retourné derrière son bar pour trafiquer des fruits et des bouteilles. Y a quelques années de ça, il avait fait une formation de barman, histoire d'être dans le coup ; les cocktails de Goldie, servis dans leurs verres allongés avec paille et ombrelle colorée, on les appelait foui de la passion, ce qui ne les rendait pas meilleurs pour autant.

– Tu sais, Dani, je m'en bats les reins de cette gonzesse. Mais je me sens, comment dire… trop seul. J'aimerais bien être allongé avec une femme, encore une fois. Juste la regarder…

Son doigt faisait des ronds sur la table, un tour à gauche, un tour à droite. J'essayais de le regarder dans les yeux, mais il était autre part, et je savais où. Et je savais aussi que tôt ou tard, il y retournerait. Je lui ai posé la main sur le bras.

– Rico. On se casse, viens. On avait dit qu'on fêtait ton retour. 'garde, y a un autre rade que j'connais. Là-haut, les nanas elles dansent complètement à poil. Elles dansent pour nous, tu comprends, que pour nous, et c'est que du premier choix !

Il m'a regardé en souriant.

– OK, j'approuve. Dire que chais même plus à quoi ça ressemble, une femme sans rien…

Après, on a vidé nos pintes en parlant du bon vieux temps. Mais pas de Mark. Rico savait qu'il était mort, je lui avais écrit, mais là, pas envie de repartir là-dedans. Rico avait souri, et ça avait suffi. Après, dans le bar à strip-tease, il me demanderait peut-être comment tout ça s'était passé, mais je saurais pas quoi lui dire, et puis, ce serait pas l'endroit pour. On a réglé.

La nuit, le bus qui allait au centre passait une fois l'heure. On l'a attendu en s'en grillant une autre devant les Tractoristes.

– J'ai oublié mon feu, ch'crois. Deux secondes.

Rico a lâché sa clope, et j'ai regardé la porte se refermer en douceur. Il a pas mis longtemps à ressortir. En me disant :

– Décale-toi.

Et la gueule de mac a jailli de la porte. Sans veste, et chemise retroussée, ce qui m'a permis de voir sa blinde de tatouages à deux balles. Sûrement qu'il comptait intimider Rico avec. Son bras s'est levé, et j'ai juste eu le temps de déchiffrer «Ramona» avant qu'il jette sa figure en plein dans le poing de Rico. Avant, Rico boxait bien, mais le type pouvait pas savoir. Son dos a été projeté contre le mur, et puis il a glissé par terre. Pas de sang à signaler sur la face, mais c'était plus le même nez. Rico restait debout, immobile, les yeux baissés vers l'autre. Le mac a roulé sur le côté et s'est remis sur ses jambes. Maintenant, son nez coulait, mais pas des masses.

– Je te règle ton compte, sale étron!

Crié d'une voix si perçante que mes oreilles en ont pris un coup.

– … je te tue!

Là-dessus, il s'est encore rué sur Rico qui l'a stoppé avec la même gauche, sans broncher et sans élan, concluant d'une droite sur l'occiput alors que le type était déjà à moitié par terre. Après, Rico s'est approché.

– Laisse! je lui ai crié. Suffit, plus touche!

Sauf qu'il s'était déjà accroupi pour lui faire les poches, sans même me jeter un regard.

– Pas de bêtises, Rico!

Et tout d'un coup, la peur : que l'autre soit mort. Mal tombé, j'en sais rien. Mais il se redressait déjà un peu contre le mur. La tête bringuebalante, il a marmonné :

– Zavez qui jui, au moins?

– Je m'en cogne. Viens un peu là, Dani. Regarde ce que l'enculeuse trimballe!

Il brandissait un pochon. Ça ressemblait à de la coke ou de l'héro ou une autre merde dans le genre.

– Rends-lui.

– Déstresse. J'ai plus besoin de ces trucs!

Et puis, après lui avoir fourré ça derrière le bouton du fute :

– Alors, sous-merde, tu vas appeler les kisdés? Si tu veux faire des histoires, ch'te préviens, j'en ai plus rien à foutre de rien. Je te perce.

Il a tiré un mouchoir pour lui enlever le sang des narines, et on a traversé jusqu'à l'arrêt. Rico était déglingué, c'était de pire en pire. Peut-être qu'il avait dû partir trop souvent depuis qu'il était môme. Le bus arrivait.

C'était un comptoir circulaire. Au milieu, sur un petit podium, une cage. Pas trop forte, la musique, techno et dance, et dans la cage, une femme qui dansait. Elle avait rien du tout sur elle et se tenait à la barre verticale en faisant tanguer ses seins de haut en bas. On a longé le comptoir pour se trouver une bonne place.

– Pas là, m'a fait Rico. Trop de peuple.

On est passés devant des tables où brillaient des petites bougies, certains fauteuils étaient occupés, mais impossible de voir les visages. La salle était dans la pénombre, sauf pour quelques projecteurs au-dessus de la cage, qui rayonnaient sur la nana. À cet instant, un rayon était sur ses seins, mais il a eu un petit frisson et il est allé voir ailleurs.

On s'est posés au bar, pile sous les seins. Elle a fait un tour sur elle-même, laissant la lumière recouvrir son dos.

– Ouais, a fait Rico. Mais elle garde la culotte.

– Qui sait, pas impossible qu'elle l'enlève.

– Je savais pas que t'étais déjà venu.

– Nan, c'est Paul qui m'a dit. Il vient souvent.

– Paul, a fait Rico en plaquant ses cheveux en arrière. J'étais pas loin de l'oublier, lui. Comment il va, et tout ?

– Peut aller, j'ai répondu en faisant signe à la nana du bar, pas très fringuée non plus. Va le voir un de ces quatre, ça lui fera plaisir… Deux pintes, siouplaît !

Quand je l'ai eue en face, mes yeux se sont posés sur son soutif et ses seins à moitié dehors. Elle avait deux fleurs tatouées en rond autour du nombril, pas des roses, les pétales étaient bleus ; sur son ventre un tout petit peu bombé, je les voyais onduler avec sa respiration.

– On fait que de la bière en bouteille. Des petites.

– Pas de souci. Deux petites, alors.

« Et on applaudit Chantal, Chantal l'ensorceleuse ! Hélas, Chantal n'est capable de s'exprimer qu'avec la langue. Mais c'est la langue… française ! Fraîchement débarquée de Paris ! Et maintenant, la Princesse de Leipzig. La douce, la blonde, la belle… voici la Barabelle ! »

– Paye ton nom, a fait Rico.

Ensuite, il s'est allumé une clope avec la braise de celle qu'il venait de finir. Son regard s'attardait sur la cage vide. J'ai senti quelqu'un nous frôler le dos, mais je me suis pas retourné. La nana du bar est venue poser les bières juste devant nous, avec un sourire. Au moment où elle se penchait, j'ai visé le petit triangle entre ses seins. Mon doigt caressait le bois du bar, je sentais les côtes sous sa peau.

– Seigneur, mate un peu la Barabelle. Bon Dieu ce qu'elle est belle !

Rico se frottait les yeux face à Barabelle, agenouillée dans sa cage, la tête et le buste vers le bas, sa chevelure blonde qui lui tombait en cascade sur tout le corps. Elle balançait la tête et les épaules en rythme. Le rideau blond s'est levé d'un pouce, et on a vu ses seins. J'ai lancé un coup d'œil en diagonale sur celle du bar, qui se buvait une petite bouteille de Coca. Cheveux courts et foncés, le reste pas aussi pulpeux que chez Barabelle, mais je ne décrochais pas le regard, et elle a fini par se détourner pour aller rincer ses verres. Barabelle avait eu le temps de se remettre droite. Plus de culotte, on était face à ses poils blonds.

– Attends, mais ils sont teints. Mais c'est sûr que c'est teint. Bon Dieu que c'est beau. T'as déjà eu une blonde, toi ?

– Non.

J'étais à sec. J'ai bu dans le verre de Rico pendant que Barabelle se retournait en nous tendant sa croupe et commençait à la pétrir. Rico a fait tomber ses clés en fouillant dans sa poche, il s'est penché sous le comptoir tandis que Barabelle soulevait sa culotte et la faisait tournoyer à hauteur de ses seins, avant de s'accroupir pour la renfiler. Saisissant la barre, elle a commencé à se frotter le dos contre, en remontant tout doucement, puis elle a pris une sorte de passerelle qui reliait la cage au bar et s'est mise à défiler en dansant à petits pas sur le comptoir. Des types venaient lui glisser des billets dans la culotte. Comme j'avais pas envie de voir leurs visages, je regardais leurs mains qui frôlaient ses hanches et ses cuisses avant de lui coincer le fric. Barabelle dansotait lentement vers nous avec ses escarpins en peluche rouge et petit pompon par-dessus. J'ai garé ma main du comptoir. Au moment où elle surplombait nos têtes, elle a fait une pause, le pied tout près du cendrier. J'ai levé les yeux sur ses longs tétons qui pointaient vers le plafond. Il me restait juste un billet de cent et plein de ferraille, mais pas évident de lui coincer les pièces. Rico gardait une main sur sa taille. De l'autre, il lui fourrait un billet de dix.

– 'tends ! il lui a fait avant de se remettre à racler ses poches.

Elle souriait en moulinant des épaules. Avec un nombril pas aussi joli que la nana du bar. Juste avant de caler le fric, Rico a palpé le haut de sa cuisse, puis sa culotte. Vu qu'il avait mis vingt marks, il lui a aussi touché le genou avant de retirer sa main. Barabelle continuait à avancer. À la fin, elle est descendue du bar pour aller disparaître derrière une porte, au bout de la salle. « Et on applaudit encore Barabelle ! Barabelle la sensuelle, Barabelle aux boucles d'or ! » J'ai repéré le présentateur. Il était dans notre dos, collé tout contre le mur sur un petit podium, le foutoir pour le son déballé sur sa table. Chaque annonce lui faisait faire de grands gestes avec le micro. « Et maintenant, tenez-vous bien, car vous allez voir apparaître notre beauté de la forêt vierge, l'exotique Li Dong Kallam ! » Une petite Vietnamienne nous est passée derrière pour rejoindre le bar. Avant de grimper dans la cage, elle a laissé tomber sa cigarette marron, les fines pour gonzesses. La nana du bar a écrasé la braise sous sa basket blanche.

– Deux bières, siouplaît.

– Et deux Jack Da doubles, a ajouté Rico, les yeux sur ce qui se passait derrière les barreaux.

La Vietnamienne dansait déjà sans soutif. Elle avait dû l'enlever avant de faire son entrée. Derrière son sourire, elle avait l'air petite et malheureuse, et elle ne bougeait pas bien en rythme.

– Bah alors, Rico. Je croyais que t'étais pas large.

Mais il m'a sorti une liasse de biftons enroulés pour me les agiter sous le nez, avec son rictus. La Vietnamienne nous matait, je voyais bien, et ça la faisait trébucher de plus belle en même temps qu'elle écrasait ses petits seins contre les barreaux.

– Tu les as tapés à l'autre. Le mac, tu l'as…

– Nan, Dani, j'y ai pas tout tiré. À cause de sa poupée, tu vois. Pour qu'il puisse quand même payer la note. Et puis ouais, pour pas faire du tort à Goldie.

– Capable de faire des histoires, ce mec. Qui sait les contacts qu'il a…

– Pfutain, mais arrête. T'attires le mauvais œil ! Moi aussi, j'ai mes bonhommes. Et puis, on avait dit qu'on faisait un peu la fête !

La nana du bar apportait la bière et le whisky. J'ai saisi mon verre en fixant les glaçons, et j'ai fait à Rico :

– À la tienne.

– Pareil.

Et on a bu.

– Une fois, en taule, j'ai bu un truc. C'était les Russes, là, ils trafiquaient ça avec du pain et des pommes, plus d'autres trucs. Ouais. Samogon, qu'ils l'appelaient, ch'crois.

Les histoires de taule, j'en avais ma claque. On m'en avait raconté trop. La Vietnamienne est sortie de la cage et ses talons hauts sont venus piétiner dangereusement le long du comptoir. En essayant d'éviter un cendrier sans interrompre sa danse, elle s'est plié la cheville gauche. Elle s'emmêlait les pieds et projetait les bras en l'air, à deux doigts de dégringoler du comptoir. Ça rendait super bien avec la musique, pourtant aucun des types ne venait la payer. Alors, elle est repartie dans l'autre sens, toujours à se dandiner mais cette fois sans faux pas, et un vieux type aux cheveux blancs a fini par se ramener pour lui flatter la hanche, avant de lui glisser son billet dans la culotte.

– C'est moche, a fait Rico près de moi. Elle est seule, mais alors vraiment.

Il s'est levé en tirant plusieurs billets de sa liasse. Le vieux n'avait pas bougé, ses yeux restaient levés vers elle. Mais il a suffi que Rico vienne lui mettre un doigt sur l'épaule pour qu'il se retraîne vers les tables. Rico a coincé son fric contre la hanche de la petite Vietnamienne, le vieux avait laissé son billet sur l'autre flanc. Elle est descendue en souriant et s'est mise à caresser le visage de Rico tout en pressant ses petits seins contre sa chemise et en lui susurrant dans l'oreille. J'ai vu Rico enfouir son visage dans ses cheveux et lui glisser une main dans le dos, mais il l'a retirée aussi sec. La Vietnamienne a encore piétiné un peu devant lui en se marrant, et puis elle a traversé la salle pour rejoindre la petite porte. Elle marchait comme si elle matait le plafond, la nuque cassée en arrière et ses petits seins tendus vers le haut, un pas après l'autre, bien prudemment, plus envie de déraper. Rico est revenu me voir.

– Elle avait vraiment un truc. Pas comment dire.

– Et elle t'a demandé quoi ? Elle te veut, pas vrai ?

– Mouais, chais pas, elle a juste dit qu'elle le faisait pour cinquante et qu'elle bougeait sur la Kremer Chaussée à partir de minuit…

– C'est une maison close, Rico. De la merde. Ça t'avance à quoi !

– Mais elle me fait un prix. Cinquante pour la totale, t'imagines !

– Elle cherche juste à t'attirer là-haut. Sauf qu'en vrai, t'as pas envie d'y aller. C'est vraiment merdique, la Kremer Chaussée. Putain de rade pourri !

– T'y as déjà été pour parler comme ça ?

– Passé devant, ouais. Pour voir. Mais dedans… nan.

Le bordel de la Kremer Chaussée, au numéro 5, ç'avait été le tout premier de la ville. Il avait ouvert au printemps 1990 dans un immeuble tout ce qu'y avait de plus normal de la banlieue nord. La cage d'escalier était libre d'accès, les putains attendaient dans l'embrasure des portes et toisaient ceux qui montaient. C'était Walter qui m'avait raconté, il m'avait aussi raconté que les Négresses créchaient à la cave et au rez-de-chaussée, les Asiates aux étages du milieu, les Allemandes en haut. Mais c'était sûrement de l'intox, parce que je lui avais demandé ce que foutaient, dans ces cas-là, les Polonaises et les Russes, et il en savait rien. Alors parfois, en vadrouille dans la banlieue nord, je faisais halte devant le numéro 5 de la Kremer Chaussée pour contempler les rideaux rouges derrière les carreaux.

– Mais attends, m'a fait Rico en me serrant l'épaule, tu sais très bien que j'ai besoin d'une femme. Pour de vrai, tu comprends. Pas juste toucher avec les yeux, j'ai besoin d'en palper une, là, pour de vrai. Pour de vrai !

– OK. C'est ta soirée. Ch'te laisse pas en plan. Si t'es chaud pour aller voir la petite… Mais avant, on boit autre chose.

Je savais pas combien il avait pris au mac. Même si la liasse était déjà plus fine, il devait encore y avoir largement plus que cent.

La musique s'est atténuée pour laisser le présentateur en remettre une couche. «Applaudissements pour notre jeune et délicieuse Carmen, Carmen qui a fêté ses dix-huit printemps la semaine dernière. Ne vous demandez plus pourquoi elle n'en est qu'à son cinquième show ! » Et elle a fait son entrée, est passée sous nos yeux, de l'autre côté du comptoir, comme de rien, et elle est montée dans la cage. Carmen, c'était pas son vrai nom, et la grande époque n'était pas encore derrière nous. Rico m'a planté son coude.

– T'y crois, gars ? T'y crois, à ça ?

J'ai rien répondu. J'avais le regard à l'intérieur de la cage, sur ses seins. Avant, elle avait jamais voulu me montrer, alors que j'aurais tout fait pour elle, tout, et pas juste pour sa poitrine.

– Il s'est bien payé notre gueule, le cul-terreux ! a fait Rico. Il a bien dit de la merde. Carmen ! Tu parles. Et en plus, attends, elle était un peu plus jeune que nous. Elle a dix-huit piges, là ?

– Ch'crois bien. Fait une éternité. Tu te souviens, avec Fred, ça fait quand même…

– Pfutain. Ça fait une paye.

J'ai acquiescé.

– Tu sais, Dani, quand t'es dedans, le temps il passe…

– Ouais.

– Mais dis voir… t'étais pas à fond sur elle, toi ?

– Rico. Arrête un peu avec ces conneries. Tout ça, c'est du… laisse tomber, c'est tout.

– Estrellita. Petite Étoile. Ouais, c'est comme ça qu'on… nan, c'était toi. C'est toi qui l'appelais comme ça.

– Restranquille, je lui ai répété, mais il a continué à déblatérer sur elle et sur avant, sur la grande époque qui au fond n'avait jamais été derrière nous pour de bon, mais je n'écoutais plus, je fumais une de ses clopes en la regardant danser dans la cage.

Elle dansait bien. Elle balançait son corps exactement au rythme de la musique. À l'époque aussi, elle dansait bien. Elle était toujours belle, mais quelque chose était changé dans son visage, dur de dire quoi. À l'époque, elle avait disparu, elle s'était en allée, comme ça, sans prévenir. Personne savait exactement où. Plus tard, quelqu'un m'avait dit qu'elle avait rencontré un type de l'Ouest, un de ces entourloupeurs qui avait dû lui raconter un truc, lui promettre la belle vie, etc. Mais elle était revenue, et elle dansait pour nous. Elle avait l'air tellement fragile quand elle s'était réveillée de son coma plus d'un mois après. On était passés la voir à l'hôpital, je m'étais assis sur le rebord de son grand lit et j'avais tenu sa main dans la mienne pendant plus d'une heure tellement elle était froide. Son visage était blême, comme ses yeux, blancs avec des pupilles minuscules. Elle les tournait vers moi, mais c'était ailleurs qu'elle regardait, comme si elle cherchait quelque chose. Peut-être qu'elle était encore un peu *entre*. Debout sur le bar, elle nous surplombait en roulant des hanches, la culotte pleine de billets. J'ai encore voulu la regarder dans les yeux, mais elle m'a montré son profil. Rico a farfouillé dans sa poche pour rajouter un billet de vingt à ceux qui lui couvraient le nombril. J'ai posé ma main sur la pointe de son escarpin, cette fois mes yeux étaient dans les siens, mais elle les a vite tournés vers Rico, et elle a souri. Elle pivotait doucement en se caressant les seins.

– Ça fait… ça nous fait vraiment plaise de te revoir, lui a lancé Rico. Quand t'as fini, bois un truc avec nous, steupl.

Elle a bougé les lèvres, j'ai regardé ses dents. « Applause, applause pour notre teenage star ! Carmen est jeune et ne se lasse pas

de danser. Ça ne sera pas la dernière fois, je peux vous le garantir!»
Redescendue du comptoir, Carmen est passée devant nous pour
repartir vers la petite porte. Elle a remis son soutif sans s'arrêter, sauf
une seconde pour triturer la fermeture. Rico en a profité pour aller
lui dire un truc à l'oreille et rattacher le soutif. Estrellita s'est tournée
vers moi dans un éclat de rire, et puis elle a disparu derrière la porte.

– Qu'est-ce tu lui as dit?

– Eh ben, qu'elle a pas à avoir honte. Et aussi que t'es content
de l'avoir enfin vue à poil. C'est la vérité, nan?

– Manque une case.

– Mais franchement, Dani, c'est hallucinant... c'est quand
même... J'veux dire, je m'en balance, moi, ce qu'elle fait. Mais quand
même, ici!

– Je préfère encore ici que sur la Kremer.

– Par contre, Dani, tu lui diras pas pour la p'tite Niaque... Parce
que franchement... tu crois qu'elle voudrait bien me laisser toucher,
Estrellita? Tu serais pas enragé contre moi? Quoique nan, on ferait
mieux de bouger sur la Kremer. La p'tite de tout à l'heure, elle m'a
vraiment...

J'ai acquiescé en reprenant mon verre et en pensant aux femmes
qui attendaient là-haut, dans l'embrasure des portes. J'ai pensé à la
porte d'Estrellita, devant laquelle j'avais attendu, avant, dans certaines nuits, jusqu'à m'endormir sur les marches.

Elle était face à moi et disait :

– Alors, comment ça va?

– Peut aller.

– Hmm, a fait Rico, ouais.

– Mieux vaut prendre une table. Les tabourets, c'est pas marrant.

Elle s'était changée, pantalon en tissu noir et haut bleu foncé.
On a pris une table en coin. Rico a sorti son briquet pour allumer
la petite bougie, j'allais dire «romantique» mais j'ai laissé tomber.
J'avais le fauteuil, Estrellita et Rico le canapé, côte à côte. Il avait l'air
rouge, le canapé, rouge sombre, mais peut-être qu'il était marron ou
violet. Trop peu de lumière pour dire.

– T'as assuré, je lui ai fait.

– Ça va.

Elle a eu un petit sourire, avant de fixer la table. La nana du bar
s'est ramenée avec une bouteille et trois coupes. J'ai plissé les yeux,
mousseux d'une marque inconnue.

– C'est pour moi, a fait Estrellita.

J'ai suivi la nana du regard, et sa culotte qui se barrait. Le pantalon d'Estrellita devait coûter cher.

– Tu gagnes bien.

– Ça va, elle m'a répondu en jouant avec sa coupe.

J'ai penché la bouteille.

– Mets-en à ras, a fait Rico en me tendant la sienne. C'est du très bon.

– À toi, j'ai fait à Estrellita.

– Et à l'oseille, a ajouté Rico dans un rictus.

Le mousseux était doucereux, juste besoin de quelques gorgées pour le sentir arriver là-haut.

– Et les autres, a demandé Estrellita, ils deviennent quoi ?

– Y en a plus beaucoup, je lui ai fait.

Elle a hoché la tête. J'étais pas sûr qu'elle sache pour la mort de Mark, mais pour Walter, ça faisait déjà quelques années qu'il était plus là, Fred aussi avait disparu, d'abord en taule et puis autre part.

– Faut bien faire un truc pour s'en sortir. Et danser, moi, j'ai toujours aimé. C'était peut-être pas ce que je voulais faire… mais tu sais, Daniel, je gagne vraiment pas mal ici. Je peux mettre vraiment pas mal de côté. Après, je finirai bien par me tirer, c'est clair. Tu t'en doutes…

– Clair, a fait Rico. Ça c'est vrai, faut savoir où on va !

Son poing a claqué contre la table, j'ai rattrapé la bouteille juste avant qu'elle se renverse, en calant ma coupe sous la mousse qui débordait. Rico s'est penché pour laper le reste.

– Et puis, a repris Estrellita, j'aime bien. Danser, j'ai toujours aimé.

Et elle nous a fait un petit sourire avant de se remettre à fixer la table. Rico se rapprochait d'elle. Il s'est encore rempli une coupe, sans attendre pour vider la moitié.

– T'as fait quoi ? Les années où t'étais plus là, ch'parle ? Nan, pas obligée de nous dire. Ça se demande pas. Moi, chuis resté le même. Pas un tombeur. Nan, pas moi. T'es devenue une beauté, Estrellita !

– Plus personne m'appelle comme ça.

Elle a tourné son regard vers moi. J'ai baissé le mien, l'ai remis dans ses yeux. Quelque chose était changé dans son visage, mais dur de dire.

– Ton petit Dani, lui a fait Rico en me tapant sur l'épaule. Bon à marier. La femme, les chiards, tu vois le tableau. Après, il revient plus !

– N'importe quoi, toi. Tu débloques !

Estrellita s'en est remis un peu, en riant.

– Vous vous rappelez quand on allait chercher les bières. Des caisses remplies. Même que je vous aidais à les traîner !

Et puis elle a inspecté ses ongles, qui étaient très longs et vernis de noir.

– Avec tes petites pattounes, je lui ai dit en lui prenant la main, mais elle l'a rangée tout de suite.

– Quasiment toutes périmées, leurs putains de bières ! Dire qu'ils m'ont collé un casier entier à cause d'une putain de mauvaise bière !

Rico tapait du poing, mais un peu moins fort, juste un léger tintement de coupes.

– ... c'est là que toutes les emmerdes ont commencé !

– Commence pas à parler dans le vent, je lui ai fait. Y a pas un pelé pour dire c'est quoi qu'a commencé et quand ça a commencé !

– Regardez, a coupé Estrellita en nous montrant la cage. C'est Ramona, celle avec les seins refaits. Regardez-moi ces bouts de bidoche ! C'est ça qui vous excite ?

La danseuse était petite et délicate, sauf pour ses seins, relativement gros. Elle tournait lentement autour de la barre, ça devait pas être évident d'accélérer avec ces engins trop lourds pour son petit corps.

– Ouais, a fait Rico. Mais chez toi, c'est du naturel !

Il lui a caressé l'épaule. Sentant qu'il laissait le petit doigt sur son sein, elle a fixé sa main et l'a guidée vers le dossier. Je me suis levé.

– Tu bois du whisky, Estrellita ?

– Bien sûr. T'es au courant.

– J'en mets trois sur ma note.

– Par contre, Dani, coupé au Coca. Je bois plus comme avant, faut que je prenne soin de moi ! elle a conclu en se passant la main dans les cheveux.

Je suis retourné au bar en entendant son rire mêlé à la voix de Rico. J'ai accéléré pour que la musique les couvre, et la nana s'est ramenée dès que je me suis accoudé au comptoir. Sauf que cette fois, je matais uniquement les verres et les bouteilles.

– Trois Jim Beam. Troisième avec Coca, siouplaît.

J'avais toujours préféré le Jim Beam, c'était plus doux que le Jack Daniel's de Rico. En plus, la bouteille coûtait quelques marks de moins à la halle. Mais au fond ça changeait rien, on payait jamais. «Taper cher, c'est taper bien», Rico l'avait toujours dit. Sauf que c'était beaucoup plus chaud d'embarquer un Dimple's à cinquante marks, à cause de la bouteille carrée aux angles extravagants qui se plantait dans le ventre quand on se la coinçait dans le fute, tellement serrée que ça m'arrivait même de choper de vrais hématomes...

– Monsieur! Votre whisky!

J'ai regardé son visage. C'était plus le même. Plus de fleurs bleues au nombril, à la place il était juste coupé en deux par un long pli de traviole. Changement de personnel, je me suis dit en attrapant les verres, l'un dans une main, les deux autres coincés dans le creux de ma paume. Et je suis reparti en douceur. Pas facile de retrouver notre table, tout ce que je voyais, c'était un type assis tout seul à boire un truc bleu dans un grand verre tout fin. J'ai fini par repérer le paquet de Rico sur l'autre table, mais le canap était vide. Peut-être qu'ils étaient allés visiter vite fait la loge d'Estrellita, si elle en avait une, peut-être qu'il avait réussi à se la serrer et qu'il la prenait dans un coin. Avant, je m'imaginais toujours qu'elle laissait personne s'approcher, ou alors un seul par mois, c'était parce que je la voulais pour moi tout seul. Mais c'était fini depuis longtemps, y en avait eu d'autres, Anna, tiens, qui était comme sa sœur. Y en avait beaucoup comme ça dans le quartier, mais chacune avait son truc bien à elle. Une fois mon whisky enquillé, je me suis levé en renversant le reste des glaçons dans le verre d'Estrellita. Envie pressante.

Pas évident de trouver les chiottes, il a fallu demander à un colosse de videur qui m'a souri comme si j'étais une tantouze en m'ouvrant la voie. Passant devant les toilettes des femmes, j'ai refermé la porte entrebâillée sans y penser. Je l'ai rouverte tout doucement en entendant la voix d'Estrellita. C'est pas vrai, je me suis dit. Ils baisent. Ils sont en train de baiser dans ces chiottes de malheur. À l'intérieur, personne, mais la voix de Rico s'élevait d'une des trois cabines. Et quelqu'un se ramenait dans le couloir. Je me suis glissé à l'intérieur en refermant gentiment derrière. La pièce et les lavabos avaient l'air clean.

– Prends-en plus. Te gêne pas, tu peux en prendre plus !

C'était Rico. Un truc s'est froissé. Après, j'ai entendu un autre bruit qui faisait penser à un ravalement de morve.

– D'acc, a fait Estrellita.

Et là, encore le même bruit, mais en beaucoup plus long. Maintenant, je savais.

– D'la bonne, hein ? C'est du pur de chez pur, j'la prends direct à la source.

Sois maudit, sale enculé. Une seconde d'inattention, et ça lui avait suffi pour ratisser les poches du mac. Estrellita riait. Son rire résonnait dans la pièce, presque comme un petit écho.

– Moins fort, toi ! Si une de vos meufs se ramène !

– Nan, Rico. On a nos toilettes privées avec les copines. Donne encore. Après, on y retourne, hein ? Pour Dani. Il va finir par s'inquiéter.

– Toujours ton petit Dani.

Je l'ai entendue resniffer, sauf que cette fois le bruit était ponctué de petits gémissements.

– Laisse tomber, Rico. Arrête, pas comme…

– Mais pourquoi, putain ? Pourquoi tu veux pas ? Allez, quoi…

Les pompes d'Estrellita couinaient sur les carreaux.

– Non, Rico. Ça suffit, merde. Je t'ai dit, quoi. Je veux pas !

– C'est bon, ça va. Alors c'est non. J'arrête. Ils viennent juste de me relâcher, tu sais. Je viens juste de sortir.

– Oh, Rico. Mais ça change rien, j'veux pas. Désolée, mais les choses ont…

– Allez, laisse-moi au moins toucher. Toucher un peu, tu vois, juste caresser un peu !

– Merde, Rico. Ça suffit, là. Je t'ai demandé d'arrêter ! Si t'enlèves pas tes pattes, je me barre en courant. Laisse tomber, Rico, steuplaît !

Je restais là, à tendre l'oreille. Pendant une seconde, je m'étais demandé si j'aurais pas mieux fait d'enfoncer la porte pour l'arracher à elle, mais finalement non. Même s'il avait continué, j'aurais rien fait. Je serais retourné au bar et je me serais siroté un whisky en les attendant. Pour le moment, je m'en suis sorti une du paquet de Rico que j'avais préféré embarquer pour éviter qu'il se volatilise. Estrellita pleurait.

– C'est bon. C'est bon, quoi, chuis désolé. Franchement, j'voulais pas. J'arrête, eh, tu vois bien. Chuis désolé…

Je ne l'avais jamais entendue pleurer. Mais elle avait déjà retrouvé son calme.

– Franchement, chuis désolé. J'voulais pas. Dedans, tu sais… là… dedans, tu vois… allez, pleure plus. Viens là, ch'te les essuie. Plus besoin de tes larmes. T'es trop belle, tu sais. T'es belle, mais faut pas que t'aies peur. Ça y est, Estrellita, ça y est, chuis gentil. C'est moi, c'est le bon vieux Rico.

Elle reniflait un peu, mais c'était plus la came.

– Regarde. Si t'en veux encore. Allez, prends. Direct à la source. Sois pas comme ça, rigole encore un peu !

Et elle a ri, je l'entendais rire pour de vrai.

C'est seulement en retournant au couloir que je me suis rappelé ma grosse envie. Dans les chiottes messieurs, une seule pissotière d'occupée. Je me suis mis à deux trous d'écart, le gars haletait et éclaboussait fort. J'ai attendu qu'il sorte pour me laver les mains. Plus de papier dans le distrib, j'ai essuyé au fute. De retour dans la grande salle, je les ai repérés de loin. Ils se buvaient un autre whisky à notre table. Rico avait pris mon fauteuil, alors je me suis mis près d'Estrellita sur le canapé.

– Où t'étais, bordel ?

– Juste pisser.

– On se disait que tu t'étais fait la malle avec une danseuse. Et merde, elles sont passées où mes clopes ?

– Là.

Je les ai tirées de mon blouson pour lui foutre sous le nez. Il a lancé un coup d'œil à Estrellita, lui en a passé une, et elle s'est rapprochée pour venir poser sa tête sur mon épaule.

– Ah la la. Ça a changé, depuis.

– Ouais, je lui ai répondu en regardant Rico dans les yeux.

Il m'a maté une seconde, mais ça a suffi pour que le coin de sa bouche tique et que ses yeux se baissent sur son verre.

– J'vais pas tarder, a fait Estrellita, et j'ai senti sa voix à l'intérieur de mon épaule. Faut qu'je rentre. J'ai tellement dansé, ce soir. Chuis crevée…

– Grasse mat', a fait Rico. Rentre, fais-toi une pure grasse mat'.

– Tellement dansé, elle répétait en soufflant sa fumée contre mon épaule, les yeux fermés.

Au moment où je vidais son whisky-Coca, elle s'est levée d'un coup.

– Faut que j'y aille. Demain, c'est reparti.

Elle s'est penchée, j'ai embrassé sa joue pour lui dire au revoir. Rico a fait pareil, mais en gratouillant le dossier de son fauteuil.

– Vous reviendrez, hein ?

C'est la dernière chose qu'elle a dite. Et puis elle a retraversé la salle en longeant la cage, les tables et les bougies.

– Elle a un gars ? m'a fait Rico sans la lâcher des yeux. J'voulais pas lui demander…

– Moi non plus.

Ensuite, on a fumé. La musique continuait en fond, des chansons qui sonnaient toutes pareilles. «… et revoilà la petite Chantal, plus française qu'elle, tu meurs, Chan ! Chan ! Chantal et ses plus beaux atours… fraîchement débarquée de Paris ! »

J'ai bougé de là.

– Oh, Dani ! Tu vas où ?

– Au bar. Dernier coup et on règle.

– Ça roule. Par contre, après… allez, Dani, on s'prend un tacot, on va là-bas, Kremer Chaussée, pour la p'tite Niaque. T'en trouveras une aussi. Et puis, chuis encore à flot, moi, ch'te le paye. C'est l'enculeuse qui nous invite.

On est retournés au bar.

Le taxi freinait. Rico a réglé, et on est descendus. Le conducteur nous a grimacé : «Allez, jeunes gens. Et profitez bien.» Rico a envoyé voler la portière dans la grimace. Le taxi a redémarré, rallumant son signal au bout de quelques mètres. On l'a regardé disparaître au bout de la rue.

– Connard, a lâché Rico. Comment il sait ?

On a remonté nos blousons, ça s'était rafraîchi. On avait demandé au gars de nous déposer dans une rue latérale, à quelques centaines de mètres du bâtiment.

– En même temps, je lui ai fait, t'as quoi d'autre ici ? Pas sorcier de deviner.

– T'as raison, trou du cul du monde.

La rue était noire, sauf pour deux trois lampadaires. Aucune lumière aux fenêtres. On s'est mis en marche sans se presser.

– Tiens, m'a fait Rico en me tendant son paquet. Dernière avant d'entrer.

On est passés devant une boutique à la porte défoncée et à la devanture tapissée d'affiches. Juste pu déchiffrer « Boom Rave ».

– T'as hâte ? m'a fait Rico.

– Nan.

– Les gens, c'est en automne qu'ils pensent le plus à kène. Plus qu'en été. Et tu sais pourquoi ?

– Nan.

– À cause de l'obscurité. Vu qu'il fait nuit plus tôt et que toutes les feuilles se barrent. Du coup, ça rend les gens tristes et ils commencent à désirer une femme.

– Ouais, enfin chais pas…

– Fais-moi confiance ! Eh, on y est !

La rue toute noire débouchait sur la Kremer Chaussée. En face de nous, juste au coin, le numéro 5. Les fenêtres voilées de rideaux rouges brillaient dans la nuit.

– J'espère qu'y aura pas trop de peuple.

On a traversé pour rejoindre la grande porte noire. J'avais déjà la main sur la poignée, quand Rico m'a arrêté.

– J'ai méchamment envie de seup. Viens, y en a pour deux secondes.

On a fait contre l'immeuble d'à côté.

– Dis-moi, Rico…

– De quoi ?

– Rien, rien.

Direct après la porte, quelques marches, un palier, et juste derrière, l'escalier vers les étages. On a rouvert nos blousons. Sur le palier, une chaise, sur la chaise, un mec énorme. Il ressemblait au méchant dans les films. Marcel noir, trogne pleine de chtars, bras tellement épais qu'il avait la place pour un dragon cracheur de feu à gauche, et de l'autre côté une tête de mort en flammes mais qui se poilait quand même. Le Colosse se tenait immobile, front incliné. Quand on est passés près de lui, il a vaguement levé l'œil avec un signe de tête. La porte du premier appartement était au rez-de-chaussée, tout près de l'escalier. Une radio gueulait assez fort à travers, on pouvait suivre la météo.

– Rico, je lui ai chuchoté. Allonge un peu de pognon.

Il a fourré un billet de cinquante et un de dix dans ma poche poitrine.

– T'auras assez.

Sur sa chaise, le Colosse n'avait pas bougé. Il aurait aussi bien pu dormir. À peine quelques marches plus haut, Rico s'est penché par-dessus la balustrade.

– Eh, chef. Doit y avoir une p'tite Asiate…

– Troisième droite.

Il l'avait dit tout bas. Les mecs vraiment dangereux ne font jamais de ramdam. On a grimpé. Premier étage. Les portes des deux apparts étaient ouvertes. À gauche, deux femmes debout dans l'encadrement, une grande Noire en soutif blanc, l'autre plutôt petite et blême, et l'air minot. Elle portait un collier et des bottes de cuir. Pour le reste, pas grand-chose, mais en cuir. Une blonde était assise devant l'autre porte, sur un petit tabouret. La quarantaine passée, sûr, mais bien conservée. Et sans soutif, mais peut-être qu'elle aurait dû. En tout cas, dès qu'elle a vu que je lui matais les seins, elle s'est levée pour venir me passer une main dans le dos. Quand elle m'a serré contre elle, j'ai senti ses seins nus à travers ma chemise.

– Allez. Allez, entre. Tu vas prendre ton pied. Je te fais la totale.

Elle tirait sur mes fringues, s'agrippait à mon bras, je cherchais Rico, je voulais avancer, mais elle a serré encore plus fort et s'est mise à me tripoter la braguette.

– Tu vas tellement prendre ton pied, elle susurrait en me serrant contre elle. Je te la suce, allez, entre. Dépêche, j'en ai besoin !

Rico était pris en tenaille par les deux autres. En même temps que la Noire lui caressait le dos, la petite blottissait sa tête contre sa poitrine. Elle avait des clous sur son collier. Mais il s'est extirpé pour grimper quatre à quatre.

– On s'voit en bas, Dani !

Plus que l'écho de ses pas. Alors, j'ai posé une main sur l'épaule de la blonde. Elle m'a tiré à travers le couloir de l'appartement. Passant devant une chambre, mon regard s'est arrêté sur une femme assise par terre, la tête appuyée au coussin d'un canapé. Nue. Ses yeux étaient dans le couloir, mais ne nous voyaient pas.

– Entre, m'a fait la blonde en ouvrant la porte du bout.

On s'est retrouvés dans une petite piaule, et elle s'est rapprochée du lit immense pour enlever sa culotte. Assise sur le rebord, elle a ramené ses genoux contre ses seins.

– Je te plais ? Toi, tu me fais mouiller. Enlève tes fringues. Active !

Elle est revenue se coller à moi et elle a lancé mon blouson sur une chaise pour s'attaquer à la chemise. Le blouson a glissé, elle s'est penchée pour battre la poussière et l'a raccroché au dossier, profitant de l'occasion pour s'asseoir à califourchon et malaxer ses seins.

– Viens. J'ai tellement envie de toi. Mais touche-moi. Approche, que je te suce.

Je me suis exécuté, et elle a ouvert ma ceinture pendant que je commençais à lui caresser la poitrine.

– Cent. Donne cent, et tu l'oublieras pas.

D'abord, les soixante de Rico. Pendant que je raclais ma poche pour sortir le reste, elle est allée mettre l'argent dans une petite commode et elle revenue s'allonger.

– Viens là. Mais viens contre moi !

J'avais tout enlevé. Je me suis allongé près d'elle, je lui ai caressé les cuisses avant de passer au-dessus, sans transition, pour lui lécher les seins.

– Hé. Hé, p'tit gars. C'est pas inclus dans le prix, ça ! Je suce, après tu me baises. Le léchage, c'est en option !

J'ai roulé sur le côté, la main toujours collée à sa cuisse, et elle s'est redressée pour râper ses seins contre mon menton et mes lèvres.

– Vingt. Tu rajoutes vingt, t'as le droit de me lécher ! Allez, viens voir ma jolie petite chatte, ça brûle déjà !

Elle m'a pressé la main entre ses cuisses, une seconde. Rasée. Je sentais ses petites piques. J'ai tiré du blouson tout le liquide qui me restait, et elle a refait un aller-retour à la commode pendant que je m'allongeais. Quand elle s'est penchée pour ouvrir le tiroir, je me suis concentré sur le drap. Le préservatif était près de l'oreiller.

Retour en bas des marches. En repassant par le petit couloir, j'avais vu la première chambre toujours ouverte. Elle était encore là, assise par terre, nue, à fixer le mur en face de sa porte. En bas, le Colosse était debout à côté de sa chaise et fumait une cigarette.

– Il est sorti, mon pote ?

– Neu, il m'a répondu en crachant sa fumée dans ma face.

– Ça dérange si j'attends un peu là ?

– Neu. Mais dix minutes. Après, tu t'envoles.

– Parce que ça caille. Dis-moi, ch'peux t'en taper une ? Mon pote il pourra te la refiler…

– Garde ta salive.

Il m'a tendu une clope et un feu, et je suis resté à fumer, dos au mur. Plus que de la petite monnaie dans les poches. Un type descendait, mais c'était pas Rico, ça s'entendait déjà. Plutôt sec, pour quelqu'un qui faisait un tel boucan. Il a lancé un « tschüss », pas de réaction chez le Colosse qui a juste écrasé sa cigarette avant de se rasseoir. Derrière la porte du rez-de-chaussée, la radio continuait, j'essayais de me concentrer sur la musique. J'ai entendu un « à bientôt » juste derrière, et elle s'est ouverte. Un homme est passé près de moi, mais je ne l'ai pas regardé, c'était Estrellita que je voyais, juste elle. Elle fermait son peignoir dans l'encadrement.

– Oncle Fur. Qu'est-ce que ça donne, là-haut ?

– Tranquille, a fait le Colosse.

– Je laisse ouvert. Tu me fais signe, hein, quand y a de la clientèle. Tu m'appelles, ou quoi.

– Ouais, ouais.

Et elle est repartie sans m'avoir vu. J'ai regardé le peignoir vert s'éloigner dans le corridor et s'éclipser derrière une porte. Après, je suis sorti en quittant Oncle Fur. Je me suis posé sur le rebord du trottoir, j'ai jeté ma clope et rezippé mon blouson. La nuit était glacée, j'ai vu beaucoup d'étoiles.

La porte s'est ouverte dans mon dos, Rico est venu s'asseoir avec moi, on a maté les immeubles noirs de l'autre côté de la rue. Un taxi passait, signal allumé. Rico a bondi pour lui faire signe.

– Allez, Dani. On s'rentre.

On a ouvert la portière. Rico a donné nos adresses, et la bagnole a démarré. Pendant la route, on a rien dit.

LES NUITS VERTES

J'étais allongé dans le noir, les yeux sur le plafond de ma piaule. Une voiture démarrait en bas. Sûrement les flics. J'avais honte. Pour ma mère. Parce qu'elle avait chialé. Dès le moment où elle s'était mise sur le palier, avec sa chemise de nuit et sa petite laine, pour attendre que les deux poulets me montent jusqu'à la porte, elle avait eu les larmes sous les yeux. Ils m'avaient laissé les menottes. Plusieurs fois, je leur avais gueulé : « Mais virez-moi vos fers, putain ! Ça change quoi, on est arrivés. » Les crevures. C'était pour me voir me prendre les pieds dans l'escalier, mains dans le dos. Le moment d'après, j'étais là, épaules braquées et tête baissée devant ma mère, eux derrière moi, je sentais leur sourire sur ma nuque.

Quand ils ont fini par se barrer, elle s'est mise à chialer pour de bon. Elle s'est rempli un grand verre et elle est retournée au lit sans s'arrêter de sangloter. Je l'avais entendue un bout de temps à travers la cloison, après elle s'était tue. Endormie, peut-être. Elle ne m'avait pas dit un mot, pas un seul. Sûrement que le père de Mark avait encore pété son câble, sûrement lâché ses poings, Mark chialait sur son lit, non, fumait une cigarette sur son lit. Il avait verrouillé sa porte de l'intérieur et se foutait de la gueule de son vieux. Chez moi, pas de père. Je me suis levé pour tâtonner vers l'interrupteur, mon visage était poisseux. J'ai retiré mes pompes. Tout à l'heure, j'avais juste enlevé le blouson et je m'étais allongé en plaquant les mains sur les oreilles. Je suis ressorti dans le couloir pour aller à la cuisine, le plancher grinçait un peu et j'entendais les soupirs de ma mère dans l'autre chambre. Sa porte bâillait, je l'ai repoussée en douceur. Elle s'était endormie. Tant mieux, elle se levait à six et demie pour aller à la conserverie. C'était la seule conserverie de poissons de Leipzig, car la mer était loin. J'ai allumé la lampe de la cuisine, et puis j'ai fermé la porte, on laissait toujours la clé de ce côté. On avait pas de salle de bains, mais les locataires d'avant avaient installé une cabine de douche à l'ancien emplacement du garde-manger. Ils s'étaient barrés à l'Ouest peu avant quatre-vingt-neuf. Autrement ils n'auraient jamais lâché l'appart, à cause de la douche. À part elle, y en avait qu'une seule dans l'immeuble, en dessous, chez les Lupin. Ça arrivait que la dame du dessus vienne se doucher chez nous. Dans ces cas-là, elle prenait aussi un canon avec ma mère. Un jour, elle s'est pointée quand ma mère n'était pas là, on a niqué sous la douche à quatre reprises. Ma peau était toute rêche. Elle avait quarante-huit berges, mais on s'en fout. Par contre, on acceptait pas notre voisine de palier, à cause de toutes ses chattes.

Je regardais mon visage dans le miroir du lavabo, juste à côté de la porte. J'étais tout blanc, mais mes yeux étaient rouges. J'avais pas chialé. Ça devait être la tise, la fumée et la nuit. Mon œil gauche était bleu, j'avais les yeux bleus, plutôt gris-bleu, mais là, c'était bleu aussi sous l'œil gauche, et un peu gonflé. Dans le reflet, la bouteille de schnaps sur la table de la cuisine, Domaine du Nord. Elle était ouverte, avec le bouchon juste à côté. L'alcool avait presque fini de s'évaporer de mon crâne, ces sales flics qui l'avaient chassé. J'ai revissé le bouchon pour le ranger sur l'étagère. L'œil, ça m'arrangeait presque, le genre de trucs qui faisait son effet, surtout au bahut. Ma mère avait collé mon emploi du temps sur le petit frigo à côté de l'étagère, je le virais dès que j'invitais un pote. Je suis retourné me rincer le visage. Plein de pisse. Le clebs du vieux Lupin chialait au rez-de-chaussée, il devait être dans les trois heures, il chialait toujours dans ces eaux-là, mais heureusement ça durait pas, c'était le signal et le vieux le sortait dans la cour pour fumer ses clopes. Le clebs recommençait. Presque le même bruit qu'un loup. Après, il s'est tu. Les Indiens croient que ce qu'on entend en dernier sur terre avant qu'elle se casse pour toujours, c'est le hurlement du loup. Que j'avais lu. Les Indiens, c'était mon rayon, je voulais m'en faire tatouer un sur le biceps, ou mieux, sur l'avant-bras, fallait que tout le monde puisse voir, et Rico connaissait un Charcuteur-en-cabane. Dès la semaine prochaine, si ça le faisait. J'ai retiré mon pull pour m'essuyer le visage avec, pas envie de prendre le vieux torchon. Et je me suis encore regardé dans le miroir. Malgré mes bras un peu secs, j'avais l'air plutôt beau gosse dans mon marcel serré, même s'il était un peu crade sur le ventre. Ma mère avait laissé son paquet de longues sur la table, des Cabinet. Je m'en suis sorti une, pas de feu en vue, j'ai allumé la plaque avec l'allume-gaz, avancé ma clope dans la flamme bleue, et puis je suis sorti par la porte du balcon. Dans la cour, près du local poubelles, une ombre avec un petit point rouge, le vieux qui fumait, mais pas trace de son clebs. Après avoir abandonné quelques cendres dans la cour, je suis retourné face au miroir, clope au bec. Rebelle, je me suis dit en bandant les biceps. Si seulement Estrellita pouvait me voir à ce moment précis. J'ai jeté la clope dans le lavabo et je me suis laissé tomber sur la chaise près de la table pour enlever mes fringues. Je lui avais passé un coup de fil depuis le commissariat. J'avais vociféré jusqu'à tant qu'ils acceptent de me lâcher le téléphone. Ils s'y étaient mis à trois pour me traîner jusqu'au combiné, parce que j'avais voulu filer un coup de pied à celui qui avait refusé de m'enlever les bracelets, juste avant. Ils ont bien attendu qu'on soit devant le téléphone pour me les retirer. Le poulet gardait sa sale patte sur ma nuque. Le daron a mis une plombe à décrocher. Et puis :

– Allô.

– Ch'peux parler à l'Astra ?

– À qui ça ? Y a pas d'Astra ici, espèce de merdeux !

Je le comprenais à peine, mais c'était pas à cause de la ligne.

– Écoute-moi bien, vieillard. Tu me la passes, et en vitesse ! Sinon, j'me ramène et ch'te…

Il avait raccroché, mais j'avais gardé le combiné à la main sans m'arrêter de parler.

– Estrellita. C'est moi. Nan, t'en fais pas. Nan, pas besoin de venir me chercher. J'en ai pas pour longtemps, pas besoin de te faire du…

J'ai tendu la main quelques secondes sous le jet de la douche, avant de couper le robinet et de mettre le chauffe-eau sur 5. Et je suis allé reprendre une clope à ma mère. La plaque brûlait toujours ; la chaleur de la flamme sur mon visage et dans mes cheveux. Je les ai ébouriffés. En sentant une croûte de sang. Le temps que l'eau chauffe, je me suis assis à table et j'ai fumé.

« Petite ordure », m'a lâché le flic derrière l'oreille en me chopant par les cheveux pour m'écraser la face dans la pisse. Ma pisse. « Tu croyais que tu pouvais pisser ici tranquille, petite ordure ? Je te pose la question : tu te crois chez toi, ici ? » Mais j'ai rien dit. Je serrais les lèvres en respirant ma propre pisse. Il m'a lâché, j'ai senti qu'il se levait, je l'ai entendu faire quelques pas en arrière. « Tu sais », je lui ai fait en me retournant et en levant le crâne de la flaque, bien content d'avoir de la pisse sous l'œil, mais bon, cette crevure n'aurait pas pu repérer mes cinq petites larmes. « ... tu sais, ça te ferait vraiment du bien de te refaire enculer par ton p'tit copain. » L'autre poulet fumait dans un coin. Le sadique a fait un pas en avant. « Levez-vous, a lancé le fumeur. Que mon collègue vous verbalise. » L'eau était chaude, je pissais sous la douche. Nos chiottes, c'était dans l'escalier, sur le petit palier entre les deux étages. Il aurait suffi qu'ils me laissent aller aux chiottes pour que je fasse pas dans la salle d'attente. D'abord, ils nous avaient emmenés à la prise de sang. Ils avaient dû se mettre à trois pour maîtriser Mark. « Virez-moi cette saloperie de seringue ! » il avait beuglé jusqu'à ce qu'ils le sortent. Ensuite, ils m'ont escorté dans une salle d'attente avec une vitre. De l'autre côté, d'autres flics au téléphone. J'avais vu deux verdures pousser un Niaque le long du couloir. Il avait les bras dans le dos et un calebute beaucoup trop grand pour seule fringue. Tout le monde avait les bras dans le dos, mais en même temps, je me sentais plutôt à l'aise. Même si ça appuyait un peu, j'étais plus grand que James Dean. Le Niaque a piaillé un truc incompréhensible dans sa langue, d'une voix de gonzesse suraiguë, et je lui ai soufflé : « Ça ira, mon frère. »

J'ai refermé l'eau et je suis retourné au balcon attraper une serviette sur le fil. J'ai promené mes yeux sur la cour et les blocs d'en face, pas une fenêtre éclairée. Je flippais pour la taule. Ça pouvait aller tellement vite. Je suis rentré me rasseoir, j'ai fermé les yeux, et Mark s'est mis à chanter : « Une souris verte, qui courait dans l'herbe, je l'attrape par la queue, je la montre à ces pouilleux ; ces pouilleux me disent, trempez dans l'uri-neuh, trempez dans l'glaviot (la fin, il la beuglait) ; ça fera un bon condé, tout, chaud ! » J'ai tiré la clope qu'il m'avait calée derrière l'oreille avant qu'ils le sortent. Il m'en avait aussi calé une derrière l'autre oreille, mais elle y était plus. Je l'ai accompagné tout haut : « Trempez dans l'uri-neuh, trempez dans l'glaviot, ça fera un bon condé, tout, chaud ! » « Dani ! a explosé Mark en passant à travers les murs, les couloirs et les portes. On va leur montrer, à ces fumiers ! » Quelqu'un me chipait la clope de la bouche. « T'as déjà seize ans ? » « Sûr », je réponds au sadique qui fait quelques pas pour aller écraser ma clope dans le gros cendrier en argent, au fond. Mark ne disait plus rien. Partout, le martèlement des machines à écrire. J'étais allongé sur mon lit, je fumais. Pas de cendrier. Je laissais tomber les cendres dans une canette de Coca vide, elles grésillaient doucement.

Quatre heures huit au réveil. Deux heures et demie avant de sortir du lit pour aller au bahut. On avait un gros DS de chimie en deuxième heure, j'espérais avoir au moins la moyenne. En fait, je m'en branlais, mais c'est ma mère qui serait contente. Ces derniers temps, ça commençait à faire un peu beaucoup, les flics et le reste. Trop de nuits vertes. Une fois, elle avait dû venir au tribunal. Elle avait tellement honte, même qu'elle avait laissé ses cigarettes à la maison, « ça fait mauvais genre », elle avait dit en me confisquant les miennes pour me les rendre après l'audience. J'avais juste écopé de quelques heures de TIG, ce qui ne l'avait pas empêchée de pleur-nicher et de pester tout le long du retour en tram, de me faire me sentir comme une sous-merde, mais après, on est quand même allés au centre m'acheter un nouveau pantalon. « Plus jamais, mon fils. Je t'en supplie, ne fais plus jamais ça. » « Non. Plus jamais. Plus jamais, maman. » Sauf que peu de temps après, y a eu d'autres embrouilles, et ma mère a vraiment eu les nerfs (et sûrement le cafard) quand elle a été obligée de descendre à la cave. D'ailleurs, elle est pas descendue toute seule, y avait aussi tous les gens de notre immeuble à qui j'avais coupé le jus. « Pourquoi ? Pourquoi tu fais ça ? Pourquoi tu penses jamais à moi ? Pourquoi t'es comme ça, hein ? »

J'aurais bien voulu lui dire pour Ange qui m'attendait à la porte, plus grosse baraque de l'est de Leipzig, le plus célèbre, redouté même par les Skins du Pré vert, il voulait me démolir avec sa crosse de hockey ; lui dire que Rico lui ferait goûter de son poing en repré-sailles, mais elle aurait pas pu comprendre. Ange, c'était un violent tas de merde, et quand il ne se trimballait pas avec sa crosse (il paraît qu'au temps de la zone, c'était un as du hockey), il pétait les nases à coups de boule. Normalement, j'avais pas d'embrouilles avec Ange, sauf qu'il était pour le Loco-Leipzig, rebaptisé VGA Leipzig, même qu'ils étaient à deux doigts de grimper en première division. Mais en fait, Ange, c'était pas un vrai supporter, il venait pour la castagne, et non seulement je pissais sur Loco, mais c'était Chemie que j'allais voir avec mes potes. Ça regardait que moi. Une fois, en passant dans le parc, il avait gueulé : « Aux-chiottes-Chemie-aux-chiottes ! » et vu que j'en avais déjà un ou deux dans le sang, je m'étais penché à la fenêtre en balançant aussi fort que je pouvais : « Tu vas la fermer ta sale gueule, raclure de Loqueteux ! »

La chaleur sur mes lèvres. Déjà au filtre. Ma mère, dans le couloir. Elle a tourné la clé pour descendre aux cabinets. Je m'en suis pris une autre dans son paquet, je l'avais embarqué dans ma piaule. Ça lui arrivait de s'en fumer une quand elle remontait, alors j'ai laissé deux clopes sur mon lit avant de me glisser dans la cuisine pour aller remettre le paquet à sa place. Ses pas résonnaient déjà dans l'escalier, elle faisait du bruit, c'était son genou qui la relançait de temps à autre. J'ai filé dans ma chambre, j'ai éteint la lumière et je me suis couché. Je l'entendais tourner dans l'appart. Elle est revenue ouvrir ma porte. Sa chemise de nuit était transparente à cause de la lumière du couloir, je me suis concentré sur le mur. « Mes cigarettes », elle a soufflé de sa voix de nuit voilée. J'ai attendu qu'elle ait refermé pour m'en rallumer une. Toujours pareil, fallait que je me sente coupable. Parfois, ça marchait. « Écoute, je lui avais dit. Ange... c'était Ange, devant la porte. Il m'aurait massacré ! Je mens pas... » « Avec ta merde ! elle me criait. Ta merde ! Non mais tu te rends compte ? Pourquoi tu te rends pas compte ? » Au fond, elle avait pas tellement tort : Ange était une merde, Ange me foutait les jetons, et puis faut dire qu'il était pas venu seul. S'il s'était pas ramené avec les deux autres, il m'aurait peut-être pas foutu une telle trouille. Je me serais rapproché de lui bien gentiment et je lui aurais sorti : « Bah alors, tête de fion ? On attend quoi, au juste ? » Mais j'avais volé de cour en cour, escaladant poubelles et clôtures jusqu'à être rendu dans la nôtre, mais là, impossible de retrouver ma clé de malheur, cinquième fois que je la perdais cette année. Coincé face à la porte de la cour, j'entendais leurs voix, tout bas, côté rue. Je me suis faufilé dans la cave par une lucarne entrouverte, mais même la porte qui débouchait sur la cage d'escalier était fermée, et je commençais à très bien les entendre, « ... sortir de son trou, le p'tit tas de merde ». Y avait aussi un bruit étrange, comme un truc qui toquait, sûrement les coups de crosse qu'ils envoyaient par terre ou dans les murs, impatients qu'ils étaient, avides de passer à l'action. Si Rico avait été là, on leur aurait fait face, on aurait causé de vrais dégâts, même si c'était pas couru d'avance qu'on les couche sur le flanc. Rico disait toujours : « Si c'est mort pour les coucher, mets-leur aussi cher que tu peux. » Depuis, il s'entraînait tous les jours dans la cave de Pitbull, il boxait à s'en mettre les poings en sang, dans l'espoir de dézinguer Ange, enfin. Et ensuite... la clope me glisse de la main, plus de canette, alors je l'écrase sur le rebord de la fenêtre. Les fusibles. Je dévisse les fusibles. Il est pas loin de minuit, ma mère devant la télé ; dans notre tour, tout le monde devant la télé. Je dévisse les fusibles, revisse les fusibles. SOS. Hé, vieux cons, sortez-moi de là. Et ensuite… ensuite… « Dis rien, murmurait Estrellita tout près de moi. Pense plus à Ange, pense plus aux flics. On part d'ici, on arrête tout. Fini les nuits vertes, on retombera jamais, plus jamais dans toute cette merde. »

PROLONGATIONS

Papa remplit encore son verre et le vide d'un seul coup.

– Ahhh !

– Longue vie à Chemie ! s'exclame le Chauve. Tiens, reprends-toi une limo.

Il me tend une bouteille de limonade à la framboise.

– Sang de Lénine ! Seul et l'unique.

Ça fait rigoler Papa. «N'importe quoi», je me dis.

– P'tits bretzels, p'tits bretzels, c'est l'invasion d'bretzels ! crie le Chauve en déchirant le sachet.

Il le vide au milieu de la table, la moitié des bretzels finissent par terre. Personne ne le gronde, le Chauve, c'est parce qu'on est chez lui. Sa maison est tout près du Bosquet de l'Est, à un quart d'heure de chez nous si je cours. Je l'ai baptisée maison de poupée, elle est toute petite et elle lui appartient à lui tout seul. Papa, il va souvent chez le Chauve. Quand il revient, il sent toujours le schnaps et se fait gronder par Maman. Le Chauve va toujours au stade, comme nous. Aujourd'hui, on l'a croisé après le match et il nous a ramenés sur sa moto. «Nan, j'vous dépose pas chez vous, vous venez à la maison. Juste une 'tite heure, Horst. C'est soir de fête !» Il m'a installé dans le side-car, m'a tiré la bâche jusqu'au cou et m'a bouclé la ceinture. Ensuite, Papa s'est assis derrière lui en s'accrochant à ses épaules. Il roule pas vite, le Chauve, sa moto est très vieille.

Sa femme vient me donner une tartine au beurre. Elle est vraiment belle, ses longs cheveux noirs sentent trop bon, mais en fait, c'est pas sa femme pour de vrai, Papa m'a expliqué, c'est qu'elle lui fait à manger et qu'elle a le droit de dormir dans le même lit que lui, parce qu'elle n'a pas de lit à elle. Papa l'aime bien, je le vois dans ses yeux les fois où il parle d'elle. Je mâche ma tartine. Elle a mis trop de sel. Quelqu'un sonne.

– Ouvert! crie le Chauve en postillonnant des miettes de bretzels.

– Gaffe où tu craches, dit Papa.

Il fume. Quand il boit un coup, il fume toujours.

Deux hommes entrent avec une caisse de bière. Le premier a les cheveux presque aussi longs que la femme du Chauve.

– Z'avez mis le temps! Commençait à faire soif, bordel de Dieu.

– Pas le feu au lac, dit la Tignasse. Alors, Horst, t'as ramené le fiston!

– Ben qu'est-ce tu crois? Il est pas moins Chimiste que nous.

Tout rouge, je lui plante mon doigt dans le genou.

– Papa. C'est bientôt l'heure.

– Hopopop! Y a encore le temps. On aura qu'à y dire que le train il était pas venu à cause des poulets et de la castagne.

– Le Bossu il a dit qu'il passerait. L'aura sûrement de quoi raconter. Pour la castagne, ch'parle.

La Tignasse sort quatre bouteilles de bière de la caisse et les pose sur la table.

– … parce que j'ai entendu comme quoi ç'aurait pété du feu de Dieu. Surtout à Leutzsch, vers la gare.

– 'culés de Berlinois! crie le Chauve en ouvrant sa bière.

Il fait passer le décapsuleur pendant que le copain de la Tignasse pêche une autre bouteille dans la caisse. Il me la tend sous le nez.

– Bah alors, le 'tiot! Longue vie à Chemie!

– Non merci, je lui réponds, ma bouteille à la main. J'en ai encore.

– Hep là, hep là, lui dit Papa en se levant de sa chaise. Où tu te crois, toi? Le môme, il a même pas huit ans! T'es qui, en plus?

– C'était pour de rire. J'voulais juste qu'on rigole un peu! Claudio, moi c'est Claudio. On s'connaît. On s'est vus ici l'aut' soir…

– Alors d'accord… Claudio.

– À la victoire, et longue vie à Chemie! crie Claudio.

– À la victoire! Longue vie à Chemie! ils crient tous ensemble en penchant leurs bouteilles.

Mais moi, je ne dis rien. Je bois ma limonade. Papa attrape la grande bouteille pour remplir les verres à schnaps.

– Et maintenant, on boit à la santé de notre Hansi! Sans lui, pas de victoire ce soir!

Il lève son verre en répétant :

– À notre Hansi national !

Je lève ma bouteille avec eux, mais personne ne fait attention. Je suis content, c'est mon joueur préféré. Mais Weiss, Weiss aussi a été balèze. Il s'est retrouvé tout seul face au gardien de l'Union. « Mets-le. Allez, mets-le ! » Je voyais les lèvres de Papa qui s'ouvraient, et puis tout ce que j'ai vu c'était la balle qui planait vers les cages et le bras tendu qui planait vers elle. J'ai tendu mon bras en même temps, « but, steuplaît, but ! » Et elle y était, ça faisait longtemps qu'elle y était. Le goal est resté couché sur la pelouse pendant que la balle ressortait de ses cages toute seule. Je criais avec eux en me bouchant les oreilles. J'étais debout sur mon siège, je riais, Papa m'a pris la main et l'a secouée en gloussant et en poussant des cris.

– Attention, v'là le Bossu ! C'est le Bossu qu'arrive !

On entend encore la sonnette, mais je me lève pour aller à la cuisine. Assise devant la table, la femme du Chauve prépare des tartines. Je m'arrête juste derrière son dos, à cause de ses cheveux qui sentent tellement bon. Elle se retourne en souriant.

– Alors, petit bonhomme.

Mais je sursaute, elle sent le schnaps. Sur la table, devant elle, le verre est à moitié vide.

– Ça t'a plu, au stade ?

– Ben oui.

– Dani, c'est ça ?

– Je m'appelle Daniel.

Elle me caresse les cheveux.

– Qu'est-ce qu'ils sont longs, les tiens, je lui dis en devenant tout rouge.

– C'est que t'es mignon, toi, elle me répond sans enlever sa main et en riant doucement. Viens un peu t'asseoir. Là. Raconte-moi le stade. Tu sais, moi, j'ai pas le droit de venir. Il veut pas. Mais au fond, j'aurais même pas envie. Toute cette foule.

– C'est chouette d'aller au stade. Moi, j'y vais toujours avec mon père. Il connaît tout le monde.

– Ah la la… ton père, elle me répond en buvant une gorgée. Et vous avez gagné, ce soir ? Pas vrai ?

– Deux-un. Ça fait qu'on descend plus.

– C'est chouette de gagner, elle me dit en commençant à couper un gros saucisson. Et puis, il est de mauvais poil quand Chemie perd.

Le Chauve, j'veux dire… Et quand c'est comme ça, il est pas aussi mignon que toi !

Elle se frotte un peu les yeux, comme Maman quand elle coupe les oignons, et elle se remet à me caresser les cheveux.

– C'est Leitzke qui a marqué. Mais en premier, Weiss. Parce qu'avant, c'était l'Union qui menait.

– T'as quel âge, dis ?

– Huit. Il a fait un retourné. Un vrai retourné acrobatique.

Un monsieur entre.

– Alors, vous deux. Qu'est-ce qu'on graille ?

Il a une larme bleue sous l'œil, mais ça ne l'empêche pas de ricaner. C'est la première fois que je vois une larme bleue, sauf que celle-là elle est tatouée. Il porte une chemise à manches courtes, ses avant-bras sont couverts d'images et de mots, par exemple «minou», ou «baston». Même qu'ils lui sortent du col et viennent s'enrouler autour de son cou.

– Ah, le Bossu… Toujours une faim de loup, pas vrai ?

– Tant que le loup il est plus en cage, ricane le Bossu.

Il mord dans le saucisson, coupe le bout qu'il a mordu et continue à mâcher.

– Maria, Maria… il dit en lui caressant le dos à l'endroit où s'arrêtent ses cheveux.

– Commence pas, elle lui répond en tournant le menton vers moi.

– Tiens, tiens. Le môme à Horst. Dani, hein ?

Je ne savais pas qu'il me connaissait, mais je préfèrerais qu'il laisse Maria tranquille.

– Hé, le Bossu ! Reviens un peu ! Tu nous as pas tout dit pour la castagne.

Papa est à la porte, une bouteille de bière dans la main, et il sourit à Maria. Le Bossu se retourne vers lui.

– On va y aller, me promet Papa. On va rentrer, bonhomme.

Il ramasse la cigarette qui vient de lui glisser de la bouche et je les suis dans le salon. La table est pleine de bouteilles, mais ma limo a disparu. Je me mets à tousser à cause de toute la fumée, je me dépêche d'aller à la fenêtre entrouverte. J'appuie mon menton dessus pour respirer l'air frais. Il y a un petit jardin de l'autre côté, mais dedans, rien ne pousse à part quelques arbustes. Derrière, j'aperçois la route. Je pourrais m'échapper par la fenêtre et rentrer en courant. Si je file, j'en ai pour un quart d'heure. Maman a préparé le dîner, il doit être encore chaud.

– … et à la fin ! Et à la fin ! crie Papa. Vous les avez pris en embuscade, ces gorets !

– Ben, c'est qu'à la fin, explique le Bossu, ils se sont tous jetés dans le tram. Mais nous, c'est là qu'on leur a balourdé des bons gros pavés, juste avant que le tram il démarre. Il met toujours un bout à partir, tu sais bien. Mais ch'crois qu'y en a un ou deux qu'ont bouffé, et on a même pété les vitres, ça te passait comme dans du beurre…

– Z'ont eu que ce qu'ils méritaient ! Ça s'radine à Leutzsch pour foutre le brin…

– Mais on les reverra pas de sitôt ! dit la Tignasse en levant son verre. Fini la Ligue, on monte en sup !

– Bon Dieu, Dani ! Mais qu'est-ce tu fous à rester tout seul ? Pourquoi qu'tu restes dans ton coin… ?

– T'avais dit qu'on rentrait, je lui réponds en continuant à regarder par la fenêtre.

– On va rentrer. Juste une 'tite demi-heure. Tu devrais être content, quand même. On a gagné, bonhomme, merde ! Ça se fête bien un peu. Hé, vous autres ! Vous lui filez une limo, oui ou merde ?

Le Bossu revient de la cuisine avec ma petite bouteille.

– Approche voir, gamin, il me dit en retroussant ses manches jusqu'aux épaules. Que ch'te montre un peu des images que tu trouveras pas dans tes bouquins !

– Tu vas quand même pas lui sortir tes saloperies.

Papa, il aimerait bien avoir un tatouage, je le sais, même qu'il prendrait l'emblème de Chemie. Sur le bras ou l'épaule. Il dit qu'il en connaît un qui lui fera « pour une boutanche de Sprit ». Mais Maman ne veut pas, elle dit que c'est interdit, qu'il va se choper le sida. Je lui ai demandé ce que c'était, le sida, elle m'a dit que c'était nouveau, que c'était comme le cancer, la maladie qui a tué Papi quand j'étais tout petit.

– Qui c'est, minou ?

– Ah, ça… eh ben… c'était une copine, à l'époque. Mais regarde plutôt cui-là, le serpent sur le schlass !

Son serpent, il est bleu avec des yeux noirs et il s'enroule autour d'un couteau. À mon avis, il ressemble plutôt à une chaussette, mais ça, je ne le dis pas au Bossu.

– Et elle ? C'est ta femme ?

Elle est couchée sur son épaule, toute nue. Et elle pleure des larmes bleues, comme les siennes.

– C'était. Mais plus maintenant, ah nan, ça nan ! Plus maintenant.

Maria s'est mise derrière mon dos. Comme moi, elle regarde le bras du Bossu. Elle installe les tartines sur la table, avec une bouteille de schnaps au milieu. Papa se glisse devant elle.

– Vise un peu ça, il lui dit en posant sa bière. Des biscotos, en veux-tu en voilà. Et eux, ils sont garantis sans gribouillis !

Il imite le Bossu, retrousse ses manches pour faire montrer ses muscles à Maria. Il est costaud, Papa, il assemble des machines, tous les jours.

– Bras d'fer ! crie le Bossu en tapant dans ses mains. On est toujours à deux-un pour moi. Et ce soir, ça fera trois-un.

– Bon. Si t'insistes, Quasimodo. Mais le vainqueur, il a le droit de lui rouler une pelle !

– Vous êtes des vrais gosses, répond Maria en devenant toute rouge. Non mais vraiment, Horst. T'as pas honte… (Elle se colle à lui en lui disant quelque chose à l'oreille, mais je l'entends quand même :) devant ton gamin.

Papa et le Bossu vont chercher deux chaises dans la cuisine, ils s'installent à la table du salon et le Chauve les rejoint. Lui, je l'avais pas vu revenir. Il écarte les verres, l'air fatigué.

– Je parie sur toi, Horst ! il annonce en pétrissant les épaules de Papa. Sur ta pomme et que sur ta pomme.

La Tignasse et Claudio rapprochent leurs chaises, le visage tout rouge, plein de gouttes de sueur.

– Oh ! Grâne d'œuf ! dit Claudio. (J'ai du mal à comprendre à cause de sa voix qui traîne.) Dix balles sur le Bosselé ! T'es de la partie ?

Ça fait cling. Il a sorti un tas de petites pièces de sa poche, les voilà sur la table. Le Chauve se lève pour aller déplacer la photo d'un boxeur près de la grande armoire. Je l'avais pas remarquée, obligé d'aller la regarder de plus près avant qu'on s'en aille. Le Chauve rajoute un billet sur les pièces, « on s'en bat d'ta ferraille », et se remet à pétrir les épaules de Papa. Le Bossu enlève sa chemise. Dessous, il a un marcel. Je compte : seulement quatre petits trous sans tatouage sur la poitrine et les épaules.

– Donne-toi à fond, le Bossu ! Donne-toi à fond ! gueule Claudio.

Il porte le goulot à ses lèvres, la moitié de la bière s'échappe, elle lui coule sur le menton et tombe sur le pull. Ensuite, le Chauve remplit deux petits verres et les pousse devant Papa et le Bossu.

– Cul sec. Après, on est bons.

Ils sont déjà en position. Leurs paumes se touchent. Ils serrent leurs mains très fort.

– Mollo, le Bossu! dit Papa en gigotant sur sa chaise.

C'est lui qui gagne. C'est sûr que c'est Papa qui gagne, je me dis, il va gagner, parce qu'il est fort. Avec l'autre main, ils attrapent leur petit verre et le vident d'un seul coup. Papa claque le sien très fort contre la table.

– Main derrière la tête! ordonne le Chauve.

Ils lèvent leur bras libre et plaquent la main derrière la nuque. Leurs poings s'écrabouillent déjà comme des fous, le bras du Bossu est encore plus gros qu'avant, la femme nue se balance de haut en bas sur son épaule. Debout derrière Papa, Maria se penche un peu au-dessus de lui, ses mèches lui dégringolent sur la nuque.

– Tu m'auras pas, souffle Papa à travers ses dents qui grincent.

Le Bossu ne dit rien, son visage devient de plus en plus rouge, son bras se met à pencher vers la table, Papa va l'avoir! je me dis, sûr de sûr. Peut-être qu'il a pas les bras aussi gros que le Bossu, mais il a beaucoup plus de force. Un sifflement qui ressemble à un «naaan» sort de la bouche du Bossu, et sa main claque sur la table.

– Voilà d'quoi ch'parle! crie le Chauve, et je rigole de fierté.

– C'est ça, fends-toi la gueule, me dit Claudio avec un regard méchant. Et moi, j'ai plus qu'à me torcher avec mes dix balles.

Je rigole toujours, quelqu'un me passe la main dans les cheveux, sûrement Maria, et puis Papa m'attrape par les épaules pour me mettre debout sur la table. Le Bossu reste assis dans son fauteuil, il a repris une bière. Maintenant, sous son œil, la larme a l'air d'être vraie. Je descends de la table pour aller le consoler.

– Sois pas triste. T'as toujours tes belles images.

– Eh ben tu sais quoi, chuis même pas triste. Maintenant, y a deux-deux.

Le Chauve est assis dans l'autre fauteuil, le menton collé à la poitrine. Il a coincé la bouteille de schnaps entre ses genoux, et il fume. Un bout de cendre lui tombe sur le pull. C'est le moment d'aller à la grande armoire pour regarder le boxeur. Comme il a ses gants levés devant son menton, on ne voit que la moitié de son visage, mais le bout du haut ressemble au Chauve. Même si, sur la photo, le monsieur a les cheveux blonds.

– Maria ! crie le Chauve dans mon dos. Il recommence : Maria ! T'es rendue où ?

Mais elle ne répond pas, alors il se tait. Pendant ce temps-là, La Tignasse et Claudio ont distribué un jeu de cartes. Ils disent un secret au Chauve. Le Bossu s'approche d'eux.

– C'est son problème. Il se démerde. Bon, on se la fait, notre partie ?

– Viens là, bonhomme, me dit la Tignasse. Qu'on t'apprenne un peu quèt' chose.

Je m'approche sans me presser. Papa n'est plus là. Dès qu'il boit de la bière, il va tout le temps au petit coin.

– Mais je sais déjà jouer, moi. Le skat, je connais.

Je m'installe avec eux sur le canapé.

– Toi qui donnes, dit le Bossu en me tendant les cartes. Tu joueras à la prochaine.

– Alors, Dani, on s'éclate bien ?

Papa est revenu. À la porte de la cuisine, sa cigarette aux lèvres, il rentre sa chemise dans son pantalon.

– … on va y aller, hein. On y va dans deux secondes.

On rentre par le Bosquet de l'Est. Papa titube en me tenant par la main. Je tangue avec lui, à gauche, à droite. La nuit commence déjà à tomber, et je pense à Maman qui nous attend toute seule dans la cuisine. Avec le dîner froid.

ZEITHAIN, DÉTENTION POUR MINEURS

La juge des enfants, le procureur, la greffière et les témoins venaient de quitter la salle vingt-trois. Moi, j'étais resté assis à fixer le mur derrière le bureau de la juge. Au milieu, une tache marron de la taille d'une main. Je ne l'avais pas lâchée des yeux depuis le début, elle revenait dans mon champ de vision à chaque fois que l'autre penchait la tête. La fille de la protection judiciaire de la jeunesse était encore là elle aussi, en train de ranger ses papiers dans une sacoche verte à bandoulière. Avant de partir, elle est revenue vers moi.

– Écoutez, Daniel… Écoute. Tu es au courant, hein, que tu peux…

– Hémoglobine, j'ai murmuré en regardant par-dessus son épaule.

– Pardon ? Non, je te disais, il me semble qu'on pourrait…

– Sûr que c'est du sang. La tache, là. On dirait du sang.

Elle a tourné les yeux vers le mur, les a replantés dans les miens. Mais je voulais pas de ça, alors j'ai fixé la table en repliant mes papiers.

– À mon avis, c'était la seule issue possible. Tu le savais. Je te l'ai toujours dit. Et en fin de compte, je suis convaincue que c'est pour le mieux.

– Ça me dérange pas, je lui ai lâché en fourrant les feuilles dans la serviette en cuir rouge que Paul avait bien voulu me prêter. Franchement, vous savez quoi ? Ça me dérange même pas.

Elle a posé les mains sur la table qui était entre nous. Ses yeux n'avaient pas quitté pas mon visage.

– Quoi qu'il en soit, Daniel, il va bien falloir que tu… y ailles. Veux-tu que je t'accompagne à la gare pour qu'on trouve le bon train ?

– Ça va. Largement le temps.

– Tu as bien conservé la fiche avec les affaires à emporter ?

– Chuis plus un môme.

Je me suis retourné en voyant son regard glisser sur le côté. Zéro tache au mur, il était tout blanc, nickel. Ils venaient juste de refaire le bâtiment, partout du neuf, du moderne, sauf pour les juges, les procureurs, les flics et tous les autres gusses de la loi, eux, ils étaient restés exactement aussi pourris.

– Ton retard n'a pas fait bonne impression.

– Ouais.

J'ai regardé ses mains qu'elle avait croisées sous son menton. Ça faisait deux ans qu'on se connaissait. Chaque fois, je lui avais juré que je n'allais plus jamais, mais plus jamais foutre la merde. Chaque fois, ça avait fini autrement.

– Et d'ailleurs, ça ne donne pas une bonne impression non plus, si tu… (je sentais son souffle sur mon cou malgré l'espace entre nos visages)… non, ce que tu fais de ta… Ce que tu fais, ça ne regarde que toi. Mais aux yeux de la juge, c'était… ça a donné… une mauvaise image de toi, Daniel.

– L'école. Rapport à l'école, vous voulez dire.

– C'est ça. L'école.

– Pour le sursis, ça va, ç'aurait pu être pire, je lui ai fait en me balançant sur ma chaise et en palpant le paquet de clopes dans ma poche poitrine.

– Et les quatre semaines, Daniel?

– Quatre semaines. Un mois. C'est rien.

Elle a hoché la tête, mais juste une seconde, et puis elle s'est redressée.

– Je ne veux plus jamais te revoir ici! C'est compris, Daniel?

– Oui. Cette fois, c'était vraiment la dernière. Sérieux.

Alors, elle m'a tendu la main par-dessus la table. Je savais qu'elle était froide, elle était froide à chaque fois. Sûrement un problème de tension. Faut dire qu'elle était plus toute jeune.

– Je te laisse. Vraiment, tu ne veux pas que je te ramène? Par ce froid…

– Nan. Ch'préfère le train de banlieue.

– Si tu n'es pas là-bas ce soir, tu sais que ce sera pire.

– Je sais.

Avant de passer la porte, elle s'est retournée une dernière fois.

– Plus jamais! Tu m'as bien entendue!

– Ça marche, je lui ai fait en me levant à mon tour. Cette fois, c'est pour de vrai. Plus jamais.

Elle est sortie de la salle, elle m'a tourné le dos. Mais souriait-elle ?

Ma mère est rentrée pendant que je faisais mon sac. C'était pile ce que j'avais redouté, dans la rame, en regardant les blocs et les usines à l'abandon qui passaient de chaque côté. Presque tout ce qu'on apercevait le long du trajet était délabré ou carrément en ruines, et la neige n'arrangeait pas le tableau ; on aurait dit qu'un commando entier s'était fait une virée en S-Bahn sur la bretelle de Leipzig, à renfort de lance-grenades et de kalaches.

Ça va crier, je m'étais dit. Et elle criait. Je connaissais. J'ai préféré me concentrer sur mon sac.

– T'as pas honte ! Mon fils ! D'abord l'école, et puis ça. Avec ta merde. Ta merde. Si ton…

– Pas un mot sur lui !

J'ai jeté le sac pour me dresser face à elle.

– … pas un seul mot !

Qu'est-ce qu'elle était petite. Elle a claqué la porte sans faire de bruit, j'avais coincé un t-shirt en prévision. Avant, ça arrivait que mon père envoie voler les portes quand il était en rogne. J'ai fini le sac. Slips, chemises, deux pulls, t-shirts, chaussettes. C'était marqué « Lave-linge à disposition » sur la fiche laissée par la juge. Le temps que j'aille à la cuisine récupérer un fute sur le séchoir, ma mère était à sa vaisselle, toute calme. Au moment où je frôlais son dos, elle s'est retournée en me balançant au visage :

– T'as pas honte ! Pourquoi t'as pas honte ? Avec ta merde !

J'ai reculé d'un pas pour m'adosser au mur.

– … pourquoi tu continues ? Mais on dirait que ça te plaît ! Mais pourquoi, dis-moi pourquoi ?

– Non. C'est faux.

Elle collait son petit poing à ma poitrine.

– Pourquoi tu penses pas à moi ?

– Si. J'y pense. Moi aussi, ça m'emmerde. J'ai fait le con. Excuse… maman.

S'il te plaît. S'il te plaît, chiale pas. Mais elle criait.

– Tout le temps… tout le temps, tout le temps ! C'est tout le temps pareil !

Je l'ai évitée en me glissant le long du mur et j'ai filé à ma chambre. Sa voix filtrait à travers la porte. « Tout le temps pareil, tout le temps. C'est tout le temps pareil. » Je m'en suis allumé une en ouvrant le carreau.

C'était l'après-midi, mais l'obscurité tombait déjà, lentement. Des flocons passaient devant la fenêtre, je me suis dépêché de projeter la cendre, qu'elle soit moins seule dans sa chute. En face, l'épicerie du coin. Je voyais les gens aller et venir. Des bouteilles tintaient dans le sac d'un type.

J'ai ouvert la serviette de Paul. « Tout individu se présentant en état d'ébriété se verra refuser l'admission. » J'ai fait une boule avec la fiche et je l'ai balancée contre le mur. Et puis je l'ai défroissée, jamais j'aurais trouvé sans le petit plan, même avec tout ce que Rico m'avait dit sur Zeithain. Ma mère me toisait sur le pas de la porte.

– Entre.

– Je te demande de pas faire de conneries quand tu seras là-bas.

Elle avait une clope à la main, une de ses longues. Ça ressemblait à un long doigt menaçant.

– Bien sûr que non. Tu le sais.

– T'es obligé de partir aujourd'hui ?

– Ouais.

– Tu sais quel train tu prends ?

– Nan.

– Alors, je vais les appeler. Enfin, la gare.

– Merci. Maman.

Elle est sortie de ma chambre, elle m'a tourné le dos. Mais souriait-elle ?

D'abord, je m'étais dit que je passerais un coup de fil à Paul, histoire qu'il me dépose à la gare. Sûr qu'il m'aurait aidé à porter le sac, il aurait agité la main, peut-être même qu'il aurait couru à côté du train. Mais je voulais pas de ça.

Ma mère s'était couchée. J'ai pris le couloir sur la pointe des pieds. À côté du téléphone, près de la porte d'entrée, j'ai empoché le billet de cinquante. Ensuite, j'ai retiré la clé de ma mère et je l'ai laissée près du combiné. Encore un temps sur le palier, immobile, et puis j'ai poussé le verrou.

En route vers notre station. Plus de flocons dans l'air, mais les lumières de la halle, les décorations de Noël toujours dans les vitrines. Un peu plus loin, un Vietnamien qui trimballait une grosse pochette Karstadt. J'ai bifurqué vers lui. À en juger par la taille du torse, il portait au moins trois pulls sous son manteau de fourrure, mais les jambes avaient l'air toutes fines. Il avait l'écharpe remontée jusqu'au nez.

– Golden, steuplaît. Une cartouche.

– Golden, il a fait d'une voix aiguë à travers l'écharpe avant de plonger la main dans le sac pour extirper la cartouche de Golden American 25.

– Golden, il a répété, et l'écharpe a glissé d'un poil, possible qu'il se marrait.

La cartouche lui a échappé, à cause des moufles. Je l'ai rattrapée au vol.

– C'est vingt-deux, il a ajouté. Ailleurs, vingt-cinq.

– 'kay.

Je lui ai filé mon billet de cinquante.

– Monnaie ?

J'avais pas. Il a laissé tomber sa moufle dans le sac le temps de récupérer un billet de vingt marks et quatre pièces de deux. Recomptant les pièces sur ma paume, il m'a fait :

– Et sinon, chef, ça va ?

– Nickel chrome.

L'écharpe remuait toujours. J'ai continué vers le S-Bahn en oubliant que j'avais la cartouche à la main. Pause pour la caler dans mon sac, avant d'aller m'asseoir sur le petit banc, en dessous de l'abri. Pas longtemps, c'était glacé. Une fille est apparue, le visage tout rouge, frottant ses mains l'une contre l'autre. Des petits nuages blancs lui sortaient de la bouche, et quand j'ai voulu chercher ses yeux, elle les a tournés ailleurs.

Je suis monté dans la rame, mais elle n'a pas bougé. Elle attendait peut-être le 22. Je me suis mis contre la vitre et j'ai essuyé la buée avec ma manche. Le train démarrait. Je regardais toujours son visage et les nuages qui s'élevaient de sa bouche.

– Retour ? a fait l'employée au guichet.

– Aller simple.

– Changement à Riesa. 21 h 16. Vous prenez le 21 h 28, terminus Zeithain.

– Va faire tard, j'ai ajouté en lui passant l'argent. Pour le couvre-feu.

Je savais qu'il y avait aussi une grosse caserne à Zeithain. Elle m'a rendu la monnaie, avec un regard et un hochement de tête.

Le train a ralenti. Ça faisait déjà dix minutes que j'étais face à la portière avec mon sac, je regardais la nuit à travers la petite vitre, et les phares. J'ai dû m'y reprendre à deux fois, trois fois avant de débloquer le levier. Sur le quai, j'ai levé la tête vers l'énorme horloge toute ronde. 21 h 15. Derrière la porte du hall, je pouvais entrevoir des hommes debout contre une buvette. Ils étaient à la bière. Au milieu, une grosse accoudée à une table haute avec une fiole verte, liqueur de menthe à tous les coups. Un type à grande barbe grise avait retroussé les manches de son pull malgré le froid polaire. Il avait les avant-bras couverts de tatouages bleus, les mains pleines de petits points, de traits et de lettres. Pas impossible qu'à un moment donné, il ait pris le train au départ de Zeithain. Il s'est arrêté là, histoire de boire une petite bière à la liberté. Après, il a plus bougé. J'ai tourné les yeux vers les horaires, mon train partait du quai numéro 6. Obligé de passer par le souterrain.

Je suis allé m'asseoir sur un banc froid et humide, maintenant qu'est-ce que ça changeait. Les flocons étaient revenus. Pas de toit au-dessus du quai, juste un petit abri en plein milieu. Je suis quand même resté sur le banc, à regarder les flocons se désagréger sur mon blouson. J'ai allumé une cigarette en protégeant la flamme dans le creux de ma main. Elle s'éteignait toutes les deux secondes. Je faisais déjà les cent pas autour du banc quand le haut-parleur a annoncé : « Quai n° 6, le train à… » couvert par un long crissement. J'ai empoigné mon sac. Avant d'ouvrir la portière, j'ai abandonné la clope sur les rails.

La contrôleuse baissait les yeux vers moi.
– Vous descendez à la prochaine.
Elle me fixait encore au moment où j'ai soulevé le sac pour aller me mettre face à la portière, comme à l'arrêt d'avant. Elle restait debout juste à côté, sa lampe rouge et verte pendouillant sur la poitrine. Plutôt plate. Et elle, pas spécialement craquante, mais elle en continuait pas moins à me mater. Le train a freiné, on y était. Nos mains se sont avancées en même temps vers le levier. Un court instant, j'ai senti sa peau, et puis j'étais sur le quai. Campée sur le

double marchepied, elle plissait les yeux vers l'avant du train en agitant sa lampe. Feu vert.

– Par là! elle m'a fait en tendant un doigt vers la rue qui partait derrière la petite clôture. Vous tournez à gauche. Après, toujours tout droit.

– Merci bien.

Elle a rabattu la portière, elle m'a tourné le dos. Mais souriait-elle?

La taule était au milieu du champ. Massive, carrée. Et sombre. Juste quelques projos qui envoyaient leurs rayons jaunes le long des murs. J'avais encore un bon bout à faire, je galérais dans la neige, les yeux sur elle. La taule. La nuit, j'avais souvent rêvé d'elle, et des tas de gars m'en avaient parlé, sans compter Rico.

J'ai appuyé mon sac contre un portail. Verrouillé. Pas bien haut, environ deux mètres, même hauteur que les fils métalliques. Derrière la clôture, des bagnoles, et au-delà, cerné de neige et éclairé par des projecteurs perchés sur de hauts poteaux, un peu comme la vraie taule mais à l'écart de la vraie taule et en beaucoup plus petit, un bâtiment plat, deux étages à vue d'œil. C'était le centre de détention pour mineurs de Zeithain, tel que Rico me l'avait décrit. Il y était déjà retourné plusieurs fois, deux semaines, trois semaines, quatre. Si on se prenait plus d'un mois, ils nous envoyaient quelques mètres plus loin, dans la vraie. Là aussi, Rico y avait été, mais en ce moment il était à Torgau, encore plus loin.

Pas de sonnette sur le portail, alors j'ai fait voler mon sac par-dessus la clôture. Pour me le reprendre dans la gueule. J'ai guetté. Il devait y avoir des caméras. Si les types m'avaient grillé, sûr qu'ils avaient le fou rire devant leur écran. J'ai reculé, meilleur lancer. J'ai grimpé en haut de la clôture et je suis resté à califourchon pour regarder la maison d'arrêt. Pas loin du portail, deux tables de ping-pong en pierre. Sur l'une, un chat noir couché en plein dans le projecteur. Il devait faire plus chaud. Je me suis laissé tomber, j'ai ramassé le sac, et le chat m'a fait un clin vert quand j'ai dépassé la table. Au même moment, un type long et sec est apparu dans l'encadrement d'une porte. Il est sorti en gueulant un truc et en gesticulant dans son survête.

– Oh, jeune homme! Tu t'es cru où, là? C'est comme ça qu'on entre ici, à ton avis?

J'ai lâché le sac dans la neige, plongé la main dans mon blouson à la recherche du papier.

– Hé là, hé là ! Pas de connerie, mon bonhomme !

– Nan, c'est parce que je devais arriver plus…

En même temps, je lui ai tendu le papier sous le nez. Il l'a regardé à la lumière du spot et me l'a replié après avoir bien vérifié le verso, qui était vierge.

– Allez, suivez-moi.

Au moment de passer la porte, sans prévenir, il s'est rué vers la table de ping-pong.

– Eh bah, te voilà, toi ! C'est là que t'étais. Tu vois pas que ça pèle, non ? Fait vraiment trop frisquet pour toi.

Le chat blotti contre la poitrine, il est repassé sous mon nez pour disparaître derrière la porte, sans un regard. J'ai continué à faire des ronds dans la neige avec ma godasse.

– Vous avez peut-être envie de rester dehors ?

Une blonde en uniforme l'avait remplacé sur le pas de la porte, briquet en main, clope encore éteinte. J'ai plissé les yeux sur la matraque en caoutchouc accrochée à sa hanche.

– … un peu tard, trouvez pas ?

– Chuis au courant que depuis ce midi… c'est ce midi qu'ils m'ont…

– Ça va, ça va.

Je l'ai suivie de près dans l'escalier. Pas mal, pour une matonne. On a recroisé le survête.

– Allez, j'y vais. Bon courage, Ina. Bonne garde.

– Rentre bien.

Il s'est retourné sur le pas de la porte.

– Et au fait, le chat il est en haut. J'y ai donné un truc.

Ça a fait rire Ina.

– Toi et ton chat.

– Ça pèle tellement, dehors. Tu sais bien. Ça s'arrête plus de neiger. Tchao.

J'ai entendu la porte tourner sur ses gonds.

– Venez, je vous emmène chez Fischer. C'est lui qui fait votre admission.

Vraiment, c'était pas un thon, sûrement qu'elle avait ses raisons de bosser ici.

– Vous êtes belle, Ina, je lui ai confié en me mettant face à elle. J'ai caressé ses épaulettes, et puis j'ai blotti mon visage au creux de son cou. Elle était un rien plus grande.

– Mais non, tu me fais marcher… Vraiment?

Elle appuyait une épaule au mur blanc du couloir en caressant mes cheveux trempés de neige fondue.

– Mais oui.

Je me suis soutenu à elle, épuisé, et j'ai enfoncé mon front plus loin dans son cou.

– Belle comme le jour.

– Je vous demande comment vous vous appelez!

Mes yeux traînaient sur les marches, de l'autre côté de la grande vitre. Derrière une deuxième vitre, un long couloir blanc avec une longue ligne de portes numérotées.

– Daniel Lenz, j'ai fait à l'homme assis derrière son écran. Daniel Lenz, né le vingt novembre mille neuf cent soixante-seize à Leipzig.

– Pièce d'identité. Donnez-moi votre pièce d'identité et votre feuille d'admission.

Je les ai sortis de mon porte-monnaie. Toute trempée, la feuille.

– Je retourne en bas, a lancé Ina dans mon dos.

– Ça va, a fait l'homme.

Le temps que je me retourne, elle était partie, mais j'ai pu la suivre des yeux une seconde dans l'escalier. Non, vraiment pas un thon. Une fois, Rico m'avait parlé d'une blonde en taule, à Zeithain, qui lui avait mis la fièvre. «Dehors, elle aurait été bonne à tirer. Point final. Mais dedans… dedans, bon Dieu…»

– Déshabillez-vous. Posez tout ici.

– Comm…

– Blouson, pantalon, pull, chaussures. Pouvez garder le reste.

Il entrait les trucs sur moi dans l'ordinateur. Collée à l'écran, une grosse machine à écrire. Au moment où j'ai retiré le blouson pour le foutre sur mon sac, le type a filé un coup de coude sur le clavier sans faire exprès. La machine s'est emballée.

– Posez-les à côté de moi. Sur la chaise.

J'ai abandonné le blouson, le pull et les pompes, et puis le fute, mais après avoir raclé mes poches. Je serrais les doigts sur la monnaie.

– Laissez-le là. Tout. Même l'argent de poche.

J'ai ouvert le poing au-dessus de la table avant de vider les poches de mon blouson.

– Vos chaussettes, a ajouté le type en me lançant un regard par-dessus l'écran.

Je les ai écrasées dans mes pompes. Le lino était froid et collait aux pieds. Mes yeux revenaient toujours au couloir et aux portes. Le gars tapait en baladant sa souris, sourcils froncés devant l'écran, l'air d'avoir un peu de mal. Il a sorti une feuille blanche du tiroir et fait l'aller-retour à l'imprimante sur son fauteuil à roulettes. Il tapait vraiment à deux à l'heure, chaque coup résonnait dans la pièce, ça devait s'entendre jusqu'aux cellules, et ça m'aurait étonné qu'ils pioncent déjà. J'ai baissé les yeux, coup de bol, un de mes bons slips. L'homme s'est levé pour s'attaquer au blouson.

– Cigarettes?

– Une cartouche, j'ai fait en indiquant la table. Et un demi-paquet.

– Sortez-moi la cartouche.

Je lui ai sorti les Golden de mon sac.

– Les laisser sur la table, pareil que le reste.

Après en avoir fini avec le blouson, il a secoué mon pull. Plusieurs fois. Ensuite, le fute y est passé, il tripotait les jambes, les explorait, les caressait avec beaucoup de soin, comme si c'était des jambes de femme. Il a poursuivi l'opération en secouant les pompes dans tous les sens, allant jusqu'à fouiner dans mes chaussettes. J'étais vert d'en avoir mis des propres.

– Passez-moi le sac. Vous en avez un autre?

– Nan, j'ai fait en lui poussant du bout du pied.

– Pouvez vous rhabiller.

Là-dessus, il s'est accroupi pour inspecter le sac. Il déballait tout, retournait, dépliait, appuyait sur mon tube de dentifrice, l'ouvrait pour le flairer. Le temps que je me rhabille, il y était encore. J'en ai profité pour m'adosser au mur.

– Asseyez-vous. Vous avez le droit.

Je me suis exécuté, les yeux sur son dos, et aussi sur sa matraque, à la hanche.

– Vous pouvez fumer. Cendrier près de la machine.

Ça, dit d'une voix sourde, vu que sa tête disparaissait au fond de mon sac. J'ai tiré la chaise contre le bureau pour m'en allumer une, recrachant la fumée vers lui. Après avoir bien tout remballé, il a refermé le sac et l'a remis à sa place.

– Nous y voilà, monsieur Lenz.

Il a encore saisi mon paquet de clopes, sorti le feu, secoué les tiges à l'intérieur, déchiré le coin de la cartouche pour mieux la palper, avant de sortir plusieurs paquets de l'emballage.

– Origine Niaques, hein ?

J'ai acquiescé.

– Je les mets à la consigne. Vous aurez droit à un paquet par jour. Maximum.

J'ai acquiescé. Il a garé la cartouche pour pouvoir compter mon fric dans sa paume, et puis le recompter. Et le recompter.

– Dix-neuf soixante. Le compte est bon ?

J'ai acquiescé, après quoi il a tout remis sur le bureau. C'était le tour du porte-monnaie.

– Encore un peu de pièces ?

J'ai fait non, ce qui l'a pas empêché de fouiller la moindre petite poche, avant de remettre ma carte d'identité sous le petit protège-documents ; il lui a encore fallu un bout avant que tous les papiers soient bien rangés.

– Comptez-vous acheter d'autres cigarettes durant le séjour ?

– Ouais. Si ça se fait.

– De combien aurez-vous besoin pour le retour ?

– Huit vingt.

Il a compté les huit marks et deux sous juste devant mes yeux et les a foutus dans mon porte-monnaie, avant d'aller les ranger au fond, dans l'armoire en métal. J'ai écouté le roulement des tiroirs en écrasant ma clope. Trois filtres dans le cendrier, dont l'un teinté de rouge, hémoglobine ou rouge à lèvres. Je l'ai poussé gentiment du bout de mon mégot. L'homme s'est rassis face à moi. Il a laissé tomber le porte-monnaie dans une pochette noire, pareil pour mon trousseau, mais après l'avoir secoué un bon coup.

– Je cadenasse tout ça dans une minute. Mais d'abord, un autographe. Ici.

Là-dessus, il a tiré le sac à lui et s'est remis devant sa machine.

– Cigarettes, il a murmuré en commençant à taper sur le clavier. Cartouche, une seule… Monnaie…

J'ai posé le crâne contre la vitre, et j'ai fermé les yeux.

On s'est arrêtés devant une porte. L'homme a soulevé le trousseau qui était relié à sa ceinture par une chaînette.

– Vous attendez là.

Il a allumé, j'ai vu les couvertures, les draps en piles sur les étagères, les étagères avec les thermos, les gobelets et les assiettes. Il a sorti deux housses bleues à carreaux, une couverture en laine brune, un drap, et m'a posé le tout dans les bras.

– Vous pouvez avancer jusqu'à la 18.

J'ai remonté le couloir en suivant les numéros. Il se terminait par une fenêtre. Tout ce que je pouvais voir de l'autre côté, c'était mon reflet. Et les barreaux noirs derrière. J'ai lâché le sac devant la 18 et j'ai attendu, dos au mur. Les pas du maton se rapprochaient. Il a déposé un thermos en plastique marron sur mon sac, plus un gobelet, deux assiettes et des couverts, avant d'ouvrir la porte et d'appuyer sur l'interrupteur. Je suis entré dans la cellule en poussant le sac du pied.

– Dix minutes. J'éteins dans dix minutes. Bonne nuit.

Un tour de clé, deux tours, trois. Il a attendu une seconde derrière la porte, et puis ses pas se sont éloignés.

Encore mon reflet derrière la fenêtre. Juste en dessous, une table et deux chaises. Le placard, juste à côté, près du mur. J'ai lancé le barda sur le lit du haut, rangé les couverts dans le placard, et je m'en suis allumé une. Le cendrier était sur la table, j'ai laissé reposer la clope le temps de retirer mon pull. En cas d'envie pressante, toujours moyen de faire par la fenêtre en montant sur la table, ou d'appuyer sur le bouton à côté de la porte. Même pas de lavabo. Mais le bouton, je le connaissais, on avait le même dans la cellule de dégrisement du secteur sud-est. On avait aussi une espèce d'interphone, mais ici, sûrement qu'ils se déplaçaient pour savoir où était le problème. Longue sonnerie aiguë. J'ai collé l'oreille à la porte. Ils arrivaient.

Ils étaient dans le couloir, juste devant. Je les entendais. Ils bataillaient avec le verrou. J'ai reculé, la porte a claqué contre le mur et ils m'ont empoigné pour me plaquer au sol. Trop rapides, pas le temps d'en toucher un seul, trop crevé aussi, tout le jus s'était barré à force de balancer des coups sur la sonnette et sur la porte pendant une heure. Au début, j'avais sonné normalement, mais personne voulait répondre, personne, et pas plus à mes coups. J'avais cogné à me saigner les poings, puis j'y étais allé de tout mon poids contre la porte, encore et encore, c'est là qu'ils s'étaient ramenés. À califourchon sur mon dos, l'un m'écrasait la tête par terre. Du sang sur ma face, sûrement le nez. Le gars m'avait empoigné par les cheveux et badigeonnait le carrelage. J'ai plié les genoux pour lui carrer les talons dans le dos, il a gueulé un truc pendant que l'autre me balançait son pied dans le flanc. J'ai poussé un long cri dans le sol. L'instant d'après, ils me bloquaient les mains dans le dos. Le fer sur mes os. J'ai beuglé de plus belle, je me suis cabré, mon pied a heurté un tibia. À la fin, ils me surplombaient tous, j'avais tout le temps de voir leurs pompes s'abattre au ralenti avant de me percer les côtes. Et puis, j'ai rampé vers le mur pour me rouler sous le lit.

Ils étaient dans le couloir, juste devant. Je les entendais. Une voix d'enfant : « … mais, mais ch'peux pas me retenir ! Deux secondes… » Les portes s'ouvraient et se refermaient, les clés, les pas, encore les portes, puis rien. J'ai avancé vers la table. Ils ont coupé la lumière. Je me suis assis. La lumière des projecteurs tombait sur le plateau. La cigarette avait fini de se consumer, alors j'en ai pris une autre, en décalant la table, histoire de rapprocher la chaise de la fenêtre. Des phares de bagnoles, mon front posé contre la vitre qui s'embuait devant ma bouche. Mon doigt a tracé un D, je me suis détendu contre le dossier en le regardant s'effacer. Après, la fenêtre ouverte, j'ai balancé ma clope tout en bas, dans la neige, et j'ai passé mes mains plusieurs fois sur les barreaux glacés. J'ai refermé la fenêtre. Ensuite, j'ai tout enlevé à part le slip et le t-shirt. J'ai tiré la couette et l'oreiller en bas pour pouvoir les recouvrir à la lumière des projecteurs, les ai rebalancés sur le lit du haut et grimpé la petite échelle pour faire le drap. Fait un aller-retour pour ramener une cigarette sur le matelas, puis, une fois le cendrier bien calé contre l'oreiller, recraché ma fumée à travers le rayon des projos qui venait toucher le mur juste au-dessus. Les volutes se déchiraient à mesure qu'elles s'élevaient. La dernière fois que j'avais pioncé dans un lit superposé, c'était en voyage scolaire, je sais plus lequel. Sauf qu'à l'époque, je fumais pas. Je voulais toujours prendre le lit du bas, trop peur de dégringoler en faisant un mauvais rêve. Maintenant, j'avais plus peur.

Elle, debout au milieu de la pièce. J'avais pas entendu la clé. La lumière des projecteurs tombait sur son uniforme, elle était là, immobile au milieu de la pièce, devant la table, et elle me regardait.

J'ai tendu la main en murmurant : «Reste là. S'il te plaît, reste.» Elle s'est avancée pour caresser la couverture, un pied sur l'échelle. Je touchais son épaule, mais sa main ne bougeait pas. «S'il te plaît.» Elle l'a retirée, a reculé en remuant la tête et m'a tourné le dos pour sortir de la pièce. Mais elle ne souriait pas.

Le maton, debout au milieu de la pièce. J'avais pas entendu la clé. La lumière des projecteurs tombait sur son uniforme, pas le même type qu'hier soir. Il agitait son trousseau, les yeux levés vers moi.

– Quand vous serez debout, vous déménagerez dans la 23. On doit boucher les trous, ça se remplit en fin de semaine. Les douches, c'est près de la penderie, il a ajouté en reculant vers la porte.

– Ça marche, j'ai soufflé à travers la couette.

Après, je l'ai entendu de cellule en cellule, il avait laissé la mienne ouverte. Un regard sur ma montre, dix-huit heures quinze. J'ai tourné les yeux vers la fenêtre et les phares des bagnoles, beaucoup plus loin. Descendu de l'échelle, j'ai dû chercher l'interrupteur à l'aveuglette. Quelques fringues propres, une serviette, ma trousse de toilette en cuir et les claquettes. Personne dans le couloir. J'ai ralenti au niveau de la 23 pour passer une tête à travers la porte entrebâillée. Pas de lumière, aucun bruit. Mais quand j'ai tourné les épaules pour repartir, j'étais face à un gosse. Bermuda pétant, torse poil, gros gnon près de l'épaule, ça, je l'ai vu direct. Pas de doute, un Braque-bagnole. La plupart d'entre eux se traînaient toutes sortes de cicatrices après leurs accidents. Walter et Fred aussi s'étaient fracassé le crâne dans le pare-brise une paire de fois. Le type m'a avisé une seconde. Petit signe de tête, après quoi il a pris de l'avance direction les douches. Il se trimballait serviette sur l'épaule, une énorme bouteille de shampoing à la main. Sur l'étiquette, un ourson jonglait avec des balles de toutes les couleurs. Même si le type était nettement plus petit que moi, ses bras en jetaient pas mal. Plutôt du type baraque. Les chtars, ça devait venir d'un tesson ou d'une lame. Il m'a d'abord tenu la porte, et puis, ouvrant encore la voie vers les lavabos, il a commencé à se passer la main sur le visage. Sans quitter le miroir des yeux.

– T'es celui qu'est arrivé cette nuit, je me trompe ?

– Tu te trompes pas.

En même temps qu'il s'aspergeait, je voyais ses yeux dans le miroir, mobiles, et qui m'observaient aussi. Quatre douches en ligne. J'ai pris celle du fond. Le jet était froid.

– Attendre un peu ! m'a lancé le type en gratouillant sa face tartinée de mousse avec un jetable.

J'ai avancé une main. Ça commençait à venir. Après m'être déshabillé face au mur, j'ai pendu la serviette et la trousse au crochet. Gel douche en main, j'ai poussé le jet un peu plus fort et j'ai commencé à me frictionner en fermant les yeux. Je pensais à la femme du dessus, celle que j'avais prise sous la douche quelques semaines avant, à quatre reprises alors qu'elle avait plus de quarante berges. Le type au rasoir avait filé. Séchage, rhabillage. J'ai transporté les affaires au lavabo et je suis passé au brossage de dents.

Le temps d'essuyer la buée qui prenait tout le miroir, deux gars sont apparus, cheveux bien courts, quasi boule à Z. Ils avaient choisi les deux lavabos les plus proches de moi. Un de chaque côté. Le Skin à 9 heures était plutôt charpenté, et pas que des biceps. Il avait un SSS tatoué sur l'épaule, les trois majuscules en forme de petits éclairs. Je savais parfaitement ce que ça voulait dire. Skinheads de Suisse Saxonne. Ces mecs étaient redoutés, surtout vers Dresde. On m'avait dit qu'ils étaient de mèche avec les Skins de Grünau, à Leipzig. « Siffleurs de Speu Saxon », comme disait un Morback que je connaissais du bahut et qui avait pris cher sur la gueule face aux SSS, lors d'un énième rassemblement de keupons à Dresde.

Une fois son débarbouillage terminé, le petit Skin à 3 heures s'est penché vers moi.

– T'es là depuis hier, dis ?

– C'est ça, je lui ai fait en gonflant les joues et en recrachant la mousse. Hier.

– Un peu de retard, j'ai cru comprendre ?

Là, c'est le SSS qui s'était tourné vers moi, son bide débordant à moitié par-dessus le rebord du lavabo. Gargouillis de ma part.

– Toi, je parie que tu es un vilain garçon. Pas vrai ?

– T'inquiète.

Je penchais ma brosse sous le jet. Pendant que le gros tirait les lèvres, je matais le petit dans le miroir. Il avait commencé à raser son visage de poupon.

– Et quel âge as-tu, mon enfant ?

Le gros s'appuyait sur le rebord du lavabo en me donnant de son sourire.

– Je t'arrête tout de suite. Mon enfant, ça va pas le faire. C'est Daniel.

J'ai vu l'autre s'interrompre. La mousse clapotait dans son lavabo.

– Dis-moi, Daniel. Quel âge as-tu ?

– Dix-huit.

J'en avais dix-sept.

– Tu n'es pas un vilain garçon, alors ?

– Quand il faut.

Le gros ne lâchait pas son sourire, sauf que maintenant, moi aussi je souriais. Sans savoir si c'était le truc à faire. Et le petit s'y est mis aussi en finissant son rasage.

– Et combien de temps tu tires ?

– Un mois.

– Tiens tiens. Peine maximale.

Il a encore tourné le visage face au miroir et s'est mis à lisser son peu de cheveux. J'ai tout remis dans ma trousse avant de renfiler ma montre.

– Et tu te plais, ici ? a bafouillé le gros à travers les bulles de dentifrice qui lui coulaient du menton.

– Ch'peux pas encore te dire.

J'ai enroulé la serviette autour de mes épaules en passant dans son dos. Et là, il s'est retourné sans prévenir.

– Hep ! Au fait. Klaus.

J'ai serré sa main aussi fort que je pouvais, vu que lui y allait comme s'il voulait me broyer les os.

– ... dis voir. T'as quoi comme sèches ?

– Golden.

– De chez les Niaques ?

J'ai fait oui.

– Nan. Pas troc.

– À plus, j'ai conclu.

– À plus.

Retour vers la cellule. Dans le couloir, les portes s'ouvraient. Des types avec trousses et serviettes venaient à ma rencontre.

J'ai transporté tout le barda dans la 23. C'était toujours éteint, et ça dormait dans le lit du haut. Ses pieds dépassaient de la couette, je l'entendais respirer. Je me suis raclé la gorge bien fort, j'ai toussé, je suis allé jusqu'à allumer, mais le type continuait à dormir, paisible. Le maton est revenu contrôler.

– Vous avez bien pris toutes vos affaires ?

– Ouais.

Je me suis posé sur le lit du bas et il a hoché la tête en lançant un regard circulaire dans la cellule. Je l'ai entendu qui retournait fermer la 18. Ici, ça refoulait. Peut-être les panards au-dessus de ma tête, ou plutôt le fait que le mec pionçait à longueur de journée sans prendre la peine d'aérer. Fallait ouvrir. Dehors, ça commençait à se lever. Le portail de la veille était ouvert. Plein de bagnoles garées devant, et aussi dans la cour.

– 'tain ! T'es con, ou quoi ? Tu veux que j'me transforme en glaçon ? 'tain, mais referme-moi cette fenêtre !

Le type avait ramené ses pieds sous la couette et se tournait dans tous les sens. Il a fini par se redresser.

– 'tain ! Mais y a trop de lumière, en plus ! Vas-y ferme, steuplaît...

Il avait les cheveux plutôt ras et la face écarlate, creusée de cicatrices d'acné.

– T'es déjà là. Je pensais que tu te ramenais pas avant cet aprèm. Ils m'avaient prévenu. Ils m'ont demandé si ça me dérangeait, et tout...

Là-dessus, il s'est étiré en tapant du poing en l'air.

– Allez, en piste !

En le voyant prendre l'échelle, j'ai préféré reculer.

– Y a un blème ? je lui ai fait.

– Jamais d'blème.

Et le voilà debout face à moi, torse poil et deux trous au caleçon, côté cul.

– Pas besoin de me mater comme ça ! C'est pas à moi. Calfouette de taule. J'ai que des trucs de taule. Eh ouais. Parce que moi, ils sont venus m'embarquer, tu vois.

Il m'a tendu la main. J'ai laissé passer quelques secondes avant de serrer.

– André. C'est mon nom.

– Daniel.

Il était tellement sec qu'on pouvait deviner tous les os, et pas seulement les côtes. J'allais devoir faire gaffe qu'il me prenne pas en traître avec la pointe de sa clavicule qu'on lui voyait sortir du dos. Il est allé choper une serviette dans le placard, pieds nus.

– Serviette de taule. Mate un peu, il a fait en me la tendant sous le nez, le doigt sur un petit écusson cousu dans le coin : M. A. Zeithain. Plutôt cool, hein ?

– Tu parles.

Il a farfouillé son bordel pour en sortir un gros bout de savon.

– De taule, ça aussi ?

– Comment t'as su ? il s'est marré. Ils sont venus m'embarquer, ch'te dis. Pas le temps de rien emmener. Mais bon, j'avais que dalle, tu sais.

Il s'est encore marré. Ça m'enlevait un poids de savoir que ses dents étaient encore à moitié en état.

– Par contre, il a continué en emballant le savon dans sa serviette, tu sais, la brosse à dents, elle est à moi. C'est à moi. Pas une brosse de taule.

Et il l'a sortie du placard.

– … le dentiflouse, pareil. Devine où je l'ai chopé.

Dès que je m'en suis allumé une, je l'ai vu lorgner sur mon paquet.

– Ben, je l'ai tapé chez Schleckers. Y a quelques jours. Ça t'en bouche un coin, nan ?

– Carrément.

Je l'ai regardé sortir dans le couloir avec ses affaires de toilette et son sourire. Son dos était rayé de cicatrices pâlies qui faisaient penser qu'un salopard l'avait roué de coups de fouet. Dehors, quelqu'un s'est poilé, puis quelqu'un d'autre, et puis André s'est repointé.

– Mes grolles, il a soufflé en les sortant de sous le lit.

Et j'ai compris d'où venait l'odeur.

– Des choses qu'arrivent, il a fait en m'envoyant son sourire niais.

On prenait notre petit déj'. Ils avaient déjà verrouillé. On était assis à se faire des tartines, fenêtre ouverte, la confiture et la margarine sur le rebord, plus précisément sur l'espace minuscule entre la fenêtre et les barreaux.

– Tout le monde fait pareil, m'expliquait André. Un peu comme un frigo.

J'ai acquiescé. Comme la ration du petit déj' tombait le soir, il avait bien voulu me lâcher un peu de pain.

– Moi aussi, chuis là que depuis deux jours, il m'a fait en laissant échapper un bout de tartine. Mais j'ai eu l'œil. Faut bien. Toi aussi, faut que t'aies l'œil. Sinon tu t'en sortiras pas.

– T'es d'où ?

– Leipzig.

– Quel coin ?

– Secteur sud. Connewitz.

Connewitz, c'était le quartier où créchaient les Morbacks, et vu ses fringues, il avait sûrement vécu dans un de leurs squats, si c'était pas sur le trottoir. J'en connaissais qui venaient de Connewitz, mais je lui ai pas demandé de leurs nouvelles.

– Et toi ?

– Reudnitz.

– Sale coin.

Il en aurait pas fallu plus à Rico pour lui en coller une, mais il avait pas tort, et je l'ai fermée. Il s'est levé pour aller chercher une tranche de charcute.

– Hier, je l'avais foutue dehors. Y a un piaf, il se l'est chopée. Tu vois lesquels, un genre de gros piaf noir. Mais pour la margarine, ils peuvent pas, Elle est trop grosse, tu sais.

Il a étalé la confiture, mais après avoir couché la charcute sur la tartine.

– Enfin vrai truc à graille, putain. T'aimes bouffer, toi ?

Depuis le début, je lui répondais à peine, mais ça l'empêchait pas de jacter.

– … parce que moi, normalement, j'mange presque rien.

– Sans déc.

Il m'a regardé en rigolant, les dents plantées dans sa tartine charcute-confiote.

– Ah d'accord ! J'ai pigé. Chuis un peu keuss, ouais. C'est que d'habitude, j'ai pas grand-chose à graille.

Je me suis versé du thé. Trop froid et trop sucré à la fois.

– C'est à cause de ce truc, là. Le Débandol.

– De quoi ?

Ça l'a fait marrer.

– Ça te dit rien, hein ? Ben, c'est un truc, ils foutent dans ton thé. À cause de la béquille. Pour pas que t'aies la béquille.

– T'hallucines !

– Non ! Franchement. Ch'te jure. C'est pour pas que tu sois excité. C'est le même thé que dans la vraie taule. Crois-moi !

– Mouais. Pas impossible.

Je me souvenais que Rico m'avait parlé d'un truc dans le genre, il commençait à devenir expert en taule, taulologue, ils disaient dans le quartier, et à l'heure qu'il était, il tirait sa peine à Torgau, encore plus loin. «Pas moyen d'kène. T'sais, quand chuis revenu, j'étais allongé sur Janine, et y a plus rien qu'allait. Ils m'ont empoisonné, ces crevards. Dedans, ils t'empoisonnent avec cet enculé de thé.» Mon gobelet était vide. J'ai revissé le thermos.

– Au fait, Dani…

– Dis-moi.

– Ch'peux t'appeler Dani, pas vrai…

– Si ça te chante.

– Tu sais, Dani, moi, mon thé, je le coupe à l'eau. Pour pas être comme un con quand je sortirai, tu vois.

Il m'a fait son sourire en coin. Le pouce sorti entre l'index et le majeur.

– Laisse-moi deviner. T'as tout un harem?

– Bien sûr. T'as cru quoi?

Pendant qu'il léchait le couteau qu'il venait de touiller dans le pot de confiture, j'ai écarté mes restes et rabattu la fenêtre.

– 'tends un peu, Dani. Faut encore que je refoute mes trucs dehors.

Je m'en suis allumé une en rapprochant le cendrier, et il est allé poser son thermos sur le placard pour balayer les miettes.

– Dis voir, Dani…

– Quoi.

– T'en aurais une pour moi? S'il te plaît. J'en ai aussi, du tabac. Si tu veux, après, j'nous en roule deux…

– Tè fatigue pas.

Il a ouvert frénétiquement le paquet et s'en est allumé une illico.

– Putain, une active! Enfin! Ça fait trop de temps. Merci, tu gères!

Il m'a souri en gardant la clope au coin des lèvres et s'est penché pour rouvrir la fenêtre.

– Faut juste que je range mes trucs. T'inquiète, je referme dans deux secondes.

J'ai acquiescé. Il a sorti la margarine et la confiture sur le rebord en faisant gaffe de bien les caler contre les barreaux.

– Hier, il a repris en fermant, la confiture elle s'est barrée. Elle a glissé sous les barreaux. J'ai dû sonner pour descendre en bas avec le maton. Mais elle était déjà niquée. Du coup, j'en ai eu une nouvelle. Pas mal, hein?

– Tu parles, je lui ai fait en écrabouillant ma clope.

– Bonne idée ! il a répliqué en me voyant embarquer le paquet sur mon lit.

Et il a tiré sur son mégot jusqu'à ce que le point rouge ait presque disparu à l'intérieur du filtre.

– Dis donc, y a encore masse de tabac sur la tienne.

Grimpé en haut de l'échelle, il s'est mis à bricoler au-dessus de ma tête en faisant tanguer le matelas. Quand il est redescendu, il tenait un pochon.

– Tu sais, il m'a fait en l'ouvrant pour le flairer, là-haut, personne il peut trouver. Ch'peux te faire confiance ?

– Tu te fous de moi ? je lui ai fait en me redressant.

– Nan, Dani, nan. 'scuse, c'est pas ça que je voulais dire. Évidemment ch'peux te faire confiance. Les gens, je les sens tout de suite.

Repêchant ma clope dans le cendrier, il a cassé le filtre pour pouvoir saupoudrer les miettes de tabac dans son pochon.

– Chuis habitué. Ça te tient plus longtemps. J'ai pas honte, tu sais.

– T'es vraiment un as, je lui ai fait, la tête appuyée au mur, le regard derrière son épaule, par la fenêtre.

– Eh ouais, il m'a fait en reprenant l'échelle. Faut bien être un peu malin, des fois.

– T'as pas mal de chtars, dis-moi.

– Acné. J'avais de ces spots, oh la la ! C'était chaud.

– Ton dos.

– Ah, ceux-là. Ouais. Vieilles histoires. C'était avant, tu vois…

Il a balancé ses pompes, je l'ai entendu se tourner et se retourner là-haut, le matelas se remettait à tanguer. Sur le mur, près de ma tête, des noms gribouillés, des traits, des chiffres. Marko était passé, Ronny était passé, Thomas 21, Mario le King. À côté d'un bonhomme en petits traits, on pouvait lire André, d'une écriture encore fraîche. La première nuit, il s'était peut-être pieuté en bas de peur qu'ils débarquent pour le choper, lui et son tabac. Il a entendu les pas des matons, juste là, dans le couloir, il a rassemblé ses draps, son tabac, et il a filé sur le lit du haut en continuant de claquer des dents.

– Hé ! je lui ai fait en toquant au poteau du lit. Il te reste combien à tirer ?

– Dix-huit jours. Et toi, Dani ?

– Trente.

– Hé, Dani. C'est quand même chouette de plus être tout seul. Tu trouves pas ?

– Carrément. C'est mieux.

Je l'ai encore entendu se tourner et se retourner en faisant tanguer le matelas. Il a fini par se calmer, j'ai retiré mes pompes pour les mettre à côté du lit, et je m'en suis allumé une. Le cendrier était resté sur la table, mais plus envie de me lever. J'ai préféré tapoter la cendre entre le lit et le mur. Son souffle m'arrivait de là-haut. « Hé… » Mais pas de réponse. Il s'était endormi.

– Café.

Le maton me regardait de haut. Je fumais au lit. Ça faisait quelques heures qu'on avait pris notre repas du midi, la vaisselle était encore sur la table.

– Lavez-moi ça, il a ajouté en tendant son trousseau vers les assiettes.

– Avec plaisir. Immédiatement.

Quand il a eu le dos tourné, j'ai pointé l'index et le pouce comme un gun, et j'ai shooté. Huit balles, tout le chargeur. Ensuite, je me suis levé pour ramasser l'assiette, les couverts et la barquette alu.

– Hé mais oh, attends deux secondes ! m'a lancé André de son lit.

J'étais déjà dans le couloir. Tous les types sortaient de leur cellule pour ramener la vaisselle aux lavabos, d'autres allaient aux chiottes. Les visages se tournaient vers moi. Pendant que ceux de devant vidaient leur assiette dans la poubelle, je gardais les yeux fixés sur la mienne. Quand ç'a été mon tour, ils ont recommencé à me mater. Pas beaucoup de bruit, seulement trois ou quatre qui élevaient la voix, et un rire dans le couloir. En ressortant, je suis tombé sur un Niaque. À peu près mon âge. Il portait un marcel qui laissait apparaître le symbole sur son épaule. Quand il a vu que je matais, il a resserré sa trajectoire pour que son épaule tape ma poitrine. « Fais un peu gaffe, Viêt-Công », j'ai marmonné sans m'arrêter. C'était peut-être un roi de la garo à qui y avait pas intérêt à chercher des noises. Pas forcément un chaud pour autant, vu qu'avec la contrebande de clopes, n'importe qui pouvait se faire des couilles en or. Selon Rico, les taules de Leipzig et des environs regorgeaient de Niaques. André sortait de la 23 avec sa vaisselle. Il m'a dit un truc en souriant, mais je l'ai pas calculé. Une fois ma vaisselle rangée dans le débarras, j'ai avancé vers la salle commune. En me rendant compte que j'avais oublié de déposer le gobelet et l'assiette, ce qui m'a encore valu un aller-retour. En bas, devant la porte du réfectoire, une grosse dame à cheveux bouclés et grandes lunettes était encerclée par des types qui lui tenaient la jambe.

– Alors, vous nous avez ramené assez de gâteau, cette fois ?

– Mais oui, qu'est-ce que tu crois ! Pareil que la semaine dernière.

– Et il vous en reste aussi, de l'autre, là ? Du gâteau de Noël ?

– Y en a.

– C'est pour moi ! a lancé un nabot qui faisait douze ou treize ans. Ça fait une semaine que j'attends, moi !

– C'était y a quatre jours, a fait la grosse. C'était dimanche.

– Même ! a renchéri le nabot en regardant tout le monde de ses grands yeux, moi inclus. Il s'était déjà tourné vers la salle commune, mais d'un seul coup il a fait marche arrière pour revenir se foutre derrière la nana et lui coller des oreilles de lapin qu'il agitait de haut en bas. Il se poilait en silence, sortait sa langue en faisant semblant de lui lécher le dos jusqu'à la nuque, les autres se poilaient aussi, même moi, et à la fin, même la nana s'y est mise. Après, le type s'est baissé pour lui renifler le cul en se bouchant le nez, il s'est encore poilé, nous avec, et il a fini par disparaître dans la salle commune.

– Alors ? Nouveau ?

Elle me regardait en frottant ses mains l'une contre l'autre, comme si elle grelottait.

– C'est ça.

– Arrivé hier, a fait un type long et fin, appuyé au mur dans son coin avec des cernes jaunes de buveur. Cette nuit. Même qu'il nous a réveillés.

– Ç'a dû te changer, je lui ai lâché en regardant ses paupières tiquer au-dessus des cercles jaunes. Toi qu'aimes tant ton plumard.

Les autres ont fait de grands sourires pendant que la grosse allait vers la porte.

– Café bientôt prêt… arrive tout de suite.

On s'est traînés vers le réfectoire.

– Hé, j'ai fait à un mec en lui tapant gentiment sur l'épaule, steuplaît. Dis-moi, c'est qui cette tata-gâteau ?

– L'Assoce des visiteurs de prison, il m'a fait en se retournant, et j'ai vu que c'était le petit crâne rasé de ce matin dans les douches.

– L'Assoce des ?

– T'aimerais bien savoir, hein ?

– Dis, steuplaît.

Il s'est arrêté :

– D'abord, ils passent dans la vraie taule. Tu piges. Avec le gâteau, le café et compagnie. C'est que des dons. Et quand ils ont fini, ils viennent nous voir.

– Compris.

Je lui ai encore tapé un petit coup sur l'épaule, mais il a juste remué vaguement le menton en continuant vers les tables.

– Et merde ! Mon enculé de thé il s'est renversé.

C'était André, juste derrière, dans l'encadrement de la porte, une tache au fute.

– T'es pissé dessus, tu veux dire ? je lui ai lancé bien fort, et quelqu'un s'est marré.

– Mais nan, c'est juste la tasse. Cette salope de tasse qui m'a… Eh, Dani, on se met ensemble ?

– Ouais. Mais t'évites de m'arroser, d'acc ?

Ça s'est encore marré. On est allés aux tables, André tellement collé à moi que je sentais son haleine sur ma nuque.

La grosse a servi une deuxième tournée de café. Y avait une autre dame qui lui ressemblait presque comme deux gouttes d'eau, mais sans lunettes. Elle allait de table en table avec un plateau couvert de parts de gâteau. J'étais à la table des deux crânes d'œuf. Le plus petit, c'était Frank, il venait de me le dire en levant son café pour qu'on trinque. Ils étaient de bon poil, surtout Klaus qui s'était offert le gâteau de plusieurs types et l'avait déjà presque fini. André était à côté de moi.

– Où qu'il est, mon gâteau de Noël, hein ? a chouiné le clown de tout à l'heure en passant près de la tata-gâteau.

– Y en aura pour tout le monde, elle lui a fait en levant le plateau au-dessus de sa tête pour l'empêcher de chaparder.

– Mais… et mon gâteau de Noël ?!

Noël était déjà passé depuis belle lurette, mais peut-être qu'il était resté ici pendant les vacances, ou que chez lui Noël on connaissait pas.

– Pose ton derche, le nain, et ferme ta gueule ! lui a crié un type. T'es assez empiffré comme ça.

On s'est marrés. La tata-gâteau continuait à se balader entre les tables pour remplir nos gobelets.

– Tu files un bout de ton crumble, Daniel ? m'a fait Klaus en tendant son assiette.

– Sûr. Trop sec pour moi, de toute façon.

– T'as raison, a fait Frank. Mon paternel… mon paternel, il est boulanger, il fait des crumbles. Des super bons. Chez nous, au village…

– C'est quoi, ton village ? je lui ai demandé en mettant la moitié du gâteau sur l'assiette de Klaus, avec un signe de tête et un sourire en retour.

– … pas loin de Dresde, a répondu Klaus à la place de l'autre en arrosant la table de miettes. C'est là-haut c'est le mieux. Garanti sans métèques, son village. Hein, Frank ?

– Un peu, ouais.

– Moi, Leipzig, je leur ai fait. Personne rivalise.

– Va un peu dire ça à l'autre, là, le grand, a fait Klaus en tournant la tête vers une table collée au mur. Dresde, lui aussi. Collègue à nous. Lui, c'est un vrai.

Fallait avouer que le mec avait l'air plutôt méchant. Son nez était tout aplati à force de donner des coups, ça jurait dans son visage étroit. Il faisait un quatre-vingt-quinze au bas mot, les gars de sa table ne lui arrivaient même pas à l'épaule. On aurait dit ses petits frères, ceux dont il devait s'occuper en l'absence de maman.

– Il est pour Dynamo, a repris Klaus. Sacré numéro. Je me ferais bien un petit match contre lui, un de ces jours. Moi et lui. Que nous deux, dans la cour. On jouerait un peu, tous les deux, rien de plus. Mais sans déconner, il est cool. C'est un bon.

– Quoi, jouer ? Au foot ?

– T'es con, Daniel ? Tu es con ? Nan, juste comme ça, juste se taper un peu sur la trogne, jouer un brin, tu comprends ? Il est pour Dynamo, ch'te dis !

J'ai rougi en ayant l'impression qu'ils fixaient tous ma gueule écarlate.

– Bien sûr. Bien sûr que j'connais. Faire un p'tit match, jouer un p'tit peu. J'avais pas bien entendu, c'est tout.

Klaus continuait à mater la Brute tout en faisant glisser son gobelet de gauche à droite.

– Lui et moi, tu comprends. Rien que ça, jouer un peu, tu vois. Bête de combat, que ça ferait. Attends ! C'est un bon, ch'te jure. Il est pour Dynamo, tu comprends ?

– Sûr.

Je haïssais le Dynamo presque autant que Loco-Leipzig. Au temps de la zone, les flics leur filaient des pots-de-vin. Police du Peuple, à Dresde. Et je détestais tout particulièrement les supporters du Dynamo parce que c'étaient presque tous des ultras ou des Skins. Assise de l'autre côté, la Brute n'avait pas la boule à Z, sa tignasse était même plutôt longue et lui arrivait quasiment aux épaules. Il avait l'air d'avoir pas loin de trente, mais c'était pas possible, détention pour mineurs ; c'était sûrement la tise et la baston qui l'avaient vieilli, et la plupart de ceux que j'avais vus jusqu'ici accusaient le coup sur leur gueule.

– Encore un peu de café ? Il en reste. Allez-y, finissez.

La tata-gâteau a posé le thermos sur la table, j'ai servi Klaus, puis moi, et puis j'ai fait tourner. Un petit gars a rempli son gobelet à ras bord. Il n'avait pas dit un mot. Pas bien grand, il regardait par terre chaque fois que je tournais les yeux vers lui.

– Tu m'en laisses un peu, oh !

Frank voulait récupérer le thermos, mais le petit muet se plaignait en essayant de lui arracher.

– … tu… tu… tu le gardes tout le temps ! il continuait à bégayer, mais juste un peu, ça s'entendait presque pas. À moi, maintenant !

– D'où tu me parles comme ça ? D'où il me parle, le pipi ? Pas vrai que tu fais pipi au lit ?

On s'est marrés.

– Même pas vrai, trou-du-cul ! Même pas vrai !

Là-dessus, il s'est levé.

– … du thé, j'ai dit ! J'ai déjà dit que c'était du thé ! Ç'a renversé sur le lit. Le thermos qui m'a glissé des mains, trou-du-cul !

André se fendait la gueule à côté.

– Alors pourquoi qu'elle sentait le seup, ta tache ? a continué Frank. T'as pissé dans le thermos ?

Ça continuait à se marrer.

– C'était même pas de la pisse ! a encore gueulé le petit d'une voix aiguë. C'en était même pas !

– Eh là, eh là ! Commencez pas à nous polluer l'atmosphère ! a coupé Klaus en se levant pour mettre sa grosse paluche sur l'épaule du nain. Ça va, c'est bon, personne a dit que tu te pisses dessus dans ton lit.

Il avait sorti ça tout doucement, calmement, comme à un chien, mais l'autre a encore haussé le ton :

– … ouais, mais… il l'a dit, ce trou-du-cul. Alors que c'était que du thé ! Que du thé, que du thé ! J'fais pas pipi au lit, moi, putain !

La dernière phrase, il l'avait criée. Et là, dans le réfectoire, plus un mot. Tout le monde le toisait. « Pipioli », a lancé quelqu'un. (C'était pas la Brute, lui, je l'avais à l'œil.) Alors le type s'est mis à gueuler sévère, il a projeté sa tasse à travers la pièce, le thermos a suivi. Mais avant qu'il ait eu le temps de sauter en l'air pour foutre le bordel, Klaus le tenait par le col. Il l'a attiré à lui par-dessus la table en le serrant bien fermement, l'a plaqué contre sa poitrine et l'a traîné vers la sortie en passant devant les tables. Le maton venait à leur rencontre. Jusque-là, il était resté adossé au mur, à boire du café en nous gardant à l'œil.

– Pas de malaise, lui a fait Klaus. Y a pas de malaise. C'est bon, je le sors.

Le type chialait et criait dans le t-shirt de Klaus.

– C'était du thé ! C'était que du thé, putain !

Et après, ils étaient dans le hall, le maton à leur suite.

– Et alors ? m'a fait Klaus. *C'est bon*, tu t'y es fait ?

– Boaf, pour quelques semaines… trop court. Et puis, dès que tu t'habitues, ils te relâchent.

Je m'en suis allumé une en recomptant les petites encoches sur mon briquet. Cinq jours.

– Sûr, a fait Klaus. Quelques semaines, c'est que dalle.

On avait notre heure de libre, on était posés dans une cellule, à jouer aux cartes. On se faisait un trente et un avec Frank, Klaus et André. On avait réquisitionné Pipioli en plus, c'était plus drôle à cinq.

– J'ai vraiment hâte de retourner chez moi, a fait André.

– Ch'croyais que t'en avais pas, je lui ai fait, de chez-toi.

– Ben… t'as pas tort, j'ai pas de vrai appart. Mais ch'peux toujours aller chez les bénévoles pour me doucher, bouffer et tout…

– Arrête ton blabla et change, lui a fait Klaus.

– Nan, je passe. C'est ça. Je passe.

– Bonhomme! Secoue-toi! On avait dit qu'on passait pas!

– Bon. Alors si c'est ça, je sors.

Une fois ses trois cartes sorties face contre table, il a commencé à se faire une clope. Il a léché la feuille, roulé la cigarette plusieurs fois dans le creux de sa main, et puis, avant de l'allumer, il a rebalayé les miettes de tabac dans son pochon avec la tranche d'une carte.

– Alors, gars, combien ça te fait?

Le moment où on a claqué toutes nos cartes sur la table.

– Vingt-neuf.

Il venait encore de rafler la mise.

– Je touche pas mal, hein? il a fait en se prenant nos allumettes au centre.

– C'est juste un vieux jeu de hasard!

– Quand même.

Ensuite, il a battu les cartes, redonné, et on a continué à jouer en fumant. Sauf Pipioli, il avait pas de clopes. Je lui ai fait passer mon paquet.

– C'est bon. Prends-toi une.

– Merci.

– Pas besoin de chuchoter!

Frank lui a donné du feu.

– Allez, le nain. Prends une vraie taffe, ça te fera grandir!

On s'est marrés, il a fini par sourire, on a reposé les allumettes au milieu pour reprendre la partie. Pipioli a sorti un dix, André l'a chopé, avant de sortir un huit en claquant son jeu sur les allumettes.

– Trente et un! Knack!

– Tu vas la fermer, un peu!

– Putain, mais... mais! a gueulé Frank en tapant du poing sur la table. Mais pourquoi tu lui refiles ton enculé de dix, aussi!

– Mais j'ai besoin du sept, moi! a crié Pipioli qui toussotait en tirant sur sa clope. J'en ai besoin, du sept. J'en avais... j'en avais trois, moi!

Il nous a montré ses trois sept.

– Eh bah maintenant, ils te servent plus à rien.

Klaus a battu, redistribué, et on a remis nos allumettes au milieu. Mais tout le monde s'est retourné. Ina guettait sur le pas de la porte. Plus aussi belle qu'au premier jour.

– Vous jouez avec nous? lui a lancé Frank en la regardant par-dessus ses trois cartes.

– Oubliez pas, elle a répondu la main posée sur la hanche, tout près de sa matraque. C'est fini dans un quart d'heure.

Sur quoi elle nous a tourné le dos et elle est sortie très lentement dans le couloir, pour aller à la cellule d'en face. On reluquait son cul qui sautillait à chacun de ses petits pas. J'ai rendu mes cartes et je me suis pris les vingt-six étalés sur la table, pendant que Klaus balançait sa dame de cœur.

– Putain ! a lâché Frank en la levant bien haut. Toutes les nuits, j'attends qu'une chose, c'est qu'elle rentre pour venir me border. Qu'elle me chevauche bien violemment... Elle va bien finir par se ramener ! Pas vrai, Klaus ?

– Tu vas la fermer, ta gueule !

Ils étaient dans la même cellule. On avait tous abandonné nos cartes. Plus un mot. André se roulait une clope. Je me suis allumé une blonde, Klaus en a calé une entre les lèvres de Pipioli.

– Cadeau de la maison.

Ensuite, on a fumé.

– Tu sais ce qui me fait flipper ? a repris Frank. S'ils m'enferment pour de bon. Pour longtemps, ch'parle. Style un an. Plus de gonzesses pendant un an, que des bonhommes...

– On sait que t'aimes ça, lui a fait Klaus.

On s'est marrés.

– Arrête tes conneries... non mais vraiment, gars ! J'ai une nana, moi. Une nana pour de vrai. Depuis deux ans et plus. J'la vois tous les jours, t'sais. Et... bon, ben, j'la nique tous les jours aussi, c'est clair...

On s'est marrés.

– ... et là, imagine. Que des mecs, putain. Après, qui sait, elle sera barrée quand je ressortirai. Après un an, ch'parle...

– Ma dernière copine, a fait André en saupoudrant le tabac de nos mégots dans son pochon, moi... ma dernière gonzesse, avec elle, on vivait dans un squat. C'était vraiment cool. J'avais ma piaule là-haut, que pour ma gueule, et là, eh ben, tous les jours on pouvait...

Ça le faisait ricaner. Malgré le coup que je lui ai mis sous la table, il a continué à développer sans rien capter, sans voir non plus Klaus qui le fixait en écrasant sa clope, bien détendu. Je la connaissais, son histoire, il me l'avait déjà racontée la veille, et peut-être que j'aurais dû lui expliquer la situation un peu mieux : apparemment, il avait pas bien imprimé.

– … franchement, c'est pas trop mal, chez les Morbacks. Sauf qu'après… après, j'me la suis fait piquer par un gars, là, l'autre facho. Chais même pas d'où il la connaissait. Un facho de mes deux qui me pique ma gonzesse, un enculé de facho. Nan mais, est-ce que vous pouvez…

Il n'a pas eu le temps d'aller plus loin. Dieu sait que je lui avais filé d'autres coups dans la jambe, il devait déjà avoir de jolis hématomes, mais peut-être qu'en fait j'avais touché le pied de la chaise ou qu'il aimait ce genre de délires. Klaus était debout, sa grosse paluche sur l'épaule d'André.

– Attends… répète un peu ? Répète ? Qui c'est qui t'a piqué ta nana ? Je suis sourd, peut-être ? J'entends mal, peut-être ? Qui te l'a piquée ? J'ai un problème d'ouïe ? C'est moi qui débloque ?

– C'est bon, laisse. La pause est finie dans deux secondes.

Frank aussi s'était levé, mais Klaus s'est contenté de l'écarter.

– J'ai l'impression que je débloque. Répète un peu, répète un peu, steuplaît ? Qui c'est qui t'a piqué ta nana, raclure de Morback ?

Sa main avait changé d'endroit, elle était passée de l'épaule au t-shirt, puis à la gorge.

– 'scuse-moi, mon pote ! C'est pas ce que je voulais…

André se débattait vers la porte, mais Klaus tenait sa gorge bien fermement.

– T'es posé à côté de moi et tu te permets de sortir ça ! Viens, répète un peu, je veux l'entendre encore une fois ! C'est que j'ai des problèmes d'ouïe, tu comprends ! Je voudrais encore l'entendre : qui-t'a-piqué-ta-meuf ?

Sans lâcher son cou, il lui a plaqué la tête en arrière, et c'est le moment où je me suis levé.

– Arrête, Klaus. Arrête-toi, ça suffit…

Il s'est tourné vers moi sans desserrer pour autant.

– Toi aussi, tiens. Chuis sûr que t'es capable de me dire qui a piqué la gonzesse de ton copain. J'ai pas bien entendu, c'est tout.

Je connaissais la passe. Il suffisait que je lui dise pour qu'il m'en claque une. Satanée passe de Skin. Passe de fouille-merde. C'était pas la première fois. « Qu'est-ce que tu regardes comme ça, dis ? Qu'est-ce t'as à me reluquer comme ça ? » « Je t'ai même pas regardé ! » « Tu trouves que chuis laid ? Quoi ? Tu dis que j'ressemble à rien ? J'ai de la chiasse sur la gueule ? » Et la seconde d'après, ça te tombe dessus.

– C'est pas mon copain. Mais tu le lâches. Fin de la pause dans deux secondes, tu lui en colles une et on en parle plus. La pause est finie !

Il lui en a collé une. Du poing. Court crochet du gauche sur la pointe de la mâchoire. Pas trop fort, histoire de pas se faire repérer. Il a fini par lâcher la gorge, André est venu taper le mur et a glissé cul par terre. Il gardait un bras levé à hauteur le visage, mais Klaus est resté planté sans lui donner son compte. André a voulu se remettre sur ses jambes, mais elles ne le portaient plus, et il a été obligé de s'y reprendre à deux fois. On aurait dit qu'André avait un menton de verre, mais c'était que le gros crâne d'œuf avait de la frappe.

– Chuis désolé, a fait André en se retournant vers Klaus. C'est pas ça qu'je…

– Allez ! je lui ai gueulé d'un coup. Casse-toi, Morback ! Tu vas déguerpir, oui !

– Et oublie pas ton tabac de crasseux ! a ajouté Klaus en le voyant battre en retraite vers la porte.

Klaus a balourdé son pochon, la moitié du tabac a jailli dans les airs et s'est éparpillé entre nous comme des flocons bruns. Pipioli s'est repris une clope dans le paquet de Klaus, hilare.

– Regardez-moi ce Morback ! il a fait en pointant sa clope vers André, accroupi dans le couloir à balayer le reste du tabac dans sa main pour le remettre dans le pochon.

– On a encore des choses à se dire, Morback !

– Écoute, j'ai fait à Klaus. Ça sert à…

– Mais de quoi tu te mêles, à la fin ? Tu serais pas un sale Morback, toi aussi ?

Avant de me rapprocher, j'ai bien enregistré la position de la chaise.

– Fourre-toi ça dans le crâne : je ne suis pas une raclure de Morback.

Il a reculé d'un pas, mais au moment où je me disais qu'il allait m'avoiner ou me choper à la gorge, comme André la minute d'avant, il m'a tendu la main.

– C'est bon, Dani. Chais que t'en es pas un. Mais c'est le petit pisseux, là, il m'a vraiment foutu les glandes.

Il s'est encore tourné vers André.

– Va au diable, étron d'anar !

J'ai préféré serrer sa main en essayant de l'adoucir.

– C'est un abruti, point final. À quoi ça sert de le prendre au sérieux ? C'est qu'un pauvre gars, suffit de lui en coller une et il te cire les pompes, tu piges ? C'est qu'un pauvre type, il se fait taper en permanence. Tout ce que tu gagnes, c'est te salir les mains.

– Ouais, ouais. T'as raison. Mais bon, merde ! Il a qu'à pas aller raconter des saloperies pareilles aussi. Dans ma cellule, t'imagines ! Dans ma cellule ! Tu sais quoi, il va s'en prendre une. Ch'crois que ça lui a pas suffi, j'vais lui en refoutre…

– Dans vos cellules ! a ordonné Ina depuis le couloir.

– Bon. Bah, à demain, j'ai fait à Klaus en lui tapant sur l'épaule.

– C'est ça, gamin, bon courage. Et colles-en une de ma part à ce Crasseux. Mets-lui-z'en une bonne !

– Ça dépendra s'il ouvre sa gueule.

Klaus a ajouté un truc, mais j'étais déjà dans le couloir.

– Regagnez vos cellules !

Ina faisait sonner son trousseau dans l'encadrement du petit bureau. Je lui ai souri en retournant à la 23. Les lèvres tirées à m'en faire mal. Au moment de la dépasser, je me suis retourné pour lui sourire à reculons, mais elle continuait à faire tinter ses clés sans me calculer le moins du monde.

André était couché sur le lit du haut. Il s'était roulé en boule contre le mur, enfoui sous la couette, et on voyait plus que ses pieds. Je me suis assis à table et je m'en suis allumé une en ramenant le cendrier vers moi. Je savais bien qu'ils allaient encore passer pour regarder si tous les gosses étaient rentrés. La consigne. Je les entendais déjà dans la cellule d'à côté. Je me suis levé pour ouvrir la fenêtre. Dehors, il faisait presque noir. Sans neige. Je suis allé m'asseoir sur le lit. Adossé au mur, je me suis plaqué les cheveux en arrière, et j'ai craché la fumée vers la porte juste au moment où Ina l'ouvrait. Un regard, un hochement de tête, un tour de clé.

– Un peu de travail, ça vous dirait ?

Le maton, debout au milieu de la pièce. J'avais pas entendu la porte.

– Du travail ? je lui ai fait en m'asseyant au bord du lit.

– J'ai un collègue qui va chercher la nourriture. Si ça vous intéresse. On mettra ça sur votre appréciation.

– Ça roule, je lui ai fait en me levant. Au moins, ch'prendrai un peu l'air.

J'ai enfilé mes pompes. En haut, André s'était redressé contre le mur.

– Moi aussi, je…

– Pas aujourd'hui. Il nous faut qu'un seul garçon.

On est passés dans le couloir.

– 'tendez ! je l'ai arrêté au moment où il verrouillait. Mon blouson !

Un tour de clé dans l'autre sens, pour me laisser retourner au placard. J'ai bien pensé à laisser deux clopes sur la table, et puis j'ai emboîté le pas au type vers l'escalier. Derrière la grande vitre, un autre condé fumait devant son écran. (La plupart du temps, c'est comme ça qu'on les appelait, même si c'était pas des vrais et qu'ils avaient pas d'arme.)

– Vous attendez là.

Le maton est entré lui dire un truc, le condé de l'ordi a opiné, m'a regardé à travers la vitre, a encore opiné. Le mien est ressorti, et on a pris les marches.

– Oh ! Debout, Morback ! j'ai lancé bien fort en raccrochant mon blouson dans le placard.

La neige de Riesa fondait dessus. Avec le condé, on avait traversé le parking jusqu'à l'hypermarché. Il était en civil, je marchais en tête, les caisses en plastique vides empilées sur les bras. J'étais un môme tout ce qu'il y avait de plus normal qui allait faire les courses avec son père, mais je gardais tête baissée, cette neige, toute cette neige, quand on est remontés dans le Transporter vert de la taule et que je me suis retrouvé assis derrière le grillage qui couvrait les vitres teintées, là…

– Sa mère, Morback ! Tu vas te lever, oui !

Les piliers du lit en tremblaient. Il s'est redressé dos au mur.

– Chuis pas un Morback.

– C'est ton anniversaire !

– D'où tu sors ça ?

– Un peu que c'est ton anniv !

– Ça va, Dani. Pas besoin de te foutre de moi…

– Parce que je t'ai ramené un petit cadeau.

– Quoi, comme cadeau ?

Ça lui avait déjà fait descendre la moitié de l'échelle.

– Regarde bien… c'est du fin de chez fin…

Dézippant ma braguette, je me suis glissé une main dans le slip. Il était bouche bée.

– Putain, Dani ! Mais qu'est-ce tu m…

Mais la flasque de 20 cl était déjà à l'air libre. J'ai soufflé discrètement sur le poil collé à l'étiquette. André a dégringolé la fin de l'échelle et s'est rué vers moi.

– Fais un peu gaffe ! Va pas l'éclater par terre.

– Mec, Dani ! D'où tu sors ça ?

– Trouvé, je lui ai fait avec un sourire, en me posant à table, la bouteille calée devant moi.

– Raconte un peu, Dani ! Vas-y, raconte un peu !

– Ils m'ont emmené faire les courses, tu sais…

– Putain ! Et si jamais tu t'étais fait…

– Même pas la peine. Chuis trop balèze ! je me suis marré en levant la bouteille. Un cageot, tu vois le truc ? Je l'avais planquée dans un cageot…

– On partage, hein ?

– Tu te fous de moi ! Je viens de te dire que c'était ton anniv. T'as cru que je l'avais tapée pour me la faire pers' ?

– 'scuse, il a murmuré. C'est pas ce que je voulais dire…

– T'inquiète.

J'ai remis le cul de la bouteille sur la table en la faisant glisser de gauche à droite.

– Hé, il m'a encore fait. Ça te dit pas qu'on se l'ouvre tout de suite ?

– Nan. On fera ça après, au moment de rentrer. Y a temps libre dans deux secondes.

– Euh. Moi, je sors pas de la cellule aujourd'hui. Je reste là, je fais semblant de dormir.

– À cause de Klaus ?

– Ouais.

Ça faisait quatre jours qu'il restait au lit. Il n'allait même plus à la douche, du coup j'étais obligé de lui prêter mon déo pour éviter la puanteur. Je me suis reculé un peu pour mieux reluquer la bouteille, en concluant :

– Ça vaut mieux. Pour l'instant, bouge pas. Mais il est déjà en train de se calmer. J'ai causé avec lui, il est plus du tout en rogne. Et puis, il t'en a déjà collé une…

Je me suis penché pour passer le doigt sur la gorge et les petites épaules.

– … tu sais, André, j'ai vraiment rien pu…

– Je sais.

Et il s'est posté à côté de moi pour contempler la bouteille.

On buvait, assis devant la fenêtre. Fin d'après-midi, la lumière commençait à décliner. J'avais versé le schnaps dans nos gobelets à thé, mais pas des masses, 10 cl chacun. Dans notre bar, ça aurait fait deux doubles et demi.

– Prost.

J'ai levé ma tasse, et on a trinqué. On buvait à petits gorgeons, je gardais le schnaps longtemps en bouche avant de déglutir. Même si c'était que du Pré d'or, là, on le trouvait plus goûtu que du Domaine du Nord.

– T'as l'air rodé question tire, m'a fait André en me prenant une clope (j'avais mis le paquet à disposition près de la bouteille).

– Peut aller, ouais.

J'ai allumé la mienne en tournant les yeux vers le parking. Le portail n'était pas encore fermé, et un bus long et vert arrivait par la grande route, lentement.

– … en un clin d'œil. Un seul coup de main, vu qu'on est juste passés deux secondes au rayon schnaps. L'autre, là, le conducteur, il m'a pas lâché des yeux tout du long. Un condé, à tous les coups.

J'ai ouvert la fenêtre au moment où le bus traversait le parking, lentement. Il neigeait toujours, quelques flocons s'infiltraient dans la cellule.

– On se foutra du dentiflouse dans la bouche. Pour pas qu'ils nous grillent à l'odeur.

– Ouais, je vois déjà les emmerdes.

Le bus passait sous le portail, lentement. On s'était levés, on serrait nos gobelets en le suivant par la fenêtre. Sur les flancs, c'était pas des vitres, ça ressemblait plutôt à des hublots de bateau. Derrière eux, des visages. J'ai levé mon gobelet dans le carré de la fenêtre. Le bus est passé devant nous, lentement, il continuait vers la taule. Arrivé là-bas, le grand portail s'est ouvert, les deux lampes rouges clignotant de chaque côté. Derrière les hublots, les visages et les mains. J'ai refermé la fenêtre, mais y avait aucun rideau à tirer. La nuit, les projos de la cour éclairaient jusqu'à nos lits, alors on suspendait nos serviettes en travers de la vitre. J'ai vidé mon gobelet et je me suis rassis.

La cellule des Russes, c'était l'une des portes en face, pas loin de la nôtre. Leur porte était presque toujours close, même pendant notre heure de libre. Les rares fois où on les voyait, ils étaient tout au bout du couloir, debout face à la fenêtre, le dos tourné. Les Russes ne parlaient déjà pas beaucoup, mais nous, on leur parlait pas du tout. Ils allaient mal, les Russes, ça se voyait à leur face toute blanche et à leurs yeux rouges et enflés, avec les grands cercles noirs. On aurait dit deux frères. Même face contorsionnée, comme s'ils étaient au bord des larmes (pourquoi les Russes ont-ils toujours l'air de tellement souffrir ?), mais l'un des deux était un peu plus petit que son frangin, et les trois cicatrices qu'il avait au cou étaient aussi blêmes que sa face, trois trous de cigarette enfoncées bien proprement. Les Russes avaient ramené masse de clopes, Récolte 23, et puis une marque russe que j'avais jamais vue avant. Dès le matin, à l'heure où je prenais ma douche, ils allaient récupérer leurs paquets au petit bureau. Ils attendaient qu'on ait tous fini notre douche et notre toilette pour débarquer dans leurs grosses pantoufles, serviette pétante autour des épaules. J'avais vu leurs cicatrices aux bras, alignées bien proprement, sauf que celles-là, elles ne venaient pas des cigarettes. Les Russes étaient au bout du rouleau, et quand ils étaient debout contre la fenêtre, tout au fond, à nous tourner le dos, je voyais bien que ça les travaillait de l'intérieur, que ça leur tenaillait le corps. Impossible de rester debout sans remuer, ça les tiraillait tantôt à gauche, tantôt à droite, leurs genoux s'affaissaient tandis qu'ils cherchaient appui sur le rebord de la fenêtre, jusqu'à tant que ça leur remonte dans les bras. Les Russes étaient encore plus mal en point que le type de la 30, celui à la face toute jaune, surtout sous les yeux, et qui jaunissait de plus en plus. Il rentrait tellement la tête que ses oreilles touchaient presque ses épaules, et il lui a fallu une semaine pour arrêter de trembler et pouvoir jouer aux cartes normalement. Quand c'était son tour de donner, il était obligé de s'arracher lui-même la carte de la main, si violemment qu'à chaque fois on tiquait, et quand Pipioli était là, c'était lui qui rentrait la tête. La main de l'autre serrait toujours la carte, elle tremblotait au-dessus de la table, flottait devant nos yeux, ça durait encore un bon bout avant qu'il ait réussi à poser la carte comme il fallait.

Avec les Russes, pas de jeux de cartes, de toute façon on leur causait pas. D'ailleurs, ils ne parlaient pas bien allemand, à ce que j'entendais quand les matons pénétraient dans leur cellule. Leur voix, aiguë comme celle des mômes, mais leur visage… un visage de maison de retraite. J'avais fait du russe pendant quelques années, j'avais commencé au temps de la zone. Mais ça n'avait jamais suffi pour les Olympiades de russe, ça, c'était toujours Katia qui avait le droit d'y aller, ma petite Katia.

L'autre nuit, en cherchant le sommeil, j'ai essayé de me souvenir : « Ralascho. Otschène ralascho. Skolka tibié lète ? » J'entendais André se tourner et se retourner au-dessus, il faisait tanguer le matelas.

– T'as dit quoi ?

Penché par-dessus le rebord, sa tête dépassait du côté de l'échelle, toute noire.

– Du russe. C'est du russe. « C'est quoi ton nom ? » Skolka tibié lète ?

– Nan. Ça, c'est « T'as quel âge ? ».

– T'es sûr ?

– Ouais. Avant, je parlais assez bien. Ma daronne elle voyait un Russe, tu sais.

Sa tête s'est rangée.

– T'as raison. Ah, c'est bon, j'ai retrouvé. Kak tibia zavoute ? Voilà, c'est ça, kak tibia zavoute. « Comment tu t'appelles ? »

– Ouais, a fait André. C'est ça, c'est ça. Et après : Minia zavoute André.

– Ouais, je lui ai fait en m'adossant au mur. Et « Comment ça va ? », c'est kak diéla, je crois.

– C'est ça, Dani, c'est ça ! Kak diéla. Minia zavoute Igor. Igor lioubite foutebol.

– « Igor aime le foot », hein ?

– Ouais. Dis, on s'en fume une autre ?

– Sûr.

J'ai attendu qu'il soit en bas de l'échelle pour me lever, mais en prenant bien garde de tirer le t-shirt par-dessus le caleçon. J'avais la trique depuis une heure. Ça commençait à tirailler, impossible à faire partir. Débandol mon cul. Je me suis posé face à la table, André a retiré une serviette, la lumière des projos s'est répandue sous mes yeux. Le paquet était resté près du cendar. J'en ai sorti deux, dont une pour André qui avait déjà commencé à rouler. On les a grillées. La gaule était partie.

– Otschène ralascho, j'ai repris.

– Moi, j'aimerais bien leur causer un peu. Juste leur parler un peu, juste pour voir si j'y arrive toujours.

Vu qu'il s'était levé pour aller remettre la serviette contre la vitre, la lumière lui tombait pile sur le visage.

– Quand même, Dani. Ça serait quelque chose. Tu crois pas ?

– P'têt bien. Mais tu sais, je crois que ça sert à rien. Ils touchent le fond, tu peux pas causer avec eux. Leur faut leurs médocs, tu vois.

Sauf que les Russes n'avaient pas de médocs, c'est pour ça qu'ils étaient au bout, tout au bout, encore pire que Jaunisse, dans la 30, et tout le monde était au courant.

– Les Russkoffs, a fait Klaus. Sont à cran comme pas possible, ces merdeux.

On jouait aux cartes dans sa cellule.

– Ouais, a fait André. C'est l'héro, ça se voit. Ça, c'est un truc, ça te…

Levant les yeux, il a préféré la fermer et sortir une carte. Il flippait toujours de dire un mot de trop, même si la prise de tête avec Klaus était oubliée. André s'était excusé mille fois, mais Klaus avait quand même fini par lui en coller une deuxième. Dans le bide, plein foie. Il connaissait son affaire, un coup pareil dans la gueule, les condés l'auraient grillé illico. André était tombé sur les genoux à la limite de la gerbe, et Pipioli l'avait compté K.-O., comme sur le ring. Dès qu'il avait pu ouvrir la bouche, il avait encore fait ses excuses à Klaus, et après ça, ç'avait été bon.

– Ils feraient mieux d'être dans une cellule pour trois, a repris André tout bas. Avec le Niaque. Les Russes, ch'parle.

Klaus venait de rafler la manche. Il l'a coupé en rassemblant les allumettes.

– Pour le Niaque, moi, je ferais gaffe. C'est pas qu'il me fout les jetons, ou autre. Je l'allonge, je lui avoine la gueule quand j'veux. Mais quand même, à ce qu'il paraît (il s'est penché vers nous en baissant la voix), à ce qu'il paraît que le gars, il touche sa bille en karaté ou en kung-fu, ou un truc dans le style. Apparemment, c'est un genre de zigouilleur. Rois de la garo. Tu saisis ?

Pipioli a battu le jeu et redistribué.

– Y a deux jours, a ajouté Frank, j'ai vu le Niaque montrer un kick à la cantine. Ils appellent ça des kicks, jambe au-dessus de ta tête.

– En tout cas, a coupé Klaus, les Russkoffs ils sont finis. C'est même plus drôle de leur en coller une. Mais eux, au moins, ils savent tenir leur langue…

– N'toute façon, a fait André, leur charabia qu'y causent, tu comprends dalle.

– Pour moi, je leur ai fait en me levant, pas de cartes. Je retourne à la cellule. Il me faut mon thé. Et puis, on rentre dans deux minutes.

Klaus a regardé sa montre.

– Encore le temps, Dani. Pose-toi.

C'était une bonne montre, bracelet doré, il était fier d'elle et la montrait à tout le monde. Sauf qu'à Leipzig, chez les Niaques, on trouvait le même genre à chaque coin de rue pour un billet de dix. Mais j'ai pas précisé.

– Nan, Klaus. Laisse tomber. De toute façon, on rejoue demain.

Il a ajouté un truc, mais j'étais déjà dehors, cap sur la 23 pour aller prendre mon thermos. La porte des Russkoffs était fermée, mais eux, ils étaient là, debout contre la fenêtre, tout au fond. Ils y étaient presque tout le temps dès qu'on avait notre heure de libre, et ils nous tournaient le dos. Sauf une fois où ils devaient être restés couchés à tremper leur matelas de sueur. J'en avais profité pour aller m'appuyer contre le rebord de la fenêtre, pour voir ce qu'il y avait dehors. Il n'y avait rien. Que des routes et des champs.

Les condés l'avaient mauvaise. Sûrement qu'ils s'excitaient qu'Ina soit pas de service, et qu'ils puissent pas lui reluquer le cul quand elle traînait le long du couloir.

– Cinq minutes, a lâché le condé. Fin du temps libre dans cinq minutes. Après, je vous dégage.

On jouait dans la salle de détente. J'avais la rue de la Gare. Dans la rue de la Gare, y avait un bordel que je venais juste de faire construire pour un paquet de fric. Frank était rendu juste devant, il devait raquer. Il a raqué.

– C'était une sacrée passe, il m'a fait. Elle te faisait la totale : pipe, cuni et le reste. C'était une Renoi, enfin, plutôt une beurette. Elle avait le feu à la fouffe !

On s'est poilés, il m'a tendu les billets, je les ai fourrés dans ma poche poitrine avec les autres. Les affaires tournaient vraiment.

– Toi et ta négresse, a fait Klaus. Est-ce que tu sais qui baise le mieux, au moins ? Eh bah, les femelles Niaque. Les Viètes. J'ai pas raison ? il a ajouté en flattant l'épaule du Niaque. Nan, ch'te dis ça franchement. Z'avez… ben ouais, quoi… vous avez des belles gonzesses.

– Carrément, a fait le Niaque.

Même s'il était pas très causant, il parlait plutôt bien.

– Cinq minutes, j'ai dit ! Et vous nettoierez les pions !

Le maton est ressorti en vérifiant sa montre. On avait mis des lettres sur les petites maisonnettes, au feutre. Sur la plupart, un M, maison close. Celles-là, c'était moi qui les avais presque toutes (trois maisons closes alignées égales un bordel de luxe). Juste en face, rue Goethe, Klaus avait construit deux gros casinos. En plus de ça, y avait deux ou trois bars, et Frank avait bâti une serre avec un gros S, c'était là qu'il faisait pousser sa beuh. Pipioli a lancé les dés, avancé jusqu'à l'un de mes bordels, et lui aussi a dû raquer.

– Toute façon tu bandes mou ! lui a fait Frank, et on s'est marrés.

– Ferme ta bouche, toi !

Le Niaque a jeté les dés. Il est tombé sur la distillerie, mais c'était lui le proprio. Sûrement que Jaunisse aurait bien voulu la récupérer, d'autant qu'il avait juste des bars à deux sous dans ses rues à lui. L'usine à cigarettes était encore à vendre, mais je sentais que le Niaque allait la reprendre d'un moment à l'autre. Il venait de faire un double, encore droit à un lancer. Cette fois, c'était la case Chance. Il peinait à lire sa carte :

– Allez en prison. Ne fran… chi… ssez pas la case Départ… Ne tou… chez pas M 4 000.

– Attends, mais ça s'peut pas ! a rigolé Klaus. Donc t'es… t'es en double taule !

On s'est marrés.

– Peut-être que, a repris le Niaque en poussant son pion jusqu'à la case Prison, peut-être qu'ils veulent me transférer. Dans la vraie taule, tu sais…

On s'est marrés.

– Eh ouais ! a crié Pipioli avec des postillons. Vous restez coincé à Zeithain pendant trois tours !

On s'est marrés.

– Fin du temps libre !

Le maton attendait déjà dans le couloir, mais on l'écoutait plus. On rigolait et rigolait, impossible de s'arrêter, on tambourinait tellement sur la table que nos pions tombaient sur le flanc, mais on les remettait debout. Les deux matons ont avancé jusqu'au milieu de la pièce.

– C'est l'heure de plier boutique, a fait l'un. Fini la rigolade.

André a encore jeté.

– Cinq, je lui ai fait. Allez, radine-toi dans mon bordel !

– Chiasse, il a fait en allongeant le fric.

– Tu sais ce que t'es, toi ? m'a lancé Klaus. En fait, t'es un mac ! Une salope de mac !

– Eh ouais, j'ai rétorqué en m'en allumant une, avant de laisser mon paquet ouvert sur le plateau. Servez-vous, les affaires marchent du tonnerre.

Ils s'en sont tous pris une, j'ai sorti mon feu, ils se sont penchés à tour de rôle. Et le maton a appuyé sur l'interrupteur. Dehors, il faisait presque noir, le rayon du projo traversait notre fumée.

– On plie boutique ! Fin de la pause ! Rangez votre bordel et retournez à vos cellules !

En même temps, j'arrivais quand même à voir que Jaunisse tremblait. Sauf que c'était pas les condés. Le soir, il douillait particulièrement, il rêvait de tous ses bars. Klaus a posé une pile de billets sur la table.

– Je rajoute un casino et un bordel dans la Grand-Rue.

– D'acc. Mais après, fini les bordels ! a commenté Frank qui gérait les fonds et les bâtiments.

– Regagnez vos cellules, ont répété les deux matons, collés à la table. Ça vous servira à rien, sauf à alourdir vos dossiers !

Le Niaque a lancé. Tout juste sorti de prison, il était rendu pas loin de l'Usine à cigarettes. Il a fait un six, un quatre, un deux. Une case trop loin.

– Ça failli le faire ! a crié André. Hors de zonzon, et tac, l'usine de clopes !

Le Niaque a acquiescé.

– Le truc du rachat, a fait Frank, c'est tout pourri. C'est vraiment n'imp !

Le Niaque avait racheté la carte Sursis à Pipioli pour 3 000, seule raison pour laquelle ils avaient bien voulu le libérer.

– Maintenant, vous rangez votre jeu et vous retournez à vos cellules. Fin de la discussion !

– Mais on est pas en train de discuter, lui a fait Klaus. On est en train de terminer notre partie. Après, on y va !

L'un s'est posté juste derrière lui, pendant que l'autre refermait la main sur les dés. André a bien essayé de les reprendre, mais en réussissant juste à agripper la pogne qui était dessus. Les doigts crispés autour du poing du condé, il lui a tiré violemment sur le bras. Le gars s'est affalé torse sur la table. On a bondi, billets, bordels et casinos ont giclé, André a lâché le bras en rentrant les épaules et en se couvrant le visage. L'autre maton était déjà derrière lui et le tenait par le col.

– Ça commence à bien faire ! Dans vos cellules, et que ça saute !

Le confisqueur s'était redressé, face écarlate. La petite poignée de maisons et de pions collés à sa chemise jaune de condé commençaient à se détacher un par un.

– Écoute-moi bien, toi ! Tu veux que je te colle une plainte ? Tu veux une plainte ? Ou un transfert ? Tu veux être transféré directement ? Tu peux aussi rester un peu plus longtemps ici, qu'est-ce t'en dis ? Tu peux rester une semaine de plus, c'est pas un problème !

– 'scusez-moi, a murmuré André. 'scusez-moi. S'il vous plaît… c'est pas ce que je voulais… c'était pas ce que…

– Trop tard ! lui a balancé le maton en lui tendant l'index sous le nez. C'était avant qu'il fallait y penser !

L'autre maton nous montrait la porte.

– À vos cellules ! Vous retournez immédiatement à vos cellules ! Ça vaut aussi pour toi !

– Vous, a fait Jaunisse en tremblant et clignant des paupières. Tu me dis vous. Pas tu.

– Rentrez dans votre cellule ! Vous voulez que j'appelle la prison ? Histoire que ce soient eux qui viennent vous sortir ?

Il avait la main sur la poignée de sa matraque. André était resté debout face au confisqueur, menton baissé.

– André ! Vas-y, ramène-toi !

Ses yeux hésitaient entre le maton et moi. Je l'ai tiré vers la porte.

– Allez, bouge. Faut aller au lit, sinon papa va rouspéter.

– Non, a tranché le maton. Il reste ici.

Pendant qu'André se traînait vers eux, j'ai attendu à la porte en laissant sortir les autres.

– Même chose pour vous ! Vous regagnez votre cellule !

– J'attends juste mon collègue !

– Avancez. Il vous rejoint dès qu'il aura fait un peu de rangement.

André me souriait de travers. J'ai approuvé du menton avant de retourner à la 23. Klaus me faisait coucou dans son encadrement. J'ai aussi eu le temps de voir Jaunisse, le Niaque et Pipioli disparaître derrière leurs portes. Les autres étaient déjà verrouillées, on avait vingt minutes de retard. De retour dans la 23, je me suis assis à table. J'ai entendu le maton tripoter ses clés, il a passé une tête à l'intérieur, et puis il a claqué la porte, mais sans verrouiller. J'étais dans le noir. Je m'en suis allumé une en suivant un type qui retournait à sa bagnole, sur le parking. Contact. Au lieu de partir à toute blinde, elle a roulé au pas en direction de la gare. J'ai laissé tomber mon mégot tout en bas, dans la neige. La nuit d'avant, elle était revenue. Nouvelle cigarette, en enfonçant une main dans la neige du rebord pour me rafraîchir le front. Du bruit dans le couloir. Le temps d'aller éteindre près de la porte, elle s'est ouverte, et j'ai reculé pour laisser passer André. L'autre m'a encore lancé un regard avant de nous enfermer.

– Alors, tout roule ?

– Ben ouais, il m'a fait en souriant de travers. Je leur ai mis leur misère, hein ?

– Un peu que tu leur as mis, j'ai acquiescé en lui tendant le paquet.

– Et puis tiens, regarde un peu ce que j'ai.

Fouillant son pantalon, il a laissé tomber les deux dés sur la table.

– Il les avait perdus en route. Le condé qui nous les a chourés. Celui à qui j'ai fait la nique ! Les a perdus, ce con.

– Bien joué, j'ai fait en lui tapant sur l'épaule.

– Z'ont eu les jetons, Dani. Hein que c'est vrai ? Quand ils nous ont vus sauter en l'air. Ils ont eu grave les jetons.

– Sûr. Flippé de chez flippé. Et comment t'as plaqué l'autre sur la table. La classe.

– Ah ouais ?

Il souriait.

– Ouais. Vrai pro.

On a lancé toute la soirée. Après l'extinction des feux, on a lancé à la lumière des projecteurs. Quand les autres se sont mis à cogner contre les murs, puis contre les portes, on était toujours à lancer. Quelqu'un a meuglé, un autre a fait cocorico. Ça grondait dans le couloir. Alors, on a lâché nos dés. On a cogné les murs, on a cogné la porte. On cognait en rythme avec les autres. Les pas du maton dans le couloir, le cliquetis des clés. Fuite vers nos lits. Ils rouvraient certaines cellules – les pas, les voix –, les verrouillaient. Et là, c'était notre tour. La porte a volé contre le mur – les pas, les voix –, on retenait notre souffle, visage dans l'oreiller, mais ils sont repartis. On est restés couchés en essayant de trouver le sommeil.

Promenade. On fumait devant le bâtiment, en cercle autour de la table de ping-pong. Il neigeait. Des boules volaient au-dessus de la clôture et atterrissaient sur le parking. Le maton fumait aussi, mais il nous gardait à l'œil. La Brute essayait d'engager la conversation avec moi. Quelques jours avant, je lui avais dit que j'étais pour Chemie. Depuis, il me collait au cul.

– Alors, Daniel, tu dis quoi ? On se l'fait, not' match ? 'tit match. Rien que nous deux. Hein. Demain matin, avant la douche. Deux minutes, pas plus. On demande à un gars, il tient le chrono ! Putain, fait trop longtemps que j'me suis pas fait un Chimiste ! Trois minutes, pas plus. Juste un 'tit round sur le museau.

– Nan. Laisse.

– Putain garçon, pourquoi c'est nan ? T'es Chimiste ou bien !

– Évidemment. J'y allais déjà avec mon daron, t'sais. Crois pas que j'ai les jetons. Mais la castagne pour des histoires de foot, se taper dessus pour se taper dessus, moi, j'en veux plus. Ça me saoule.

– Rin d'mieux, a répondu la Brute en se frottant les mains. 'tain, tu sais pas ce que tu rates. 'tit round au stade, garçon. Encore mieux qu'une gonze. Qu'un plan à trois. La baise, tu vois…

– J'vois. Quoique, mieux que les nanas ? Pas sûr. Et puis tu sais, contre le Dynamo… J'étais là.

– Ah, le macchab. Ouais. Mais c'était la faute aux poulets, pas nous. Nan, c'était pas nous.

Il l'a fermée pour s'en allumer une autre et m'a tendu son paquet, puis la flamme. Une boule de neige est venue s'écraser sur la table de ping-pong à deux pas de la Brute, mais il a pas relevé. Son regard s'en allait vers la vraie taule, par-dessus nos têtes ; ce mec avait vraiment de l'envergure, au moins un quatre-vingt-dix-neuf.

Sûrement qu'il pouvait voir jusque derrière le portail et le mur en se mettant sur la pointe des pieds.

– Là-haut, il a repris, là-haut, pas mal de copains. Les choses elles ont changé. Avant, tu pouvais mettre sur la gueule aux poulets dès qu'ils raboulaient au stade. T'sais, moi, j'ai même connu trois quatre poulets, ben eux, s'ils étaient pas en service, ils venaient. Pour la bagarre, ch'parle. Z'avoinaient comme il faut. Foulard su l'crâne, tu vois, pour pas qu'les autres ils les reconnaissent.

– Mais toi… T'as l'air d'être une tête, toi. Tu te laisses pas coffrer comme ça, pas vrai ?

– Bin. Un peu qu'chuis une tête.

– T'as eu de la chatte qu'ils te foutent avec nous. T'es trop vieux, pas vrai ?

– Lent du ciboulot, il a expliqué en baissant les yeux vers moi. Ils disent chuis un peu lent là-n'dans. Un peu au retard. Maturité, t'as compris ? Sinon, moi aussi cherais de l'autre côté.

J'ai lâché ma clope dans la neige et j'en ai pris deux autres dans mon paquet, une pour lui. Il a fait merci du menton avant d'accepter mon feu.

– Ces fils, ils ont dit chuis comme un enfant. Putain. Alors que moi, chuis un des meilleurs sur Dresde. Niveau pro, t'as compris. Au stade, j'veux dire. Et ces fils ils disent chuis un enfant. Justice des mineurs de mon cul. Ça craint !

Je l'ai regardé de plus près. À part son nez relativement aplati, il avait l'air tout à fait normal.

– Quat' semaines de centre. Et qu'un sursis, qu'un sursis à la con. Droit des mineurs, t'imagines. J'ai vingt-quatre piges, moi.

Ses yeux avaient encore pivoté vers la taule où il avait ses copains.

– Moi aussi j'ai pris du sursis. Deux ans.

– Pas mauvais, a fait la Brute dans une grimace.

Klaus s'est ramené, Pipioli aux basques, portant un bonnet rouge à pompon bleu. Arrivé face à la Brute, Klaus lui a gentiment boxé le pec.

– Alors, Dynamo, comment va ?

– Va bien, a fait Dynamo en baissant lentement les yeux.

– Alors, pour Dani ? Il veut bien se faire un match avec toi ?

– Nan. Veut pas.

– Console-toi, a rigolé Klaus en me cognant l'épaule. Chemie schlingue.

– Tu ferais bien de fermer ta gueule, toi, je lui ai fait en sortant sa main. Enculeuse de SSS.

Mais c'était en pensées.

– Fais gaffe un peu, lui a répliqué la Brute. Sinon, c'est toi qu'tu devras faire un match avec Dani. Demain matin, avant la douche. Pouvez faire dans ma cellule. Round trois minutes. Personne il grille. C'est moi ch'tiens le chrono.

– Nan, a coupé Klaus. Oublie. Sinon, Dani va être obligé de dire qu'il a dégringolé l'escalier ou qu'il s'est mangé le poteau de son lit. En plus, on est copains. Pas vrai, Dani ?

Il m'a passé son bras autour de l'épaule.

– Un peu qu'on est copains.

Une fenêtre s'est ouverte au rez-de-chaussée. Un type nous matait à travers la grille.

– Vise ça ! Un Semi-liberté ! a lancé Pipioli en le montrant du doigt.

Klaus lui a plaqué le bras vers le sol.

– Il te manque une case ? Tu veux prendre sur la gueule ? Le mate pas comme ça !

Les Semi-liberté créchaient au rez-de-chaussée. Tôt le matin, quand je fumais à la fenêtre, je les voyais qui sortaient pour aller à la gare ou à l'arrêt de bus. Ils revenaient dans l'après-midi et passaient leur temps dans leurs cellules. L'un d'eux se baladait tout le temps à bicyclette, même par temps de neige.

– Sont pas trop mal lotis, je leur ai fait. Mieux que là-haut. Ils peuvent sortir, ils ont du boulot…

– Et des gonzesses, a coupé Klaus. Sûrement qu'ils ont leur gonzesse en ville. Et ça, c'est mieux que d'être là-haut.

On a continué à fumer en regardant la vraie taule.

– Moi, la vraie taule, j'y ai déjà été, a lâché Pipioli en s'accroupissant pour faire une boule de neige. Mais pas longtemps. Et pas celle-là. C'était celle à…

– Ferme-la un peu, va ! a coupé Klaus en lui éclatant la boule dans la main. Pas de menteur parmi nous. Si ce serait vrai, tu serais même pas là, t'aurais… Tu te serais fait taper la gueule 24 sur 24, vu que t'aurais passé ton temps à leur mouiller… Quel enculeur de poules !

On a tiré les lèvres. Pipioli était toujours accroupi, à fouisser dans la neige. La Brute l'a poussé du pied.

– Bah allez. Debout, gangster.

Il s'est remis debout, une nouvelle boule de neige dans la paume. Il la berçait délicatement, comme une petite bête.

– Moi, j'ai déjà treize plaintes. Que pour des tires. Riez tant que vous voulez. Chez nous, c'est ma spécialité.

– Pas mal, gômin, lui a fait la Brute en grimaçant. T'es un vrai gangster, alors.

– Pas mal, j'ai ajouté, aussi avec une grimace.

Pipioli a souri en lançant sa boule à la verticale. Elle lui est retombée dans la paume.

– Merde alors, a fait Klaus. Tu t'la pètes, hein. Les caisses ? Laisse-moi rire. Ça pue. C'est tout juste bon pour les minots. Coups et blessures, il a fait en cognant le poing dans sa paume ouverte. Vu ? Y a qu'avec ça que t'es dans le haut du panier !

– T'es un méchant garçon, toi, hein ? a fait la Brute en baissant la tête vers lui. Tu dois envoyer du pâté, dis ?

– Les pifs, a fait Klaus. Parce que j'éclate tous les pifs. Ça revient cher, tu percutes. Chais pas comment je me débrouille. Je vise toujours le menton, mais j'rétame le pif à tous les coups.

– Moi, c'est pas pareil, a fait la Brute. Ch'tape de haut en bas, en latéral.

Son poing a fait du vent près de ma tempe.

– La mâchoire. Ça, ça tient bien. Ou bien le front, en plein su l'crâne. Pile dessus la racine du nez. Avec ça, je les endors, je les endors direct, crois-moi.

Il faisait osciller son poing devant la face de Klaus.

– Comme ça, de haut en bas. Ils voient rien venir, t'as compris.

– Pas mal, ça, a fait Klaus. Toi et moi, un match. Ce serait la classe.

– Hmm, 'têt.

La Brute s'en est allumé une en tendant le paquet à Klaus. Pipioli a fait tomber le feu dans la neige en farfouillant dans ses poches, mais quand il l'a repêché pour l'essuyer, même plus une étincelle.

– Devine un peu, a repris la Brute, avec qui d'autre j'me ferais bien un 'tit match.

– Notre Niaque ? Il est pas déjà barré ?

– Nan, pas lui. Le nouveau. Le Collecteur de fonds. Si c'est un vrai.

– Ouais, a fait Klaus. Sûr qu'il doit en avoir en réserve, lui. Il a l'air carrément chaud, le Collecteur de fonds. Si c'est un vrai.

– Pourquoi tu vas pas lui demander, j'ai fait à la Brute.

– Nan. Pas tout de suite.

Le Collecteur de fonds était à sa fenêtre, un bras calé contre la grille, à causer avec le Semi-liberté. C'en était peut-être pas un du tout, de Collecteur, malgré ce que les autres racontaient. En tout cas, il avait une bonne taille. Certes pas aussi haut que la Brute ni aussi large que Klaus, car il comptait parmi les secs. Pas un pète de graisse, j'avais vu ça dans les douches. Mais masse de tatouages, surtout dans le dos. Les autres racontaient aussi qu'il avait déjà tiré quelques mois avant ça, mais apparemment, y avait eu un autre procès où ils lui avaient offert ce qui restait en échange d'un mois de détention. Comme quoi il aurait négocié avec la juge. Fallait dire qu'il était riche, logique en tant que Collecteur, et apparemment, la vieille en robe en pinçait grave pour lui. Mais tout ça, c'était sûrement du vent. Comme quoi il aurait aussi travaillé pour le compte des Niaques, mais on pouvait plus demander au nôtre, il était reparti dans la nature quelques jours avant.

– Et toi, dis. Pourquoi t'es là ?

C'était moi qu'ils regardaient. Pipioli avait retiré son bonnet et jouait avec le pompon bleu.

– Pfff, choses et autres. Des tires par-ci par-là, deux trois bagarres, un peu de vol, tout ça.

Ils approuvaient.

– … voilà, quoi. Et puis, violation de domicile.

– De domicile ? Qu'est-ce t'as foutu ? Visité quelques apparts ?

– Nan, une boîte. On avait une boîte illégale. Dans une usine, voyez. Ça compte pour une violation.

– Pas mal, Dani. Une vraie boîte.

Ils me toisaient en balançant le menton. Cette fois, La Brute n'a pas attendu que ma clope ait fini de se consumer pour me tendre son paquet.

– Et alors, ça tournait bien ?

– Pouvait aller.

Ils ont encore acquiescé, les yeux sur moi. Après, on l'a fermée en continuant de fumer. Ça neigeait toujours, on abritait nos clopes au creux de la main et les flocons fondaient sur nos gueules.

– Lui aussi, il a du sursis, a fait la Brute en me pointant avec un doigt presque aussi long que mon bras.

J'ai souri en me balayant la neige du visage.

– T'es un bon gamin, m'a fait Klaus en tendant le bras vers la vraie taule. Là-haut. Tu me suis ? Un de ces jours.

J'ai hoché la tête.

– Tu parles, a fait Pipioli. Moi, jamais j'retourne en zonz. Jamais tu me reverras ici.

– Ici, jamais, a fait la Brute. Nan, pas ici.

Et on s'est marrés.

– Tout le monde rentre dans deux minutes ! a crié le maton.

On s'en est rallumé une. Klaus a tourné les épaules.

– Oh, Morback. Viens un peu voir !

Pendant tout ce temps, André était resté seul, près de la porte. Il s'est ramené en traînant les semelles.

– Chuis pas un Morback, il a fait en creusant la neige du bout du pied.

– Mais nan, mais nan, se fendait Klaus.

André a sorti son tabac et s'est mis à rouler. Chaque jour, il continuait à faire toutes les cellules pour récupérer les mégots des cendriers. « Sauver le tabac », qu'il appelait ça.

– Remballe ta crotte, ch'te lâche une blonde. Y a que les Morbacks pour rouler.

– Merci. Mais j'en suis pas.

– Mais dis un peu voir, tête de vainqueur. Qu'est-ce t'as fait, toi ?

– Fait quoi ? Rien. J'ai rien fait, moi.

Il a reculé en haussant les épaules.

– Ça va, garçon. Pourquoi tu t'chies dans le benne ?

Là-dessus, Klaus lui a tapé sur l'épaule, et j'ai vu Pipioli tordre la bouche en montrant les dents. Il avait une canine en moins, comme Pitbull. J'avais pas remarqué.

– … j'aimerais juste savoir pourquoi ils t'ont coincé ici.

– Ben… à cause des poteaux !

J'ai regardé ailleurs. Je l'avais déjà entendue un paquet de fois, son histoire. Le Semi-liberté avait refermé sa fenêtre. Le Collecteur qui fumait à côté du maton a lâché sa clope dans la neige.

– … et après, on a arraché les poteaux.

– De quels putains d'poteaux tu parles ?

– Bah, ceux autour des arbres. Un espace vert, vous voyez le truc ? Et là, on a arraché les poteaux pour les balourder sur les caisses. On était au moins vingt.

– La vraie baston, ouais ? a fait la Brute en souriant.

– Ouais, enfin, et après, c'est les flics qu'on a castagnés. Après, les flics sont ramenés, et on a couru sur les flics avec les poteaux. Comment on l'a plié, leur pack de six !

Je connaissais déjà le tableau par cœur, mais le coup des flics, c'était nouveau.

– Tout le monde rentre ! a crié le maton. Allez, fin de la promenade !

Il a ouvert la porte, et je me suis mis en marche, lentement. Des types dans tous les coins, tout seuls ou à plusieurs, qui fumaient. Quelqu'un m'a bousculé en me faisant rentrer dans le gars de devant, « hé là ! Fais un peu gaffe, moineau ! », mais j'ai avancé sans relever.

– Hé, Dani ! Tu nous attends !

J'ai laissé venir Klaus, André, la Brute et Pipioli. Encore quelques jours et ils seraient partis. Pour moi, deux grosses semaines. On a balancé nos clopes dans la neige et on a pris l'escalier.

– Vous avez du courrier !

J'ai acquiescé et je me suis levé pour suivre le maton au bureau. Je me suis planté un bout derrière, mais il me tenait la porte.

– Bah alors ? Pouvez entrer !

Sur la table, des paquets et des lettres.

– C'est votre mère, il m'a fait en me tendant une carte pliante avec une pomme et un asticot qui souriait en sortant de son trou. En bas : « Pas de chance pour ta pomme. »

– Votre mère a envoyé vingt marks. Vous voulez que je les mette avec votre caisse cigarettes ?

– Merci, il a acquiescé avant d'écrire un truc sur une liste. Et un petit autographe !

Il appuyait l'index en bas d'une feuille. J'ai signé sans lire, et il est allé la ranger dans le placard. J'ai déplié la carte : « J'espère que tu ne vas pas trop mal. Maman. »

– Vous pouvez y aller.

– Ouais.

Retour à la chambre par le couloir.

– T'as eu quoi ?

– Boaf, rien.

J'ai refermé derrière moi en serrant la carte contre ma poitrine.

– Bah alors, c'est quoi ? a répété le Nouveau sur le lit du dessus. C'est quoi, Dani ? Un joli cadeau de p'tite maman ?

Ça le faisait marrer.

– Qu'est ça peut t'foutre ?

Une fois allongé, j'ai déchiré la carte en plein de petits morceaux et je les ai fourrés dans la poche de mon fute.

Je prenais mon petit déj'. Le dernier. Mon sac était prêt de la veille, il m'attendait sous le lit. Le Nouveau me tenait compagnie en bâfrant comme un goret, mais je regardais par la fenêtre sans le voir.

– C'est du bon manger ? Dani Dani Dani !

Truc qu'il avait trouvé pour me foutre en boule. Il savait que je dirais rien, on avait eu des prises de tête avec les matons peu avant le départ de Klaus. Les types savaient que j'avais du sursis, ils avaient mon dossier à portée de main, et puis, la juge m'avait décortiqué les conditions du sursis, comment il fallait se comporter, etc. J'avais tout ça noir sur blanc à la maison, dans mon ordonnance. Mais ce monde-là, je lui faisais pas confiance : tribunal pour enfants, juges, avocats, condés. Mais là, c'était pas juste les matons, les condés et les tensions ; j'étais fatigué. Je voulais pas de castagne, pas d'embrouilles, pas ici, pas dedans, car je savais qu'une fois rentré chez moi, à Leipzig, au quartier, tout repartirait comme en quarante.

Le Nouveau bouffait toujours. Sa face luisait, il ne se lavait pas. Déjà une semaine que je me partageais la cellule avec lui, et il n'avait pas pris une seule douche, même rapide. La cellule schlinguait, j'étais obligé d'aérer toute la journée malgré le froid polaire. J'ai repoussé mon assiette pour m'en allumer une, tournant les yeux vers la taule, et, plus près, vers le parking. Un mec faisait les cent pas. Après, il est venu se coller au portail. J'ai bondi contre les barreaux.

– Paul ! C'est pas vrai… Paul !

Mais il retournait vers les bagnoles. J'ai pris le Nouveau à la gorge.

– Allez, penche-toi et siffle ! Toi qu'aimes tellement siffler !

– T'as pété les plombs !

Il a sauté en l'air pour se débattre, mais je continuais à serrer la gorge. J'ai écarté son bras en lui écrasant la tête contre le mur. J'aurais pu me presser aux barreaux, m'égosiller jusqu'à ce que Paul m'entende, mais je voulais que ce soit le Nouveau qui siffle. Siffler, il savait faire, il avait sifflé largement assez les fois où je voulais être peinard. Il se foutait deux doigts dans la bouche, pareil que mon père au stade, avant, et il sifflait. Moi, je savais pas faire.

– Maintenant, tu te penches et tu siffles. Tu m'as compris ! Tu m'as compris, ou faut que je répète ?

Le Nouveau a réussi à m'envoyer un petit crochet du gauche près du visage, mais j'ai fait un écart et il a à peine effleuré ma pommette. J'ai lâché sa gorge pour lui rendre le coup. Je l'ai eu plusieurs fois dans le ventre, zone du foie si je m'étais pas trompé, et au moment où il m'a repoussé en essayant d'y revenir, j'ai balancé. Gauche, gauche, droite, tout près des hanches, puis sur les reins, c'était le Collecteur de fonds qui m'avait montré. « Avec ça, il m'avait dit, tu laisses pas de traces. Rien de rien. Et tu conclus l'affaire en moins de deux. » Le Nouveau se retenait au placard, le dos au mur. Je lui ai appuyé mon front dans la face, relâchant juste une seconde pour lui donner un gentil petit coup juste au-dessus de la racine du nez.

– Tu disais que t'étais une baraque, pas vrai ? Un sacré numéro, pas vrai ? Le plus grand dans ton bled de paysans ?

Son bled, il m'en parlait toutes les nuits. La répute qu'il avait là-haut, le nombre de gonzesses qu'il tringlait là-haut, les rois de la garo qui planquaient leur marchandise dans l'étable de son père…

– Mais t'es malade ! T'es complètement malade !

C'était plus des cris. Il parlait tout bas, et je le voyais au bord des larmes.

– Alors tu siffles. Ou je t'écrase la gueule.

Je lui ai fait une clé de bras pour le mettre au tapis, et là-dessus je l'ai traîné vers la fenêtre.

– Tu vas siffler, bordel ! Siffle avant que Paul se barre !

Et il y est allé. Il s'est mis contre les barreaux en foutant les deux doigts dans sa bouche, et il a sifflé. Je me suis posté à côté.

– Paul ! Lève la tête, Paul ! C'est moi, putain, c'est moi ! Dani ! Merde, c'est Daniel !

Le Nouveau y allait toujours. Paul s'est retourné en levant les yeux, la main en visière. Il a traversé le portail et s'est ramené jusqu'au pied de notre mur. Il agitait le bras sous la fenêtre.

– C'est moi, Dani ! Descends un peu !

Comme s'il était en bas de mon immeuble. Je me suis passé un coup de peigne avant d'enfiler mon blouson.

– Tu descends quand ?

Il a arrêté de secouer la main et l'a remise dans sa poche.

– Va falloir être patient ! Attends encore un peu !

J'ai viré le Nouveau sur le côté pour faire une boule avec la neige du rebord. Paul l'a évitée en sautant de côté. On a ri.

– J'vais attendre, Dani. J'attends dans la caisse. Jusqu'à ce soir, si faut. Pas grave !

C'était le seul de la bande à avoir son permis. À tout juste dix-huit piges, il était à peine plus vieux que nous, et sa mère lui avait payé parce qu'elle craignait qu'il nous imite et qu'il conduise sans. Paul m'a fait un dernier signe avant de tourner le dos vers le parking. Le temps que je ferme la fenêtre, le Nouveau avait grimpé sur son lit. Je m'en suis allumé une et je me suis mis à arpenter la cellule.

– Mais pourquoi t'as fait ça… t'es complètement malade…

– Tu fermes ta gueule ! je lui ai beuglé en bourrinant l'échelle. Tu vas fermer ta sale gueule, ou je monte !

Et je suis allé écraser ma clope qui venait de se casser. Le Nouveau était très calme. Assis là-haut, il ouvrait de grands yeux. Je m'en suis rallumé une pour m'allonger avec. Trois jours plus tôt, le Nouveau et ses deux compères étaient face à mon lit. « Dani Dani Dani, arrête de faire la tête ! » Moi, je fixais le matelas du haut. Mais leurs yeux étaient sur mon visage. Je me suis tourné vers le mur. « Dani Dani Dani, ne sois pas si vilain ! »

– Ferme ta sale gueule ! Range ta sale trogne !

– Mais j'ai rien… mais j'dis rien…

J'ai pas pu m'empêcher de retourner à la fenêtre. Toujours adossé au mur, le Nouveau malaxait son oreiller contre sa poitrine. Paul fumait en se promenant entre les bagnoles.

– Écoute bien. Tu sais tenir ta langue, pas vrai ?

– Alors là, Dani ! a répondu le Nouveau, la bouche dans l'oreiller.

J'ai acquiescé en ramenant mes yeux vers la fenêtre. Paul ne bougeait pas.

– Alors là ! a répété le Nouveau à travers le tissu.

– C'est bon, Musclor. C'est bon.

J'ai écrasé mon mégot. Près du cendar, le paquet de cartes ramené par le Nouveau. J'ai embarqué le jeu avec moi sur le lit. En haut, je l'entendais respirer. Je me suis fait le tour avec la dame de cœur. À chaque fois que je coupais, c'était elle qui remontait sur le dessus. Ça le faisait aussi avec n'importe quelle autre carte, mais c'était la dame de cœur que j'aimais. «Dani Dani Dani, ne sois pas si vilain», a repris le Nouveau. J'ai claqué les cartes par terre. «Faut pas pleurer, Dani! C'est qu'un jeu.» Et ils ont ricané. Sauf que c'était plus un jeu. Ils m'avaient pourri. Ils s'étaient ligués contre moi, ils m'avaient pourri, à chaque manche. Ils se faisaient des signes, se lançaient des sourires, ils riaient, ils sortaient leurs sept et leurs as pour que je sois obligé de piocher ou de passer mon tour. À chaque manche. Tous les jours. Ils venaient tous les trois du même coin, pas loin de Meissen, ils restaient solidaires. Une nuit, le Nouveau m'avait dit : «Dans mon bled, t'as personne qui rentre. T'as une barrière avec un contrôleur, tu dois prouver que t'habites là. Personne il rentre, t'as pas d'étrangers. Oui-clos total.» C'était rien par rapport à toutes les autres conneries qu'il m'avait sorties, j'étais content quand j'arrivais à dormir, sauf qu'en général je restais longtemps éveillé, mais ça, c'était pas seulement à cause du Nouveau. «À Rostock, reprenait le Nouveau, moi j'en étais. La fois où on a fumé les Niaques. Même que j'y ai balancé un molo[8]. Tu sais quoi, avant j'avais la boule à Z, j'étais un vrai Skin. Tout le monde il flippait devant moi, même les poulets!» «Sérieux», je lui répondais, enfouissant ma tête dans l'oreiller pour essayer de trouver le sommeil.

Ina, debout au milieu de la pièce. J'avais pas entendu la clé.

– Débarrassez votre vaisselle et vos draps, et présentez-vous dans le bureau.

– Ça marche.

Quand elle est sortie de la cellule, j'ai maté son cul qui sautillait à chacun de ses petits pas.

Sur la fermeture de la pochette noire où ils avaient gardé mes objets de valeur, une pièce ronde, en métal, comme une étiquette. C'était marqué « M. A. Zeithain ». Ina a sorti une pince du tiroir pour casser le fil, le bout de métal est tombé sur la table, j'ai plaqué une main dessus avant de le fourrer dans ma poche. Ina m'a tendu la pochette avec la monnaie.

– Ici, elle m'a fait en me voyant recompter, y a rien qui se perd.

– Je sais.

Elle m'a rendu mon trousseau.

– Et j'aurai encore besoin de votre signature.

Elle m'a passé deux formulaires en précisant :

– Vous en gardez un.

Après avoir signé les deux lettres de remise en liberté, j'en ai plié une pour la glisser dans ma poche de chemise.

– Vous pouvez y aller.

J'ai empoigné mon sac.

– Vous aviez fait la demande pour la participation aux frais de transport ?

– Nan. Y a Paul qui m'attend en bas.

Elle a acquiescé. Mes yeux se sont tournés vers le couloir, à travers la vitre. Mais elle avançait déjà pour me tenir la porte.

– Bah alors, allez-y.

– J'y vais, j'ai répondu en prenant mon temps pour lui passer devant. Peut-être qu'on se reverra.

Ça l'a fait sourire. En bas de l'escalier, le maton était assis derrière sa vitre. Il m'a lancé un regard en hochant la tête et il a appuyé sur le buzzer. J'ai dû lâcher le sac au milieu de la cour pour refaire mon lacet. Avant de passer le portail, je me suis encore tourné vers les barreaux. Derrière certaines fenêtres, des visages.

– Alors, Dani ! C'est pas trop tôt !

Paul m'attendait devant la Peugeot rouge de sa mère.

– C'est chouette que tu sois venu, je lui ai fait en serrant sa main, et son épaule.

– Tu savais bien que je viendrais.

Pendant qu'il ouvrait le coffre :

– D'où t'étais au courant que j'étais là ? Je l'ai dit à…

– C'est ta mère, Dani. C'est elle qui m'a dit.

Il a soulevé le sac, reclaqué le coffre, et on est montés.

– … et pourquoi tu nous avais rien dit ?

– Ah, tu sais bien. Pour quatre semaines.

D'abord, il a calé, et puis on est partis le long des champs si chers aux deux Russes.

– Et ta mère ? Elle sait, pour la caisse ?

– Pas d'inquiétude. Et puis, même si elle me l'avait pas filée…

– Tu l'aurais prise, hein ? Celle-là ou une autre.

Il a hoché la tête en mettant l'essuie-glace, concentré sur la route. La neige tombait.

– Enculé d'hiver.

Paul n'avait jamais braqué une seule caisse. Quand on était avec Fred, il se contentait toujours de rester planté là, à regarder le spectacle. C'était déjà arrivé qu'on lui laisse le volant, mais d'abord il fallait le convaincre, et à chaque fois, il roulait si lentement, en faisant tellement gaffe, que ça nous faisait plus peur qu'autre chose. À cause des flics.

– Pour ta gueule, Dani. Pour ta gueule, j'en aurais braqué une…

– T'inquiète, Paul. Je sais.

– Ouais, ma daronne elle a dit de te dire bonjour.

– Sympa.

Je savais qu'il mentait. Je la connaissais, sa mère.

– Au fait, Dani, dis-moi. Dis-moi… Ah, laisse béton.

Virage en épingle, il rétrograde en deux.

– Qu'est-ce que t'as ? Accouche !

– Ben, tu sais bien… ce que les gens demandent… Ça allait, là-bas ? Nan ?

– Attends, Paul, mais ça va, j'avais que quatre semaines.

Je me suis allumé une clope en baissant la vitre d'un centimètre.

– Tu m'en payes une ?

Il a pris la mienne, je m'en suis tiré une autre.

– … par contre, on a pas trop le droit de fumer. À cause de ma mère, tu sais.

– 'kay. On aérera à fond dès qu'on sera en ville.

Sur le panneau, Leipzig 42 km.

– T'as pas stressé, alors ? C'était que dalle pour toi, hein ?

– Mais non ! Je viens de te le dire. C'était un camp de vacances, quoi, un putain de camp de vacances.

Et il a ouvert sa vitre pour balancer la clope à moitié consumée. C'est vrai, j'aurais pu lui raconter des trucs, des trucs sur la Brute, sur le Nouveau à qui je venais de ravaler la façade, ou encore sur l'Épileptique, celui qui au fond ne devait être qu'un aliéné et qui avait ravagé sa cellule quelques jours plus tôt, mais ravagé. J'aurais pu lui raconter la fois où des types avaient traîné l'Épileptique sous la douche, pour le… ses hurlements dans le couloir, l'eau qui dégoulinait sur son corps.

– Merde à chier !

Il a pilé et débrayé d'un coup.

– … mais qu'est-ce qu'il branle, à écraser comme ça !

– Un animal, ça s'trouve.

– En plein hiver ?

– Un chat. C'était peut-être un chat. Ou un renard.

– Bon, et au fait, ça te dit on boit un coup ce soir ? Ch'peux prévenir les autres. Chez Goldie, ou quoi.

– Sûr, je lui ai fait. Sûr. Pourquoi pas.

MES FEMMES À MOI

Elle n'était pas là quand ils m'ont laissé sortir. Je venais de lâcher mon sac dans la neige de l'autre côté du grand portail, et j'ai vu Paul courir vers moi.

– Dani ! Dani, vieux !

On s'est serrés dans les bras, je regardais le parking par-dessus son épaule.

Non, elle n'était pas là, mais l'hiver était revenu, et elle m'avait dit au revoir au même endroit l'hiver d'avant. On s'était serrés jusqu'à ce que j'en perde tout l'oxygène, je ne l'avais pas lâchée avant que les larmes aient quitté mes yeux.

– Alors, ça roule ?

– Peut aller, je lui ai fait, sans arrêter de fixer le parking.

Un an avant, elle était là, debout dans la neige. Il m'avait fallu des jours pour cesser de croire que c'était toujours ses pas que je voyais dans la neige quand je regardais par la fenêtre.

Ses petits pieds, mon Dieu. J'y pensais toutes les nuits, ses petits pieds, ses orteils blancs et roses, petits et frêles comme les orteils d'une princesse naine. Ses pieds, j'y pensais toutes les nuits, je pouvais refermer ma main autour pour les protéger contre les autres, je rêvais de son petit corps en entier, jusqu'à ce que tout me fasse mal. Quand les pieds du 72 dépassaient par-dessus la barre (il dormait en haut), je les voyais très bien, et ça niquait tout. Ma seule envie, c'était de lui casser un par un chaque orteil de ses panards suintants.

– Tu sais, elle a pas pu…

– Je sais, ouais.

On a avancé vers le parking pour retrouver sa bagnole. C'est lui qui portait le sac.

On retournait en ville. Paul était le seul à qui j'avais écrit pour dire quand je sortais. Mais elle savait, forcément. Les premiers mois, elle venait souvent me voir. Au début, pas de problème. On s'enlaçait, s'embrassait, on se touchait autant que c'était possible à l'intérieur. Souvent, quand on s'enlaçait, elle me murmurait dans l'oreille : « Fais plus jamais rien. Steuplaît. Je veux plus jamais être toute seule. » Alors, je respirais ses cheveux noirs et je lui murmurais : « Plus jamais. Je te le promets. Tu sais que je t'aime » et ainsi de suite. Et je pesais mes mots. Parfois, j'essayais d'imaginer qu'en fait, elle venait me voir à l'hosto, je suis juste un mec qui est tombé ivre dans l'escalier, jambe cassée, trois côtes pétées, je peux retourner chez moi la semaine prochaine. Au bout de trois mois, elle est venue moins souvent, et quand elle venait, elle était tellement changée, tellement loin de moi que tout ce que j'avais entre le ventre et la gorge me lançait, je savais plus quoi lui dire. Alors, elle demandait comment était la bouffe, parlait des giboulées de mars, de l'été, c'était pire que le silence. Des fois, j'attirais sa main à mon visage, ça la faisait souvent taire, elle rivait les yeux à la table qui nous séparait ou aux barreaux de la fenêtre – combien y en avait ? – et parfois, elle murmurait : « Steuplaît, Dani. Je veux plus jamais être toute seule. »

Après, elle a arrêté de venir, c'est les lettres qui sont venues, elle écrivait qu'il lui fallait du temps, qu'elle devait réfléchir à tout ça, qu'elle m'aimait et ainsi de suite, que ça lui faisait mal de me voir comme ça. Mon Dieu, ça me faisait mal de plus la voir.

– Alors, mon gamin, elles vont comment, les femmes ? j'ai fait à Paul sans le regarder.

L'après-midi, encore, mais dehors il faisait déjà sombre, les phares des bagnoles touchaient les panneaux. Leipzig 24 km.

– Les femmes. Pareil qu'avant. Des grosses malades.

Paul, c'était le roi du porno du quartier, voire de toute la ville, peut-être même par-delà les frontières. Il avait sa carte dans les 32 vidéothèques que comptait Leipzig et les 18 autres des bleds environnants. Pas une seule position écartelante, pas une seule perversion sexuelle qu'il ignorait. Il les avait toutes eues, et il avait tout vu : douche dorée avec caviar en garniture, orgie anale label Max Hardcore, chatte asiatique en chaleur, femme enceinte en chien, septuagénaire en chien, sauf pour les pornos avec des gosses, là, il était contre. Il disait qu'au premier qu'il prenait à mater ça, il lui coupait la queue. « Faut que ça vienne d'elles », il disait, et dans ses films, ça venait toujours d'elles. On l'appelait Popol, et j'étais l'un des rares à savoir qu'il avait déjà eu une vraie femme. On avait dix-sept piges. Anna, notre nymphe, celle qui nous avait sucé la queue jusqu'au sang, Anna avait jeté son dévolu sur Paul dans une teuf et s'était enfermée dans les chiottes extérieures avec lui. Une demi-heure durant, tout le monde avait dû pisser et gerber par la fenêtre ou dans le lavabo. Après, on a vu Paul remonter lentement dans l'escalier, sans pantalon, et il a dit : « Chais pas, c'est dégoûtant. » Anna, c'était la première et la dernière. Pendant toutes ces années, il n'avait pas eu de femme.

Anna. Anna, je ne l'ai jamais aimée, ou peut-être que je l'aimais un peu, les nuits où on était allongés bourrés sur le toit de son immeuble et où elle avait la tête sur mon épaule. Elle était folle, Anna, elle buvait comme un trou et se donnait à tout le monde dans le quartier. À l'époque, elle était venue me voir, comme ça, sans pré-venir, ma mère était pas là, elle avait arraché ma chemise en faisant voler tous les boutons dans la piaule, et puis elle m'avait poussé sur le lit pour virer le reste. Ça me passait complètement au-dessus tel-lement tout était chaud en elle. Sept fois, qu'elle m'a monté comme une possédée, elle voulait toujours être sur moi, sauf les rares fois où elle avait rien bu du tout, là, je me mettais sur elle et elle était toute calme.

Plus tard, j'ai appris qu'après les sept premières fois, elle était descendue dans la cave de Pitbull et que ses hurlements s'étaient entendus à trois blocs d'écart. Ça me dérangeait pas qu'elle aille voir d'autres bonhommes, impossible à rassasier, elle avait ça en elle, à quoi ça aurait servi d'essayer d'y changer quelque chose.

Beaucoup plus tard, je l'avais rencontrée, *elle*. Avec elle, c'était complètement autre chose. « Dani, elle murmurait, et je sentais son nez contre mon oreille. Fais plus jamais rien. Steuplaît. Lâche toute cette merde. » « D'accord. Je te le promets. Tu sais que je t'aime » et ainsi de suite. Et je pesais mes mots.

Anna, je ne la voyais quasiment plus, y avait seulement des fois où je l'entendais, en bas, dans la cave de Pitbull, et puis d'autres fois, la nuit, je rêvais du toit de son immeuble, elle avait la tête sur mon épaule.

Arrivée à Leipzig. Il ne neigeait pas.

– Ch'te dépose où ? m'a fait Paul, concentré sur la rue repeinte à la bouillasse.

– Ramène-moi chez ma mère. C'est l'adresse qu'ils ont. Et au fait, Paul, dis à personne que je suis de retour.

Je regardais les blocs, les rues, les bagnoles rangées au bord du trottoir, les lampadaires et les néons me piquaient les yeux, je regardais les abribus éclairés et vides qu'on avait défoncés en hurlant, certaines nuits. J'ai appuyé ma tête contre la vitre. Paul freinait. On est descendus, il m'a filé mon sac.

– Dani. Ça me fait tellement plaise...

Je lui ai pris l'épaule :

– T'inquiète. Je passerai.

J'ai tourné les talons pour remonter le trottoir vers chez ma mère. Un claquement de portière, et Paul a redémarré dans mon dos.

La porte du hall était ouverte. J'ai sonné au troisième bouton à droite en partant du bas, pas de nom sur l'étiquette, et puis j'ai pris l'escalier. J'ai attendu d'être au premier pour allumer. Quelqu'un avait eu le temps de remplacer les ampoules. Ma mère m'attendait sur le palier. Elle portait son bon peignoir, je voyais déjà ses jambes à travers les barreaux de la rampe. Elle avait un verre à la main.

– Mon garçon. Mon garçon. Viens embrasser ta vieille mère.

C'était la première femme que je revoyais, j'aurais voulu que les choses finissent autrement.

« Du sexe torride pour tes journées glaciales. Au 0173... »

« Viens goûter à nos escargots acidulés. Trois femmes de caractère aux parfums épicés ! »

« 364 jours en rut ! Au 0170... »

J'ai pris une gorgée du schnaps de ma mère en continuant à feuilleter. Elle était couchée dans sa chambre, j'entendais son souffle derrière la porte entrebâillée. J'ai ramené le téléphone sur la table de la cuisine et j'ai encore vidé deux verres avant d'appeler quelques numéros. Je leur ai demandé l'âge qu'elles avaient, la couleur de leurs cheveux, si leurs seins étaient gros, petits ou entre les deux, leur poids – pas celui des seins –, si elles étaient épilées et tout le reste. Ça faisait bizarre de demander ce genre de trucs, mais bon, fallait bien. Un mètre soixante-quinze ? Ça passe. Pas trop fine, la silhouette, mais pas de laitière non plus.

J'ai pris le bus, ligne A jusqu'à Plagwitz, dans l'ouest, là où les grosses usines se délabraient et où les rues et les bus restaient déserts pendant la nuit.

Sur la sonnette, Meier. J'ai allumé la lumière de l'entrée cinq fois de suite et je m'en suis refumé une. J'arrêterai plus tard. Autre résolution que j'avais prise quand ils m'avaient laissé sortir. Ensuite, j'ai sonné trois coups brefs, puis un long. Elle m'avait dit au téléphone. La porte s'est ouverte ; elle ne lui ressemblait qu'un petit peu, à *elle*, mais ça changeait plus rien, j'allais rajouter l'imagination qu'il fallait.

– Salut.

– 'lut. Entre.

Elle avait juste un truc genre maillot de bain sur le dos, je l'ai suivie dans le couloir jusqu'à une piaule avec un grand lit et une lampe rouge. Aussi, une table avec petite chaîne stéréo et double range-CD. Devant la table, deux chaises.

– Assieds-toi. Tu veux pas enlever ton blouson ?

– Combien de l'heure ?

Ça commençait à venir, je me détendais, je ne pensais plus qu'à *elle*, et la lampe rouge m'aidait.

– Deux cents. Préliminaires pour toi, préliminaires pour moi, mais seulement si ça te tente. Et après, trois coups. Maximum.

– Ouais. Et pour le fric…

– C'est avant.

J'ai tiré le petit porte-monnaie violet de ma mère. Comme j'en avais pas à moi, je l'avais emprunté pour ranger le fric qui me restait de la taule. J'avais sorti les vingt marks de ma mère pour les caler sous la bouteille de schnaps. Je lui ai filé trois billets.

– Déshabille-toi, je reviens dans une seconde.

– J'ai seize tatouages. Je précise, pour pas que tu t'enfuies.

Elle a ri en sortant dans le couloir. Au point où j'en étais, c'était *elle* que je voyais rire. Elle riait *son* rire en me montrant ses dents.

– Michelle, je lui ai fait quand elle est revenue. C'est quoi, ton vrai nom ?

– Cléopâtre.

Et elle riait son rire à *elle*. Je m'étais dessapé, elle aussi était nue, sa peau brillait. Elle s'était assise devant moi. J'ai commencé par lui lécher les seins. Crème hydratante. Je tirais tellement sur les tétons que j'avais peur de lui faire mal, mais elle restait toute sage. J'ai enfoncé un doigt à l'intérieur d'elle, frottant mon visage à ses lèvres, celles du bas, et je l'ai léchée. Mon Dieu, la chaleur, j'avais presque oublié. Elle a éternué, ça l'a encore fait rire. Je me suis mis sur les coudes.

– Viens sur moi.

– Pas si vite.

Elle s'est mise à fouiller entre les coussins.

– Abracadabra !

Et elle s'est penchée, la capote à la main.

J'étais dans le bus qui allait chez Paul, ligne 73, direction le secteur est, là où des souvenirs étranges me guettaient derrière chaque coin de rue. Il y était pas. J'avais sonné plusieurs fois, tambouriné, gueulé son nom. J'ai repris les marches en sens inverse, la lumière s'est éteinte au rez-de-chaussée, et c'est là, cherchant le petit point rouge de l'interrupteur, c'est là que j'ai entendu. Un glapissement très faible. Ça venait du sous-sol. D'un seul coup, j'ai aussi vu la lueur qui filtrait sur les marches de la cave ; dur de dire pourquoi, mais j'ai tout de suite pensé à Paul. En bas du petit escalier, la porte était ouverte. Pareil pour la cave à charbons, celle juste à côté. Une ampoule luisait au plafond, Paul était assis en dessous, au milieu des charbons, et il chialait. Devant une cuvette de chiottes. Ça sonnait exactement comme un chien qui hurle à la lune ou à n'importe quoi.

– Paul. Vieux. Mais qu'est-ce que tu fous…

Il n'a pas levé les yeux.

– Dani… Chuis malade, moi, là-haut.

– Arrête. T'es juste un peu taré. On l'est tous.

– Non. Non. Ch'peux pas, moi. Avec les femmes. Ça fait des années.

– Je sais. Mais…

– Et chuis pas pédé. Crois-moi. Je serais content de l'être. Mais ch'peux avec personne. Et les autres, ils sont tous barrés. Bordel de Dieu, c'est la merde totale.

Je ne savais pas quoi ajouter. Il était assis là, à chialer devant la cuvette.

– Ils ont démoli notre bloc. T'étais pas là. L'autre nuit, j'ai pris la bagnole et j'ai été la chercher.

J'aurais peut-être dû l'envoyer chez Michelle-Cléopâtre, mais qu'est-ce que ça aurait changé. Et puis, il avait essayé.

– Allez, je lui ai fait. Viens. On va se dégourdir les jambes.

EASTSIDE STORY

Quand j'étais à l'ombre, je rêvais souvent de l'Eastside. Mais pas toutes les nuits, non, car ça m'arrivait aussi de rêver des femmes ou des virées en tram dans Leipzig, de long en large, avec un billet vingt-quatre heures et une caisse de bière, des fois je rêvais aussi du petit Walter et de la nuit où je lui avais sauvé la vie deux fois, Walter qui bien des nuits plus tard a fini par nous lâcher pour de bon, des fois je rêvais de rien, et puis y avait des nuits, avant de m'endormir, je savais déjà que j'allais rêver de l'Eastside, et je restais longtemps les yeux ouverts tellement j'avais hâte.

Aujourd'hui encore, je rêve souvent de l'Eastside et de cette époque, la grande époque, et même si au bout du compte l'année de l'Eastside n'était même pas une année entière, qu'il y a eu tant de choses après et qu'il y en avait eu tellement avant, j'ai l'impression que c'était l'époque la plus longue de mon adolescence, mais est-ce qu'on était encore mômes ? Et quand je rêve de cette année, cette année-là, ou que j'y repense, je le sais : nous étions les plus grands.

On tenait une boîte dans le quartier d'Anger-Crottendorf, au nord. On était les plus jeunes propriétaires de boîte de nuit de toute la ville, on avait seize, dix-sept piges. La boîte, c'était dans une ancienne usine d'engrenages, sur la Grand-Rue (celle qui menait hors de la ville), quelques centaines de mètres avant le panneau de sortie. Du haut de la tourelle, sur le toit, on voyait les bleds alentour, le Bosquet de l'Est à l'autre bout du quartier. Des voies ferrées passaient derrière l'usine. Parfois, on tirait sur les trains de marchandises avec nos fusils à air comprimé, on tirait aussi sur ce qui restait des vitres, ou alors on visait des canettes de bière volées ou achetées pour presque rien, on les posait sur les rebords des fenêtres et on tirait jusqu'à toutes les épuiser. L'une des voies de chemin de fer avait gardé son vieil aiguillage, elle traversait un portique et débouchait sur une rampe ; on disait qu'on allait tout réparer pour détourner les trains. Certains trains de marchandises transportaient plusieurs rangées de voitures superposées, mais eux, on tirait pas dessus, on aimait les bagnoles.

Des fois, Fred choisissait un hangar pour planquer ses caisses volées. L'usine était grande, y avait même des chemins et des rues sur le site, comme dans une petite ville.

L'usine, elle a disparu, ils ont construit une station Esso à la place alors qu'on avait déjà une station Shell dans le quartier, tout près de la Manufacture du Peuple. Quand je viens à passer dans le coin, ça m'arrive d'aller acheter de la bière chez Esso et j'en profite pour faire une petite visite à Thilo-l'Arsouille. Derrière la station, assis sur une chaise devant sa petite table, il tise. Il ne bouge pas, même en hiver. Il porte juste un bonnet de laine en plus, avec un gros pompon pétant par-dessus, et il a du schnaps contre le froid. Impossible de décoller de là, qu'il dit, c'était quand même son usine, c'est lui qui nous l'a montrée, il était posé là avant nous dans les caves et les hangars, à tiser. À présent, Thilo-l'Arsouille est posé tout près d'un petit muret, tout ce qui reste de son usine. De l'autre côté du mur, une tranchée, l'ancien emplacement d'une des caves, y en avait plein. C'est là-dedans qu'aujourd'hui Thilo balance ses canettes vides et aussi ses bouteilles de schnaps quand c'est l'hiver. Sa tranchée sera bientôt pleine. Thilo-l'Arsouille a toujours bu, même s'il dit qu'il a commencé après la mort de ses parents, il y a quelques années de ça. Toutes les fois où le hasard fait que je me promène dans le coin et que je passe le voir, je lui paye une bière et une petite flasque, parce qu'il a raison, c'est lui qui nous a fait découvrir l'usine, sans lui jamais on aurait eu l'idée d'installer un club techno dans l'un des bâtiments. Le bar était déjà là, c'était Thilo qui l'avait construit, rien que pour sa gueule, il avait couché quelques vieux placards en métal les uns sur les autres en diagonale dans un recoin du hangar et accroché un grand panneau en carton par-dessus, avec marqué « Le Comptoir de Thilo ». Même qu'il avait réussi à se procurer des vieux tabourets de bar et bricolé une étagère avec des briques et des planches derrière le zinc, histoire d'aligner quelques bouteilles de schnaps éclairées par des petites bougies. C'était là qu'il buvait quand ils ont vidé l'appart de ses vieux. Ils avaient été criblés de dettes, les huissiers étaient venus cadenasser leurs meubles et leurs objets de valeur, raison pour laquelle Thilo restait du matin au soir dans son bar, à tiser. Je crois aussi que le service d'hygiène en avait après lui, son père était mort à cause de la tuberculose, celle du buveur, et comme ils étaient pas sûrs que Thilo soit pas contaminé aussi, ils voulaient le foutre en quarantaine. Rico nous avait dit ça la première fois qu'on était passés voir Thilo à son bar, du coup on s'était débrouillés pour pas s'approcher trop près en lui parlant, la tuberculose ça craignait vraiment. Il nous offrait de la gnôle qu'on buvait au goulot, parce que ses verres, à les voir, on aurait dit qu'il avait pissé dedans, à les sentir aussi. On buvait au même goulot que lui, mais comme c'était de la vodka origine certifiée Russie, sa tuberculose ne faisait pas le poids.

Après, je sais plus qui a eu l'idée pour la boîte, peut-être Walter, peut-être Mark ou Rico ; des fois, quand je suis posé à boire avec Thilo-l'Arsouille derrière la station-service, je me dis que c'était mon idée à moi, mais au fond, je sais que c'est faux. J'ai juste trouvé le nom, Eastside, mais ça, c'était après.

À l'époque, on bougeait souvent aux raves illégales de Connewitz, dans les vieilles usines ou les maisons condamnées, carrément mieux que l'Apple, même si à l'Apple les gonzesses sortaient moins couvertes, même en hiver. Dans les clubs illégaux, t'avais pas de videur pour te faire chier, ni de types qui te cherchaient dès que tu reluquais leurs meufs sur la piste, d'ailleurs on y voyait rien ; à travers le rideau de fumée, sous les strobos, on distinguait seulement des bras et des jambes, parfois quelques gueules. La fumée ne restait pas en suspens sur la piste, elle s'infiltrait dans les couloirs, descendait d'un étage en passant par le bar et s'échappait dans la rue. Les flics se montraient presque jamais. « La tech, c'est pour un hangar d'usine, ou une cave », disait toujours Mark à l'époque, Mark qui avait commencé à poser lui-même, d'abord avec deux vieilles platines fabriquées dans la zone, avant que le frangin de Karsten lui trouve deux HTE à entraînement par courroie pour 200 pièce. Il aurait préféré des Technics, elles étaient encore mieux, entraînement direct, mais le frangin de Karsten pouvait pas les choper si facilement, ça revenait à 600 pièce, il aurait fallu que Mark récupère la consigne sur 200 caisses de bière vides volées à la brasserie Leipziger ou dans la cour de livraison de la halle. D'ailleurs, il avait commencé à s'y mettre, sauf que les flics l'avaient déjà bloqué deux fois, alors il a fini par se rabattre sur les HTE. Il s'entraînait tous les jours, Walter aussi touchait un peu de temps en temps, on écoutait en buvant des bières et en fumant pas, chez Mark c'était interdit.

Dès que ses parents posaient problème, on délocalisait la hi-fi et les platines dans la cave de Pitbull, là où personne venait nous faire chier à part le daron de Pitbull quand il était plein, mais à l'époque Pitbull le tenait déjà fermement. Il avait même un petit strobo dans sa cave, la boule en plastoc tournoyait au plafond en renvoyant des rayons de toutes les couleurs, c'était du matos pas cher qu'il avait chopé chez les Électroniaques. Et peut-être que c'était dans la cave de Pitbull que ça avait commencé, Walter ou Mark posait, on éteignait la lumière, les flashs du strobo et les rayons multicolores tombaient dans nos bouteilles de bière et de gnôle pendant qu'on dansait bourrés entre les vieux fauteuils de Pitbull, c'était peut-être là qu'on l'avait eue, l'idée, notre boîte à nous, notre bar à nous, et après, quand l'alcool et parfois déjà les quelques pilules s'étaient barrés de notre crâne, elle était toujours là.

« Les plus grands, disait Rico. Si on ouvre notre club, ça sera nous les plus grands du quartier. » Et on est devenus les plus grands pour de vrai, même si ça n'a duré qu'un an, et y avait pas que le quartier, toute la ville venait chez nous... mais ça, c'était après. Et aujourd'hui, quand je suis assis avec Thilo-l'Arsouille derrière la station-service à boire de la bière, tout est encore là, la cave, les raves de Connewitz, au sud, celles-là ça fait bien longtemps qu'elles ont disparu, et notre usine, et le Comptoir de Thilo...

La fois où Rico a grimpé dessus pour découper le panneau avec sa lame et que le « Thilo » s'est retrouvé par terre, Thilo-l'Arsouille a rouspété. Encore aujourd'hui, ça le fait rouspéter, dans ces cas-là je lui paye une bière et un petit schnaps en lui rappelant qu'après, quand la boîte a été sur pied, on l'a gardé avec nous derrière le bar, il aidait à décapsuler les bières et à préparer nos différents Eastside Specials (petite brune + petite graine + Jäger + jus d'orange / petite brune + petite graine + jus de cerise / mousseux + petite graine + coca + rondelle de citron), je lui rappelle ça, il sourit, et ça lui va. Déjà à l'époque ça lui allait, même si on lui avait piqué son bar et le fusil à air comprimé qu'il planquait derrière le zinc, ça lui allait de ne plus être tout seul dans cette usine trop grande, de pouvoir nous filer un coup de main pendant qu'on agençait les lieux et qu'on construisait tout, on lui racontait qu'il était devenu notre fondé de pouvoir responsable du périmètre bar, truc dans le genre. En plus de ça, il avait le droit de pousser le caddie où on empilait les fauteuils, les chaises et les tables qu'on avait récupérés aux encombrants du quartier. Une fois, on a trouvé un énorme canap, bien trop gros pour le caddie, et on a prévenu Fred qui s'est ramené la nuit même avec une de ses caisses. On s'est mis à quatre pour hisser le truc sur le toit, on a roulé au pas jusqu'à l'usine, les rues désertes, pas un flic en vue. Les flics, c'est quand la boutique tournait déjà qu'ils se sont pointés. Dès la première nuit, dès la première teuf. Pointés alors que personne les avait invités. Sûrement qu'ils avaient trouvé un de nos flyers *Eastside – the new location in L. E.* qu'on avait distribués dans toute la ville, chez les disquaires, dans les bars, les autres clubs, au New Yorker. Six cents flyers. Sauf qu'ils n'avaient pas été six cents à venir nous voir à Anger-Crottendorf, ils étaient peut-être cinquante, sans compter les flics. On les connaissait, les flics du quartier. Secteur sud-est. Là-haut, on les connaissait tous, mais je parie que c'est pas pour ça qu'ils se sont contentés de dire, juste avant de se tirer : «Baissez un peu et foutez pas le boxon.» Ils savaient très bien qu'on était experts en foutage de boxon. Mais sûrement qu'ils savaient aussi qu'ils en verraient de pires dès le moment où ils disperseraient les fêtards, du coup ils sont sagement remontés dans leurs caisses avant de débarrasser la cour.

Sauf que non. Pas de flics pendant la première nuit de l'Eastside, et y aurait pas pu en avoir, l'énorme portail qui donnait sur la Grand-Rue avait été verrouillé avec des cadenas et des chaînes en métal, le service d'ordre était passé par là quelques jours avant, «Accès interdit. Les parents sont responsables de leurs enfants», et c'est seulement plusieurs semaines après, la nuit de la deuxième teuf, qu'on a eu l'idée d'ouvrir les portes grâce à un coupe-boulon sorti de la collec de Fred. La nuit de la première teuf, les gens devaient passer par-derrière, sur les rails.

Des fois, mes souvenirs sont dans cet ordre-là, d'autres fois ils changent de sens, dans certains rêves les flics se pointent le premier soir, chaque nouveau premier soir, d'autres fois je rêve qu'en fait ils sont jamais venus, et d'autres fois, quand je passe devant la station-service et que je vois Thilo-l'Arsouille, c'est lui qui doit me raconter comment c'était. Mais avant, je vais chercher des bières et un petit schnaps, faut qu'il boive pour que les images reviennent.

«Les poulets, ils sont pas passés sur les rails, qu'il me dit. La deuxième fois, ils sont passés par le portail. Pas de poulets sur les rails. Que des gens. Beaucoup de gens.» Sauf que les gens étaient cinquante, soixante grand max à trébucher dans le noir, sur les rails.

Malgré notre son qui poussait pas mal, on entendait parfois le grondement et le crissement d'un train, je crois qu'on a eu la trouille toute la nuit que quelqu'un se fasse accrocher sur les rails. Personne s'est fait accrocher, même si c'était évident que masse de gens avaient gobé masse de trucs, mais si y a pas eu d'accident, c'est peut-être plutôt que quelques-uns ont tourné les talons pour rentrer au bercail dès qu'ils ont calculé les rails glauques et l'usine obscure vrombissant juste derrière. « C'est ça, l'underground pur et dur, disait Walter à l'époque. Hop, sur les rails, gaffe aux trains, tu traverses toute la merde, et la teuf commence. C'est ça qu'est underground. Même délire qu'à l'Idylle. »

Et il avait raison. L'Idylle, c'était l'un de nos modèles. Une boîte illégale loin de notre quartier, à Connewitz, dans une ancienne villa. Si on voulait entrer, c'était par une toute petite lucarne de chiottes au rez-de-chaussée, en escaladant un gros tas d'ordures qui faisaient comme des marches. À Connewitz et dans le secteur sud, y avait pas mal de boîtes dans cette veine-là, y en avait même une qui était tellement délabrée que le coupon d'entrée précisait « risques d'effondrement », une autre boîte s'était bel et bien effondrée, mais heureusement c'était en semaine et elle était déserte, mais en tout cas, aucun autre club techno n'avait une entrée aussi déglinguée que l'Idylle jusqu'à ce qu'on débarque et que les gens soient obligés de traverser les rails. Et les trains de marchandises passaient toute la nuit.

On a quand même fini par ouvrir le portail. Le soir de la deuxième teuf. À cause des gonzesses. La première fois, c'est surtout elles qui avaient rebroussé chemin quand elles s'étaient retrouvées face aux rails. On avait dû avoir quelque chose comme dix gonzesses pour la première Eastside Party, ça peut pas continuer comme ça, on se disait à l'époque. Le comble, c'est qu'on avait l'arrêt du 73 juste en face, dans la Grand-Rue, et la station de tram pas loin non plus. C'était crucial d'être bien desservis. On a aussi été obligés de fracturer la porte en acier de la petite cabane électrique, les pisseux du service d'ordre avaient muré la fenêtre où on faisait passer nos rallonges et nos multiprises (quand il pleuvait, on avait toujours une peur bleue du court-jus, même en protégeant les câbles qui traversaient la cour avec des sacs plastique). Ça ronronnait dans la cabane, des tas d'ampoules clignotaient, Walter enfilait des gants en caoutchouc pour bidouiller les raccords, il s'y connaissait un peu là-dedans, son père était électricien. Avant la quatrième teuf, on a quand même eu un court-jus. Plus aucun courant. C'était les mecs à Ange qui essayaient de nous saboter, eux aussi avaient ouvert leur propre enseigne, on a été obligés d'emprunter un moteur à essence sur un chantier du coin, heureusement qu'à l'époque, l'est de Leipzig n'en manquait pas. Mais la nuit de la deuxième teuf, le problème n'est pas venu des mecs à Ange. Ni des flics, d'ailleurs. Eux, ils s'en étaient tenus à leur « Baissez un peu et foutez pas le boxon » avant de remonter dans leurs caisses et de débarrasser la cour.

Cette nuit-là, c'est les Markkleebergois qui sont venus. Ils nous ont tout niqué, et Dieu sait que tout était plus solide que la première fois. On avait reproduit le flyer sur papier vert, réquisitionné encore plus de canaps, créé encore plus de cocktails. Le son qu'on avait emprunté était encore plus puissant, on avait pris des Technics à la place des HTE, même qu'on s'était payé un DJ connu, DJ Frog, il posait à Kleinzschocher, banlieue ouest, pour l'Oasis, meilleur club techno de Leipzig, et même si l'Oasis n'était pas illégal, il était largement au niveau. DJ Frog nous avait coûté deux biftons. Il les valait, même s'il avait dû plier boutique un peu plus vite que prévu à cause des Markkleebergois. C'était sûrement qu'il flippait pour ses galettes (innombrables) et ses gonzesses (trois, des minous extravagants en minijupes à paillettes), et il devait flipper encore plus pour sa bagnole (il conduisait une Cadillac, deux petits drapeaux des USA sur le capot, première fois qu'on voyait un capot aussi long et monstrueux. Plus tard, le prix de l'essence a monté, il a dû revendre la caisse). Moi, je l'ai pas vu se tailler, DJ Frog, mais plus tard, quelqu'un m'a raconté qu'il avait détalé dans la cour de l'usine en hurlant : « Tout le monde se casse, pour l'amour de Dieu ! Que tout le monde se casse ! », et pendant qu'il détalait avec ses trois minous, une ou deux galettes sont tombées de sa valise dans la bouillasse. Mais les Markkleebergois l'ont laissé en paix, ils n'ont mis le doigt ni sur son stock de galettes ni sur ses trois minous, il n'y a pas eu une seule rayure sur sa Cadillac (sauf peut-être quand il l'a manœuvrée pour quitter la cour), car DJ Frog était connu et respecté dans toute la ville. Faut dire que le gars était dans une *vraie* boîte, avec équipe de sécurité, gros réseau, et qui disait réseau disait toujours le Terr, d'une manière ou d'une autre, et personne ne voulait avoir affaire au Terr, même pas les Markkleebergois.

Nous aussi, on avait ce qui ressemblait à une équipe de sécurité : le responsable, c'était Rico, il se postait à l'entrée et gérait la caisse.

D'un seul coup, les mecs de l'entourage d'Ange se sont mis à être aux petits soins avec nous, à vouloir nous aider sans arrêt, vu qu'à présent on l'avait, notre propre boîte, on était quelqu'un, on était respectés au quartier. Sauf que les Markkleebergois ne savaient rien de tout ça, et même en l'ayant su, ils s'en seraient branlés. Parce qu'ils venaient pas de notre quartier, ils avaient fait le long chemin depuis la commune de Markkleeberg, arrondissement de Leipzig, quinze minutes avec le train de banlieue, pour venir faire la teuf, boire et danser chez nous. Mais ils n'avaient ni fait la teuf, ni bu et dansé, ces fumiers, à la place, ils nous avaient tout niqué : le bar, les meubles, le vieux poste de télé qu'on avait installé derrière le comptoir avec l'enregistreur cassette de Mark qui passait les films de Donald, plus des tas de bouteilles de bière et de schnaps.

Heureusement, quand ça s'est mis à s'exciter, j'avais déjà distribué les bouteilles de bière, de schnaps et de Coca dans la salle du bar, que les gens aient moyen de se défendre. Mais au lieu de se défendre, la plupart ont tout bonnement pris le large, et les bouteilles avec. Je peux me mettre à leur place ; dehors, dans la cour, au moins trente bonhommes attendaient avec des matraques et des battes de baseball. Au début, quand ils avaient commencé à taper l'embrouille, les Markkleebergois étaient au nombre de dix. Ils avaient payé l'entrée, Rico leur avait même fait à quarante, tarif de groupe, mais ils étaient venus réclamer leur fric, soi-disant que la boutique leur plaisait pas.

La partie de l'usine où on faisait nos teufs avait deux étages. Au rez-de-chaussée, une ancienne salle de nettoyage dans laquelle on balançait nos ordures, au premier étage la salle du bar, et au-dessus, le dancefloor, qui cette nuit-là était plein à craquer, DJ Frog touchait vraiment. On avait allumé au moins cent bougies, sur les marches du grand escalier, les rebords des fenêtres, les tables et le comptoir. La machine à fumée tournait à plein régime, la fumée ne restait pas en suspens sur la piste de danse, elle s'infiltrait dans l'escalier et s'échappait dans la rue. On avait enroulé de papier d'alu les vieux radiateurs, les tuyaux du plafond et les colonnes qui le soutenaient, au milieu de la pièce. Dans le papier d'alu, le reflet des bougies et des ampoules multicolores de la guirlande de Noël que Mark avait empruntée à ses vieux. Côté bar, le scintillement des lampes à ampoules rouges et violettes, plus la collection de whiskies (toutes vides, hélas) que Thilo-l'Arsouille avait réussi à sauver de l'appart de ses parents débarrassé par les huissiers, pour les présenter sur les étagères qui recouvraient tout le mur derrière le bar. Contre les murs encore libres, on avait aligné des placards en métal où on avait collé des affiches et des flyers d'autres raves parties. Les murs du dancefloor étaient recouverts de jolis tags, on avait fait venir des graffeurs du club des jeunes. Les Markkleebergois nous ont tout niqué. D'ailleurs, quelques jours avant la teuf, on avait niqué quelques trucs nous-mêmes, éclaté une table par-ci, une chaise par-là, balancé un ou deux placards et un ou deux canaps par la fenêtre, mais bon, on avait un peu bu, c'était juste pour faire un peu de brin, et au fond ça comptait pas, c'était notre boîte, on a tout remis en place après.

Peut-être qu'on aurait dû leur rendre, leurs quarante, aux Markkleebergois, leur rendre au moment où ils n'étaient encore que dix. Mais on était des businessmans, on avait une boîte à faire tourner, un geste comme ça et c'était la porte ouverte à toutes les fenêtres, on laissait déjà rentrer trop de gens gratos, les mecs à Ange, Karsten et son frangin, trop de potes à Fred, trop de potes à Pitbull, trop de gonzesses qui nous mettaient la fièvre… Et peut-être que Rico et ses gars n'auraient pas dû montrer le poing aux Markkleebergois au moment où ils n'étaient encore que dix à la porte, mais on était des businessmans, on faisait tourner une boîte, si quelqu'un venait chercher l'embrouille, on se devait de prendre des mesures sévères, jusqu'où ça va si on commence à s'adoucir. Ils se sont repointés environ une heure après, et ils étaient trente bonhommes, au bas mot.

Je ne me rappelle pas très bien comment tout s'est passé cette nuit-là, je sais juste que d'un seul coup je me suis retrouvé tout seul au bar, deux bouteilles en main, pendant que les éclats et les cris résonnaient dans la cour. Impossible de dire comment j'ai réussi à me tirer du bâtiment, mais j'ai fini par trouver la sortie sans qu'ils me coincent, tout le fric du bar fourré dans le slip, tous les billets, la monnaie cachée dans mes chaussettes. D'un seul coup, j'étais tout seul au milieu de la route, les bruits de verre et les craquements m'arrivaient de l'usine, et encore aujourd'hui je me rappelle que j'avais envie de chialer, de poser le cul sur le rebord du trottoir pour chialer. Car ces fumiers étaient en train de briser notre rêve. Y a que la sono et les platines qu'ils ont laissées en état. Plus tard, Mark et le petit Walter m'ont raconté qu'ils s'étaient planqués dans un coin de la piste, sans lumière vu que le courant était coupé et les multiprises mortes, et ils avaient vu les Markkleebergois débarquer en haut de l'escalier. Les types avaient éclairé la pièce avec leurs briquets, et au moment de réduire la sono en morceaux, l'un d'eux avait déclaré : « Nan, vaut mieux pas. C'est sûrement à DJ Frog. » Ce qui veut dire qu'en fin de compte, DJ Frog nous a un peu aidés, même si ça faisait longtemps qu'il roulait à toute blinde vers chez lui dans sa Cadillac, avec ses trois pouffes à paillettes.

Parfois, Thilo-l'Arsouille raconte aussi la grande contre-attaque de cette nuit-là. Mais il n'y a pas eu de contre-attaque. Pourtant, on s'était regroupés, Rico était là, Karsten et son frangin, Pitbull, une poignée de graffeurs du club des jeunes, j'avais déjà fait plusieurs allers-retours par-dessus le grillage de chez Böhland, spécialiste du matériel recyclable et voisin de l'usine, pour ramener des barres de fer, des matraques et deux vieux pare-chocs que j'avais mis à disposition au milieu de la route, mais quand je me suis retrouvé au milieu de la route et des munitions, j'étais tout seul. Deux secondes après, c'est les barres de fer, les matraques et les vieux pare-chocs qui se sont retrouvés tout seuls, je courais, je courais pour sauver ma peau, les Markkleebergois venaient de passer le portail de l'usine, la *nôtre*, et ils couraient sur moi. C'est là que les flics se sont ramenés pour la deuxième fois cette nuit-là, peut-être la première fois que j'étais content de les voir arriver.

Quelques jours plus tard, Rico, Fred, Karsten et son frangin et les mecs à Ange ont fait le voyage à Markkleeberg avec d'autres gars qui n'auraient pas tenu cinq minutes dans la plus grande église de Leipzig sans s'avoiner la gueule. C'était pas juste notre boîte qui était en jeu, c'était l'honneur du quartier. Moi, j'y ai pas été, Rico disait qu'il représentait pour l'Eastside, c'était quand même lui qui tenait la porte. Après ça, des tas d'histoires ont circulé sur les représailles de Markkleeberg, la légende dit même que leur chef en est ressorti borgne, mais Rico nous a jamais rien dit.

Les Markkleebergois ne sont plus jamais revenus. Par contre, les flics, à chaque fois. Les plaintes pour violation de domicile n'en finissaient plus, mais tant qu'ils dispersaient pas les fêtards, on s'en foutait. Des embrouilles avec d'autres gars, y en avait assez souvent. Depuis, on gardait un pistolet d'alarme à canon alésé derrière le bar, un autre à la porte, Rico disait qu'il préférait descendre un mec plutôt que le laisser briser notre rêve. Et une fois, il a bien failli en descendre un, je me rappelle pas exactement quelle teuf, si c'était l'Eastside 5 ou l'Eastside 6, quoi qu'il en soit on était déjà connus en ville, les gens affluaient de tous les quartiers, sauf DJ Frog qui refusait de poser chez nous, même pour trois biftons. Mais on avait plus besoin de lui, Walter touchait sa bille aux platines, Mark se débrouillait bien, on avait largement assez de types du club des jeunes qui voulaient poser chez nous et qui auraient même payé pour. Désormais, le frangin de Karsten faisait la porte avec Rico, on s'était encore pris la tête avec les mecs à Ange qui avaient ouvert leur propre boîte dans un autre bâtiment de la même usine alors qu'ils savaient que c'était la nôtre, qu'on l'avait trouvée nous-mêmes (Thilo-l'Arsouille ne comptait pas), qu'on avait eu l'idée en premier. Mais rien à faire contre Ange et ses mecs, Rico pouvait répéter autant qu'il voulait qu'avec une lame, dans un coinstot bien sombre, il avait peur de personne. Au bout du compte, Rico n'a même pas eu à se demander comment couler Ange, la boîte à Ange marchait de travers, il avait fait que deux teufs et personne s'était ramené à part ses mecs. Faut dire aussi qu'il avait agencé ses espaces comme une bite, il manquait vraiment d'imagination, rien à voir avec nous, il cherchait seulement à prouver qu'il était le plus grand du quartier. Pas impossible que ce soit Ange qui ait envoyé les types pour qu'ils fassent un peu de ménage chez nous ce soir-là. On était encore complets, le plafond du bar (le sol du dancefloor) tremblait sous les pas du peuple, et encore aujourd'hui Thilo-l'Arsouille raconte que dans certains coins le crépi se détachait et s'émiettait sur les canaps, mais je crois qu'il pousse le bouchon un peu loin.

Cette nuit-là, Pitbull a dû faire la navette entre la boîte et sa cave pour aller mettre les billets à l'abri, mais aujourd'hui, quand je raconte ce passage à Thilo, il dit que c'est moi qui exagère. Mais je sais que ça s'est passé comme ça. Quand je décris les gars qui sont venus nous taper l'embrouille, j'exagère pas non plus. Y en avait pas trente, comme les Markkleebergois. Ni dix. Ils devaient être sept ou huit, et peut-être que si ç'avait été des gars normaux, Rico et le frangin de Karsten qui faisait la porte à l'Apple de temps à autre leur auraient fait leur affaire. Mais c'était des molosses. De loin, on aurait dit des vrais hooligans, des dangereux, des supporters du Loco, et ils avaient les manières qui allaient avec. Ils ont commencé par bousculer les gens près du bar, mais tout le monde s'écartait sans rien dire, il suffisait d'un coup d'œil pour voir qu'ils attendaient juste que quelqu'un prononce un mot. Et puis, au moment où je pensais déjà qu'ils avaient lâché l'affaire pour aller jouer ailleurs, j'ai entendu le beuglement de Rico à la porte. « Ch'te plombe, sale fils de pute ! » Je me suis rué à travers le bar et les escaliers. D'un seul coup, deux types étaient sur moi. Devant ma gueule, un poing presque aussi gros que ma tête. « Non ! j'ai crié, c'est quoi, cette merde ! Pourquoi ! » mais ils n'abattaient pas leurs poings, pourquoi n'abattaient-ils pas leurs poings ? Et là, j'ai vu Rico, calibre en main, calibre sur un front. J'ai vu que le chien était levé, que le bras de Rico tremblait, mais le gars qui l'avait sur le front était très calme. Je me suis faufilé entre les deux molosses pour aller trébucher en bas des marches, j'étais tout près de Rico, et là… tout ce que je sais, c'est qu'il y a eu une bousculade de dingue. « Vas-y mais range ça, toi ! Range ton putain d'gun ! » Les hools battaient des bras pour récupérer le flingue. Et d'un seul coup, je tenais le bras de Rico, d'un coup son flingue, ils auraient pu démolir Rico, mais ils ne l'ont pas fait. Deux pains, trois pains seulement, Rico a relancé, le frangin de Karsten s'est interposé entre lui et les hools pendant que je mugissais comme un bœuf : « Stop, putain ! Arrêtez votre délire ! » Pitbull a déboulé dans l'escalier, le deuxième calibre coincé dans le pantalon, bien en vue, et les hools… les hools étaient très calmes. L'un d'eux a éclaté la vitre de la porte principale, poing à nu, c'était la seule vitre de tout le bâtiment à être encore nette. Il avait le poing en sang, j'aurais voulu qu'il se tranche la grosse veine, mais après, ils ne s'en sont plus pris à personne. Ils continuaient à vociférer dans tous les sens, j'avais la sale peur, les doigts serrés sur le calibre, c'est seulement quand ils se sont barrés que j'ai remis le cran de sûreté. Il aurait suffi qu'un seul d'entre nous, un seul d'entre eux déconne, suffi d'un mouvement brusque, d'un pas en avant, d'un geste dans le mauvais sens pour que le sang coule plus qu'au poing du gars. Mais au fond, peut-être que c'est le petit Walter qui nous a sauvé la mise, en refilant aux hools deux packs de six pour qu'ils puissent s'en aller sans perdre la face.

Des années après, Rico m'en voulait toujours à mort de lui avoir pris le flingue cette nuit-là, soi-disant qu'il gardait le contrôle. Mais au moment où il était face au type, avec le flingue, j'ai vu ses yeux, il aurait appuyé. Vrai que c'était juste un pistolet d'alarme, mais il était collé à même le front du gars, la pression se serait déchargée en plein dans son crâne et Rico serait resté en taule bien plus longtemps que les fois d'après, pendant la période où ils n'arrêtaient plus de le coffrer.

C'est peut-être à cause de ça aussi, à cause des histoires de taule de Rico que l'Eastside a fermé ses portes. Au fond, je crois que ça lui allait très bien, il aurait pas supporté de croupir en prison pendant que la moitié de la ville faisait la teuf dans notre boîte.

Mais c'est aussi les drogues, ces chiennes de drogues qui nous ont tout niqué, qui ont brisé notre rêve, notre rêve que ni les Markkleebergois, ni les Hools, ni les mecs à Ange et ni toute la flicaille de Leipzig réunie auraient pu toucher.

C'était Pitbull, c'est Pitbull qui a commencé à faire tourner sa merde à l'intérieur de l'Eastside. Il disait tout le temps : « Maintenant on est des businessmans. Faut qu'on réponde à une demande. » Et il avait pas tort, beaucoup de gens venaient chez nous pour sa came, ça m'est même arrivé d'en goûter un peu. Mais après, les mecs à Ange se sont pointés, ils ont commencé à casser les prix de Pitbull et ça a recommencé à taper l'embrouille. Ensuite, Mark et Walter se sont mis à picorer la came de Pitbull ou d'Ange à chaque teuf, à plus gérer le bar, ni les entrées, ni les flics quand les flics se ramenaient, et un peu plus tard, Rico aussi s'est mis à picorer, et moi aussi, de temps en temps, et tout... a commencé à se briser. Les mecs à Ange s'incrustaient partout, au bar et à l'entrée, ils réclamaient des tickets boisson, des entrées gratuites pour leurs gonzesses et les copines et les frangines de leurs gonzesses, la monnaie a commencé à se volatiliser, tout le monde donnait la faute à tout le monde, tout a commencé à se briser.

On avait plus les idées claires, la moitié de la ville venait chez nous, on était les plus grands, on était connus en dehors du quartier. Chacun d'entre nous a commencé à vouloir jouer au boss, Rico, Mark, Pitbull, Walter, moi aussi, chacun d'entre nous... tout a commencé à se briser. Pendant les teufs, l'ambiance n'était plus aussi bonne que dans les débuts, et même si les gens continuaient à bouger jusqu'à ce que ça s'éclaircisse et que même les oiseaux viennent nous déranger, la plupart restaient au fond des canaps ou dans leurs bagnoles à taper la came de Pitbull ou d'Ange.

Pareil pour les flics, à la fin, ils jouaient plus leur jeu du « baissez un peu et foutez pas le boxon », le soir ils verrouillaient les portes, plus personne ne pouvait rentrer, les plaintes étaient de plus en plus nombreuses, et même si on se l'avouait pas, on commençait à avoir peur. Des flics en civil ont coffré quelques mecs à Ange et nous ont menacés de saisir la sono si on refusait de mettre la clé sous la porte. Une fois, ils ont même embarqué Rico et Pitbull au poste, secteur sud-est, et on a dû faire tourner la soirée à trois, avec Mark et Walter. Les flics ne voulaient pas d'un deuxième Connewitz à Anger-Crottendorf, ça faisait une paye qu'ils pouvaient plus contrôler les clubs illégaux qui pullulaient là-bas. Sauf qu'en vrai, ils faisaient partie du jeu, les flics, et les fois où on négociait avec eux et qu'à la fin les gens voyaient qu'on leur avait sauvé la soirée et que les flics débarrassaient le plancher, on était les plus grands.

Thilo-l'Arsouille dit toujours que c'est à cause de l'Homme de Merde que tout a été emporté. Mais c'est faux, lui, il nous a seulement montré à quel point, dans cette ville, certains types pouvaient être malades, déglingués et pervers. Mais au fond, on le savait déjà, au fond, il avait rien à voir avec l'Eastside, c'est simplement qu'il était là, dans l'usine, même si on le voyait jamais. Thilo n'arrête pas de reprendre le sujet, mais je rechigne à parler de l'Homme de Merde, car j'ai vu ses photos. Des fois, quand on arrivait, elles étaient posées sur le comptoir ou sur une table, avec ses lettres. Y avait souvent des sacs plastique à côté, mais malgré l'argent qu'il proposait dans ses lettres, on lui a jamais donné ce qu'il voulait.

Après, on a abandonné tout ça, c'est juste qu'on pouvait plus, on ne *pouvait* plus continuer, on est plus jamais retournés dans l'usine, sauf Thilo-l'Arsouille, il est resté tout seul derrière son bar jusqu'à ce qu'ils arrachent tout.

À LA COLLINE D'ARGENT

– Alors, Daniel, me dit Frau Seidel en me regardant par-dessus ses lunettes, comment ça va, à la maison ?

– Ben, ça va. Ça va très bien.

– Et ta mère ? Tu es gentil, tu l'aides ?

– Oui.

– C'est bien. Un pionnier est toujours prêt à servir. Avant tout, il aide ses parents (elle rajuste ses lunettes), il aide sa mère. Donne-moi ton carnet de liaison.

J'ouvre mon cartable pour lui tendre le petit cahier. Elle débou-chonne son stylo, mais pas celui avec l'encre rouge.

– Tu montreras mon mot à ta mère. Ça lui fera plaisir.

– D'accord, je lui dis en refermant le cahier. Merci.

– J'ai aussi entendu que tu aidais Rico à réintégrer le collectif ?

– J'essaye.

– Un pionnier est toujours prêt à servir (elle lève l'index, mais ces trucs-là je connais déjà, on me les rabâche tellement), mais un pionnier se doit aussi de se montrer discipliné à son propre égard. Un pionnier se doit aussi de poursuivre ses propres objectifs et ses propres accomplissements avec discipline. Comprends-tu ce que je te dis, Daniel ?

– Oui oui.

– Ce n'est pas pour le plaisir que nous faisons redoubler Rico en 6e. Il doit nous donner des preuves de sa volonté. Tout dépend de lui, et de lui seul. Il doit affronter ses nouveaux objectifs avec discipline. C'est cette chance que nous lui donnons.

Elle me regarde toujours, mais je regarde ses lunettes lui glisser au bout du nez.

– D'accord.

– Ne te laisse pas déconcentrer par Rico.

Tout d'un coup elle parle très bas, sa tête se penche tout près de son épaule.

– Garde tes objectifs à l'esprit, Daniel. Je te le demande.

– D'accord, Frau Seidel.

– C'est bien, Daniel. Tu peux y aller.

J'empoigne mon cartable, Frau Seidel range le gros cahier de vie de classe dans son sac et ferme le tiroir du bureau à clé.

– Au revoir, Frau Seidel.

– Très bien, Daniel. Au revoir.

En passant la porte, je l'entends encore agiter ses clés, puis je redescends l'escalier et je traverse la cour en longeant l'annexe jusqu'au terrain de sport. C'est là que Rico fait ses tours de piste, parfois même plusieurs séries de cent mètres, c'est bon pour son endurance. Maintenant, il boxe pour le groupe de sport de notre arrondissement. Pas un chat sur le terrain. L'emploi du temps de Rico, je le connais par cœur. On se voit moins qu'avant, mais c'est surtout à cause des disputes à la maison.

Deux filles sont en train de faire bronzette près du mur, sur la petite pelouse. Je me faufile par le trou du grillage, direction chez moi. Juste derrière le pont, au coin, c'est la Colline d'argent. Le QG de mon père. Je m'arrête sur le seuil pour écouter ce qui se passe à l'intérieur. Plein de voix, des verres qui s'entrechoquent. J'entends celle de mon père :

– Dani ! Ramène-toi un peu ! Viens te prendre ta limo. Après, t'iras dire à ta mère que je rentre dans cinq minutes.

Tout doucement, je grimpe les trois marches qui mènent à la porte. Je l'ouvre et je m'enfonce dans la pénombre de la Colline d'argent.

À droite, dès qu'on entre, les grandes cartes en verre de toutes les couleurs : la dame de cœur, l'as de trèfle, le roi de pique et le gland. Elles brillent le long du mur. Lentement, je les dépasse en cherchant mon père des yeux. Mais il n'est nulle part. Ni au fond, où deux hommes sont en train de tirer sur leurs gros cigares ; ni ailleurs, derrière toute la fumée. Normalement, il se met à la table des habitués, la grande table ronde où quatre hommes sont en train de boire en fumant des cigarettes. Devant eux, un pupitre qui soutient un petit panneau en fer : TABLE DES HABITUÉS. Seuls les meilleurs ont le droit de s'asseoir là, m'a expliqué mon père. Et lui, il en faisait partie, sauf que maintenant il n'est plus là. Et c'est ici, c'est ici que ça s'est passé, même si je ne connais pas l'endroit précis. Mon père ne m'a pas dit où c'était, il ne me l'a pas dit quand il est sorti de la maison avec son gros sac. Je lui ai demandé, redemandé, mais il n'a pas voulu me le dire. «C'est pas de ton âge. Nan, pas de ton âge.»

– Qu'est-ci fiche là, le gamin! T'as pas l'âge pour être ici.

Debout de l'autre côté du comptoir, l'homme tend son bras vers moi, un chiffon blanc dans la main.

– … t'as pas le droit d'entrer ici tout seul. Mais p'têt que ton paternel il va venir te chercher? Ou ce serait pas môman qui t'a dit de venir?

Il rit, ceux de la table des habitués me regardent. La fumée de leurs cigarettes me pique les yeux, je regarde par terre.

– Hé, le 'tiot! Dis voir un peu. Viens un peu là. (C'est un autre homme qui me fait signe.) Mais tu serais pas… Ouais, dis don', c'est le fiston à Horst. C'est le 'tiot à Horst. Qu'est-ce tu fabriques ici tout seul? Viens un peu là.

J'obéis, mais lentement. Je ne le connais pas, il a un chapeau, un chapeau en cuir marron, mon père n'a jamais porté de chapeau. Je m'approche de sa chaise, il me met la main sur l'épaule.

– C'est quoi ton nom, le 'tiot?

– Daniel.

– Ouais. Bien ça. Fiston à Horst. Dis voir un peu, ça te dirait de savoir où c'est que ton paternel y…

Son chapeau glisse sur sa nuque, il se gratte le front.

– Tu veux regarder, fiston? T'as envie de voir où que c'est que ton père y…? T'as bien raison, fils…

– D'accord, je lui réponds tout bas.

Tout le monde se tait, ils me regardent sans bouger, je sens que je deviens tout rouge. Heureusement que la salle est toute noire, pleine de fumée.

– Alors, viens un peu t'asseoir.

Quelqu'un me fait glisser une chaise, l'homme au chapeau me fait de la place. Voyant que je veux laisser mon cartable, il le pousse sous sa chaise, et me voilà assis entre eux à regarder la table et à dessiner des ronds avec mon doigt. «Les meilleurs, disait mon père. Y a que les meilleurs qu'ont le droit d'être à la table des habitués», voilà, j'y suis aussi, même si mes notes laissent de plus en plus à désirer, mais ça, les hommes assis ne peuvent pas le savoir.

– Dis don', bonhomme. On s'connaît, tous les deux. On se connaît même très bien. Quelques années, déjà. Après le match. Chez le Chauve, tu te rappelles…

Je lève les yeux, il est en face de moi, et il y a ses cheveux, encore plus longs que ceux de ma mère. C'est la Tignasse, un bon copain de mon père. Des fois, on le croisait aux matchs de Chemie, ou après, dans la petite maison du Chauve.

– Salut.

– 'lut, dit la Tignasse en souriant et en allumant la cigarette qu'il vient juste de sortir. Ton paternel, bonhomme. Ah la la, ton paternel… Mais au fait, quel âge t'as, depuis le temps?

– Treize, je lui réponds, même si mon anniversaire est dans plusieurs mois.

– Ouaiiis, dit la Tignasse en recrachant sa fumée. Eh ben tu sais, ton paternel…

Tout près de moi, un autre homme tape son poing sur la table, tellement fort que je sursaute. Les verres tintent, une chope déborde : c'est encore celui au chapeau, et il se lève d'un seul coup en brandissant son verre.

– À Horst. Allez, on boit à la santé d'Horst.

La Tignasse et les autres l'imitent. Mais moi, je reste assis.

– Nan. 'tendez, ça va pas.

– Pourquoi ? Qu'est-cia, dis ?

– Le 'tiot, les gars, le 'tiot…

Ils se tournent tous vers moi, leurs verres toujours au bout de leurs bras tendus. Je redresse la tête en clignant des yeux, le menton appuyé sur les mains.

– Dieter ! File une limo au gosse. Allez, files-y quèt' chose !

L'homme gesticule en direction du bar. Dieter, c'est celui du comptoir, le voilà qui s'active avec ses verres et ses bouteilles. Je l'entends s'approcher, il vient poser une bouteille devant moi, limo rouge.

– Merci, je lui dis en me retournant.

Il me sourit, une chope pleine à la main, comme les autres. Et puis il rigole :

– Sang de Lénine ! Seul et l'unique.

Tout le monde rigole, et Dieter brandit encore son verre.

– Messieurs, il déclare.

Tout le monde se remet en position, la Tignasse me fait un signe de tête, alors moi aussi, je saisis ma limo pour me lever avec eux.

– Messieurs, répète Dieter.

Les autres tendent les bras et les bières encore plus haut, je serre ma limo, je la tiens bien serrée contre ma poitrine, la bouteille est glacée.

– À Horst, annonce Dieter.

– À Horst, reprennent les autres.

Moi, je murmure :

– À Papa.

On boit.

– Ahhh !

Tout le monde se rassoit, les chaises se cognent et raclent le sol, mais Dieter reste debout, les mains appuyées sur la table. Elles sont énormes, toutes poilues, il a une longue cicatrice en bas du bras gauche.

– 'coute un peu, bonhomme. Rapport au paternel...

Je le regarde, mais il laisse ses yeux sur la table et sur les verres.

– ... eh ben, tu sais, on... y a vraiment rien qu'on a pu faire. C'était pas possib'. C'était vraiment trop... 'fin, tu sais bien, les poulets... la police, hein. Y avait rien à faire, bonhomme.

Je regarde ses pattes, immobiles, seulement deux doigts qui remuent et les ongles qui grattent le bois de la table.

– Hep, Dieter ! File-nous une autre tournée, et des courtes avec ça.

Les pattes s'en vont, Dieter s'éloigne, les verres se remettent à tinter derrière le comptoir.

– Et c'est tout ? je leur demande, c'est tout ?

Je regarde l'homme au chapeau, la Tignasse, mais ils se taisent. La Tignasse caresse sa chope et Dieter fredonne derrière le comptoir pendant que la bière siffle sous le robinet. «Maria... Maria...» chantonne Dieter derrière le comptoir, tout bas.

– Mais alors, mais pourquoi il a...

Je me tourne vers les deux autres, l'un a des lunettes, de grosses lunettes carrées à monture en or, il les retire, les remet et les retire.

– Y avait rien à faire. C'est qu'ils l'ont... embarqué, ils l'ont embarqué, et pi c'était tout.

– Nan. (Son voisin lui coupe la parole, un vieux monsieur aux cheveux blancs.) Nan, c'était pas tout. S'est défendu, le Horst. Faut que tu saches, gamin. S'est défendu comme un diable.

Il lève son poing, je vois l'aigle bleu sortir de sa manche. Beaucoup trop petites, les ailes. Des ailes de moineau.

– Mais pourquoi ? je leur répète en tapant ma bouteille de limo contre la table. Pourquoi ils ont voulu l'emmener ? Pourquoi ils ont eu le droit… comme ça, d'un seul coup ?

– Mon rade ! lance Dieter en faisant le tour de la table avec le plateau pour distribuer les verres. Mon rade ! Mais les poulets, les poulets, z'ont tous les droits, ou presque.

Il pose une deuxième bouteille de limo devant moi, la première est à peine entamée.

– Mon rade, répète Dieter en posant aussi le plateau sur la table. Puis il tire une chaise et vient s'asseoir près de moi.

– Ma boutique…

Il s'arrête quelques secondes, lance un regard vers le comptoir, on dirait que sa figure tremblote. Il passe sa grosse main sur son front (et puis, une seconde, ses yeux).

– Ma boutique, les gars. Vrai ou pas ?

– Un peu, disent les autres. Un peu que c'est ta boutique, et ils tapent leurs verres contre le sien.

Dieter hoche la tête, prend le dernier schnaps sur le plateau et le vide d'un trait.

– Eh ben moi j'vous le dis. (Il claque son petit verre vide sur la table, exactement comme je viens de le faire.) J'vous le dis, moi. C'est le saligaud qu'a commencé. Cette enflure de Loqueteux. Raison ou pas, les gars ?

– Un peu, ouais ! reprennent les autres. Exactement ! Et ils toquent leurs verres.

– T'es aussi un Chimiste, pas vrai ? me demande celui au couvre-chef en me passant son bras autour de l'épaule.

– Un peu, ouais, je lui réponds en serrant le poing et en le ramenant contre ma poitrine.

Ça les fait sourire. Moi aussi, sauf que je ne sais pas pourquoi.

– Un auxiliaire, le sagouin, explique la Tignasse. Un d'mi-poulet. Tu sais ce que c'est qu'un auxiliaire, hein ?

– Ben oui. Un d'mi-poulet.

Les autres font oui.

– Un d'mi-poulet.

– Et donc le gars (Dieter serre le petit verre de schnaps dans son poing, d'un seul coup j'ai peur qu'il l'écrase et se coupe avec), le gars là, il se met à déblatérer sur Chemie, à déblatérer ses saloperies. Raclure de Loqueteux, quoi.

– Et t'es bien placé pour savoir que, ajoute la Tignasse, Horst il devient fou fu… il s'excite dès qu'un clampin se met à mal parler de Chemie.

– Oui.

Des fois, mon père arrachait les pages sport dans le journal pour les jeter dans les cabinets, ou dans le poêle quand c'était l'hiver, parce que le journal aussi disait souvent du mal de Chemie.

– Dernier bastion, mon Dieter ! dit celui au couvre-chef. Nous, on est le dernier bastion dans ce satané trou à Loqueteux.

– Ça c'est bien vrai !

Dieter abandonne son petit verre et tape plusieurs fois du poing contre la table.

– Ça c'est bien vrai, putain de merde !

Il retourne au comptoir avec le plateau et les verres vides.

– Et ton paternel, continue Dieter, ce bon vieux Horst, lui, il défendait tout ça. Tu comprends ce que ch'te dis, bonhomme. Il défendait tout ça !

« Un peu, ouais » et « Ça c'est bien vrai », répètent les autres en hochant la tête. Je fais glisser ma limo de droite à gauche sur la table.

– L'honneur du club ! crie Dieter derrière son bar. Tout ça, bonhomme !

Je me tourne vers lui, il brandit le poing en tendant l'autre main vers le fanion vert et blanc accroché au mur, au-dessus de l'étagère avec toutes les bouteilles. Une fois, mon père me l'avait montré, au moment où je lui demandais qu'on rentre à la maison. Il y a longtemps. Il m'avait aussi dit combien de fois on avait remporté le championnat, combien de fois la coupe, c'était il y a longtemps, et un jour on gagnera encore le championnat, ou bien la coupe, « mais quand t'es champion, disait mon père, quand t'es champion, t'es avec les meilleurs du monde entier ».

– T'rappelles ? demande la Tignasse en donnant un coup d'épaule au vieux à l'aigle. T'rappelles ? Bautzen, à l'époque…

– Un peu, ouais, sourit le vieux. Même que des fois j'en rêve encore.

– C'est quoi, Bautzen ?

– Taule, dit la Tignasse. Cabane.

– Victoire en coupe, dit le vieux à l'aigle. Soixante-six.

– Pas plutôt cinquante-six ? dit celui au couvre-chef.

– Nan, nan ! interrompt Dieter en venant poser un autre plateau avec bières, schnaps et limo rouge sur la table. Nan, il dit vrai. Soixante-six, que c'était. Suffit de voir le fanion.

Il se rassoit près de moi et me sert ma limo. Ça me fait trois bouteilles. Je les mets en ligne.

– Ton père, reprend Dieter, ton père, il connaissait tout ça. Pour Chemie, j'veux dire. Les années, les joueurs, tout ça, il se le gardait là-n'dans. Ici. (Il se tape le front du doigt.) Pas moyen de le piéger, fiston. Il savait tout. Tout.

– Un peu, qu'il savait ! Ça c'est bien vrai ! reprennent les autres en hochant la tête.

– Et y avait pas qu'là qu'il en avait, précise Dieter en serrant un poing. Nan, pas qu'là.

– Peux être fier, ajoute la Tignasse. Tu peux vraiment être fier de lui. Faut pas que t'aies honte qu'il soit pu là. Il reviendra.

Les autres hochent la tête en baissant les yeux dans leur chope.

– T'as de quoi être fier, Daniel. Tu comprends ? Fier !

Je range ma première bouteille sur le plateau, tout juste finie.

– Et en plus, souffle Dieter pendant que les autres se taisent toujours et fixent le fond de leur chope, en plus, il va pas tarder à revenir. Et il sera de retour parmi nous… Et moi, je lui ferai tout à l'œil. Tout.

Il a été obligé de s'en aller pendant dix mois. Maman a pleuré, elle a pleuré des jours entiers, tout bas, pour que personne l'entende dans l'immeuble. Et des fois je l'entends encore, la nuit, un bruit tout étouffé, comme si quelqu'un lui plaquait la main sur la bouche. Elle enfonce son visage dans les coussins, je le sais. Sur les taies, il y a deux taches qui ressemblent à ses yeux.

– Combien ?

J'attrape la deuxième bouteille de limo, je la tends vers la lampe, au-dessus de la table, et je les regarde un par un à travers le verre rouge.

– Quoi çà, combien ?

– Combien ?

Je tape la bouteille contre la table, la limo déborde, le rouge coule sur ma main.

– Les poulets, là… les types… il s'est défendu, vous avez dit…

J'attrape mon menton en gardant les yeux fixés sur la flaque rouge.

– Eh ben… écoute voir, Daniel. Y en avait un paquet, pour sûr. Y en avait vraiment plein.

Les cheveux de la Tignasse remuent dès qu'il se met à parler.

– Peu près trois quatre.

– Plus que ça, qu'y en avait, dit le Tatoué. Au moins six, p'têt même sept.

– Sept, confirme la Tignasse. Sept poulets, avec poulets auxiliaires et tout l'brin. C'est le gars qui les a ramenés, lui aussi c'était un auxiliaire, Qu'a ramené ses copains, tu saisis. Parce que ton père, il lui a fait bouffer.

– Bouffer pour de vrai, répète Dieter à côté de moi. Vraiment fait bouffer. Un pro. C'est qui l'a trop ouverte, le gars, aussi. L'a trop déblatéré ses conneries, et là, ben Horst… ben, il a cogné, quoi…

– Hopopop ! 'tends un peu, c'est pas exactement ça. Pas exactement comme ça !

L'homme au chapeau se lève en faisant des grands gestes avec sa cigarette. Un bout de sa cendre tombe dans sa bière, je la regarde couler tout doucement vers le fond, ça pétille, les petites bulles dansent dans la chope.

– Tu vois gamin. C'est le type, là… c'est le Loqueteux qu'a commencé par cogner. Non mais quoi, les gars ! Le Horst… le Horst, lui en faut plus que ça avant qu'il cogne. Faut qu'tu saches, petiot : c'est un homme d'honneur ! C'est le flic qu'y a sauté dessus. L'a attrapé, l'a attrapé comme ça, y a claqué contre son torse. Et Horst, faut pas y faire des comme ça. Ah çà, non ! Ça, ça marche pas avec le Horst !

Il lance des regards aux autres et prend une gorgée de bière pleine de cendres avant de se rasseoir, tout doucement.

– Il a raison ! continue Dieter. T'as raison, comme ça qu'ça s'est passé. L'a pas cogné tout de suite, ton père. L'a juste repoussé, l'a repoussé un peu, tu vois. Mais le type, là, le sagouin, il a pas voulu le laisser en paix. Moi, je voulais le jarter, c'est quand même mon rade, je l'aurais jarté, lui et ses deux copains qu'étaient là aussi, vous rappelez, les deux au comptoir. Rien à fout', moi ! C'est mon rade. Mais le Horst, là, ton paternel…

– Il a voulu régler la chose lui-même, lance le vieux à lunettes. C'est que c'est un homme d'honneur, ton père. Même qui lui a

donné encore une chance : débarrasse-nous le plancher, Loqueteux !
qui l'y a fait.

– Ouais ! reprennent les autres. Débarrasse le plancher,
Loqueteux ! et le vieux à lunettes hoche la tête.

– Et c'est là qui lui a sorti sa carte, à ton père, sa carte d'auxiliaire de mes deux. Sauf qu'il en avait rien à foutre, le Horst : débarrasse-nous le plancher, Loqueteux ! qui lui faisait, point final. L'était
tout calme, ton père, gardait son sang-froid, pas d'souci ! Tout calme,
ton père, d'abord la tête froide. Comme ça qu'il est, ton père.

Les hommes hochent la tête, Dieter toque trois fois sur la table.
Ça porte bonheur, je le sais, alors moi aussi je donne trois petits
coups sur le dossier de ma chaise.

– Et après ? je leur demande tout bas. Après ?

– L'uppercut, que c'était ! piaille le vieux à l'aigle en donnant un
coup en l'air. L'uppercut, vrai comme ch'te parle ! Ton père, il lui en
a collé un que le type il a volé. Il a volé ! Ch'te mens pas !

Le vieux bondit en frappant plusieurs fois l'air, sa chope se renverse, mais celui à lunettes l'intercepte. Un peu de bière lui coule sur
la main et goutte sur la table.

– Bordel, Rudi, fais un peu gaffe !

Mais Rudi n'écoute pas, il me brandit son poing devant la figure
et continue à vociférer :

– Putain, gamin ! Un uppercut, que c'était ! L'autre il a volé, ma
parole ! Ton père, c'est le plus grand !

Voilà que Dieter se lève aussi. Toujours en se tenant à la table,
il baisse les yeux vers moi et sourit ; mais c'est le même sourire que
celui de mon père quand il est sorti de l'appartement avec son gros
sac.

– Nan, Rudi. Nan, t'as encore oublié quèt' chose. Ce que t'as
oublié, c'est que le type, là, le Loqueteux, eh ben, c'est lui qu'a tapé
d'abord. Droite, que c'était. Direct du droit, sans élan, rien qu'avec
l'épaule.

Le bras droit de Dieter siffle deux fois, trois fois au-dessus de la
table, et Rudi fait un pas en arrière.

– Rapide comme l'éclair, le saligaud ! Plus rapide que moi en ce
moment même. Tu peux m'croire, gamin. Sauf que là, Horst, ton
paternel… il l'évite en plongeant par en dessous, il te plonge par en
dessous. Vrai pro…

– Vrai pro, confirme Rudi en balançant son buste et en rentrant plusieurs fois les épaules.

– Sauf qu'après ?

– Après, y a l'uppercut, dit la Tignasse en se dégageant les mèches des yeux.

Il tapote son menton :

– L'uppercut pile là où il fallait. Légitime défense, Daniel. Sûr comme ch'te parle.

Il lève sa chope, boit et répète :

– Légitime défense. Et pi c'est tout.

– Légitime défense, reprennent les autres en hochant.

– Pareil que Stevenson, dit Rudi en balançant le buste de droite à gauche. Il te plonge par en dessous pour t'éviter, et après il contre. Pareil que Stevenson.

– Sauf que lui, ça fait déjà une paye qu'il boxe plus.

– Et alors quoi ? Ça reste le plus grand. Meilleur qu'Ali.

– Ce qui faut pas entendre ! Meilleur qu'Ali ! Nan mais pince-moi ! C'était qu'un amateur à la con, le Stevenson. Alors qu'Ali, c'était vraiment le plus grand.

– Ça, ç'aurait été du combat, dis ! Ali et Stevenson ! Ali contre Stevenson !

– Vous allez la fermer avec votre Ali ? Suffit de le voir au jour d'aujourd'hui. L'est devenu lent, dans le mental et dans les poings. Même qu'il peut même pu parler comme il faut. Trop bouffé su l'museau ! Allez, fermez-la un peu avec votre Ali !

Les voilà qui se remettent tous à se couper la parole. Sauf Dieter. Lui, il reste dans son coin et se penche vers moi en posant sa grosse main sur mon épaule.

– Il l'a mis K.-O., ton paternel. K.-O. comme ch'te parle. Et le type l'avait mérité. Tu comprends, dis ?

– Ben oui.

Il sent la bière et le schnaps, comme mon père les nuits où il rentre à la maison après la Colline d'argent. Je baisse les paupières.

– Mais c'était du fair-play. Homme à homme. L'y a déboîté la mâchoire, mais c'était du fair-play. Homme à homme.

– D'accord.

– Sauf qu'après… y a eu les p'tits copains du Loqueteux, et après les poulets. Et là, c'était pu du tout du fair-play. Ton père il s'est rué dessus, l'a du courage, tu sais. Hein ? L'a pas à craindre qui que ce soit. Les autres parlent toujours d'Ali, de Stevenson, des gros combats, Dieter me parle du gros combat de mon père, je garde les yeux fermés, le poids de sa main toujours sur mon épaule.

– … y a rin qu'on a pu faire, rin de rin, ils l'avaient déjà. Lui, il s'est défendu comme un homme, il leur en a carré encore une paire, on a voulu s'mêler, c'est quand même mon rade, c'est quand même ma taverne, on a voulu intervenir, mais c'était déjà… on est pas des lâches, gamin. Moi non plus, chuis pas un lâche, mais là c'était trop tard. Faut que tu me croyes, gamin…

– D'accord.

Sa main remue de droite à gauche sur mon épaule.

– Viens là, gamin. Viens là, que ch'te montre… Chemie, notre club.

Sa main décolle, je rouvre les yeux, il s'éloigne lentement vers le comptoir en me faisant signe.

« … mais puisque ch'te dis que la grande perche de Maske il aurait zéro chance contre Sugar Ray. Douze rounds, bon sang. Douze rounds… »

Je m'éloigne vers le bar, leurs voix diminuent.

– Assis-toi, gamin.

Alors, je grimpe sur le tabouret (c'est la première fois que je m'assois sur un tabouret de comptoir) et je pose mes pieds sur la barre. Dieter empile deux caisses de bière sous l'étagère aux bouteilles, il grimpe pour attraper les trois fanions accrochés à leur clou, tout là-haut, en faisant bien attention, je remarque même que son bras tremble, et puis il revient les mettre sur le comptoir.

– Tu sais, mes fanions, ça fait des piges que j'les ai pas retirés.

Il me les tend en caressant le tissu.

– Fait… fait… ça fait vingt berges, gamin.

Les fanions, ils sont pleins de poussière, le blanc des couleurs du club est jauni à plein d'endroits. J'en manie un tout doucement sous la lumière.

– Çui-là, c'est 51, explique Dieter. Vrai fanion du championnat. Champions de RDA. À la vérité, champions d'Allemagne 1951, vu qu'on coiffait Kaiserslautern.

Je pose le fanion, Dieter passe son doigt sur l'emblème de Chemie, les lettres du club, la date, 1951.

– J'avais sept ans, moi. Même que j'y avais été avec mon paternel à moi. Dis voir, quel âge t'as, Daniel ?

– Douze. Mais bientôt treize.

– Dis don', à tous les coups que t'as déjà une 'tite copine, toi. Vrai ou pas ?

– Oui. Mais elle est plus là. Elle est partie.

– C'est que tu t'es trop excité, il m'explique en prenant un autre fanion. Tiens, mate un peu ça. 64, déjà re-champions.

Sur la pointe du bas, ils ont cousu une coupe jaune, mais j'ai du mal à la reconnaître vu que le tissu est devenu presque aussi jaune qu'elle. J'aimerais bien conseiller à Dieter de mettre le fanion à la machine, mais il doit avoir peur que ça rétrécisse.

– Y a toute une histoire là-n'dans, tu vois. Parce que c'est là qu'on a éclaté les Bonzes. C'est nous qu'on était les plus grands, à l'époque, même si c'est pas ça qu'ils iraient t'apprendre dans ton école, gamin. Et pourtant, c'est ça l'Histoire, la vraie…

Il pose un verre à schnaps sur le comptoir et attrape une bouteille dans l'étagère. Avant de la vider, il se concentre quelques secondes sur le liquide.

– Et pourquoi, dis ? il me demande en faisant tanguer le petit verre vide devant ses yeux. Pourquoi qu'elle s'est barrée ?

– Qui ?

Je sais très bien qui il veut dire, mais j'aime pas trop en parler.

– Ben ta poulette, tiens ! Ta 'tite copine !

– Ah, elle… je lui réponds, l'index posé sur la petite coupe jaune. C'est fini. Mais elle… elle était vraiment jolie. Mais c'est fini.

Dieter remplit encore son verre et le vide en attrapant le troisième fanion.

– Tu sais gamin, avec les femmes, c'est tout un bazar.

« BSG Chemie-Leipzig – Vainqueur coupe SRDA 1966. »

– Et ce match-là ? Tu l'as vu avec ton père, aussi ?

– Nan. Là, c'était avec des copains. On jouait contre Loco. Mais pas les Loqueteux, contre Loco Stendal, eux, ils sont réglo.

– Dieter, une aut' tournée ! Et des gnôles !

La Tignasse s'est levé, il agite le bras.

– Aucun souci !

Dieter met quatre nouvelles chopes sous la pompe, je vois la bière mousser, jaune et blanche sous le robinet à pression, elle tournoie dans les chopes, c'est seulement lorsque Dieter la pose sur le plateau qu'elle se calme, les petites bulles d'air remontent en lignes toutes droites vers la mousse. Et puis, après avoir aligné quatre petits verres sur le plateau, Dieter renverse la bouteille et lui fait faire des allers-retours à l'horizontale au-dessus des verres, presque jusqu'à les faire déborder. Le schnaps, on dirait de l'eau. Mais mon père boit du schnaps brun, Couronne d'or de préférence, il l'appelle «mon trois heures moins dix» à cause de la grande bouteille qui coûte quatorze marks cinquante.

– Dieter! File-nous deux pintes en plus, tu veux.

L'un des deux vieillards s'approche du comptoir à grand-peine, le cigare accroché entre ses lèvres pue jusqu'à moi alors qu'il est déjà éteint.

– Suffisait d'gueuler, Frank! Pas besoin de traînailler jusqu'à chez moi!

Dieter remet le plateau sur son zinc et remplit deux autres verres.

– Qu'est-ce que tu veux, Dieter. Les poumons c'est les poumons!

Dès qu'il tousse, le cigare lui tremble entre les lèvres. Il me fait un signe de tête, coince les deux chopes contre sa poitrine, et puis, tout doucement, il retourne vers sa petite table où l'autre vieillard crache des nuages de fumée. Dieter va à la table des habitués, le plateau tout près de l'épaule. Le plateau est posé sur sa paume grande ouverte, sans bouger du tout, la bière ne tangue presque pas dans les chopes. La prochaine fois que Frau Seidel me demande ce que je veux faire plus tard, je dis taulier. J'aligne les fanions sur le comptoir. Celui du milieu, Coupe de la SRDA 1966, je le pousse un peu vers le haut, mes trois fanions se retrouvent sur un podium.

– Ils te plaisent, hein?

Dieter est revenu, il plonge les verres vides dans le gros bac en métal, juste derrière le comptoir.

– Ben oui. Ils sont super, tes fanions.

– Ch'te fais cadeau d'un, il me dit en attrapant son torchon.

– C'est vrai?

– Ouaip. Celui de la Coupe. Il te plaît, lui, j'me trompe?

– Il est chouette. Mais... mais t'en as besoin. Faut bien que tout le monde puisse le voir, là-haut, sur le mur. Si jamais y a des Loqueteux qui se ramènent.

– Y a plus aucun Loqueteux qui s'radinera ici, Daniel. Depuis que ton paternel... Et même, ça fait tellement longtemps que je l'ai, celui-là. Il serait pas contre voir du pays, tu comprends, il me dit avec un sourire. Mais faut que t'y fasses bien gaffe, Daniel. Que personne y le pique. Y en a déjà pas mal qu'ont essayé de me l'embarquer, lui. C'est un vrai. C'est aussi pour ça que je l'avais foutu tout en haut. T'y feras bien gaffe!

– D'acc, je lui réponds, les deux mains sur le fanion. Je laisserai personne me le chourer. Jamais de la vie. Merci beaucoup, beaucoup!

– Pas d'quoi, gamin. Pas d'quoi. Ça m'fait plaisir.

Il grimpe sur les caisses de bière pour remettre les deux autres fanions au-dessus de l'étagère. Maintenant, à la place du fanion de la Coupe, c'est un triangle blanc avec un clou.

– Tu feras exactement pareil, hein. Juste besoin d'un clou, tu l'accroches dans ta piaule. C'est pas tout le monde qu'a ça. Fanion comme ça. Un vrai. Ça va bien lui faire plaisir, à ton paternel, quand il…

Le fanion est beaucoup trop grand pour la poche de mon blouson, j'arrive à faire rentrer que la pointe. Alors je préfère le glisser sous mon pull.

– Oui-oui, Chemie-Chemie! Oui-oui, Chemie-Chemie! Chemie-Chemie-oui! C'est-qui-qui-s'qualifie? C'est-qui-qui-s'qualifie?

Tous les hommes sont debout autour de la table, ils chantent en brandissant leurs verres.

– Oui-oui, Chemie-Chemie! Eh, Dieter, envoie les 'tites sœurs!

Avant de préparer la tournée, Dieter compte, un doigt en l'air. Je recule un peu.

– Désolé, Dieter, mais il va falloir que… que je rentre à la maison.

– La matrone qu'attend, hein?

Il s'active avec ses verres et son plateau.

– Ben oui.

– Y a un temps, il me répond en repartant avec le plateau, les autres chantent toujours, «oui-oui, Chemie-Chemie! oui-oui», y a un temps, elle venait pas mal ici avec Horst. Ça fait une paye.

Maintenant, il est tout près de moi, il pose le plateau sur la table, et d'un seul coup les hommes se taisent. La Tignasse me fait un sourire en balayant les mèches de ses yeux et empoigne sa nouvelle chope.

– Ben alors, Daniel ? Tout baigne ?

– Oui. Mais il va vraiment falloir que je rentre.

– Commences à être claqué, hein ?

– Je suis pas claqué, mais il faut que je rentre. J'ai des choses à faire.

– Tu reviens nous voir, pas vrai ? Tu peux venir quand tu veux, hein.

– Ouais, ajoute Dieter. Tu viens quand tu veux, ch'te paye une limo, ou quoi...

– D'accord. C'est chouette d'être avec vous.

Ils sourient tous en regardant la table. L'homme au chapeau repêche mon cartable sous sa chaise.

– Un jour, t'oublieras ta caboche, hein !

– Sûrement.

Dieter, la Tignasse, le Couvre-chef, les Binocles et le Tatoué s'alignent devant la table. Je leur serre la main.

– Et oublie pas, gamin ! Tu reviens bientôt ! Ton paternel... tous les jours, qu'il venait.

– Je sais.

– Ta mère... me dit la Tignasse en se penchant au moment où je lui donne la main, ses cheveux me tombent sur l'épaule, tu l'embrasseras bien de ma part, ta mère. De la part d'Adolf, enfin nan, mieux vaut que t'y dises : Tignasse.

– D'accord. J'oublierai pas.

– ... et demandes-y, demandes-y un peu... vu que maintenant elle est tout le temps toute seule...

– D'accord. Mais je suis là, moi. Je l'aide dès que je peux.

– Ça c'est bien, Dani. Mais quand même, demandes-y un peu... Tu sais, ch'peux passer vous voir, moi. Juste comme ça. Ton père, ben, c'était comme un frère pour moi. Alors, demandes-y un peu.

– D'accord. Je lui demanderai.

– T'es un bon gamin, Dani.

Il me tape sur l'épaule en vidant sa chope.

– Tu lui demanderas, Dani ? Hein !

Me voilà sur le pas de la porte, et puis sur le chemin.

– ... attends, Dani ! Attends deux secondes !

Je laisse la Tignasse me rattraper. Il vient se planter devant moi en souriant et en secouant la main, une cigarette au coin de la bouche.

– Hé, Dani ! (Le nuage sort de sa bouche.) Tu sais, on pourrait y retourner. Au stade, ch'parle. Voir jouer Chemie. Que nous deux, Dani. Ça serait quand même…

– D'accord. Si ça se trouve.

– Ben évidemment, Dani. Y a qu'à demander à ta mère…

– Elle veut plus que j'y aille, au stade. Depuis que mon père…

– Ah d'accord, ah d'accord… Eh ben, j'arriverai p'têt à la faire changer d'avis.

– Peut-être.

Et je me remets en marche direction le parc.

– Eh, Dani ! Qui c'est qui s'qualifie ?

Je me retourne une dernière fois. La tête de la Tignasse dépasse de la porte.

– Chemie !

Ça le fait rire. Il secoue encore une fois le bras et disparaît. J'accélère, la nuit a déjà commencé, je pense à Maman. Sûrement qu'elle a fait à manger et qu'elle m'attend dans la cuisine. Avec le dîner froid.

Je me précipite chez nous. Les cours sont finis, je file en quatrième vitesse, cet après-midi j'irai à la Colline d'argent, j'ai attendu ça toute la matinée.

Quand je lui ai dit que j'avais bu une limonade à la Colline d'argent avec la Tignasse et les autres copains de mon père, Maman a crié. « T'iras plus là-bas ! Promets-le-moi. Plus jamais les pieds dans la souricière, c'est elle qui a ruiné ton père. » La souricière. C'est comme ça qu'elle appelle le QG de mon père, alors qu'avant elle y allait aussi, c'est ce que m'a raconté Dieter. Et il doit le savoir, lui, puisque c'est son rade. La souricière, répète Maman. Alors que mon père, les nuits où il rentrait dans l'appartement en se cognant à la penderie et aux étagères, même que ça s'entendait jusqu'à ma chambre et que je me réveillais, mon père lui disait : « La Colline d'argent, crois-moi bien, la Colline d'argent, c'est de l'or en barre ! » Maman était furieuse contre moi.

– Mais la Tignasse, Maman ! La Tignasse, il m'a dit de t'embrasser de sa part. Il m'a demandé exprès !

Là, elle n'avait plus rien dit. Je croise madame Lieberwitz dans la cage d'escalier.

– Bonjour, m'dame.

– Bonjour, Daniel. (Elle s'arrête, mais je continue à monter, marche après marche.) Dis-moi, tout va bien chez vous ?

– Va à peu près.

– Attends un peu… t'en va pas si vite. Tu diras à ta mère, si jamais elle…

– D'acc.

– … qu'elle vienne me trouver, si jamais elle a encore besoin de quelque chose.

– D'accord.

– Et ton père, il a bientôt fini ? Sa formation.

– Oui. Bientôt.

Elle hoche la tête et se remet en marche. Arrivée en bas, je l'entends remuer ses clés face aux boîtes aux lettres.

« Son papa, il est parti pour faire sa formation. » Voilà ce que Maman explique à tout le monde. « Dans le nord. Pas loin de la Baltique. C'est là-haut qu'il est, notre Horst. Et quand il reviendra, il sera un grade en dessous d'ingénieur. » Elle a raconté ça à tout le quartier, et depuis, ça arrive que des inconnus nous fassent des signes ou viennent nous dire bonjour dans la rue. Certains viennent même serrer la main de Maman. Je sors la clé de mon cartable et claque la porte derrière moi. Si Maman était là, elle serait déjà en train de crier. Je range mes pompes dans le petit meuble. Un seul chausson devant la cuisine. Je vais dans ma chambre, le cartable à la main. Ce que je regarde en premier, c'est le fanion de Chemie accroché au-dessus du lit. L'épaule appuyée à la porte, je reste là, une minute, deux minutes, et puis je fais marche arrière vers la cuisine. La théière n'a pas quitté la table, le reste du thé de ce matin est toujours dans ma tasse. Je le vide dans l'évier et je me ressers. Quand Maman arrive en haut de l'escalier, je suis toujours assis. Elle fait du bruit, c'est son genou. Je m'apprête à ouvrir, mais la clé tourne déjà dans la serrure. Tout noir dans l'escalier. Maman hoche la tête sur le seuil et s'asseoit près du meuble à chaussures. Comme elle n'a pas son sac, je me dépêche d'enfiler mes baskets pour dégringoler en bas. Elle laisse toujours ses sacs de courses sous les boîtes aux lettres. Une odeur de poisson. Je remonte quatre à quatre en regardant toutes les portes, mais aucun bruit. Pendant que je dépose les sacs sur la table de la cuisine, Maman reste dans mon dos. Elle aussi, elle sent le poisson. Je la laisse sortir le gros morceau, enroulé dans du papier journal. Depuis que mon père est parti, elle rapporte un morceau de poisson du travail chaque soir. Je retourne dans ma chambre, je m'allonge sur le lit pour contempler le fanion de Chemie. Frau Seidel ne l'a pas vu, le chef des pionniers non plus. Quand ils sont venus, il était encore accroché à la Colline d'argent, derrière le comptoir, au-dessus des bouteilles. Mais s'ils l'avaient vu, sûrement qu'ils m'auraient respecté à mort : à Leipzig, tout le monde respecte les vrais supporters de Chemie. «… et nous savons que ton père était un ouvrier appliqué et discipliné. Il était intégré à son collectif et se réintégrera dès son retour, cela va sans dire.» «D'accord.» «Mais toi, Daniel, tu ne veux pas faire les erreurs que Rico a commises ces derniers temps, n'est-ce pas?» «Non, je leur réponds. Non.» Maman est immobile à la porte de ma chambre. Je me lève pour retourner à la cuisine. Sans la regarder. Sur la table, une assiette de poisson avec des patates. Maman sort fumer, la porte du balcon était déjà ouverte. Je coupe le hareng en petits morceaux avant de me forcer à l'avaler. Depuis que mon père est parti, c'est tous les jours poisson. Des fois, les grosses dames de la conserverie viennent nous apporter du poisson frais, dans ces cas-là elles restent un peu pour boire avec Maman. Après, ça sent le vin, le poisson et le tabac dans l'appartement.

– À l'armée, dit maman sur le balcon.

Elle a posé sa tête contre le mur. Je la regarde en avalant de travers, elle ne me voit pas.

– … à l'armée, que j'aurais dû dire. Qu'il s'est rengagé. C'est ce que j'aurais dû dire, bon sang… Dix mois de formation. Qui va aller croire ça?

Sa cigarette est finie depuis longtemps, mais elle continue de l'écraser dans les fleurs. Mon père, c'est dans le nord qu'il est parti pour sa formation, pas loin de la Baltique, et c'est pas l'armée qui le fera changer de place. Je me lève pour vider le hareng et les patates dans la poubelle. Maman n'a pas quitté le balcon, elle continue à fumer sans me voir. Alors, je descends l'escalier avec la poubelle en faisant bien attention à ne pas faire de bruit. Le premier container de la cour est plein, je vide dans l'autre. Les débris de deux verres à vin atterrissent en haut du tas, les gouttes rouges encore incrustées dans les éclats. C'est la faute aux collègues de mon père, la dernière fois qu'ils sont venus. Ils savent très bien qu'il n'est pas parti en formation, c'est pour ça qu'ils viennent souvent, pareil que les dames de la conserverie. Ils apportent des fleurs, du vin ou des chocolats.

Quand mon père était encore là, ça n'arrivait jamais. Ils racontent toujours que mon père était vraiment un excellent ouvrier, et ils restent parfois jusque tard dans la nuit. Impossible de dormir, ils se mettent à chanter des chansons tristes. Le couvercle du container claque.

Le soir. Je suis devant la tour, les yeux sur les fenêtres d'en haut. La plupart, éteintes, sauf celles du troisième. Je m'engouffre dans l'escalier. Avant d'ouvrir la porte, je retire mon blouson qui sent la Colline d'argent.

– Alors ? dit Maman. Comment c'était ?

– Chouette.

Elle m'en balance une. Sa main est allée si vite que je ne l'ai pas venue venir. Elle est adroite, Maman, au travail elle vide les poissons et elle les met en boîte. Tous les jours. Pan ! Je recule, elle crie.

– Non !

Sa main revient, mais là je fais gaffe, ça passe à côté.

– Mon fils ! Pourquoi tu vas là-haut ? Pourquoi tu mens, pourquoi… tu fais… comme… ton père !

Elle a la figure toute rouge, respire fort, ses épaules se soulèvent de haut en bas. D'abord, je tends la main, puis j'abandonne.

– Non ! On dirait que tu te rends même pas compte ! Pourquoi tu te rends pas compte ? La souricière ! Toujours pareil, dans la souricière ! Avec votre club ! Votre merde !

Elle se laisse tomber sur la chaise près du meuble à chaussures et appuie sa tête au mur. Maman a de la force, j'ai la figure qui me brûle. Si je pose ma main toute froide sur ma joue, ça tremble. Maman ne dit plus rien. Je m'approche tout doucement et l'entends murmurer :

– Pourquoi… Pourquoi tu fais ça ? Pourquoi ?

Je lui tends encore la main, elle lève la tête, et pan ! Mais cette fois je reste face à elle. Je la regarde dans les yeux jusqu'à ce qu'elle les ferme, et puis je vais dans ma chambre. Derrière la porte, mon fanion est parti.

THILO-L'AIGUILLE

Thilo-l'Aiguille et Thilo-l'Arsouille ne se connaissent pas, et c'est tant mieux, parce que Thilo-l'Arsouille raconte beaucoup de merde, il tient la jambe à tout le monde, leur bourre le mou dès qu'il a bu, et il boit presque tout le temps.

Thilo-l'Aiguille ne boit pas tant que ça, il a perdu l'habitude en taule. Même s'il a pas encore vingt piges, la taule, il y a été une paire de fois, et il n'aime pas trop se laisser bourrer le mou. Je sais pas précisément pourquoi il a tiré, en tout cas y avait coups et blessures.

C'est chez Thilo-l'Aiguille que je me fais charcuter, car sa réputation en la matière est plutôt bonne, et pas que dans le quartier. D'après Rico, même certains types du Terr sont en traitement chez lui, d'ailleurs Rico aussi s'est fait charcuter par Thilo, mais ils étaient encore *dedans*. Rico n'est pas très loquace sur la taule, mais je sais que c'est là que presque tous les tatoueurs ont fait leurs armes.

Rico m'a offert mon premier tatouage pour mes dix-huit ans, Thilo-l'Aiguille lui devait un service. Maintenant, j'ai un lézard sur l'avant-bras, «ça partira jamais», rouspète ma mère, mais quand je bande les muscles, il se met à bouger. Au début, je voulais un Indien, j'avais même trouvé mon modèle dans un magazine spécialisé, à la papeterie de Rudi ; enfin, déchiré un modèle, ça coûte un œil ces exemplaires-là. Des mags de tatouages, y en a aussi masse chez Thilo-l'Aiguille, peut-être une centaine, y compris des Indiens par tribus entières, mais à l'époque j'étais pas au courant.

Thilo-l'Aiguille, les Indiens il sait pas faire, ça non plus j'étais pas au courant. Quand il me l'a dit, ma première pensée ç'a été qu'il avait une dent contre les étrangers. Mais en fait, c'est une question de savoir-faire. «C'est pas comme de niquer, il m'a fait. Là, tout roule en pilote automatique, quoi, t'apprends tout seul.» Sûr qu'il a jamais entendu parler du Kamasoutra et tous ces trucs. En tout cas, le coup qu'il a encore du mal à prendre avec les Indiens, c'est l'ombrage. L'ombrage, c'est fait de toutes petites couches de gris, le tatoueur triture la peau avec l'aiguille selon une technique bien particulière, en s'appliquant à fond, mais d'après ce que dit Thilo, lui, il en est encore au stade débutant. Et comme ces temps-ci il n'a aucune peine à tirer, les progrès tardent un peu à venir. Je disais qu'il m'a gravé un lézard sur l'avant-bras droit. Dieu sait que les lézards, je kiffe pas tant que ça, mais bon, c'est tendance (toujours d'après lui), et de toute façon, le service qu'il devait à Rico ne valait pas pour un Indien. Ça valait un lézard, maximum. Et le voilà perché sur mon avant-bras, « ça partira jamais », rouspète ma mère, mais je m'en fous, le problème, c'est que je suis allé raconter à tout le monde, surtout aux gonzesses, que j'allais revenir avec un Indien sur l'avant-bras, un vrai chef de tribu, Sitting Bull en personne, et maintenant tout le monde veut le voir et même le toucher si possible. Du coup je remonte ma manche, et là, pas d'Indien, même pas Winnetou. Alors ils sont un peu verts, surtout les gonzesses, pas moyen de leur faire accepter un lézard au pieu. C'est pour ça que je me suis inventé une petite histoire que je raconte à tout le monde, le mythe du lézard : chez les Indiens le lézard est un animal sacré, beaucoup plus puissant que le buffle, l'ours ou même un guerrier, vu qu'eux, leur queue ne repousse pas quand on la coupe. Le lézard est symbole de renouveau éternel, et c'est pas vrai que pour les membres.

Les gens trouvent ça plutôt classe, surtout les mecs. Pour les gonzesses, y a encore du boulot. Voilà pourquoi j'ai décidé de rajouter un tribal autour du biceps droit, un à quatre-vingt. Thilo-l'Aiguille a beau dire, c'est un attrape-gonzesses. Il prétend que le lézard est carrément trop solitaire, qu'il marcherait mieux dans un truc genre tandem, avec l'araignée ou le serpent, mais je refuse d'accueillir l'araignée ou le serpent. Le tribal est presque fini, en 3D avec ça, mais c'est à cause de l'encre noire qui a décidé qu'elle voulait pas s'incruster et qui remonte sous forme de petits bourrelets. Vu l'inflammation, Thilo-l'Aiguille ne peut pas graver jusqu'au bout, on est obligés d'attendre deux ou trois semaines à chaque fois. Entre-temps, j'en arrive à redouter que mon bras se gangrène, c'est tellement gonflé que ça fait penser à Monsieur Muscle, et des muscles faut dire que j'en manque pas, des tout rouges avec un peu de bleu. Thilo-l'Aiguille prétend que c'est tout à fait normal et qu'il suffit d'étaler du beurre à intervalles réguliers. Et me voilà à étaler un kilo de beurre sur mes tatouages tout frais, et ma mère qui gueule que je finis tout le beurre, et Thilo-l'Aiguille qui gueule dès qu'il voit mon bras tartiné, « t'en a carrément trop, qu'il gueule, faut le laisser respirer, le tattoo ! »

Mais même en temps normal, Thilo-l'Aiguille est souvent à gueuler, surtout quand il tatoue. Il va gueuler parce que j'ai trop de poils au bras et qu'il est obligé de raser pour pas que ça bloque l'opération, il va gueuler parce que je saigne trop, « saignes comme un goret, garçon ! », et le plus souvent il va gueuler parce que mon bras tique, j'y peux quoi, moi, doit y avoir des espèces de nerfs qu'il touche avec l'aiguille. Mais les fois où Thilo-l'Aiguille va gueuler le plus, c'est quand il remarque que je souffre à cause de la pointe qui me touille le bras. Moi, j'ai pas envie qu'il voie, je veux être un dur de dur, d'ailleurs j'en suis un, mais y a des fois où c'est juste trop demander. Dans ces cas-là je respire un bon coup, ou alors je grince des dents tellement fort que ça couvre le ronron de sa machine. Vraiment une machine à deux balles, un bordel qu'il a bricolé lui-même avec un moteur de lecteur CD et une vieille aiguille à coudre, mais impossible de lui faire remarquer, vu qu'il est allé jusqu'à baptiser sa machine Steffi. Sorte de rituel de taulard, d'après ce qu'il m'a dit. Steffi est une réplique certifiée de sa machine de taule, et je m'estime vraiment heureux qu'il ne me charcute pas avec la même pointe où s'est incrusté le sang de cent taulards, sans compter qu'il devait y avoir des meurtriers dans le tas.

« Toute façon, m'explique Thilo, c'est sans risque. Chez moi, l'hygiène et tout le bazar, ça passe en premier. » Mais c'est pas vrai, l'hygiène, elle passe maximum en quarante-deux sur sa liste, et toutes les fois je dois lui rappeler de nettoyer sa machine avant de me planter l'aiguille sous la peau. « 'garde, c'est encore clean, 'garde, elle a une bonne gueule. » Il finit quand même par aller chercher un couteau dans la cuisine pour gratter ce qu'il reste d'encre sur la pointe. Ensuite, il ramène une bouteille de Stroh 80, remplit un verre et plonge l'aiguille trois secondes dedans : « Solidarité sida. » Il a pas l'air d'être au courant des mille autres trucs qui se baladent et que le Stroh ne peut pas niquer et qui te niquent après, exemple l'hépatite. Un enfer, l'hépatite, surtout la C. Si tu la chopes, fini la tise. Je connais une gonzesse avec la C, mais ça vient pas des tatouages, elle se piquait, et pendant un temps elle faisait tout pour du fric ou du matos. Vraiment mignonne, mais vraiment down, et si elle avait pas la C je me verrais bien tenter le coup, vu qu'en plus elle est devenue clean. Mais comme elle boit pas mal, elle en a plus pour longtemps. Chez Thilo-l'Aiguille, y a aussi une poignée de types, des ex-taulards et d'autres en passe de le devenir, des qui ont l'air d'avoir l'hépatite, la chtouille ou une merde dans le genre.

Thilo-l'Aiguille crèche dans une sorte de communauté où tous les gars reviennent de taule ou vont pas tarder à y retourner. Ils ont une marraine qui s'occupe d'eux et veille à ce qu'ils foutent pas le bordel, jeune assistante sociale, plutôt pas mal avec ça, les gusses de la loi doivent s'imaginer que les jeunes taulards obéiront mieux à une jeune marraine canon qu'à une vieille racornie. Sauf qu'elle est plutôt laxiste, la marraine, elle laisse passer trop de trucs. Des fois, ça sent la beuh dans tout l'appart, et Thilo-l'Aiguille me raconte que des fois, la nuit, il l'entend fricoter avec Surineur n° 1 dans la piaule d'à côté.

Mais j'arrive pas bien à m'imaginer le tableau, Surineur n° 1, c'est un mec pas beau avec des chtars plein la gueule. Lui, il dit que c'est des poings, des tessons et des lames qui lui ont fait, mais à bien regarder ça ressemble à des marques d'acné ou de vérole, par là. D'après Thilo-l'Aiguille, Surineur n° 1 aurait sorti sa lame sur une vieille qui refusait de lui lâcher son sac à main. Il le charcute quand même. Il charcute presque tous les types de la communauté, et la marraine a rien contre. Y a même des fois, elle reste à mater quand Thilo-l'Aiguille me charcute moi. Dans ces cas-là, j'essaie de rester bien sage et je lui fais des sourires, même quand Thilo me carre la pointe jusqu'à l'os. Y a aussi des fois où c'est les taulards de la coloc qui ne me lâchent pas des yeux, et d'autres fois, de quelconques potes à Thilo se ramènent, des qui consultent aussi chez lui. Là, ça déblatère dans tous les sens, Thilo-l'Arsouille ne regarde même plus mon bras en charcutant, alors j'espère très fort que Steffi est faite pour charcuter toute seule mais qu'elle va pas pour autant me peindre une croix gammée, une salope qui écarte ou un autre délire. Remarque, pas idiot pour la salope, on pourrait la caresser un peu et on serait jamais seul.

Pour quand j'irai en taule (pas en redressement, ça j'y ai déjà été, je parle de la vraie taule, la cage, comme dit Rico, et même si je fais gaffe, sûrement que ça va arriver un jour) pour quand j'irai en taule, à Zeithain ou bien à Torgau, plus au nord, ou bien dans la Chartreuse, je connais déjà tout l'inventaire, les règles, les gardiens, les perpète, les prix des services et des demandes exceptionnelles, c'est grâce aux histoires de taule des potes de taule de Thilo, Rico n'a jamais aimé parler là-dessus. L'histoire que je préfère, c'est celle de la queue tatouée, même si j'ai du mal à y croire, car qui irait se faire tatouer la queue ? Mais si ça se trouve le gars aimait souffrir, et puis en taule, t'as pas grand-chose d'autre, résultat il se fait graver une mouche sur le gland. Peut-être aussi que c'était pour quand il sortirait, petite surprise à sa nana, s'il en avait une et qu'elle avait un faible pour les bestioles, et sûrement que la mouche avait fière allure quand il avait la trique. « Comment il a dû douiller à mort », je leur fais, car au même instant moi aussi je douille à mort, même si personne ne me tatoue le gland, mais Thilo-l'Aiguille veut montrer à ses potes taulards qu'il tatoue vite et bien, la machine trace comme une dingue sur mon bras. « On a endormi le bazar, raconte un des types. Tapoté le gland avec une 'tite cuillère jusqu'à ce qu'il s'engourdisse. Après il sent plus rien, tu percutes. » « T'inquiète que ch'percute », même si je ne percute absolument pas, mais bon, en cage l'ennui fait venir des idées pas nettes.

Des fois, quand la marraine sort de la chambre, ils commencent à faire du business, ils mettent je ne sais quels deals et quels casses sur le tapis, parfois ils me demandent même si je veux en être, mais je leur dis que je ne trahirai pas mes couleurs, Reudnitz et Anger-Crottendorf, secteur sud-est. Des fois, ils déballent aussi leur matos et se font des traces en diagonale sur la table, d'autres fois ils me demandent si je veux m'embarquer pour un petit tour, mais je leur dis que ça ira pas, à cause de la charcute, vu que la défonce fait saigner plus vite, mais en vérité c'est à mon vieux pote Mark que je pense, lui qui est si mal à cause de cette chienne de came. Thilo-l'Aiguille dit que c'est tant mieux, que de toute façon je pisse trop le sang dans tous les sens, et ensuite il lâche sa machine pour s'en envoyer jusqu'à tant qu'y ait plus rien sur la table.

Thilo-l'Aiguille aussi se pique, et je ne parle pas que des tatouages qu'il s'est faits lui-même et qui sont presque tous à gauche, vu qu'il est droitier ; il en a aussi un peu sur le flanc droit, ça vient d'autres Charcuteurs-en-cabane, et le flanc droit a une un peu meilleure gueule que le flanc gauche, déjà sa feuille de brouillon quand il avait quatorze-quinze ans, d'après ce qu'il m'a dit. Thilo-l'Aiguille se pique. Il s'envoie la chienne de came dans le bras, mais seulement quand ses potes de taule ou ses colocs sont sortis, même si y en a sûrement quelques-uns qui tapent aussi. Aucun d'entre eux n'irait l'avouer devant les autres, faut dire que c'est un niveau au-dessus de la sniffe, ça, tout le monde y touche. Mais lui, ça le dérange pas que je sois là quand il se pique. Au début, il me faisait sortir à chaque fois, et je me disais toujours qu'il avait besoin d'une petite méditation pour se préparer à la charcute. Mais la fois où il a commencé le tribal tout près du lézard déjà fini, il s'est calé la seringue sous mes yeux, « histoire que les paluches elles restent tranquilles, Dani », c'est peut-être qu'il est plus détendu devant ses bons clients, ou il se dit que je m'habitue aux aiguilles. Ça arrive même que je lui passe ma ceinture, parce qu'il en a pas, mais sûr qu'il va bientôt investir.

Thilo-l'Aiguille a disparu, et voilà que je me retrouve avec une tête de mort sur le bras, un crâne sans yeux qui a quatre ratiches en moins. Le pire, c'est les yeux. Pour les dents, on dira juste qu'elle s'est mangé quelques patates, eh ouais, tête de mort de bonhomme, voilà ce que je raconte à tous ceux qui la voient.

Thilo-l'Aiguille est retourné en cage, il a merdé, comment j'en sais rien, mais je dois avouer que ça me soulage un peu, car vers la fin il commençait à taper et à sniffer sérieusement, ce qui ne l'aidait plus vraiment à se calmer les paluches. Mais ça change rien, mes tatouages, j'en suis vraiment content, vrais tattoos de taulard, surtout la tête de mort, et maintenant qu'il caille ou qu'il neige, je me balade en manches courtes dans le quartier, et je m'énerve de pas m'être fait charcuter les bras plus tôt, on peut parier que masse de types m'auraient grave respecté, et d'autres fois je me prends juste à espérer que Thilo-l'Aiguille va revenir, je m'imagine qu'en cage c'est devenu un vrai artiste, qu'il a appris tout ce qui lui manquait et qu'il va pouvoir finir de me charcuter et me couvrir de chefs-d'œuvre, comme ça même ma mère arrêtera de rouspéter et toutes les filles du quartier viendront me voir.

PAUVRE PETIT BÂTARD

Je fumais au balcon. C'était le soir, huit heures passées, mais il faisait encore jour. Ma mère était sortie, ils avaient un pot à la conserverie pour un type qui partait en retraite. Les yeux sur les rails, j'ai regardé passer un train de marchandises. J'ai compté les wagons... dix-huit, dix-neuf, plus rien. Je me suis penché par-dessus la rambarde en éjectant ma clope. Deux nanas sur le terrain de jeu, pas loin de ma tour. Elles étaient posées sur le banc en face du bac à sable, ça devait pas faire longtemps. D'ici, je voyais l'une fumer. Elle montrait ses jambes, jupe assez courte, c'est vrai que l'été durait encore. J'ai couru à ma piaule pour sortir les jumelles, je les gardais toujours à portée de main à cause des gonzesses qui prenaient le soleil sur la pelouse juste derrière le terrain de jeu. Et quand ça se mettait à taper sévère, elles voulaient bien me montrer leurs nichons. Souvent, je passais un coup de fil à Paul et on buvait des bières fraîches en reluquant les gonzesses et les seins. L'autre nana venait de se coincer une cigarette entre les lèvres, je la voyais recracher la fumée. C'était la première fois que je les voyais dans le quartier. Elles devaient avoir dans les quatorze, pas impossible que ce soit leur premier vrai été. J'ai fait la mise au point pour me reconcentrer sur les jambes, en regrettant qu'elles se soient pas perchées sur l'araignée. Je me suis penché un peu plus, peut-être moyen de viser l'intérieur du décolleté. « Bon, j'ai murmuré, tu la fais tomber, ta vieille clope ? Allez, fais-la tomber. Et ramasse. » Mais la clope restait où elle était, alors j'ai visé la copine. Pas de jupe, mais en échange un jean bien serré. Je me suis fixé sur l'entrejambe. L'« as de carreau », disait toujours Paul, sans jamais avoir pioché pour autant, ce con.

Quand j'ai vu que la deuxième se levait pour me tourner le dos, j'ai donné une bonne claque au bois de la rambarde. Celle aux jambes nues l'a imitée. Je pouvais compter les plis de sa jupe en même temps qu'elle balançait les bras, mais pas assez de monde à son balcon pour que ça valse dans le corsage. Je suivais le mouvement de leurs lèvres. Elles étaient pas mal excitées, possible que leurs gars soient sur le point de rejoindre le périmètre et qu'elles en aient marre de ces deux blaireaux. Elles ont traversé le bac en jetant leurs clopes, et elles ont détalé. J'ai pointé les jumelles vers les rails et les deux silhouettes qui détalaient. Sauf que c'était plus elles. J'ai ajusté : d'un coup, sous mes yeux, la gueule de Rico. Toute tordue, mais ça venait pas de la mise au point. Mark courait un bout derrière et se retournait sans arrêt. Y en avait d'autres qui arrivaient, un, deux, puis deux autres ici et d'autres un peu plus loin ; là, j'ai décollé les yeux. Rico et Mark étaient presque rendus au terrain de jeu, dix, douze types collés aux basques. J'ai recompté : quatorze têtes. Mon paquet était resté sur la rambarde. Je vais pour m'en sortir une autre, les clopes dégringolent dans la cour pendant que Mark et Rico se précipitent à travers le bac à sable. Mark trébuche, il se croûte, Rico tourne les talons pour aller le relever. La plupart des types sont en bomber rouge, vert ou bleu, sauf un. Lui, il a un bomber style treillis camo neige, et je le connais. Le blouson, c'est sa patte. La plupart du temps, il traîne près de la Piste à rollers avec les Skins, même qu'il a son mot à dire. C'est le bras droit du Cador. Il se fait appeler Le Léopard à cause de son blouson gris-blanc tacheté, mais tout le quartier ou presque l'appelle Chiure d'Oiseau pour la même raison. Notre embrouille avec les Skins date de quelques mois. Depuis, on pensait qu'ils avaient soit zappé, soit les jetons. Rico et Mark en sont à escalader le muret entre la cour et le terrain de jeu. Ça y est, je les entends :

– Putain, Rico, ils nous chopent ! On est morts !

– Ferme-la ! On rentre dans la tour, on monte chez Dani !

La porte de la cour, je l'avais verrouillée. Une heure avant, j'avais descendu les poubelles, à cause de ma mère et de son genou qui recommençait à la lancer et aussi de son maquillage pour le pot à la conserverie, et j'avais refermé derrière avant de remonter. Les voilà qui se mettent à tambouriner.

– Putain, Dani, putain, mais ouvre ta sale porte !

Je me recroqueville sous la rambarde.

– Enfonce-la ! gueule Mark, steuplaît, enfonce !

Je me redresse, bien décidé à courir en bas, j'ai un pistolet d'alarme à canon alésé dans ma piaule et aussi masse de lames, mais trop tard, les premiers fumiers ont déjà gagné le mur, et puis la cour.

Pourquoi n'ai-je pas crié, mugi comme un bœuf en leur balançant les chaises en plastique, la table et les bacs à fleurs ?

– On vous chie à la raie, bande de bouseux !

Ça, c'est Mark. L'œil collé à une fente dans le bois, je rentre les épaules un peu plus. Il s'est couché, deux fumiers lui tombent dessus. Mais Rico ? J'appuie mon crâne au bois en tapant du poing sur le sol en pierre.

– Suffit, on fait une pause !

Le Bombercamoneige se campe devant Mark et les deux mecs qui viennent de le bourrer de coups de latte le redressent. Où est Rico ? Les fumiers se sont déjà répartis dans la cour. Je finis par le repérer, ils le tiennent à quatre, le Bombercamoneige va vers lui, non, court vers lui, prend tout l'élan qu'il faut et lui explose son pied en pleine face.

– Arschlor ! T'as voulu jouer au cow-boy avec nous ! Boxeur, hein ? Paraît que t'es un vrai boxeur ?

À peine les autres ont lâché Rico que le mec se met à taper comme un aliéné. Gauche, droite, gauche, droite, Rico au sol, bon Dieu, pourquoi il se défend pas ? Pourquoi ne se lève-t-il pas pour le mettre en pièces ? Il chute, l'autre lui met ses talons dans le dos.

– Debout, ma truie. Je te demande de te lever ! Ch'croyais que t'étais un vrai boxeur ?

Et je tape du poing sur la pierre du balcon, je rampe pour atteindre la porte, déjà une main sur la poignée, déjà presque sur le calibre, dans ma piaule. Mais je reste là, le cul par terre devant la porte, avant de me retraîner vers la rambarde pour continuer à suivre le spectacle. Rico s'est couché sur le flanc, mais le mec ne s'arrête pas. Rico lève les bras sur son visage en collant le menton à la poitrine.

– Debout ! Mais debout ! Tu trembles, boxeur ? Paraît que t'étais un boxeur, un vrai !

Ce sale fumier continue, Rico rampe sous les coups, incapable de s'échapper autrement.

Ça y est, je me dis. Il va bondir. Il va se remettre sur ses jambes et fumer le gars, maintenant. Il va le démolir, lui aplatir le nase. Non, attends, il va le prendre en otage et les autres glandus vont disparaître. Mais Rico ne se relève pas. Il ne peut plus, point final. Je tourne les yeux vers Mark, allongé à quelques mètres d'écart près des bennes à ordures, en train de se redresser au ralenti, lui aussi la gueule en sang. Le dos calé à l'un des bacs, il ramène ses jambes et pose son menton sur ses genoux. «Bouge de là, je lui murmure. Allez, Mark. Bouge de là. Va chercher du renfort, les fumiers regardent ailleurs! » Mais il reste assis, à essuyer le sang de son front. Le Bombercamoneige lâche Rico, histoire de reculer un peu.

– T'as eu ton compte? Je veux que ce soit toi qui le dises, t'entends! Allez, boxeur, dis-le!

Rico se tourne en bougeant les lèvres.

– Comment? Qu'est-ce que tu dis? J'entends rien, boxeur!

L'autre se penche, la main en cornet. C'est maintenant, je me dis, l'œil collé au trou que j'en ai mal au crâne, maintenant qu'il claque son front dans la face de ce sale porc. Rico dit un truc, le mec saute en l'air, lui carre son pied dans l'estomac et se repenche pour lui écraser son poing en pleine face.

– T'es fiérot, hein? Tu gardes la fierté, hein? Mais moi, je veux l'entendre. Sinon, je te ravale entièrement le portrait!

« Salopard, je lui murmure. Je te tue. Je te... peu importe le moment, je te coince, je te tue. » Et au moment où Rico veut se mettre debout, le fumier lui saute à pieds joints dans les reins et le fait retomber face contre terre.

– Oh! Ch'te répète : je veux l'entendre! T'en as eu assez, boxeur? Tu fais tes excuses, boxeur? Fini de jouer au cow-boy. Fini de jouer à l'homme, boxeur!

Il se penche encore, cette fois pour l'empoigner par les cheveux.

– Regarde un peu par là. Ton petit copain la tantouze qu'on va se faire une joie d'achever.

Trois gars courent sur Mark, manches retroussées, avec des avant-bras qui ont l'air tout fins. Il fait un tour sur lui-même pour leur présenter le dos, tête plaquée contre la benne, bras sur le visage. Que quelqu'un dans l'immeuble appelle les flics! Pour moi, impossible, il y a des règles. Mais je sais aussi qu'en restant accroupi là, sur le balcon, je viole toutes les règles de la rue, tout ce qu'on s'était juré, «jamais détaler, jamais laisser personne en plan, jamais lâcher».

– Vas-y, laisse... souffle Rico, si bas que je peine à entendre. On a notre compte. Chuis désolé, jamais on reviendra. Laisse...

– Hé! lance le trou du cul au bombercamoneige. Le boxeur baisse les bras! Mais attends, mais t'es une baltringue à abandonner si facilement? Boxeur ou pas, garçon? Baltringue ou pas?

Il lui lâche deux glaviots, appuie sa semelle sur sa face et commence à tourner.

– « Pitié. » Je veux l'entendre !

Rico se débat contre la semelle, mais ses coups partent comme au ralenti, le fumier se contente de lui repousser le bras.

– On dit quoi ? J'ai envie de savoir ce qu'on dit quand on veut être mignon ! T'es mignon, boxeur ?

– Ouais, lâche Rico sous la pompe. Pitié.

– Hein ? Mais j'entends rien !

Le gars remet sa main en cornet, Rico hausse la voix :

– Pitié. Pitié, arrêtez-vous.

Et j'appuie la tête au mur en détournant les yeux.

– Mate un peu ! Des sèches, un paquet presque plein !

Mon paquet. Je me recroqueville contre la rambarde en donnant doucement du crâne contre le mur. « Mais allez, mais lâchez-les, sales fumiers, lâchez. »

Quand je recolle l'œil à la fente, ils ont disparu. Rico s'était mis sur le dos, le sang lui passait du visage au blouson.

– Rico, a fait Mark en rampant vers lui. Les salauds.

Il le secouait doucement par l'épaule.

– … relève-toi. Oh, remets-toi debout. À tous les coups ils reviennent !

– Ferme ta gueule ! lui a crié Rico en jartant sa main et en toussant masse de sang par terre. C'est fini.

Puis, très lentement, il s'est remis debout.

– … reviendront pas. Fini.

– Qu'ils soient maudits, ces crevards !

– Arrête, a coupé Rico. C'est bon, laisse. Parle pas d'eux.

Il tanguait un peu. Et levait le visage vers moi. J'avais les yeux pile dans les siens.

– … un de ces jours… merde.

Mark était debout près de lui, le visage vraiment mal en point alors qu'il avait pas tant bouffé que ça. Il a entouré l'épaule de Rico et ils ont tangué ensemble jusqu'aux bennes pour aller s'asseoir dos contre elles.

– Au moins ils nous ont pas dépouille.

– Arrête de parler d'eux, je t'ai dit.

Rico a sorti son paquet, et ils en ont allumé deux. J'ai regagné la cuisine en restant accroupi et filé à ma piaule récupérer des canettes vides pour remplir le sac-poubelle. J'ai aussi déchiré des cahiers, histoire de faire plus volumineux, en finissant par la brique de lait périmée dans le frigo. Avant de soulever le sac, je me suis aspergé le visage d'eau glacée à l'évier. Il a encore fallu que j'oublie la clé de la cour intérieure ; arrivé en bas, à la porte, obligé de faire l'aller-retour. J'ai posé l'oreille au bois, mais dehors, plus rien. J'ai tourné la clé en faisant tout le bruit que je pouvais, jusqu'à siffler une mélodie à la con, mais ça j'ai arrêté illico. J'étais dehors. Eux deux toujours à fumer, le dos aux bennes.

– Qu'est-ce que vous foutez là ? Putain, qu'est-ce qui… mais qu'est-ce qui s'est… Quels fumiers c'était ?

– Dani ! a crié Rico en se redressant contre la benne. Mais où t'étais ? La porte, Daniel. Mais pourquoi elle était fermée, ta putain de porte ?

Ses yeux étaient joliment gonflés, comme le reste du visage, vert et bleu, et par endroits rose et violet.

J'ai laissé tomber le sac.

– Mais pourquoi… pourquoi vous m'avez pas appelé, aussi ? Je serais… ch'serais descendu, moi ! J'aurais ramené mon gun, on les aurait fumés ! Mais c'était qui, Rico ?

– Y en avait trop, a répondu Mark, toujours le cul par terre. Vraiment trop, Dani. Vingt. Au bas mot.

Il avait pas l'air aussi mal que Rico, que les lèvres de gonflées. Enfin, le nez aussi avait pris cher, et le visage était couvert de sang.

– Mais c'était qui ? Dans ma cour, ces crevards !

– J'ai réussi à en choper. Deux ou trois. J'les ai… on les a fumés. Hein, Mark ? Mais y en avait trop, ils étaient trop, ces enculés de bastringues !

– Les Skins. Chez la Vioque, tu te rappelles ?

Mark avait fini par se lever et nous tendait son paquet.

– Les Skins ? Attends, ces enculés de la Piste à rollers ?

– Les mêmes.

Il nous a filé son feu. À mesure qu'ils tiraient, leur filtre se couvrait de rouge à lèvres.

– Comment on les avait démontés, a fait Rico. C'est ça, Dani. C'était pour ça.

– Mais aujourd'hui, a continué Mark, y en avait trop. Si on avait eu d'autres gens…

– Chuis désolé, j'ai fait en lui prenant l'épaule. Si j'avais su… tu m'connais, hein.

– T'inquiète, a fait Rico en prenant la mienne. Comment t'aurais su, Dani… en bas… mais on s'est bien battus, crois-moi. Mark il en a latté un. Nase éclaté, sûr.

– Eh ouais, opinait Mark en léchant le sang sur sa lèvre. Et on va leur faire payer, pas vrai ?

– Faut ! a fait Rico en cognant le couvercle de la benne. Dès demain j'vais voir le reuf à Karsten. Et Manfred, le boxeur. Lui, c'est un bon, je m'entraîne avec. Il connaît aussi masse de monde.

– Et Pitbull, je leur ai fait, il peut pas arranger ça ? Il en connaît, des Skins.

– Oublie Pitbull. On arrange que dalle. C'est déjà commencé, Dani. Trop tard. Tout ce qu'il va faire c'est s'en prendre plein la gueule. Tu connais le topo.

– Ouais.

On a écrasé nos mégots contre les bennes, Mark a sorti un vieux mouchoir pour s'essuyer le visage comme il fallait et l'a passé à Rico.

– Montez avec moi, vite fait. Faut vous nettoyer mieux que ça. Y a pas ma daronne.

– Peu de flotte, a fait Rico en se palpant le visage. Un peu d'eau froide, ouais.

J'ai secoué la poubelle à l'intérieur de la benne avant de m'engouffrer le premier dans l'escalier. Arrivés en haut, je leur ai filé une serviette et ils se sont passé la face sous l'eau froide à tour de rôle. Rico se regardait dans le miroir.

– Les crevards. Ils paieront, juré ! Ch'peux pas me montrer dans la rue comme ça. Comment j'vais pouvoir aller au bahut, sa mère.

Le bahut, Rico n'y allait presque plus depuis que j'étais parti. Et puis, il avait fait plusieurs séjours à Zeithain. Sûrement que le bahut l'avait déjà viré depuis longtemps, c'est juste qu'il savait pas. J'ai enroulé les glaçons du freezer dans un torchon. Rico l'a pressé sur sa face.

– Et moi ? a fait Mark en pointant sa lippe qui continuait à s'enrouler vers le nez.

– Attends. J'ai mieux.

J'ai sorti une canette de bière fraîche. Il l'a collée à sa bouche et son visage avant de décapsuler.

– La glace, Dani…

Rico a balancé les glaçons fondus dans l'évier. J'ai sorti deux autres bières, il s'est rafraîchi la face, et on a trinqué.

– Pour qu'on serre ces crevards.

– Pour qu'on serre ces crevards.

On s'en est refumé une sur le balcon, encore un peu de lumière.

– Les jours qui viennent, m'a fait Rico en fixant la cour, faut être prudents. À tous les coups qu'ils sont saucés pour toi aussi.

– Exact, a fait Mark. T'étais là, chez la Vioque. Tu te souviens...

– À ton avis.

D'habitude, on parlait plus de la Vioque. Elle était morte, et ça nous arrivait de penser qu'on y était pas pour rien. À cause de l'histoire avec les flics...

– Mais te fais pas de bile, a repris Mark. Moi aussi, ch'connais des gens. Ça peut s'arranger.

– Ouais, je lui ai fait. Y a des chances.

– Bon, a fait Rico en écrabouillant sa canette. Il est temps de s'arracher.

– Tout doux, Rico. Pas de stress !

Mark se penchait par-dessus la rambarde.

– ... t'es sûr qu'ils traînent plus dans le secteur ?

– Nan. Sont barrés.

– Ch'peux descendre avec vous. Allez, je descends avec vous. J'ai mon gun. Et mes lames. S'ils reviennent, ça va saigner.

– Laisse, Dani, m'a fait Rico en me tapant sur l'épaule. Ils savent où tu crèches. Suffit que tu te fasses griller, et ils...

– C'est bon, Rico, ch'crois bien qu'ils sont plus là !

Mark venait de jeter sa clope du balcon. Son visage tiquait.

– Bien sûr qu'ils sont plus là. Chie pas dans ta chemise.

– J'ai pas les jetons, moi. J'me chie pas dans ma chemise. J'ouvre l'œil, c'est tout !

– T'as raison, je lui ai fait. T'inquiète.

J'ai coincé le pistolet d'alarme dans ma ceinture et je suis descendu avec eux jusqu'à la porte d'en bas. Il faisait presque noir, la plupart des lampadaires étaient crevés. On est restés un moment sur le seuil, à lancer des regards inquiets dans tous les coins.

– R.A.S., je leur ai fait. Mais ch'peux vous escorter un bout.

– Nan, Dani, laisse.

On s'est serré la main, et ils se sont traînés vers le bas de la rue. Rico s'est retourné.

– Et fais bien gaffe à toi ! Je passe te voir dès qu'y a du neuf.

Ils ont accéléré, mais je les voyais tourner les épaules toutes les deux secondes. Et puis ils ont disparu au coin. Avant de regrimper les étages, j'ai verrouillé la porte.

Trois jours, j'avais attendu Rico. Je partais tôt au bahut, en prenant des détours, et je cachais deux lames et le calibre dans mes poches dès que je sortais de l'immeuble. J'avais passé un coup de fil à Mark, les Skins s'étaient offert Walter en plus, tout ça parce qu'il était des nôtres. Apparemment ils s'étaient contentés de quelques beignes, peut-être parce qu'il était trop petit, ils flippaient qu'il leur claque entre les mains s'ils lui faisaient bouffer comme à Rico et Mark.

Et Rico était là. Il venait de sonner en bas de l'immeuble. Debout sur le chemin, il agitait les bras. J'ai ouvert la fenêtre.

– Grouille-toi de descendre, Dani !

– C'est ouvert ! Monte, toi ! Ma daronne elle est pas rentrée !

Il a détalé vers la porte. Le temps de fermer la fenêtre et je l'entendais dans l'escalier. Sur la table du téléphone, mon gros schlass russe. En vrai, c'était une baïonnette de kalache. Après la chute, les Russes en revendaient pour dix marks devant la caserne. J'aurais préféré acheter la kalache, mais ils avaient pas voulu. Rico tambourinait :

– Grouille, Dani, ouvre !

– Tranquille ! j'ai crié en planquant la baïonnette sous le journal.

Rico s'est faufilé direct dans le couloir, sans un mot. La gueule encore assez mal en point.

– Allez, Dani ! Ferme à clé !

– Mais qu'est-ce qui te prend, vieux ?

– 'coute, Dani. Faut que tu me rendes un méga service.

– Mais calme-toi ! Commence par t'asseoir un peu. Qu'est-ce qu'y a eu, dis ?

Il a repoussé la chaise et s'est mis à tourner en rond.

– C'est la dreum. La méga dreum, même. Mais ça ira pas autrement.

– C'est ton sursis ? Faut que je témoigne pour toi ?

– Nan, Dani, nan. Tu sais ce qu'y a, tu sais ce qu'y a.

– Les Skins ? Les crevards ?

– Ouais, ouais, ouais !

Il s'en est allumé une.

– Ton cendar ?

– Prends la canette.

– T'es au courant pour Walter, hein ?

– Ouais. J'ai su.

Il pichenettait la cendre dans la canette. La clope lui a glissé des doigts et s'est retrouvée dans le trou.

– Putain de merde, j'y crois pas ! Tu peux pas avoir un vrai cendrier, aussi ?

– Restranquille, tu veux.

Je l'ai forcé à se poser, et il nous a sorti deux nouvelles clopes.

– 'coute, Dani. Va falloir que tu redescendes avec moi.

– Redescendre ? Pour quoi faire ?

– Eh ben… écoute-moi…

Après avoir roulé et roulé sa cigarette entre ses doigts, il a fini par l'allumer.

– Ils attendent en bas. Au coin. Chuis censé te sortir de chez toi. Sinon… Écoute, Dani. Tu descends, comme ça ils voient que je joue le jeu. Tu fais semblant de les avoir grillés, et tu détales en scrède. T'es un sprinter, Dani !

Je gardais la clope entre les lèvres. Il l'a allumée.

– T'es un vrai sprinter !

– Tu rigoles, là ?

Son filtre s'était cassé. Il a laissé la clope sur la table pour tirer sa chaise tout près de moi.

– Écoute, Dani. T'es mon meilleur pote, tu le sais… Il me faut du temps pour mettre tout ça au clair. Avec eux, t'es obligé de… tu captes. Jusqu'à ce qu'on… Comme pour Estrellita, Dani. Ta Petite Étoile…

– Qu'est-ce qu'elle a ?

– Là, faut marchander. Tu captes. Il me faut encore du temps, il faut que tu me donnes du temps, les gars je les choperai. On se les chopera, t'as ma parole ! Mais pour l'instant, on est encore obligés de faire comme si on baissait les bras. J'ai tout géré d'avance, mais faut que tu m'aides, autrement ils vont me remettre ma misère !

J'ai roulé un poil vers le mur sur mon fauteuil de bureau.

– Allez, Dani ! Faut se grouiller avant qu'ils se doutent d'un truc !

Je me suis levé, il a levé les yeux vers moi, et puis les a baissés.

– C'est parti.

– Putain, Dani ! Putain, jamais j'oublierai ça.

On a repris le couloir sans que sa main quitte mon bras.

– Il me faut juste un peu de temps, Dani. Mais toi, tu vas tellement vite, ils pourront pas te serrer !

J'ai zippé mon blouson.

– À l'heure actuelle, on est encore obligés de marchander. Diplomates, tu vois le plan. Mais en échange, on leur tapera sur la gueule bien comme il faut.

– Allez, Rico. Tais-toi.

J'ai sorti la lame de sous le journal.

– Nan, Dani. Nan, ça, tu laisses là. T'as pas besoin.

Il a viré ma main, et j'ai hoché la tête.

– Crois-moi bien, Dani. Deux trois jours, j'aurai tout géré. J'aurai réuni assez de monde, et là ce sera riposte. Toi et moi. Première ligne, tu captes ? Deux trois jours. Pas plus.

J'ai encore hoché la tête. Il a appuyé son front contre le mien.

– Prends par la pelouse, ils ont une caisse. T'es un sprinter, Dani. Je le sais.

J'ai tourné la clé, et on est descendus. Arrivés en bas, sur le pas de la porte, on s'est arrêtés un instant.

– Combien ?

– Ben… dix. Douze, grand max.

J'ai regardé ma montre. Pas encore cinq heures, encore quatre avant que la lumière baisse. On s'est serré la main, rapide, et j'ai avancé au milieu de la rue. Il restait en retrait.

– Franchement, Rico. Y a un truc qui cloche, là. Tout ce qu'ils cherchent, c'est m'éclater la gueule ! Mais vous m'aurez pas, bande de salauds !

Et ils se ramenaient déjà, le Bombercamoneige en tête. Avant de me laisser partir, Rico m'a empoigné une seconde par le blouson, et dans un souffle :

– Cours, Dani.

Je cours. Je cours, autour de l'immeuble, à travers le bac à sable, à travers la pelouse. Pendant les cent premiers mètres, le regard droit devant moi, sert qu'à perdre du temps de se retourner, je le sais, et la peur qui ramollit les jambes. J'attends d'être tout près des rails pour regarder par-dessus mon épaule. Ils sont toujours derrière. Dans les vingt mètres. C'est le moment où mon estomac se met à me brûler, ça aussi ça vient de la peur, ça descend dans les jambes en essayant de les ramollir encore plus, mais je suis bon sprinter, au bahut, je fais le soixante mètres en sept secondes six. Devant les rails, la petite palissade, je connais le trou. J'escalade le remblai, je me prends les pieds par-dessus les rails, pas de train en vue, je suis de l'autre côté. Là, je fais un tour sur moi-même, déjà rendus à la palissade, je prie pour que tous les trains de banlieue de Leipzig viennent à prendre ce tronçon en même temps. Et puis je suis dans les potagers du sud-est, allée centrale, exactement parallèle au remblai. Elle suit les rails jusqu'à la gare de Stötteritz. Un peu plus loin, derrière une clôture, un de ces bouffons de jardin qui me mate. Il dit un truc, mais je suis déjà parti.

– Arrête-toi, espèce de fils !

C'est pas le bouffon, mais les Skins qui mangent leur retard. Je mets les gaz. Sept secondes six au soixante mètres. Mais c'est au bahut, l'endurance c'est pas la même affaire. Concentré sur mon souffle.

Nouveau coup d'œil, ils sont environ trente mètres derrière, ils ont ralenti, alignés sur toute la largeur de l'allée, et tout devant, en plein milieu, une tache gris-blanc qui bouge, Le Léopard, alias Chiure d'Oiseau. Juste devant, l'allée fait un coude et débouche sur la rue. Ils me perdront de vue derrière le virage. Deux ou trois secondes, mais ça suffira. Devant, un bloc. Je me rue sur la première porte. Une poignée ronde. Celle d'à côté est ouverte, je m'engouffre et file direct vers la porte de la cour intérieure. Fermée. Ils piétinent déjà devant la tour, je grimpe sans bruit au quatrième. Dans la cage d'escalier, rien.

Posé sur une marche, crâne contre le genou, bouche ouverte, je laisse couler la bave. Plusieurs étranglements, mais pas de gerbe. Ça m'arrivait souvent de m'enfuir devant des types, mais rien à faire, chaque fois j'étais niqué. Dans l'appart, près de la remise du palier, quelqu'un remue la vaisselle. J'appuie ma tête à la rampe, je baisse déjà les paupières, mais ils montent. Je saute sur mes pieds pour enfoncer la porte de la remise. Extincteur. J'arrache, je tire le cordon de sûreté et je leur envoie un gros nuage. Une fois la cage bien remplie, je calcule les deux seaux de charbons et leur balance les cailloux à travers la fumée blanche. Ça hurle quelques marches en dessous, je me retourne vers la remise, j'arrache un sommier du tas de bordel, le tire tant bien que mal sur le palier...

– Mais qu'est-ce que vous fabriquez ! Qu'est-ce que c'est que ça ?

Un peu plus haut, dans l'escalier, une femme me regarde avec sa grosse tête. « Putain ! » Je manque de me viander sur les marches. Mais à part elle, personne. Faut croire que j'étais ailleurs.

– T'habites ici ? Tu serais pas le gamin aux Simon ?

– Euh… nan.

Ça, je regrettais déjà.

– Qu'est-ce que tu fabriques ici, alors ? Qu'est-ce que tu fais là tout seul ? Pourquoi t'es pas chez toi ?

Elle avait dans les quarante piges, en tablier. L'odeur de bouffe descendait de l'appartement.

– Ch'peux pas y aller, j'ai répondu en essayant d'avoir l'air mignon.

– Tu t'es disputé avec tes parents, c'est ça ?

– Non, c'est parce que… Y a des jeunes, en bas, ils veulent me frapper. C'est pour ça, je m'étais mis…

– Mensonge. Tu mens. Et nous, après, on retrouve toujours nos voitures… des fois, ils mettent tout à sac.

– Non, non, s'il vous plaît ! J'fais pas des trucs comme ça. Mais là, j'ai trop peur des jeunes. Je vous jure, même qu'ils veulent me casser les os !

Elle avait pas arrêté de s'essuyer les mains à son tablier.

– Mouais… faut dire, tu leur ressembles pas, à ces voyous…

Je lui ai fait mon sourire.

– T'as quel âge, dis ?

– Quinze ans. Mais c'est des grands. Ils viennent toujours m'attendre à la sortie de l'école. L'autre fois, ils m'ont piqué de l'argent, même que ma mère elle a porté plainte, et après…

– Elle a bien fait, ta maman. Et c'est pour ça qu'ils te courent après ?

– Oui.

La sueur me dégoulinait sur la face, je me frottais les yeux pour lui montrer que c'était des larmes.

– Allez, viens attendre chez nous, si tu veux. Je vais te donner à boire, et puis on regardera par la fenêtre pour voir s'ils sont toujours là.

– Ils ont tous le crâne rasé…

Je me frottais les yeux encore plus fort, histoire de les rougir comme il fallait.

– Allez, entre. Mais retire tes chaussures.

Je les ai foutues à côté du paillasson, et on a traversé le petit couloir sombre jusqu'à la cuisine. L'eau d'une grosse casserole fumante commençait à déborder sur la flamme du gaz. Elle a enfilé deux gants pour la porter sur la table.

– Mon homme va pas tarder.

La vapeur lui montait au visage. Elle s'est dégagé les mèches du front et m'a toisé.

– Vous inquiétez pas, je lui ai fait en me grattant le mollet du bout du pied. J'vais y aller.

– Y a pas le feu.

Et puis, tournant sa cuillère en bois dans la casserole :

– On voudrait quand même pas que les voyous t'attrapent.

Elle a ouvert la fenêtre et s'est penchée en écartant les pots de fleurs.

– Eh bah tiens. J'en vois quelques-uns. Là devant. Juste là. Regarde, approche-toi.

Elle m'a laissé me faufiler.

– Où ça ?

– Là-bas. Là derrière.

Elle se penchait en avant, calée contre mon dos. Ses seins pesaient sur ma nuque. Elle m'a pris la main et l'a pointée sur les jeunes.

– C'est eux ?

– C'est eux.

Ils étaient à l'autre bout de la rue, pas loin de la gare, j'apercevais encore le blanc et gris du camouflage, le bomber du chef. Sûr que l'hiver, il devenait quasi invisible. Ils avançaient derrière une Golf verte qui roulait au pas, vitres baissées. Une tête grosse comme une poubelle et sans tifs dépassait de la portière conducteur. Le Cador. De l'autre côté, les cheveux noirs d'une fille, coupe au carré. Mais j'ai détourné les yeux.

– C'est ça. C'est eux.

– C'est vrai qu'y en a un paquet !

Maintenant, ses seins frottaient contre ma nuque.

– Je me serais fait tabasser. Merci.

Elle est allée vider l'eau dans l'évier et elle a ramassé une ou deux patates qui s'étaient échappées pour les remettre dans la casserole. Mais le temps de fermer la fenêtre, elle était de nouveau contre moi.

– Tu veux boire quelque chose ? Tu dois avoir soif.

– C'est gentil.

Elle a souri en me caressant d'abord les cheveux, puis l'oreille, avant de sortir un Coca du frigo. Le verre rempli à ras, elle a recommencé les caresses. «Gentil gamin.» J'ai écarté le verre et je suis venu me mettre tout près. Elle m'a serré contre elle, j'ai commencé à lui caresser le dos, mais elle m'a écarté aussi sec en abandonnant le tablier près des patates. Les yeux sur moi, elle reculait vers le couloir sombre, sans fenêtres. En la voyant déboutonner son corsage, je me suis tenu à l'encadrement. «Viens là. S'il te plaît.» Sa main trafiquait derrière son dos. Et au moment où je me suis approché, elle a ramené ma main sur ses seins nus. Sa peau était toute rêche, ses mamelles gigantesques ballottaient lentement sous mes caresses. Elle avait posé sa main sur la mienne, elle répétait : «S'il te plaît.» Et puis elle s'est tue. Quand je lui ai caressé le visage, j'ai senti ma main se mouiller. Le dos au mur, elle tremblait. J'ai retiré ma main. «Pardon», j'ai murmuré en retournant à la porte pendant qu'elle respirait toujours dans l'ombre.

Et je suis resté à fumer, debout sur les marches ; plus aucun bruit dans la tour. Une fois en bas, j'ai encore attendu quelques minutes devant les boîtes aux lettres.

Personne non plus dans la rue. Ils avaient dû lâcher l'affaire. Je me suis remis en chemin direction la gare de Stötteritz, ils devaient être en train de poireauter devant mon bloc. Y avait plus que des trains de banlieue qui passaient par cette gare. Mais autrefois, les trains s'arrêtaient ici avant de partir vers le sud, vers la Thuringe, et il y avait un vrai hall avec des guichets. Le hall y était toujours, mais plus pour les billets, les clodos se retrouvaient là pour boire. Six heures moins dix. Encore de la marge avant l'obscurité. Un petit camion-buvette était garé devant le vieux hall, c'est là que les buveurs du périmètre venaient chercher leur carburant. Tout ça m'avait donné soif de bière, et il me restait quelques marks. La buvette, c'était Ralf's Corner ; et le Ralf, un ex-taulard, ce qui se vérifiait aux points tatoués sur sa main. Il faisait aussi des saucisses-frites, mais les gens lui prenaient surtout de la bière et du schnaps. À l'époque où les trains pour la Thuringe passaient encore par là, pas de doute qu'il faisait un chiffre du feu de Dieu. Par contre, son petit local n'était pas des plus propres. J'avais entendu dire qu'il pionçait dedans. Des fois, la nuit, la lumière filtrait à travers le comptoir rabattu.

– Une bière.

– T'as seize piges ? m'a fait Ralf en posant la canette de Grafenwalder sur le comptoir avec un rictus. C'est un c'quante.

Il avait aussi de la Holsten à deux marks, mais chez lui, « une bière », c'était une Grafenwalder. Celle que buvaient tous les buveurs, ou presque. Je lui ai fait glisser ma monnaie, il a opiné, j'ai calé ma bière sur l'une des deux tables hautes en plastique et je m'en suis allumé une. Un bout de wurst dans le cendar. La bière m'a coulé sur la main, glacée. Seul truc correct chez Ralf. Un buveur s'est ramené du hall aux guichets en marchant comme s'il venait de se faire dessus, et il s'est débarrassé de ses trois canettes dans le grand sac-poubelle. Là-dessus, il s'est calé au comptoir, un truc dégoulinant de la barbe. « Les trois sœurettes, chef. » Le chef a hoché la tête et il a ouvert son frigo. Dans mon dos, un train arrivait par le pont. Il s'est arrêté le long du quai dans un bruit de ferraille. Sur le deuxième pont, un bout plus loin vers le bas de la rue, c'était un train de marchandises. J'ai eu envie de compter les wagons, comme quand on était mômes. Mais il était déjà loin. Derrière la gare de Stötteritz, y avait aussi une gare de marchandises, les grues de chargement continuaient à tourner pendant la nuit avec force boucan, sous la lumière d'un énorme projecteur. Y a déjà un bout de temps, avec Fred, c'est là qu'on était allés chercher quelques bidons de diesel, à l'époque il conduisait une Volvo diesel. Ils stockaient masse de diesel dans des tonneaux et des réservoirs immenses. C'était pour les locos. J'ai balancé la canette dans le sac. Le clodo était reparti vers ses guichets.

– Une autre, steupl.

– Mais avec plaisir.

J'ai avancé la pièce sur le comptoir, et il a opiné avant de rouvrir le frigo. Plein de Grafenwalder, sauf du côté où brillaient les reflets rouges de quelques canettes de Coca et les reflets verts des Holsten Pils.

– Et voilà. Touuut frais.

Au moment où ma main se refermait sur la canette, j'en ai senti une autre sur mon épaule. Mais je me suis pas retourné. Bondissant sur le côté en balayant ma bière, j'ai fait basculer la table haute d'un coup de talon avant de me précipiter vers le hall, jusqu'au passage d'où partaient les escaliers des quais.

– Cloue-le au sol, ce petit goret !

Le passage sombre puait la pisse, j'avais pas envie que ce soit là qu'ils me chopent.

Au bout du compte, c'est à la gare de marchandises qu'ils m'ont chopé, entre deux hangars. Ils s'étaient scindés en deux groupes pour mieux me traquer sur tout le site, mais c'était bon, j'étais fait comme un rat. Pendant ma fuite, j'avais croisé deux cheminots qui avaient un gilet orange et l'air de se battre les reins de ce qui pouvait se passer dans leur gare. Et les fumiers me prenaient en tenaille. Des deux côtés, mais en douceur. Plus besoin de sprinter. Mais j'allais pas baisser les bras si facilement. J'ai décampé vers une porte de hangar. Cadenassée. Je me suis jeté sur elle de tout mon poids, absurde, c'était du métal. Alors, je leur ai fait face, en sentant très bien la froideur du métal à travers mon blouson. Ils étaient là. En demi-cercle. Pas de Cador en vue. Sûrement qu'il préférait rester un peu plus loin, dans sa caisse, à savourer le spectacle en titillant la petite ou en lui coupant les cheveux.

Le Skin au bombercamoneige s'avance. Vu d'ici, on dirait qu'il va y aller tout seul, comme un grand, pas la même qu'avec Rico. Faut dire que j'ai pas la même répute. Il est là, devant moi, à laisser pendouiller ses bras, moi à attendre qu'il soit tout près pour allonger. J'essaie d'aller pour le nez, vu que ça a l'air de lui arriver souvent, mais le salaud est plus rapide. Son crâne gicle sur le côté, et en un éclair il me claque la tête contre la porte. Ça pique pas encore trop, le problème c'est que mon coup *à moi* ne l'atteint pas. Bam. Bam. Bam. Chaque choc me fait voir une orange qui grossit, grossit, rapetisse et s'en va.

– Arschlor ! piaille le gars. Regarde-moi quand ch'te parle, tas de merde !

Il me lâche et je me laisse glisser dos contre la porte. Je remonte les genoux en fixant leurs fronts dégarnis à travers mes bras. Quand même quatre ou cinq avec mèche gominée en arrière. Stylés, les crânes d'œuf.

– Matez comme le nain tremble !

– T'es le plus grand, tête de fion, je lui fais en essayant de me relever.

Quelqu'un me saute dans l'estomac. Un poil en dessous, ça aurait craint, mais ça m'empêche pas de plonger en avant, à court d'oxygène. Dur de savoir comment, j'arrive à glisser le bras sous le menton avant que ma tête heurte le sol, non, c'est déjà plus le sol, c'est leurs jambes en buisson autour de moi, une aubaine que la plupart soient en baskets et pas en bottes de cow-boy ou en pompes à bouts ferrés. Stylés, les crânes d'œuf. Ding! Bam! Bam! Enfin, ding, ding, ding! Et les oranges dans le noir.

– Je vous maudis, sales fumiers!

J'enlace mes bras autour de mon crâne, mais quelqu'un me hisse sur mes jambes et me plaque encore contre le mur. Je rouvre les yeux : juste devant moi, ils forment toujours un demi-cercle, comme si y avait rien eu. Au fond, pas impossible qu'ils aient tout minuté à l'avance, les mouvements et le reste, genre choré de groupe de danse. Je secoue un peu la tête, elle saigne déjà? et m'avance doucement vers le fion qui me fait de nouveau face en tirant les lèvres.

– Na? Ch'te donne encore une chance, warrior?

– Vas-y, achève-le! Mets-lui sa race!

Quelques-uns de ces sales porcs battent des mains, d'autres sifflent, ça, c'est bien pire que les dings et les oranges. Tout se floute, doit y avoir des larmes quelque part dans mes yeux, non, c'est la sueur.

– Steuplaît, je lui fais en levant les mains. S'il te plaît. Arrête. J'ai mon compte.

J'étais un fieffé menteur, car je ne l'avais pas : d'un coup d'un seul, mes deux mains s'abattent sur son crâne. Mais vu qu'il a quasi pas de cheveux, ce fumier, mes ongles lui sillonnent une multitude de rides sanguinolentes. Il s'arrache à moi, je bloque mes poings à hauteur des yeux comme Rico m'a montré, je pare quelques-uns des siens, si seulement y avait pas ces vieilles larmes… non, c'est pas les larmes; si j'ai fait mouche qu'une seule fois (à l'épaule), c'était la faute au soleil qui penchait et me scintillait dans les yeux.

Ding! Ding! Bam! Et je vais au tapis. L'orange se transforme en gros ballon rouge qui rebondit, rebondit et ne s'efface plus. Ça, ça pouvait pas être un seul gars. Ils sont tous à me jouer du tam-tam dessus. Plus tard, ils cessent. Je reste au sol, immobile, les bras autour du crâne, et je sens le sang chaud sur mon visage et sur mon cou.

Je ne les entendais plus. Roulant sur le ventre, j'ai ouvert les yeux et j'ai vu le sang goutter par terre. Lentement, j'ai levé la tête. Ils avaient disparu. Mais à dix, quinze mètres, une Golf verte. J'ai réussi à me redresser un peu, puis je me suis affaissé, ils avaient fait du boulot nickel, ces fumiers. En entendant la portière s'ouvrir et claquer, j'ai rampé vers le mur, les poings serrés, et j'ai réussi à me caler le dos contre. Estrellita était debout devant moi. J'ai fermé les yeux.

– Pourquoi, merde… pourquoi ?

– Mon pauvre, pauvre Dani.

Elle était tout près, murmurait et respirait dans mon oreille. Je l'ai sentie me passer un mouchoir sur les paupières et sur le visage.

– Mon pauvre petit bâtard.

C'est en la sentant me caresser les cheveux que j'ai rouvert les paupières.

– … pourquoi, je lui ai répété en serrant sa main fort. Pourquoi il fallait que ce soit cet enculé de Skin ?

– Pauvre petit bâtard, elle m'a encore murmuré en tapant tout doucement sur mon poing serré autour de son bras.

– … pourquoi. Il nous brise, ce fumier, et toi…

Mais elle continuait à me sortir le sang du visage. Elle m'a appuyé le mouchoir sur la bouche.

– Tout va bien, mon pauvre petit bâtard, elle a murmuré en posant sa main fraîche sur mon front. Tu sais bien que je suis là.

Elle me caressait vraiment comme un petit clebs. Mais une portière s'est ouverte.

– Allez, mignonne. Suffit, tu rentres !

– Non ! j'ai crié à Estrellita. Non, qu'il aille se faire foutre, ce salopard. On l'aura, ch'te jure !

– Calme, elle a murmuré en m'effleurant le front.

Et puis elle s'est levée.

– Allez, mignonne. Arrache-toi de ce déchet.

Juste avant de grimper dans la bagnole, je l'ai vue me lancer un dernier regard. Une seconde, sa main s'est levée. Elle était pleine de sang. L'autre a fait quelques pas vers moi :

– Dis-lui merci. C'est grâce à la fille du Cador si t'es vivant !

Il avait une clope au coin des lèvres. Il l'a sortie et lui a filé une pichenette qui l'a fait atterrir pile sur ma poitrine. Cinq six mètres de distance. Le gars savait y faire, mais grave, sûr qu'il touchait aussi aux fléchettes. N'empêche que j'aurais quand même risqué quelques billets contre lui. Je lui aurais fiché toutes les flèches dans les yeux. Il a balancé la portière et je les ai entendus décoller. J'ai jeté le mouchoir d'Estrellita, il m'était resté collé au cou.

Un tour sur les pavés froids. Ça enflera peut-être pas tant que ça. Je me suis rendu compte que je chialais, alors j'ai fait ce que j'ai pu pour arrêter. Lentement, je me suis retourné sur le dos. Le soleil était au-dessus du hangar, entre les grues. Plus personne dans le périmètre. Je me suis remis sur mes jambes. Ça tournait. Mon paquet était tout aplati, les clopes cassées. Je m'en suis allumé la moitié d'une. À me palper le visage, tout avait l'air à peu près en place, y avait qu'une petite plaie ouverte au début des cheveux, et pour le nez, pas cassé, juste fêlé. Si je pensais à Rico, j'étais bien content d'avoir pris moins cher que lui. Si je pensais à Estrellita… Je crachais du sang sur les pavés en faisant jouer mes dents. L'incisive droite, celle du haut, tournait un petit peu, mais ça changeait pas d'avant. Au quartier, on racontait souvent l'histoire des riders de trottoirs, les mecs qui calaient les dents du haut de leur adversaire contre le rebord du trottoir après l'avoir mis K.-O. et lui balançaient le pied derrière le crâne. On racontait aussi celle des Skins et du skateur avec sa board. Les ratiches du gars étaient restées plantées dans le bois.

J'ai jeté ma clope, zippé mon blouson jusqu'au cou, et je me suis remis en marche lentement vers la rue. Les grandes grues balançaient leurs bras. La nuit, dans la lumière de tous les projecteurs, elles étaient encore plus belles.

– Avec ta merde ! Toujours ta merde ! Tout le temps pareil, c'est tout le temps pareil, tout le temps !

Ma mère était debout dans la cuisine, et elle criait.

– Tu… tu te rends pas compte. On dirait que tu t'en rends pas compte ! Un criminel, pas moins qu'un criminel !

– S'il te plaît. Tu te calmes. Arrête, maintenant. S'il te plaît.

On était vendredi, elle avait enchaîné les heures sup toute la semaine, et elle avait bu. Ça faisait quelques jours que j'avais les taches bleues et violettes sous les yeux, mais c'était seulement ce soir qu'elle le voyait.

– Dans mon appartement ! elle criait en agitant sa petite main sous mon nez. Et la police, hein ? Elle vient quand ? Quand est-ce qu'elle va finir par venir te chercher, espèce de… espèce… un criminel, voilà ce que t'es !

Elle s'est retournée d'un seul coup pour s'appuyer des deux mains contre la table. Je lui ai touché l'épaule et j'ai dit :

– Maman.

– Dégage, elle m'a répondu tout bas. Tu vas dégager.

Et elle n'a plus rien dit. Elle penchait la tête et respirait fort.

– Pour les yeux, j'y peux rien. C'est pas de ma faute. Cette fois, c'était pas moi, ch'te jure ! Ils m'ont tabassé, c'est tout. Ils étaient pleins ! Ils m'ont frappé, comme ça, sans raison !

– Avec ta merde ! Avec tes mensonges de merde !

Elle s'y mettait encore, alors j'ai reculé. Appuyée à la table de la cuisine, elle hurlait dans le mur.

– Tu vois pas, hein ? Et les gens ? L'immeuble, mon fils, si jamais la police… si jamais ils reviennent. Mais regarde… de quoi t'as l'air… un casseur, comme ton père ! Allez, va-t'en ! Tu vas t'en aller !

– Mais maman. La police elle va pas venir !

– Qu'ils te battent à mort, qu'ils… criminel… qu'ils te frappent à mort.

Je suis retourné prendre mes clopes et mon blouson dans ma piaule. Je l'entendais taper du poing contre la table. Je connaissais le bruit. Son sac à main était dans la penderie. J'ai tiré un billet de dix et deux pièces de deux. Les cris et les insultes continuaient dans la cuisine, mais je faisais déjà plus gaffe. Je suis sorti en claquant la porte. Ma mère criait fort, je l'entendais encore en bas des escaliers, au moment d'ouvrir la porte du hall.

Le soir arrivait, le soleil était déjà derrière les barres. Je suis parti vers chez Pitbull en prenant par les cours. Je n'ai pas levé les yeux en passant devant l'immeuble de la Vioque. Quelqu'un avait réparé la palissade qui protégeait la cour de Pitbull, obligé d'enfoncer deux nouvelles lattes. La porte qui donnait sur son hall était fermée, normalement elle restait toujours ouverte vu qu'on se retrouvait souvent dans la cave. Mais derrière la lucarne, ça brillait. J'ai donné du pied contre le verre poli, ça s'est ouvert, et la tête de Pitbull s'est montrée.

– Dani. C'est toi.

– Pourquoi c'est fermé ? Laisse-moi rentrer.

Je m'étais accroupi et je le fixais. Tout blême. Il avait l'air d'en avoir déjà pas mal dans le lard.

– Écoute. Ça va pas le faire. Ch'peux pas te laisser rentrer maintenant.

– Pourquoi ? T'es avec une meuf ?

Je savais que non. Sa tête bringuebalait un peu, et j'aurais senti le schnaps sans qu'il ait besoin d'ouvrir la bouche.

– Chuis désolé, Dani. Mais tu sais bien… ils… ils sont passés chez moi. J'étais avec eux, avant. Tu sais. Ch'traînais un peu avec. Mais là… là…

– Alors pourquoi ? Pourquoi t'as rien fait ? Tu les connais, tu le dis toi-même ! Putain, ils nous éclatent et tu restes les bras croisés sur ton canap !

– Merde, Dani, chuis vraiment désolé pour tout ça. Mais faut que tu me croyes. Je fais ce que je peux. Mais bon… Rico, il va trouver un truc. Il pensera à un truc. Comme les autres fois, Dani.

Il a cherché à sourire, mais ça l'a pas fait. Je me suis mis debout en gardant bien les yeux sur lui. Au fond, contre le mur, je distinguais le canap. C'était là qu'il pionçait quand ça bardait en haut. Il y pionçait presque toujours.

– Bordel, Pitbull. Bordel, mais faut qu'on reste ensemble, tu comprends pas ? Suffit que chacun s'arrange avec quelques gars, et on réussira à les choper !

– Nan, Dani. Nan. Ils sont trop. Crois-moi, les Radicaux de Reudnitz, tu sais qui c'est. Écoute, je vais gérer avec eux, on va leur parler, marchander un coup, tu vois. Comme ça, tout va s'arranger !

J'avais le pied juste devant sa gueule. Mais je suis parti dans l'autre sens.

– Attends ! Oh, mais attends !

Lentement, j'ai repris par les cours et je suis retombé dans la rue. Direction notre parc. Personne autour des tables de ping-pong. Fred était en taule, le reste se terrait à cause des Skins, et Estrellita… Je me suis posé sur un banc, le dossier. J'en ai fumé une, refumé une en attendant la nuit. J'ai tourné les yeux vers le bac à sable, vers l'araignée. Avec Rico, c'était là qu'on jouait au temps de la zone. Notre arbre n'existait plus. Ils l'avaient coupé y a quelques années de ça, il était tombé malade, ses feuilles ne poussaient plus. J'en ai encore fumé deux ou trois avant de partir. Peut-être que ma mère s'était déjà couchée, peut-être qu'elle dormait, sûrement qu'elle avait continué à boire. J'allais vers Connewitz, gros bout de chemin jusque là-haut, mais j'avais le temps.

Mes yeux montaient le long de la façade sombre. Des fenêtres condamnées par des planches, la porte d'entrée fermée aussi. Derrière les carreaux cassés, un couloir jonché d'ordures. J'ai sorti la flasque de brune que j'avais achetée à la station-service et j'ai pris une gorgée avant d'aller voir la cour. C'était là que créchaient les Morbacks, je tenais ça de Werner, il vivait là avec les autres keupons. Je le connaissais du bahut. Il avait habité dans notre quartier pendant longtemps. On appréciait pas trop les Morbacks, mais lui, tout le monde le respectait : ç'avait été le premier Morback de Reudnitz après la chute, du moins à ce qu'il disait, et il avait des contacts avec l'Antifa. Eux, ils pliaient n'importe qui. J'ai escaladé une vieille bagnole pour pouvoir atteindre le mur. Werner m'avait dit comment entrer dans l'immeuble sans qu'un de ses potes me tape dessus. Les Morbacks étaient chatouilleux, surtout la nuit, c'était à cause des Skins du Pré vert qui venaient faire leur descente de temps en temps, enfin, qui essayaient. « Si jamais t'es dans le pétrin, m'avait dit Werner, tu passes me voir. Je t'aide. Ça me fera plaisir. » Werner, il était à la bien, on était presque potes, malgré qu'il soit Morback. Une fois, je l'avais emmené dans la cave de Pitbull, et heureusement que je m'étais interposé car ils se seraient presque foutu sur la gueule. Mais bon, c'était un keupon, un Morback, et ça, au quartier, on aimait pas. Reste qu'il avait été là quand ça avait chauffé pour moi au bahut et que j'avais failli être viré. Après, c'était lui qui avait tout envoyé balancer, il avait quitté le bahut et le quartier pour venir s'installer ici, et je l'admirais pour ça.

Un énorme frigo trônait au milieu de la cour. C'était peut-être les Morbacks qui l'avaient balancé de la fenêtre ou du toit pendant une descente de Skins. Werner m'avait raconté que rien qu'avec les meubles et le matos qu'ils gardaient sur leur toit, ils auraient pu remplir plusieurs apparts. J'ai gardé le briquet éteint. Il devait bien y avoir une échelle pour atteindre le premier. Mais d'abord, je suis resté immobile le temps que mes yeux s'habituent à l'obscurité. Même pas de lune. Juste devant moi, un cercle de pierres. Les cendres étaient encore chaudes. « Oh ! j'ai appelé tout doucement. Chuis un pote à Werner. » Pas de réponse. Pas un bruit. En me rapprochant de l'immeuble, j'ai vu que la porte de la cour était murée. Mais à deux pas, l'échelle. En haut, une fenêtre entrouverte ; juste un coup de pied et j'ai atterri dans l'escalier. C'était le moment pour le feu. Quelques marches plus loin, une porte de chiottes avait été arrachée de ses gonds et posée contre le mur. Je me suis forcé à pas regarder dans la cuvette en passant devant. Sur le palier du deuxième, l'un des apparts était ouvert. J'ai tendu mon briquet : « Quelqu'un ? » Juste des caisses de bière empilées contre le mur, dix au minimum, mais toutes vides. Direction le troisième. «Werner! C'est Daniel!»

D'abord, j'ai tambouriné, et puis j'ai collé un œil au trou laissé par la poignée. Tout était noir. Pas évident qu'il y soit, vu que la nuit il mettait cinquante bougies à brûler dans l'appart. À ce qu'il disait. Il m'avait aussi dit où il planquait la poignée, alors j'ai redescendu la moitié des marches jusqu'à la fenêtre. Il fallait glisser une main à travers les bris de la petite vitre, tout en douceur. Bonne planque pour une poignée. «Passe me voir, m'avait dit Werner le jour où il était parti du quartier, au moment de monter dans le tram avec son sac à dos et son sac plastique. Viens quand tu veux, ça me fera plaisir.» «Carrément. Semaine prochaine, par exemple. Ouais!» Ça faisait déjà plusieurs mois. Sa daronne lui avait mis le bureau de la jeunesse et les flics au cul, mais ils n'avaient pas pu retrouver sa trace.

J'ai tourné la poignée. Dans l'entrée, une table avec quelques bougies. Je les ai allumées avant de me poser sur le vieux canap collé au mur. Aucune idée d'où pouvait être sa piaule, d'autres Morbacks créchaient dans l'appart, mais j'avais pas tellement envie de fouiner et d'avoir à leur expliquer à leur retour. Ces mecs avaient des contacts avec l'Antifa, et l'Antifa pliait n'importe qui. J'ai posé le 20 cl de brune à mes pieds, presque vide, mais il me restait assez de clopes, j'en ai allumé une en regardant les flammes et leurs ombres. Sur le mur, une araignée, immobile. J'avais une sale frousse des araignées. Je connaissais une gonzesse des Nécrophiles qui kiffait les araignées, elle en avait plein, elle les gardait chez elle dans une sorte de petit terrarium. Ce soir-là, elle était relativement pleine, et moi je m'attendais à un bon petit numéro, malgré son parfum qui puait la merde, parfum de Nécrophile, quoi, mais les araignées m'avaient tout pourri.

Des pas résonnaient dans l'escalier. J'ai vidé la brune, plus raisonnable de faire disparaître le cadavre sous le canap avant de les accueillir. Ils faisaient un joli bruit avec leurs bottes, et j'aurais bien voulu que Werner soit avec eux étant donné que les Morbacks étaient connus pour être raides en permanence, et quand ils étaient raides, ils cherchaient l'embrouille. Je m'en suis rallumé une en m'appuyant à l'embrasure. Ils sont apparus. Trois gars et deux filles. Le meneur avait une bougie à la main et une boule à Z, sauf pour les trois filaments teints en rouge qui lui pendouillaient sur le front.

– Salut.

– La vache. T'es qui ?

– Werner, c'est Werner que j'cherche. Bon pote à moi.

– Et qu'est-ce tu fous à t'infiltrer chez nous ?

Ça y était, je les avais tous bien en vue. Les deux autres types, vrai look Morback : iroquois, Docs, plein de ferraille sur les fringues et la gueule. Les filles, canon, mais les fringues et la teinture niquaient tout. Crêteux n° 1 s'est approché tout près. À ma grande surprise, il ne sentait ni la sueur, ni la gnôle.

– Je t'ai posé une question : qu'est-ce que tu fous dans notre squat ?

– Werner il m'avait dit d'attendre ici. Il m'avait dit pour la poignée, il m'avait dit d'attendre dans l'entrée. Il m'a… bon, il est où ?

J'avais gardé la clope au coin des lèvres et les mains dans les poches, la fumée me piquait le nez et les yeux.

– Dis voir, m'a fait Crêteux n° 2 en se rangeant à côté de Crêteux n° 1. Tu serais pas un facho ?

– Nan. Pourquoi j'en serais un ?

– C'est quoi ton nom, facho ?

– 'coutez, chuis pas un facho, j'veux juste trouver Werner. C'est un copain.

Dès que j'ai sorti les mains des poches, le mec aux filaments a fait reculer les deux autres. J'ai pris un peu d'élan, poing gauche levé à hauteur de la poitrine. Si je renversais la table aux bougies…

– Hé là, hé là ! a lancé le type aux filaments en montrant ses paumes. Tranquille. Pas de malaise ! Toujours aux aguets, tu comprends. Les Skins, t'sais, les Skins.

– J'en suis pas.

J'ai dû me reprendre une clope, l'autre avait disparu.

– Alors comme ça, tu cherches Werner ?

– Ouaip, j'ai fait en lui tendant le paquet.

Il a approuvé et s'en est tiré une. Probablement le meneur de la troupe ou un truc approchant, vu qu'à présent les deux Crêteux se tenaient derrière, à me faire leur vieux sourire.

– Donc t'es son pote, à Werner ?

– Ouais. Reudnitz, secteur est. C'est de là que je viens. Werner aussi, il est du quartier.

Le meneur souriait, alors je lui ai craché ma fumée à la gueule avant de lui passer le feu.

– Reudnitz. T'as raison, Werner créchait là-bas, un temps. Vrai coupe-gorge.

– Peut aller.

Les deux gonzesses sont passées devant pour investir le canap. Elles se chuchotaient des trucs en me lançant des regards mauvais, sûrement qu'elles étaient chaudes pour un plan et que je leur pourrissais leur soirée.

– T'as du pot, a repris le meneur, que ce soir chois d'bon poil.

– Et moi pareil.

– Bon. Tu vas à l'HERA. C'est un rade, et ce soir c'est Werner qui fait le bar.

– Et c'est où ?

– Tu redescends la rue une petite trotte, et gauche.

– Ça roule.

Je me suis faufilé dans l'escalier pendant qu'ils restaient à me toiser en hochant la tête. L'un des autres Crêteux m'a claqué son épaule :

– Prends garde à toi, facho.

– Et toi, Morback : claque ! je lui ai répondu, mais une marche plus bas.

Après, j'ai repris l'échelle pour sortir par la cour glauque. Un rire a résonné. Peut-être que leur plan commençait et qu'ils se mettaient doucement en branle.

J'ai escaladé le mur. Après avoir descendu la rue une petite trotte, je me suis arrêté pour prendre mes marques. J'étais en plein quartier morback. En vérité, c'était pas un vrai quartier, juste quelques blocs d'immeubles à l'abandon qu'ils squattaient. Juste devant moi, un immense drapeau flottait au-dessus du trottoir, le carré blanc avec le A rouge, ils avaient dû coudre au moins dix draps de lit ensemble. Ça faisait une paye que les bagnoles n'entraient plus dans le périmètre, et les flics n'y descendaient qu'une fois par an. Fred était venu déposer ses tires pas mal de fois pour se terrer quand ils étaient après lui, y avait plein de cours, quelques hangars désaffectés, et parfois les Morbacks élevaient des barricades pour emmerder les flics.

Plus loin, au beau milieu de la rue, un énorme feu de camp entouré d'une horde de keupons. Certains visages me regardaient venir, mais je me suis contenté d'un hochement de tête sans ralentir le pas. « Hep, gamin ! Tu prends un gorgeon ? » Le feu crépitait.

Derrière moi, un mec s'était levé avec sa bouteille. «Vas-y, gamin. Bois un gorgeon.» Beaucoup plus vieux que les Morbacks d'avant, avec une barbe de clodo en broussaille. D'ailleurs, à part ça, il avait bien l'air d'un clodo, c'était juste les fringues et les Docs qui me faisaient penser que ça devait être ou avoir été un keupon. Une matraque de flic lui pendait à la ceinture, il avait pu la chiper, quoique c'était un truc qu'on pouvait trouver dans les armureries et les magasins de sport, ou chez les Niaques. «T'es là en touriste?» J'ai voulu tendre la main vers la bouteille, mais il l'a garée. «Nan, gamin, nan. D'abord, faut t'asseoir. Pose-toi et bois un gorgeon.» Ils me mataient toujours, assis autour du feu. Certains me grimaçaient un sourire, tous ou presque serraient une bouteille, et je suis allé me poser dans le cercle, comme ça, tranquille. Mon cœur battait la chamade, mais ils pouvaient pas l'entendre tellement le craquement et le crépitement remplissait l'air. Le Clodo s'est penché tout près des flammes pour remettre du bois. J'aurais voulu que sa barbe prenne feu, mais il est venu se rasseoir. Il m'a passé la bouteille et j'ai pris une gorgée d'un machin qui avait le même arôme qu'un grand cru de laque pour cheveux.

– Alors gamin, dis-nous, t'es là en touriste?

– Nan nan, je lui ai fait en m'étranglant.

Sans quitter leur grimace, ils renversaient la tête à intervalles réguliers, presque tous en même temps, comme s'ils avaient répété exprès.

– Même si t'es pas un touriste, a fait un autre gars qui avait la gueule aussi ravagée que ses collègues, j'avais peut-être atterri à une réunion du cercle des Morbacks disparus, t'aurais bien un peu de monnaie pour nous?

Il était là, à bredouiller, la tête pendante. Il a claqué des mains juste devant ma gueule, mais je lui ai quand même dit:

– Nan. Moi aussi, chuis un galérien.

Même si j'avais la trouille qu'ils me cuisent à la broche.

– Possib'. Mais tu vas bien pouvoir les dépanner en clopes, mes copains.

– Ça, ch'peux.

Je m'en suis sorti une pour moi et j'ai payé ma tournée, en commençant par le type. Presque plus rien dans le paquet, de toute façon, et puis j'en avais un d'avance, acheté à la station-service.

– Et t'aurais pas du feu, touriste?

– Sûr.

J'ai failli sortir mon zippo, sauf que la nuit il renvoyait des éclats argentés, alors j'ai préféré plonger la main dans le feu pour leur sortir un bon gros morceau de braise, entre le pouce et l'index. Prenant tout mon temps, je l'ai tendu au gars pour qu'il appuie sa clope. Il m'a tapé sur l'épaule et je me suis tranquillement allumé la mienne avant de remettre la braise à sa place. Le Clodo m'a repassé la bouteille.

– Bon, il faut que j'avance, je leur ai lancé dès que j'ai pu réutiliser ma langue.

Mais ils faisaient plus du tout gaffe. Quand je me suis remis debout, ils sont restés à tiser, les yeux dans le feu.

La porte de l'immeuble dégorgeait un son qui ressemblait à peu près au yaourt nazi que Pitbull écoutait avant. Je me suis engouffré. Ils avaient allumé des tas de bougies sur le sol et les marches. Rez-de-chaussée, gauche. De nouveaux Morbacks sont sortis du premier appart en me bousculant bien comme il fallait, mais leurs yeux disaient qu'ils étaient complètement autre part. Au-dessus de la porte, l'enseigne du HERA. À côté, quelqu'un avait rajouté un gros A anarchiste enrichi d'une silhouette qui dansait, mais pas très bien réussie. Près de la sonnette, ils avaient aussi vissé une plaque de rue toute rouillée, Hermann Albrecht. Je m'en suis allumé une avant d'entrer dans l'appart. L'ambiance battait son plein : au moins vingt Morbacks qui dansaient et éructaient leurs paroles en chœur. Derrière eux, le bar, et encore plus de Morbacks. Ceux du milieu se sont mis à me refouler sur les bords, l'un m'a calé un bon coup dans les reins, c'était leur manière à eux de danser. Je me suis invité quelques secondes : j'ai planté mon épaule dans le dos d'un gonze avant d'en rajouter un peu avec mon coude dans ses côtes et sa nuque, sur quoi il a fait volte-face avec un grand sourire et des sauts de cabri. Et puis j'ai continué à ramer vers le comptoir – non, impossible que les flics et les Skins de Leipzig arrivent à les expulser, eux qui nommaient danse ce que les gens normaux appellent baston de rue qui finit en sang. Une échelle était dressée au milieu de la pièce, elle donnait sur un plafond troué. À travers l'ouverture bien large, on apercevait des tables et des jambes. Une fille est apparue dans l'ouverture avec une jupe, du genre qui couvrait les pompes, impossible de rien voir.

Werner était derrière le comptoir, en train de décapsuler une bière avec les dents. Son grand truc. À l'époque, dans la cave de

Pitbull, il nous avait montré. Même s'il avait manqué de le dérouiller quelques minutes avant, Pitbull l'avait admiré pour ça. Quelques jours après, Pitbull se cassait l'incisive. « C'est mon daron », qu'il nous avait dit, mais je savais à quoi m'en tenir.

– Je te salue, Werner ! je lui ai fait en toquant sur le comptoir.

Il a claqué le cul de la bouteille en recrachant sa capsule, et la mousse a jailli.

– Merde alors ! Dani ! Dis-moi que j'hallucine ! Attends, j'y crois même pas !

Il a sorti sa main, j'ai topé.

– Tu bois un truc ! il a crié en me faisant glisser la bouteille. Beau, Dani ! C'est beau que tu sois là.

Il a croqué une autre capsule, on a trinqué.

– À la tienne, Werner.

– Et à la tienne, Dani.

On a bu.

– Tu tiens la forme, j'ai fait en lui boxant l'épaule et en me rendant compte que sa gueule était assez mal en point. C'est bon de te voir.

Il a acquiescé en me faisant un sourire, la main dans ses cheveux verts. Mon voisin de comptoir, un tout sec sans rien sur le caillou, jouait avec ses bretelles en haussant joyeusement les épaules.

– Ma bouteille, Werner ! Je t'en avais pas demandé une autre ?

– T'inquiète, ça arrive.

Il lui en a croqué une, et le gars a fait sonner quelques pièces sur le comptoir avant de disparaître.

– Merde, Dani, moi qui croyais que t'existais plus.

– Ah, tu sais, j'avais à faire. Et puis, y a eu plein de blèmes, mais plein. Tu connais le quartier.

– Un peu que je le connais ! il a souri.

Il s'est calé le goulot entre les lèvres sans s'arrêter de sourire, et la moitié de la bouteille est partie d'un seul coup. Des fois, après le bahut ou pendant les récrés, on faisait des concours de tise, c'était toujours lui le plus rapide. Sauf pour les quelques fois où il m'avait laissé gagner en faisant mine de s'étrangler, vu qu'il savait que j'étais fier de ma descente.

– Alors, Dani, ils ont fini par te virer ?

– De quoi, viré ?

– Ben, du bahut. Ça s'est fait, au bout du compte ?

– Nan. Mais je suis à deux doigts.

– Tu sais quoi, Dani. Chuis content d'être parti de là-haut. Ils nous ont pourri la vie, ces porcs, hein ?

– Ouais. Un peu, ouais.

Je m'en suis allumé une autre, je lui ai tendu le paquet et j'ai allumé la sienne. Il fumait pas pour de vrai, seulement un peu d'exercice par-ci par-là, pour la fumette.

– Werner.

– Dis-moi.

Il s'est penché au-dessus du comptoir en me soufflant sa fumée.

– Allez, Dani. Parle.

– Tu sais, c'est pas la joie avec ma mère. Tu la connais.

– 'tit peu.

– Bon. Eh ben tu vois, aujourd'hui, j'avais pas trop envie de… tu vois, quoi…

– Dors à la maison. Tu le sais, je t'ai déjà dit. Toujours un lit en rab. Pour toi, toujours.

Il m'a tendu sa bouteille, et on a trinqué.

– Ch'te remercie.

– C'est rien, Dani. Tu peux même crécher plus longtemps.

– Werner ! Cinq teilles.

Un petit groupe de keupons venait de se coller près de moi. Werner leur a filé les bières et s'est baissé pour en sortir deux autres de la caisse. Quand il a recraché les capsules, j'ai vu que ses dents de devant commençaient à en prendre un coup.

– Putain, Werner, je lui ai fait en caressant ma lèvre du haut. Tu veux pas prendre un décapsuleur ?

– Nan, Dani, nan. C'est pas les teilles, ça. C'est les Skins.

Il tapotait ses dents avec un grand sourire.

– Tu m'étonnes. Raclures de Skins.

C'était bon, je l'avais dans la poche. Je me suis penché pour allumer ma clope à la bougie, en me débrouillant pour que la flamme éclaire la bosse de mon œil gauche.

– Ouais, j'ai repris, ces raclures de Skins…

– Dis donc, Dani, mais qu'est-ce tu t'es fait ? C'est vraiment pas joli.

– Ah, ça. C'est rien. Nan, laisse béton. Tu connais le quartier. Des crânes d'œuf à chaque coin. Nan, Werner. T'inquiète, on garde le contrôle.

J'ai tapé ma bouteille contre la sienne. Il l'a décalée pour poser une main sur mon bras.

– Écoute-moi, Dani. Si y a des embrouilles avec les Skins, tu sais que tu peux venir me voir. Tu peux toujours venir me voir. Je connais des gens, tu sais bien…

– Mais ouais, t'inquiète. Mais bon, tu nous connais, moi, Rico et les autres, on va gérer. 'tends, tu sais bien qu'on connaît des bonnes baraques, des mecs de Chemie… On va trouver un truc. C'est juste qu'ils sont un peu beaucoup, quoi. Les Skins. Tu sais de quoi je parle. Boulot à plein temps.

– C'est ce que je dis, Dani, c'est ce que je dis. Et puis, j'ai encore pas mal de bails à régler là-haut. Attends, c'est pas les mecs à Ange ?

– Nan, eux, c'est…

– C'est pas que j'ai la trouille, hein. Même eux, on les tue. Ch'te parle de l'Antifa, là.

– Chais que t'as pas la trouille. Tu seras toujours un gars de Reudnitz.

Il s'est marré, et on a retrinqué.

– C'est les charclos de la Piste à rollers, je lui ai fait en m'essuyant les lèvres.

– Je les connais, ces merdeux. C'est rien, ça.

– Attends, mon vieux. J'veux pas te mêler à ça.

– Écoute, Dani. On est copains, ou pas ?

– Ben ouais, j'ai confirmé en me penchant vers lui. Même si t'es un Morback, tu restes un vrai pote.

Ça l'a fait sourire :

– Dani, contre les Skins, faut rester solidaires.

– Ouais, faut.

Quatre nouveaux Morbacks.

– Werner. Quat' bouteilles. Et qua'tites blanches.

Werner a opiné, il a décapsulé les bières, mais cette fois sans les dents, et ça m'allait bien. Chaque fois qu'il croquait sa capsule, mes plombages me titillaient.

– Dites voir un peu, les gars. Mon copain, là… vous voyez mon pote, eh ben…

Ils me mataient, l'air pas amical.

– … vous voyez, lui aussi, il lutte contre les Skins. Même s'il a pas le style, il hait les fachos.

Son œil a cligné.

– Y a pas si longtemps, il a fait du gros ménage dans le secteur est. Vrai, Dani ?

– Ouaip.

Là-dessus, je me suis tourné face aux Morbacks et j'ai pris un bon coup d'air, sortant les épaules sous mon blouson.

– Enfin bon. Faut avouer qu'ils étaient un peu beaucoup... a continué Werner en versant la moitié du schnaps dans les petits verres et l'autre moitié sur le bar. Commencent vraiment à être lourds, les Skins. Vous me suivez.

– Nettoyage, a lâché un Morback à boule à Z qui ressemblait à un facho, sauf pour le peu de ferraille sur la gueule.

Au moment où il s'est avancé pour prendre sa bouteille, j'ai vu le calibre coincé derrière la ceinture. Mais ça devait être un pistolet d'alarme à canon alésé, même chose que le mien.

– Eh ouais, a fait Werner. Là-haut, c'est devenu presque aussi pourri que le Pré vert. Les embrouilles avec les Skins, j'veux dire. Faudrait vraiment qu'on... 'fin, peut-être qu'on devrait quand même aller faire...

– Du nettoyage, a répété le Morback ferraillé. Et c'est où, exactement ? Dis-nous un peu, chasseur de Skins.

– Reudnitz, je lui ai fait en allumant une autre clope à la bougie. Centre, près de l'ancienne Piste à rollers.

Le Ferraillé a opiné, les trois autres Morbacks au comptoir ont fait pareil, sur quoi ils se sont pris une gorgée de bière.

– C'est connu, a fait le Ferraillé. RR. Pas du gros gibier. Vous ramenez deux caisses, et c'est bon.

J'ai acquiescé. Les caisses, on irait les choper dans la cour de la brasserie Leipziger avec Rico ou Mark. Parfois, leurs bières étaient déjà périmées, mais les Morbacks ne le remarqueraient sûrement pas, en général ils buvaient de la Sternburg ou de la Grafenwalder, et puis, ils avaient élu la Couronne d'or meilleur cognac du monde entier.

– Deux caisses. Sans problème.

– Ça les vaut, Dani, m'a fait Werner en me tapant sur l'épaule. Ça les vaut pour de vrai.

– Et quand est-ce qu'on descend. Hein, chasseur de Skins ?

J'ai haussé les épaules en fixant ma clope.

– Chais pas. Dès que vous avez le temps.

– 'tendez ! 'tendez, les gars !

Werner remplissait deux autres verres à schnaps. Il m'en a fait glisser un.

– Le contrat. D'abord on trinque, ensuite on prend les rendez-vous.

– T'as pas tort, Werner, lui a fait le Ferraillé en levant son verre, suivi des trois autres qui l'avaient fermée jusque-là, peut-être qu'ils planaient autre part, peut-être qu'ils parlaient tout bas et que j'avais pas entendu à cause de la musique, en tout cas ils la fermaient toujours en tapant leurs verres aux nôtres.

– Au nettoyage, a fait le Ferraillé.

– Au nettoyage, on a répété avec Werner pendant que les trois Morbacks faisaient oui et dodelinaient tout doucement, comme s'ils contrôlaient le périmètre, mais leurs pupilles étaient si petites qu'à tous les coups ils y voyaient à peine, et j'espérais que les Morbacks qui comptaient nettoyer la Piste à rollers étaient vraiment des durs à cuire, que c'était pas juste dans leurs rêves. Mais face à l'Antifa, même les Skins du Pré vert se faisaient dessus.

– Pour le rendez-vous, a repris Werner, ça, je verrai avec Dani. Tout passe par moi, les gars. Vous avez le téléphone, Dani ?

– Sûr. La madre a tout ce qu'il faut.

Il a grimacé, les quatre Morbacks aussi.

– Mais pas de rétractation, a fait le Ferraillé, et rien qu'à son regard, j'ai compris le truc. C'est une vraie mission, t'entraves. Nettoyer chez les Skins. T'entraves.

– Attends, mais oublie ça ! lui a lancé Werner. Dani, c'est un homme de parole. Je te défends même d'y penser.

Il avait la main sur mon épaule. J'ai acquiescé.

– À la revoyure, m'a fait le Ferraillé avant d'enlever sa bière pour rejoindre les danseurs qui se sautaient les uns sur les autres en beuglant plus fort que la musique.

Les trois autres types ont mis un bon bout à comprendre que l'autre était parti. Après, ils ont essayé de le rattraper.

– C'est des experts, m'a fait Werner. Celui au flingue, il est de l'Antifa. Ancien combattant, un vrai. Y en aura d'autres de la même trempe.

– Merci, je lui ai murmuré.

– Ta gueule.

Werner souriait, la main dans ses cheveux verts. Il a choisi une bouteille sur l'étagère et l'a ramenée devant moi.

– T'as rien contre le whisky?

– Sûr. Tu sais bien.

Même s'il était morback et qu'il s'y connaissait en trucs illégaux, à l'époque, après les cours ou pendant la récré, j'avais réussi à lui apprendre comment piquer du schnaps dans les halles et les épiceries, c'était mon fort, et à l'époque j'étais fier d'avoir un élève si appliqué. Il nous a rempli deux verres de 20 cl à la moitié.

– Putain, Dani! Ça me fait tellement plaisir. Pour le contrat, tu piges. Pour la victoire...

Il brandissait la bouteille.

– C'est moi qui l'ai tapée, Dani.

Sauf que son clin d'œil et son sourire n'avaient plus lieu d'être : c'était un Full House, le plus bas de gamme des whiskies qu'on buvait. Les quatre zigs qui jouaient aux cartes sur l'étiquette l'avaient jamais rendu meilleur.

– Dis-moi, Werner. Full House. T'as oublié tout ce que je t'ai appris, ou...

– 'tends, Dani. Ça va, quoi, il est pas si dégueu.

Je lui ai souri, et j'ai bu. Même pas encore arrivé au fond que ça me remontait déjà. J'ai été obligé de couper copieusement à la salive et de déglutir une deuxième fois. Après le rinçage à la bière, je m'en suis allumé une.

– T'as pas l'air en forme, Dani.

– Qu'est-ce tu racontes? D'où ça te vient?

Il m'a repassé la bouteille, et après m'être resservi, j'ai craché ma fumée à l'intérieur du verre pour l'aspirer en même temps que la mixture.

– Journée de chien, Werner.

Et je me suis mis à l'aise sur le comptoir, la tête presque collée au bois.

– ... avec ma mère, et le reste. Tu vois.

Il a mis sa main sur la mienne, mais je l'ai retirée.

– Sérieux, Dani. Tu peux crécher chez moi aussi longtemps que tu veux.

– Nan, Werner. Merci. Juste pour ce soir. Obligé de retourner au quartier, tu sais bien...

– T'inquiète.

Pendant qu'on buvait, Werner servait les Morbacks. Des hordes de types se ramenaient au bar pour commander des bières et des schnaps, y a aussi eu quelques nanas, mais les tignasses multicolores c'était pas ma came, et pour les quelques douces dans le lot, là encore, les fringues niquaient tout. Werner croquait les bouteilles et remplissait les schnaps à ras, les Morbacks lui tenaient la jambe, lui tapaient l'épaule, nanas y compris, faut dire que c'était le roi du bar, sûrement qu'il pouvait mettre n'importe quelle tignasse bariolée dans son lit. Dans le quartier, on racontait que les Morbacks le faisaient tous ensemble. Amour libre, et tout. C'était pour ça qu'ils finissaient par être autant, et c'était bien le seul truc qu'on leur enviait.

– Verse, m'a lancé Werner en recrachant une capsule et en encaissant la monnaie d'un groupe de keupons. Vas-y, finis toute la bouteille, si t'as envie.

J'ai fait oui, et j'ai encore rempli mon verre. Le matos avait fini d'être rebutant. C'était la même avec n'importe quel tord-boyaux, il suffisait d'en avoir avalé assez. Et je m'en suis rallumé une.

– T'en aurais une ? Tu serais mignon. T'en aurais une ?

Capuche tirée jusqu'au front, gros posca rouge à la main, le mec balançait le buste d'avant en arrière comme un boxeur.

– Bien sûr.

Mais le paquet, j'ai préféré lui tendre. Il avait pas l'air clean, j'avais moyennement envie de nettoyer le feutre de mes yeux. Il s'en est sorti deux, la deuxième pour derrière l'oreille. Le mec ne faisait pas du tout Morback : tifs normaux, fringues normales, juste un petit tatouage à la gorge, genre code-barres.

– T'as gagné un dessin. T'as été trop mignon.

– T'inquiète, je lui ai fait.

– Nan, nan. Je t'offre un dessin. Moi, j'kiffe dessiner.

Il s'est couché sur le comptoir en tirant une feuille de sa poche et s'est mis à gribouiller.

– Un qu'est resté chépère, Dani. Il débloque un peu.

Werner se tapait le front du doigt en versant d'autres schnaps, toujours moitié dans le verre, moitié sur le comptoir. J'observais le mec, mais il avait pas dû entendre, il continuait sagement son dessin.

– Quoi, resté chépère ?

– Ben, les buvards, vieux. LSD. Peut plus redescendre. Il fout plus que de la merde, tu vois bien. Resté chépère.

– Ah, ouais. On m'avait dit.

Le type avait fini. Il m'a fait glisser la feuille, pas beaucoup moins blanche qu'avant. Juste des cercles, des points et des traits.

– Trop classe, l'image, je lui ai fait en m'en remettant un.

– Tu vois, ça ? il m'a répondu en pointant le feutre sur un petit cercle. Ça, c'est nous deux.

– Et les autres ?

– Des étoiles. C'est juste quelques étoiles.

Plus tard, je suis encore passé voir Werner. Bien plus tard. Il n'y était pas. Plus personne y était. Les fenêtres de son immeuble étaient murées, et l'immeuble du bar avait disparu en entier. Quand ils étaient venus régler leur compte aux Skins, je lui avais promis de passer plus souvent, mais au final ça n'avait rien donné. Ç'aurait été la moindre des choses, je sais. Mais je pouvais plus décoller du quartier. Les seules fois, c'était pour aller devant le juge ou en redressement ou bien en taule, et puis, faut dire que par chez nous les Morbacks n'avaient pas la cote. Mais encore aujourd'hui, on raconte ce qui s'est passé à l'époque. Une horde de keupons venus de la banlieue sud de Leipzig est descendue dans le secteur est pour faire du net-toyage chez les Skins de la Piste à rollers. Quant à Werner, le croque-bouteille, je l'ai plus jamais revu.

LES TIRS

Ce dimanche-là, on est arrivés trop tard pour voir Chemie, Rico et moi. C'était l'année d'après la chute, et on jouait contre le BFC Dynamo Berlin dans la dernière saison de la deuxième ligue de RDA, même s'il n'y avait plus de RDA. Plus de BSG Chemie Leipzig non plus, maintenant on s'appelait FC Saxe Leipzig, et quelques mois avant, FC Leipzig Vert-et-Blanc, mais ça n'avait pas duré, et tout ça, on n'y comprenait rien, tout ce qu'on savait, c'est qu'on croyait en Chemie, nous étions Chemie, pour toujours. Le BFC non plus ne s'appelait plus BFC, mais FC Berlin. On s'en foutait, on le haïssait pas moins.

Ce jour-là, on est arrivés trop tard au stade de Leutzsch, mes parents venaient juste de divorcer, mon père habitait autre part et j'allais déjeuner avec lui un samedi sur deux à la Colline d'argent. J'étais attablé avec lui comme les autres fois, dans la taverne, à regarder mon bracelet-montre toutes les deux secondes (sous la table, pour pas qu'il voie), car je devais retrouver Rico vers treize heures au coin de la rue.

– Allez, Pa, viens avec nous. Comme avant. Contre ces enculés de Berlinois…

– Nan, il m'a fait avec un sourire, en descendant son schnaps cul sec. Même si ce serait contre ces chiens de la Stasi[9], jamais j'retournerais à Leutzsch. Pour moi, c'est terminé, fils.

Quand j'allais déjeuner avec lui, mon père buvait pas mal. En fait, il buvait à n'en plus finir pendant que je mangeais, et dès que Chemie jouait, dès qu'il refusait de venir et qu'il décidait de rester là, seul à sa table et que je déballais mon écharpe verte et blanche pour me mettre en route, il buvait encore plus.

– 'culés de Berlinois ! il a fait pendant que je m'enroulais l'écharpe verte et blanche autour du cou, déjà treize heures passées. Bottez-leur le cul, à ces chiens de Stasillons. Eux qui nous ont menti

toutes ces années, toutes ces années durant. Et oublie pas, Dani...
oublie pas de saluer Leutzsch pour moi.

Je me suis rassis pour lui expliquer tout ce qu'il y avait de
nouveau au club, et c'était pas rien : les joueurs, la présidence, les
maillots, même notre nom qu'ils avaient changé, bref, c'est à cause
de tout ça que je suis arrivé trop tard au rencard. Rico attendait au
coin, un peu dégoûté parce qu'il venait de voir passer le 13 h 12 sur
le pont, vingt minutes de plus à attendre jusqu'au prochain.

– On va se pointer au moins un quart d'heure en retard, il m'a
fait au moment où le train de banlieue démarrait vers la gare centrale. Il peut se passer trop de trucs en vingt minutes !

– Tu m'étonnes. Un zéro pour nous... ou deux zéro pour eux...
peut pas savoir à l'avance.

– Pfutain. T'es obligé de rester aussi longtemps à mater ton
vieux s'enquiller, aussi ?

– Exactement. Obligé.

Je me suis accoudé au rebord de la fenêtre en me concentrant
sur les vieilles usines de la ZI du secteur est. Le train commençait à
freiner le long des bâtiments.

– Écoute, Dani. C'est pas... j'voulais pas dire ça.

Ça faisait presque deux ans que Rico créchait chez sa mamie, et
il avait une dent contre les pères en général depuis que le sien s'était
barré, une dent aussi contre sa mère, parce qu'à l'époque, elle avait
pas su y faire avec lui. En fait, il avait une dent contre tellement
de monde, c'était pour ça qu'il aimait tellement aller aux matchs
de Chemie, vu que là-haut tout le monde était contre tout le monde,
surtout si le monde venait de Berlin. Rico n'arrêtait pas de trafiquer
son écharpe verte et blanche. Il s'est emberlificoté la frange autour
de la main, en me disant :

– Alors, Dani, t'en penses quoi, on peut encore monter en Un ?

– Chais pas. Je crois pas. Manque huit points pour arriver
deuxième. Et puis, la semaine dernière... contre le Dynamo
Dresde...

– T'as raison. Sept-zéro. Sept-zéro dans la face. C'est juste
que j'ai... c'est juste, 'fin... Enfin tu vois, serait pas si mal, quand
même, la Un. Mais bon, la Deux, la Ligue Deux, Dani, déjà la classe,
hein. Mais la Ligue Un... Ligue fédérale ! C'est juste que j'ai...
enfin, j'ai...

– Rêvé.

Et on s'est marrés.

Plus de lumière dans le compartiment, on traversait le petit tunnel.

– Bundesliga ! il m'a gueulé dans l'oreille en me faisant sauter comme un ressort.

– Calme ta joie !

– Avoue, t'as flippé.

– Même pas, je lui ai fait. Je voulais juste me lever.

Au moment où on entrait dans la gare, il a jeté un coup d'œil à sa montre :

– Vingt minutes, Dani. Si on sprinte, on est au stade dans vingt minutes. Oh, mais où tu vas ?

– C'est bon. Prendre un peu l'air.

J'ai traversé le compartiment vers la porte du wagon. Le train faisait des petits à-coups en freinant le long du quai, je me suis pris les pieds entre les strapontins, me retenant tant bien que mal aux poignées. Il a stoppé dans un crissement et j'ai entendu la voix du haut-parleur résonner dehors. « Quai vingt-deux… train en direction… *via*… treize heures quarante-six… Train direct, Halle/Saale, Gare centrale… quai dix-neuf… gare de Leutzsch. »

Voyant que je m'acharnais pour décoincer la poignée, Rico est venu me sortir et il a fait sauter la porte d'un seul coup.

– Manques de jus, Dani.

– Tu parles que j'ai du jus.

Je l'ai poussé pour le faire sauter sur le quai.

– Euh, Dani. Y en a qui s'ramènent, là.

– Nan ? Sérieux ? Ch'te signale qu'on est dans une gare…

– Attends, Dani. Regarde…

Mais pas besoin, je les entendais déjà.

« Berlin, Berlin, nous-ve-nons-de-Berlin ! » Des tas de voix. Encore loin, mais elles s'approchaient. « Berlin, Berlin, nous-ve-nons-de-Berlin ! »

– Et merde, Dani, merde ! T'as vu ça ?

Je suis descendu sur le marchepied pour mieux me pencher dehors. Et là, je les ai vus : « Hip-hip, hourra, le-B-F-C-est-là ! Hip-hip, hourra, le-B-F-C-est-là ! », cent, cent cinquante, non, il devait y en avoir plus que ça, ils remplissaient toute la gare et les premiers étaient déjà sur le quai. « Hip-hip, hourra… Berlin, Berlin, nous-ve-nons-de-Berlin ! » Des centaines d'écharpes lie-de-vin, les hyènes, comme les appelait mon père à l'époque. Je voyais déjà les premiers types, des boules à Z, des boules à Z géantes en tête du peloton.

– C'est pas vrai, a soufflé Rico alors que je resserrais les mains autour de la poignée. Les gorets du BFC !

En faisant marche arrière, il s'est pris les pieds et s'est retrouvé collé à moi contre le wagon.

– Dani ! il a chuchoté. Ça y est, Dani, on est foutus !

Au moment où il a posé le pied sur la marche du dessus, j'ai vu que ses jambes avaient la tremblote. Les miennes, je les sentais même plus.

« Les-Chimistes-on-les-sort ! Les-Chimistes-on-les-sort ! »

– Les écharpes, Rico ! Nos écharpes ! je haletais en le secouant par l'épaule. Merde, Rico, merde ! Faut qu'on se taille, là !

Mais il a rien trouvé d'autre que de s'asseoir sur la marche du bas.

« Les-Chimistes-on-les-sort ! Les-Chimistes-on-les-sort ! » Leur voix résonnaient sous la grande coupole, je voulais me casser, repartir jusqu'à l'avant du train, trouver une issue, peut-être par les rails. Mais Rico… Et là, d'un coup, il a bondi :

– Enculés de BFC ! Sale club de Stasillons !

Il m'a poussé dans la rame en refermant violemment la portière. C'était le vieux Rico, Rico qui se disait meilleur poids mi-moyen de toute la ville (classe d'âge 15), et nous, on y croyait, tous ceux qui l'avaient vu sur le ring y croyaient ; et moi, là aussi, j'y croyais.

– Go, on bouge à l'avant ! Baisse ton écharpe, cache !

Il avait déjà fourré la sienne sous son blouson et tirait sur la mienne, tellement longue que j'avais dû l'enrouler deux fois autour de mon cou, et voilà qu'il s'est mis à courir à travers la rame en me tractant par le bout de l'écharpe. Je filais comme je pouvais entre les strapontins, mais il allait plus vite et l'écharpe m'étranglait comme un nœud coulant ; quand j'ai enfin réussi à la virer, Rico l'a écrasée sous son blouson. Derrière nous, la portière s'ouvre : « Aux-chiottes, Che-mie ! Chemie-Chemie-aux-chiottes ! » On continuait vers l'avant, ça y était, la meute se déversait en parallèle sur le quai, on est passés à côté d'un gars qui écrabouillait son bonnet vert et blanc dans la poubelle du compartiment. La seconde d'après, on était à l'avant, juste derrière la loco. Rico a ouvert la porte des chiottes en grand et on s'est retrouvés devant le lavabo, où quelqu'un avait foutu trois bouteilles de bière vides, à retenir notre souffle face à nos gueules, blanches dans le miroir. Rico a poussé le verrou.

– Laisse ouvert ! j'ai soufflé. Laisse ouvert, c'est mieux !

– T'es con ?

– Non ! Comme ça, ils croient que c'est vide, tu piges ! Comme quand t'as pas de billet.

– Oublie, Dani. C'est pas des contrôleurs. Moi, j'les laisse pas rentrer, ces bestiaux-là. Ils nous défoncent.

– Mais attends… Mais on est quand même… On est encore des mômes, Rico.

Dans le miroir, je souriais. Ça sentait la merde.

– P'têt toi, Dani. Mais eux, ils s'en battent grave. Vont pas se gêner pour nous en claquer deux trois.

– Tu penses qu'ils vont nous griller ? Ils vont pas nous griller, Rico ?

– Chais pas.

Je m'étais accroupi près du lavabo, Rico, dos contre la porte. Les chiottes puaient la mort, quelqu'un avait chié partout en laissant des petits bouts, mais là, rien à faire, la chasse aurait attiré l'attention. On entendait la meute qui arpentait les rames. «Peur, et-terreur ! B-F-C ! Peur, et-terreur ! B-F-C !» et la peur, je la sentais, sûrement que Rico aussi, même si c'était le meilleur poids mi-moyen de la ville (classe d'âge 15), parce qu'ici, pas de Chimistes pour nous défendre, pas de barrières, pas de flics pour tenir ces enculés de Berlinois à distance, comme ils faisaient au stade, et les histoires sur les supporters purs et durs du BFC (on disait déjà hooligans), on les connaissait bien, mon père m'avait raconté plein de trucs sur eux, il m'avait dit qu'ils faisaient la loi dans n'importe quel stade d'Allemagne, sauf à Leutzsch, quand Chemie jouait à domicile. Mais Leutzsch, on y était pas encore rendus.

Le train a encore fait quelques à-coups, avant de se remettre en marche. Rico regardait sa montre :

– Cinq minutes de perdues. Enculés de BFC.

Et on aurait dit qu'ils venaient de l'entendre, car ça s'est remis à beugler à côté, et là, tout près de nous, quelque chose a fait cling. «Leutzsch, Leutzsch, on-va-vous-dé-fon-cer ! Leutzsch, Leutzsch, on-va-vous-dé-fon-cer !»

– T'es pas de Leutzsch, t'es pas un Deutsch ! a soufflé Rico en brandissant le poing.

– C'est ça, c'est ça. Et maintenant, on fait quoi ?

– J'en sais rien.

Son dos a glissé tout doucement vers le bas et il est venu s'affaisser contre mon épaule.

– On y est dans cinq minutes, Dani. Y aura qu'à attendre qu'ils soient tous sortis. Après, on bouge discrétos jusqu'au stade et on rejoint le Siège.

Mais là, j'ai compris que ça allait se passer autrement : re-cling, encore plus près de la porte. Des pas, des voix, une main sur la poignée :

– Vous allez l'ouvrir, cette putain de planche ! Ou j'arrose le couloir ! Bordel !

On a sauté sur nos pieds, Rico a empoigné une bouteille dans le lavabo en beuglant :

– Tranquille, copain ! Tranquille ! Chuis en train de finir.

Arrachant les écharpes de sous son blouson, il a écrasé le pied sur la chasse et les a bourrées dans la cuvette pleine de chiasse.

– Rico ! Non !

J'ai tendu la main vers la mienne, c'était mon père qui me l'avait offerte, mais trop tard, elle avait déjà disparu dans le trou. Tout juste le temps de voir les deux lignes des rails avant que ça se referme.

– Allez ! Prends-toi une teille, Dani.

– Chier, Rico. On a aucune chance.

– On est des enculés de Berlinois. Sa race ! Des Gorets du BFC, Dani.

Il m'a pressé une bouteille dans la main en se tournant vers la porte.

– Attends, Rico ! Steupl, ouvre pas ! P'têt qu'il va vraiment pisser dans le couloir. Il va partir !

– Z'enfoncent la porte, Dani.

Je me suis posté juste derrière lui. Il a levé le verrou, la porte s'est ouverte.

– Voilà, copain. C'est libre.

Et il avait raison, le type aurait enfoncé la porte, pas de doute. Pour ça, il aurait même pas eu besoin de ses deux poings. Tête grosse comme une poubelle, sans tifs.

– Par contre, lui a fait Rico en trinquant dans l'air, tu feras gaffe, copain. Un de ces gros porcs de Chimistes vient juste de repeindre les chiottes.

Le Géant a tiré les lèvres de haut en bas en nous expulsant dans le couloir, et la porte a claqué.

– Eh ben tu vois, m'a fait Rico. On s'en sort.

Je hochais la tête machinalement, les yeux rivés à son dos, écoutant les voix, les beuglements et le tintement des bouteilles qui nous arrivaient du compartiment d'à côté. Pas un chat dans le couloir. J'ai regardé par la fenêtre, le train ralentissait en traversant Möckern, alors j'ai chuchoté à Rico :

– Maintenant. On peut encore sortir !

Mais je savais bien que Rico ne voulait pas sortir, malgré sa peur, la même que moi, alors que c'était le meilleur mi-moyen de toute la ville.

– Nan. Nan. Trop tard. Pense aux écharpes. Faut aller jusqu'au bout. On arrive à Leutzsch. On abandonne pas, on arrive au stade, à Leutzsch, Dani. Je crache sur le BFC…

Les chiottes se sont rouvertes pour laisser apparaître le Géant qui tripotait sa ceinture. Il est sorti en nous dégageant sur le côté et il a repris le couloir, tanguant pour rejoindre le compartiment. Du verre craquait sous ses pieds, j'avais pas remarqué, transparent, celui de la vitre entre les compartiments, mélangé aux éclats verts et bruns des bouteilles de bière.

– Eh, les gosses, s'est retourné le Géant. V'nez un peu par là. V'nez n'dans, vaut mieux. Reste ensemble. Pour les poulets, et tout. Vaut mieux.

Je comprenais à peine son bredouillement, sa grosse tête bringuebalait dès qu'il ouvrait la bouche.

– Rester solidaires. Qu'on vous surveille, les gosses. Tous ensemble pour BFC. Tous pour BFC.

Il souriait, le crâne collé au mur.

– T'as raison, lui a fait Rico. Tous ensemble, tous pour le BFC.

Le train a stoppé, et j'ai vu le gros panneau Möckern de l'autre côté de la vitre. Rico a emboîté le pas au Géant, « alors, Dani, tu viens ! », le train s'est remis à rouler, le panneau à reculer. Le Géant a ouvert la porte du compartiment d'un coup sec, les éclats lui sont tombés sur le bomber… et nous voilà parmi les Gorets du BFC, les deux mains serrées autour de nos bouteilles vides.

Les types s'étaient un peu calmés. Les chants et les cris sortaient des autres voitures par intermittence. « Nous-Leutzsch-on-te-dé-fonce, nous-Leutzsch-on-te-dé-fonce, on-te, dé-fonce… »

– 'core cinq minutes, a sorti un gars. Cinq minutes avant Leutzsch.

Entre leurs têtes, j'arrivais à voir le paysage par la vitre. La petite rivière qui coulait le long du train. Derrière, Möckern, le lotissement de jardins ouvriers. Cinq minutes avant Leutzsch.

– À la victoire, a fait un autre en levant sa bouteille, tout près.

– Au BFC, à la victoire.

Les mains empoignaient les bouteilles et se levaient au-dessus des têtes.

– Au BFC! Le Dynamo il gagne. Allez, les gosses, buvez un coup! Avec nous, z'avez tous les droits.

Rico a tapé sa bouteille vide contre celles des types près de nous. Après avoir trinqué à mon tour, j'ai fait semblant de boire, m'étranglant pour avaler le fond de bière. Quelques mètres plus loin, le Géant nous lançait des sourires et des clins d'œil. Le train a encore ralenti, quelqu'un a crié : « Leutzsch! Je le sens dans l'air, on y est! » et tout le monde s'est précipité vers la porte éclatée pour prendre le couloir en repassant devant les chiottes. Agrippé au bras de Rico, j'ai laissé tomber ma bouteille, des bides, des dos, des bras et des jambes nous écrabouillaient, on se faisait pousser et entraîner avec le courant, des éclats de verre crissaient sous nos pieds, « Hip-hip, hourra, le-B-F-C-est-là! », ils ont arraché en grand les deux portières alors que le train avançait toujours, la première ligne a sauté sur le quai et sur les rails de l'autre côté, pendant que le Géant vociférait comme un bœuf derrière nous, « a-llez-les-gars, a-llez-les-gars! », et au moment où le train a couiné en s'arrêtant pour de bon, on a fini par dégringoler dehors et se retrouver une deuxième fois en plein milieu de la horde du BFC qui jaillissait de toutes les autres portières et nous entraînait dans son courant.

Maintenant, c'était Rico qui m'agrippait le bras à me faire mal, mais rien à foutre, pas envie de me retrouver tout seul. On s'est rués dans l'escalier, gaffe à pas se vautrer, des jambes, des jambes qui ralentissaient sous le tunnel, « Hip-hip, hourra, le-B-F-C-est-là! » Quelques types s'étaient arrêtés pour pisser contre le mur, le tunnel refoule déjà assez comme ça, sales Gorets de BFC, « nous-Leutzsch-on-te-dé-fonce, nous-Leutzsch-on-te-défonce, on-te, dé-fonce… » Ma manche se retroussait toute seule, coup œil à la montre, déjà dix minutes de jeu. On est ressortis de l'autre côté, par l'escalier, et on a longé la façade de la gare pour rejoindre la rue. Rico a lâché mon bras et s'est mis à sautiller sur la pointe des pieds.

– Putain, Dani! Mais on…

– De quoi ?

« Berlin, Berlin, nous-ve-nons-de-Berlin ! » me braillait un type en plein l'oreille. J'ai rentré les épaules, plus de gare, plus d'immeubles, plus de rue, que des supporters, que des BFC, une grosse paire de Docs juste sous mon nez, mes pieds minus à côté. Rico a trébuché en me tombant dans les bras.

– On… on va jamais pouvoir sortir, Dani…

Je le tenais. À quelques mètres, une poignée de gamins de notre âge, peut-être un peu plus vieux, ils avançaient en se marrant et en tapant des mains avec de grands cris. « Chemie, Chemie, on ! tchi ! tsu ! » Mais nous étions Chemie, nous voulions rejoindre Chemie, rejoindre le Siège, j'y allais déjà avec mon père quand j'étais tout petit, c'était par l'entrée principale, et là, à gauche et à droite, tout là-bas au-dessus des têtes, j'ai aperçu les cimes du petit bois de Leutzsch, presque plus de feuilles aux branches, l'automne déjà, on se tenait par les bras en avançant avec le BFC, raclures de BFC, si mon père m'avait vu, s'il m'avait vu avancer vers l'entrée latérale par où on accédait au virage des supporters extérieurs… On se tenait par les bras sans dire un mot, eux toujours à vociférer en chœur autour de nous, « Berlin, Berlin, nous-ve-nons-de-Ber-lin ! Che-mie, Che-mie, on ! tchi ! tsu ! » Rico a serré le poing et l'a cogné contre le mien. Il s'est penché vers moi en souriant : « T'es pas de Leutzsch, t'es pas un Deutsch ! », et moi, tout bas, j'ai répété le slogan. On apercevait déjà le stade, la buvette du club, plus loin le bloc nord, tout vert et blanc de drapeaux et d'écharpes, et par-dessus, le panneau d'affichage : Domicile 0 – Extérieur 0. Là-bas, au moins, tout partait pas complètement en couilles.

J'ai buté contre un dos. Ça bouchonnait. Un peu plus loin, ça s'était mis à vociférer : « Les-flics-on-les-encule, on-les, en-cule ! Aux-chiottes, aux-chiottes, comme-le-B-S-G ! Aux-chiottes, aux-chiottes, comme-le-B-S-G ! » Ça commençait à pousser fort derrière, on restait coincés entre les bides et les dos, ça y est, c'était reparti, on a couru un tout petit bout, non, re-bouchon, et puis c'est là que la première ligne s'est mise à reculer, doucement d'abord, et d'un seul coup ils ont tourné les épaules en détalant sur nous, on a suivi le mouvement, volte-face, les nuages blancs s'élevaient au-dessus de la foule pile au niveau de l'entrée latérale. « Les-flics-on-les-encule, aux-chiottes, les-flics ! » Quelques gars qui couraient avec nous s'étaient noué un foulard autour du visage. « Gaz lacrymo !

ça a crié, lacrymo!», et j'ai commencé à sentir la morsure et le tiraillement dans le nez, peut-être que je me faisais des idées vu qu'ils avaient tiré de beaucoup plus loin, sauf que j'ai tourné les yeux vers Rico et on aurait dit qu'il avait les larmes, mais c'était peut-être la sueur qui dégoulinait sur son visage.

– Allez, merde! Allez, Rico! On se casse, allez!

– Mais où, putain? Mais où, mon gars?

Il avait raison, on avait les flics au cul et la meute du BFC sur les bords et juste devant, elle se déplaçait en bloc et nous tirait avec elle en remontant la rue. On est repassés devant la gare, ça avançait plus lentement, plus personne beuglait, plus personne chantait, ils marchaient en silence vers la Pettenkofer, l'entrée de notre bloc, le Siège. Et nous, on... on marchait avec eux.

– 'coute, Dani. Écoute-moi un peu, soufflait Rico, la main plaquée derrière ma nuque, la bouche à deux doigts de mon oreille. Si y a plus personne au Siège, à l'entrée, tu piges, s'ils essayent d'aller à leur virage, et ben nous, on... 'coute, Dani! Mais tu vas m'écouter, putain!

– D'acc, Rico, d'acc.

– Steupl, Dani, steupl! Faut qu'on y arrive.

– D'accord, Rico. Ouais, on va y arriver.

– Et après, on dégage! Tu piges, direct au Siège. Le Siège, Dani, t'entends! On passe à travers, on trouve un moyen! On se faufile à travers une palissade, on attend qu'ils soient partis, Dani, t'entends! Ça va le faire comme il faut, ça va le faire, vieux. Pour Chemie, Dani! (ça, il l'a chuchoté encore plus bas), pense à Chemie, Dani.

– D'accord, Rico. D'accord.

Et je pensais à Chemie, je pensais à notre Siège, aux supporters verts et blancs, là-haut, aux grandes barrières derrière lesquelles on craindrait plus rien. Mais même si la tribune était déjà en vue, on a pas pu aller jusqu'au Siège. Sur la Pettenkofer, ça a ralenti encore plus, jusqu'à s'arrêter, des types ont recommencé à courir à travers la masse, foulard sur le visage ou capuche tirée jusqu'au nez, comme un boxeur descendant la travée. Des mains se levaient, des mains qui serraient des bouts de papier, leurs billets, leurs billets pour le match, «on, veu-en-trer! on, veu-en-trer!»

– Les flics, m'a fait Rico. Ça doit encore être les flics.

«On-veu-en-trer! On-veu-en-trer!», mais les flics ne les laissaient pas entrer. Lentement, ça s'est encore mis à reculer vers nous, d'un seul coup tout le monde détalait dans tous les sens, devant, derrière, beuglements, comprends plus rien, on restait plantés là, les flics venaient à notre rencontre, une seule ligne, visière baissée, bouclier, matraque.

– On s'arrache ! j'ai gueulé. Go ! On s'arrache d'ici !

Rico a sprinté, mais dans le mauvais sens, droit vers les flics, comme ça, sans prévenir, d'ailleurs il ne courait pas, il marchait tout doucement vers le cordon de police, un homme à terre contre le trottoir, un autre essayait de le remettre debout en filant des coups de pied à un flic qui essayait de le frapper avec sa matraque, ça y est, le flic le touche, l'homme veut décamper mais le flic s'est mis à lui matraquer le dos.

Encore les nuages blancs qui flottaient au-dessus de la rue, d'autres silhouettes couraient sur nous dans le brouillard, Rico allait droit vers eux. « Rico ! » Il voulait pas se retourner, je courais pour le rattraper, je l'ai cloué sur place en le tirant par l'épaule. « Au stade, Dani ! Faut rentrer dans le stade ! Au Siège ! » Les larmes coulaient sur son visage, j'ai levé les bras pour couvrir le mien, morsure, tiraillements dans le nez et les yeux. « Oublie, vieux, oublie ! » Je le tirais en arrière, je voulais l'éloigner des flics et du gaz lacrymo, mais d'un seul coup il m'a fixé, les yeux très grands ouverts. Il a regardé autour de lui en essuyant ses larmes avec sa manche, comme s'il venait de se réveiller. Et là, on détale dans le sillage de la masse, direction la gare, je me retourne encore pour apercevoir les flics, mur de boucliers dans le brouillard, mes pieds butent, je me viande, « bordel, gamin, fais un peu gaffe ! » Douleur dans le genou. Rico vient s'accroupir près de moi, je lève les yeux vers un homme qui nous appelle, debout contre une voiture :

– T'es fait mal, gamin ?

– Ça va.

Il claque son poing à nu dans la vitre de la portière, une fois, deux fois, elle éclate, il défonce le rétro d'un coup de pied, grimpe sur le capot et saute à pieds joints dans le pare-brise avant de passer sur le toit et de redescendre derrière. Ça pète, ça éclate de partout ; partout, ils s'attaquent aux bagnoles garées. Ils dansent sur les toits en gueulant à tue-tête, balancent leurs pieds dans les portières en prenant tout l'élan qu'il faut, « on-dé, fonce-Leutzsch, on-dé, fonce-Leutzsch, on-défonce-défonce-Leutzsch », et ils nous défonçaient en beauté. J'ai réussi à me remettre sur mes jambes, plus aucune force, et au fond, je serais bien resté posé là avec Rico. Mais on a avancé. Lentement, on a avancé jusqu'au milieu de la Pettenkofer, cette rue qu'on avait déjà remontée tant de fois avec nos écharpes qui devaient être collées aux rails à l'heure qu'il était, englués de chiasse, alors que des deux côtés, ces enculés de Berlinois sautaient de caisse en caisse pendant que le reste de leur meute avançait un peu plus loin, sur la Grand-Rue. Là-bas, on voyait la fumée qui montait, non, pas des nuages blancs de lacrymo comme ceux qui flottaient derrière, une fumée noire, épaisse, et qui sentait le caoutchouc brûlé. La foule s'est rompue et s'est mise à courir dans tous les sens sur la Grand-Rue, certains vers la gare, et c'est là que j'ai vu la voiture de police en train de cramer, une Lada qu'ils avaient couchée sur le flanc, au bord de la route. Une Trabi venait de connaître le même sort un peu plus loin, mais sans les flammes. On s'est précipités sur le trottoir, puis derrière un muret. « La vache ! j'ai crié à Rico. Ils mettent la guerre ! » Plaqué contre le muret, sans un mot, Rico gardait les yeux sur la bagnole en feu. Devant la gare, un camion de police, mais vide. Aucun flic dans tout le secteur, seulement des enculés de Berlinois qui faisaient du trampoline sur le capot du camion, l'un avec un jerrican vert à la main. Une banquette planait à travers une vitre du bâtiment de la gare, ça a pété tellement fort qu'on a cru qu'elle atterrissait sur nos pieds, mais ça explosait de partout, partout ça pétait sur la Grand-Rue. Devant la gare, dans la gare, et le camion vert qui était en feu. Et là... et là, les tirs.

Peut-être qu'on aurait pu se barrer avant, sûrement qu'on aurait pu se barrer avant, de toute façon c'était la débandade totale dans la rue, pas un qui se serait occupé de savoir si on détalait dans le mauvais sens, pour remonter la rue et prendre la grande passerelle avec les trains de banlieue et les vrais trains qui passaient dessous, rejoindre la station de tram, ou n'importe quoi d'autre, et se barrer, point final. Et peut-être qu'on aurait dû se barrer au moment où cinquante, soixante hooligans, ou même plus, se sont mis à attraper des poignées de graviers près des rails, nous sont passés devant à toute allure et sont allés se frotter au cordon de police sur la Pettenkofer. Mais on a pas détalé, on est restés accroupis contre le muret, à se serrer encore plus l'un contre l'autre en regardant les meneurs prendre leur élan pour éjecter les cailloux, d'énormes graviers noirs, les cailloux qui se multipliaient dans les airs et les hools toujours plus nombreux à débouler le long de la Pettenkofer, pierres en main, et quand quelques-uns sont revenus en courant vers nous, on s'est plaqués plus près du mur, sur les genoux, les yeux toujours vers le bas de la Pettenkofer, sur les hools qui continuaient à balancer leurs cailloux, sur les boucliers de la police, on se plaquait encore plus près du mur, et d'un seul coup tout avait l'air trop près, tellement près, et pourtant on restait assis là, mais pourquoi, peut-être la peur de se mettre sur nos jambes, de courir, de se retrouver encore une fois au milieu de la masse, de devoir la traverser, et on a entendu les tirs. Pan ! Pan ! Pan ! Stop. Un blanc. Pan ! Pan ! Pan ! Comme les pétards du Nouvel An, une détonation fine et aiguë qui résonnait jusqu'en bas de la rue, joli petit écho.

La masse s'est encore séparée, encore des hommes à terre, tout était trop près, tellement près, j'ai vu Rico chuter sur le bitume juste devant moi, mains sur la nuque, comme s'il venait d'être touché, je me suis couché sur lui en criant, « Rico, Rico, Rico ! », en le palpant des deux mains, en le serrant fort, en le sentant qui tremblait, ou est-ce que c'était moi ?

– Ils nous tirent dessus, Dani. Ils tirent, ils tirent, ils tirent.

J'ai roulé sur le flanc en levant la tête. De nouveaux cailloux volaient en direction des flics. Et puis, une dernière fois : Pan ! Pan ! Pan ! Des hommes à terre, des cris, des cris comme j'en avais encore jamais entendus, et ils nous sont passés devant à toute vitesse. Un pull blanc. Deux hommes l'avaient empoigné de chaque côté et le traînaient sur le sol, impossible de faire autrement vu que ses jambes étaient toutes repliées et que ses genoux cahotaient contre le bitume. Sur le pull, un dessin rouge, avec un poing, son poing à lui, rouge, et qui malaxait le tissu. Je me suis hissé sur mes pieds en me retenant au muret. Toujours couché sous moi, Rico tapait des deux poings contre le trottoir.

– Ils nous tirent dessus, Dani, ils tirent… mais ils peuvent pas… ils ont pas le droit… ils tirent.

Mais ils ne tiraient plus. La masse repassait devant nous en courant, tout le monde se repliait vers la gare de Leutzsch, les autres restaient à terre, leurs jambes se convulsaient, leur corps valsaient, et les flics remontaient lentement la rue. Certains, un long pistolet noir à la main, près de la hanche, le canon pointé vers le sol.

Quelques jours plus tard, dans le journal, j'ai vu la photo du garçon mort. Touché au poumon. À peine quelques années de plus que nous. Il y avait aussi eu des tas de blessés, certains en soins intensifs, presque tous à cause des balles. Et pour le match, on avait perdu quatre-un.

À l'issue de cette dernière saison de la Ligue de RDA, on est pas montés en première ligue fédérale, on est même pas restés en deuxième ligue, on a été obligés de descendre en Ligue amateur nord-est, division sud, mais parfois, on rêvait encore.

Avec Rico, on a continué à faire le déplacement jusqu'à Leutzsch, même qu'on s'est acheté de nouvelles écharpes, mais plus jamais ça n'a été comme avant, avant ce dimanche-là, l'année d'après la chute, le dimanche où on a joué contre le BFC Dynamo Berlin.

DE RETOUR ET ADIEU

Quand Rico est revenu de *là-bas*, presque deux ans après, il avait des tas de comptes à régler.

Ils n'ont pas voulu le remettre dans notre classe, il a dû redoubler sa 6e, et moi qui étais tellement content, peut-être qu'on aurait encore été à côté, tu parles, Frau Seidel n'aurait jamais voulu. D'ailleurs, Rico avait aussi un compte à régler avec elle, avec elle et Herr Singer, avec Herr Dettleff, chef des pionniers, avec son père l'officier qui était parti à Berlin, et puis avec sa mère, sa mère qui n'avait rien fait pour l'empêcher d'y aller, *là-bas*. Maintenant, il créchait chez sa mamie, mais avec elle, aucun compte à régler, ils s'entendaient vraiment bien, «les vieux, Dani, les super vieux. Eux, ils sont presque pareils que nous. Comme des mômes, tu piges», mais quelles chances avait-il contre les adultes, le reste des adultes? Zéro chance, et il le savait bien. C'est vrai qu'il avait déjà mis quelques plans sur pied, «la nuit, Dani, parce que c'est la nuit que c'était le pire. 'fin, pas si craignos que ça. Moi, je flippe pas, ça tu sais, tu me connais, mais la nuit, Dani, la nuit…» Il savait où Frau Seidel habitait. En premier, il avait prévu de foutre le feu à son appart, «juste un poil, hein, pour qu'elle sursaute, pas plus», mais j'avais réussi à le faire changer d'avis. «Bon, dans ces cas-là, sa caisse. Juste la niquer un peu, pour qu'elle soit en rogne, qu'elle puisse plus aller à la Baltique», mais il l'a jamais niquée, il savait bien que ça n'aurait fait qu'envenimer les choses, et il ne voulait plus jamais y retourner, *là-bas*.

Contre les adultes, rien à faire. Mais pour le reste, personne ne faisait le poids contre sa haine. Maintenant, il boxait au club du collège, parfois il allait aussi s'entraîner au Motor Südost (classe d'âge 15), alors qu'il en avait pas treize, mais pour son âge il était plutôt grand et costaud, «les pompes, Dani, les pompes, c'est tous les jours, des fois le soir. La nuit, tu vois, la nuit. Pan-pan-pan, dans le mur», et quand il était debout sur le ring avec son casque, son protège-dents, son maillot et ses énormes gants rouges aux poings, on aurait dit que c'était pas juste un autre gosse de misère qu'il avait en face, mais son père l'officier, ou alors Herr Dettleff, chef des pionniers, et contre sa haine, ils ne faisaient pas le poids.

Mais hors du ring, pas de cloche au bout de trois rounds, ni de règles, et Rico avait encore des tas de comptes à régler. Le premier, c'était Friedrich. Friedrich, Maïk et leur bande avaient envahi le parc, le nôtre, et ça faisait déjà une paye que j'attendais le jour où Rico reviendrait, car je savais qu'après, ça redeviendrait notre parc. Mais c'était pas dans le parc que Rico voulait se faire Friedrich. Il voulait le choper au bahut, histoire que tout le monde puisse voir. «Le respect, Dani. Le respect, tu comprends? Tout le monde doit voir que je suis de retour!»

Il lui est tombé dessus pendant la récré du matin, au fond de la cour, près des bennes à ordures, c'était là que Friedrich, Maïk et leur troupe passaient leurs récrés, trop loin pour que les surveillants les tiennent à l'œil. Sauf que cette fois, ça jouait contre eux. Avec Rico, Mark, et Walter, on s'était retrouvés avant la première heure pour tout organiser. Même Stefan s'était ramené, alors que Rico pouvait pas trop l'encadrer.

– Qu'est-ce qui s'ramène ici, lui? Qu'est-ce tu le traînes ici, qu'est-ce que tu viens traîner le croqueur ici, hein, Dani?

– Stefan, il est OK. Il est dans notre camp. Chaque homme compte!

Et chaque homme comptait pour de vrai, étant donné que Friedrich avait ses quelques potes de 4e qu'il allait falloir gérer pendant que Rico le coincerait.

– Et Maïk? On fait comment, pour Maïk? Il est vraiment balèze.

– Maïk, tu l'oublies. Je l'ai déjà chopé, Dani, tu le sais. Il a eu son compte, il en veut plus, je l'ai déjà allongé y a deux ans, il veut plus aller au tapis, crois-moi bien.

Et il avait raison : tout s'est passé comme prévu, Maïk n'avait pas du tout envie de retourner au tapis, de toute façon j'aurais pas pu l'y envoyer, sûr de sûr. Mais Rico le respectait, car Rico était boxeur. En plus, Maïk se faisait des reproches, il croyait que c'était un peu de sa faute s'ils avaient envoyé Rico *là-bas*. Et c'est peut-être pour ça que Maïk a gardé ses distances au moment où on leur est tombés dessus pendant la récré, et même le petit Walter n'avait pas les jetons, il avait pris une pleine poignée de graviers pour pouvoir attaquer plus fort. Parce que Rico venait de nous chauffer :

– On va leur montrer que je suis de retour ! On va leur montrer que personne peut rigoler avec nous !

Et on a bloqué la bande à Friedrich sur les bords, sauf Maïk qui était déjà à l'écart, les bras ballants, pour laisser Rico se coincer Friedrich. Il l'a chopé à la gorge direct, avec la gauche, puis droite dans l'estomac, Friedrich se recroqueville et s'abat contre Rico en l'entourant des deux bras comme pour lui donner l'accolade, eh ouais, Rico est de retour.

– Fais-le manger, Rico ! Démonte-le !

Et Rico va pour relancer et le mettre à terre, même coup qu'avec Maïk deux ans avant.

« Mais qu'est-ce qui vous prend, les garçons ? Séparez-vous. Immédiatement ! »

Katia était là. Ma Katia à moi. Katia, cheftaine du conseil de groupe. Elle est arrivée droit sur nous en longeant les bennes, menton levé, gesticulant comme une prof, les jolis froncements au-dessus de son nez, la chemise blanche des pionniers recouvrant sa poitrine tendue en avant, elle avait vraiment l'air d'une prof.

– T'en mêle pas, Katia. Steuplaît.

Mais elle m'a complètement ignoré. Malgré le s'il te plaît, et même si elle aimait bien quand je la priais de faire quelque chose. Elle m'est passée devant, comme ça, en fonçant sur Friedrich et Rico, le premier toujours accroché à l'autre, le poing de Rico brandi en l'air, parfaitement immobile au-dessus du crâne de Friedrich, et quand Katia est venue se planter devant eux, les deux mains calées sur les hanches, le poing s'est détendu.

– On se sépare, j'ai dit !

Et ils se sont séparés. D'abord Friedrich, tout courbé, la main crispée sur l'estomac, et puis Rico, en reculant d'un pas. Même si c'était une nana, tout le monde respectait Katia. C'était surtout la cheftaine du conseil du groupe, même que parfois, au moment du rassemblement, elle faisait un petit discours sur l'estrade. Tout devant.

– C'était pour rigoler, Katia.

– N'essaie pas de te moquer de moi, Daniel Lenz.

Elle s'était campée entre Rico et Friedrich, son regard passait de l'un à l'autre, les petits froncements au-dessus de son nez et sur son front se creusaient et se creusaient.

– Si vous ne me dites pas immédiatement ce qui s'est passé, je serai obligée de vous signaler.

– Mais c'était rien, Katia. Rien du tout.

– … ça vaut aussi pour toi, Daniel Lenz.

Les 4e me lançaient leurs sourires débiles, je rougissais en fixant le sol et les jambes de Katia et sa jupe bleue de pionnière qu'elle portait presque tous les jours, elle en avait cinq pareilles dans son armoire, elle m'avait montré la fois où on avait révisé notre russe ensemble.

– Qui a commencé ?

Ils regardaient par terre sans dire un mot.

– Vous m'expliquez immédiatement ce qui s'est passé. On va régler le conflit.

– C'était juste pour se marrer un peu. Hein, Friedrich ?

Rico avait levé le menton, il souriait en lissant sa chemise.

– Ouais. Juste pour rigoler, ch'te jure. Rico, il voulait juste me montrer des trucs de boxeur.

– Rico Grundmann, elle a lancé en tournant les yeux vers lui.

– C'est moi. Qu'est-ce qu'y a ?

Première sonnerie. Dix minutes avant de monter. Katia secouait la tête.

– Rico, elle a repris si bas que j'ai à peine entendu, tu veux pas être sage ?

Les 4e avaient arrêté de ricaner et se traînaient déjà vers la cour, Friedrich et Maïk juste derrière.

– Mais je suis sage, a répondu Rico en continuant à lisser sa chemise.

Il a remis le bouton du haut et s'est rapproché de nous.

– … vas-y, Dani. On remonte.

Là, j'ai vu le petit Walter laisser tomber les graviers en desserrant le poing.

– Prenez de l'avance. Je vous rejoins.

L'instant d'après, j'étais seul avec Katia, près des bennes. Elle était restée là, toute raide, juste à l'endroit où Rico et Friedrich s'étaient séparés. Je suis venu me mettre tout près.

– Daniel Lenz.

– Katia, je lui ai dit en tirant la pointe de son foulard qui s'était décalée sur son épaule. Y a pas de problème, tu sais.

– Si, elle m'a répondu en serrant ma main. Si, Daniel. Tu sais que tu devrais veiller à ce que Rico arrête ses bêtises.

– Mais je fais attention. Je vais faire attention, Katia, pour de vrai.

– Promets-le moi, Dani.

Elle se remettait à m'appeler Dani, enfin. Et je caressais son foulard.

– Mais je t'ai promis.

– Non, Dani. Une vraie promesse. Parole de pionnier.

– D'acc. Parole de pionnier.

J'ai levé ma main qu'elle tenait toujours serrée.

– Parole de pionnier, j'ai répété en attirant la sienne contre mon visage.

Elle souriait.

– Daniel Lenz.

Et quand elle a retiré sa main, j'ai penché mon visage vers le sien. Deuxième sonnerie, plus que cinq minutes. Mais elle a reculé d'un pas :

– Dani ! On va être en retard !

– S'il te plaît, Katia. Reste un peu là. Juste un peu, avec moi.

Elle m'a pris la main pour me tirer vers la cour, riant encore :

– Daniel Lenz.

J'avais toujours sa main serrée dans la mienne, je sentais son petit doigt.

– Bah alors, Dani ! a lancé Rico depuis la porte de l'annexe. Magne !

J'ai lâché la main de Katia pour aller le rejoindre, mais mes yeux étaient encore fixés sur elle au moment où elle a passé la porte et s'est engouffrée dans les escaliers quatre à quatre. Elle ne s'est pas retournée, mais je voyais ses jambes et sa jupe bleue à travers les barreaux de la rampe.

– Pfutain, Dani. Mais qu'est-ce que t'as ? Laisse-la un peu.

Il m'a gentiment boxé l'épaule :

– … mais qu'est-ce tu lui trouves ? Qu'est-ce que tu lui trouves, hein ? Elle essaie juste de tous nous niquer avec ses discours.

– T'as raison.

Et on a repris l'escalier. Rico montait au deuxième, moi au troisième. Dernière sonnerie, un peu plus longue. C'était la fin de la récré.

J'ai bien veillé à ce que Rico ne fasse pas de bêtises, puisque j'avais promis à Katia. Mais c'était pas évident. Ça le démangeait toujours de casser la gueule à Friedrich, il voulait aussi allonger Maïk.

– Ça fait du bien, Dani. Ça fait toujours du bien d'allonger son homme.

– Mais il flippe déjà assez. Il sait très bien que tu le maîtrises.

– Pas faux. Mais tu sais, il aurait pas dû cafter, à l'époque. C'était vraiment abusé. Y a encore un compte à régler.

– Mais il regrette, Rico. Même qu'il me l'a dit. Il a un frangin, tu sais, lui aussi il était en foyer…

– *Où* ça ? Il était où, tu dis ?

– Ben, tu sais bien…

– Dis plus jamais ça. J'veux plus jamais l'entendre. Comment je hais ce mot.

– 'scuse, Rico.

– T'inquiète. C'est juste que… une balance comme Maïk…

Il voulait pas lâcher l'affaire, je savais que je ne pourrais pas l'empêcher de ravaler la façade à Maïk et Friedrich, et sûrement qu'y en aurait d'autres, car depuis qu'il était de retour, il débordait de haine.

– Le Friedrich, il a tenu sa langue quand ta petite Katia…

– C'est pas ma petite Katia.

– Tu parles, mon gars. Arrête un peu. Tu crois que j'ai de la merde dans les yeux ? Cheftaine du conseil de groupe. C'est pas pour toi.

– Katia, elle est chouette. Elle est… elle est…

– Qu'est-ce que j'disais. Ta petite Katia.

– Rico. Arrête avec elle. Bon, et pour Maïk ?

– Ouais. Maïk et Friedrich, on va s'les faire. T'en es ?

– Carrément.

Mais quand j'ai baissé les yeux, c'était les jambes de Katia que je voyais, et sa jupe bleue.

Maintenant, Rico était après Maïk. Impossible d'approcher Friedrich, il n'osait plus se montrer dans le parc, et au bahut les 4e le protégeaient. Désormais, Katia ne s'éloignait jamais bien loin de Rico pendant les récrés, et des fois, quand elle nous regardait jouer au ping-pong, elle me faisait un sourire.

– Mais pourquoi? je lui ai demandé quand on est rentrés ensemble, après les cours. Pourquoi tu t'inquiètes autant, pour Rico? Tu peux pas l'encadrer, ou quoi?

– Daniel Lenz, elle a répondu en tirant sur mon pouce, ne dis pas ce genre de choses. Tu sais bien que Rico fait partie du collectif. Même en tant qu'élève de 6ᵉ. Et puis, c'est ton ami. Tu ferais mieux…

– Quoi?

– Daniel Lenz.

Et elle a ri, et c'était tellement chouette que je me suis arrêté. Ensuite, elle s'est remise à tirer sur mon pouce.

– Allez, Dani. Avance!

On a continué, mais j'ai encore ralenti, on était tout près de chez elle. Devant la porte, on a plus bougé. Elle restait plantée sur le seuil, à jouer avec ses clés.

– Dis, Dani…

– Quoi?

– Si on… si on allait faire une balade? Dans le Bosquet, par exemple. Par exemple la semaine prochaine. Que tous les deux.

Elle baissait les yeux et agitait son trousseau.

– D'acc. Ça serait chouette.

Elle a souri. Sa main tripotait toujours les clés, et l'autre, la pointe de son foulard.

– Dis, Dani…

J'ai fait un pas vers elle.

– Daniel Lenz.

Et puis, elle a penché la tête en avant. Le temps d'une seconde, sa bouche a touché la mienne. Elle s'est retournée d'un coup en claquant la porte, et je l'ai entendue grimper l'escalier.

Après, quand j'ai retrouvé Rico pour aller chez Maïk, je lui ai rien dit. Ça lui plaisait pas que je la voie. On voulait pincer Maïk au moment où il sortait de sa tour. On savait qu'il était tout le temps en vadrouille.

– C'est une des *leurs*, Dani. Pas bon pour toi. Cheftaine du conseil, Dani. Tu piges? Pas bon pour toi. Franchement.

– Arrête un peu avec elle.

Mais il arrêtait déjà, car on était rendus devant chez Maïk.

– Et maintenant?

– On monte, Dani. Faudrait pas qu'il se taille par la cour.

– Et s'il est déjà dehors ?

– Pas encore l'heure. C'est à trois heures. Son daron il rentre dans ces eaux-là. Je gère tout.

– Tu comptes vraiment le démonter ? Réfléchis bien.

– Merde, Dani ! Arrête un peu de me manger le cerveau. Il l'a mérité. Évidemment que je le démonte. Mais vas-y, mais qu'est-ce t'as ? Tout ça à cause de ta petite Katia. Allez, Dani. Avoue, elle te rend dingue !

– Arrête tes conneries. Elle me rend pas dingue. Elle me fait rien, toute façon !

Et je me suis rapproché de la porte de l'immeuble.

– Attends, Dani, attends !

Mais je traversais déjà le hall pour aller me poster au pied des marches.

– Pas là, m'a fait Rico. Il nous verra en descendant. Faut mieux qu'on se mette près de la cave, là, à la porte.

Appuyés au mur, l'oreille tendue vers la cage d'escalier, on attendait tout près de la cave, mais pas de Maïk. On était accroupis là, sur notre qui-vive, et quelqu'un s'est ramené dans l'escalier. Rico a retroussé ses manches, il a commencé à remuer la tête et les épaules, à tout détendre, mais c'était qu'une vieille mémé. On a laissé passer. À trois heures et demie, toujours pas de Maïk.

– Il s'est déjà tiré. Viens, on se casse.

– Nan, Dani. On attend, on attend encore.

Je le voyais serrer le poing droit, ouvrir et refermer, ouvrir et refermer.

– On attend encore, Dani.

– On pourrait au moins aller sonner. Au moins, on serait sûrs.

Mais on a pas eu besoin, car au même moment on a compris que Maïk n'était pas encore sorti. D'un coup, on l'a entendu gueuler jusque dans la cage. Même si ça venait que du deuxième, impossible de comprendre ce qu'il disait, il mugissait comme un veau. Une porte a claqué, et puis plus rien.

– Et merde, a fait Rico. Allez, on monte !

– Attends, je l'ai arrêté en le tirant par l'épaule, attends ! C'est son vieux, ça. À tous les coups, c'est que ça chauffe avec le vieux !

– Cet arsch va me piquer tout le boulot ! On monte !

Et il est monté, et je l'ai suivi. En sachant très bien que c'était pas parce que le père de Maïk lui volait tout le boulot qu'il montait.

Sûrement qu'en détention (excuse-moi, Rico, plus jamais je le dirai) il avait connu trop de gamins qui se faisaient démolir par leur père.

Arrivés au palier du deuxième, on s'est collés à la porte. Plus un bruit. Mais ensuite, des petits claquements de l'autre côté, en sourdine, et des petits gémissements. Rico a sonné. Même si c'était un bon boxeur, au fond il savait qu'il ne faisait pas le poids contre un adulte. Mais depuis qu'il était de retour, il débordait de haine. Deuxième coup de sonnette, toujours rien. Alors, il y est allé avec le poing, le ding-dong ding-dong ding-dong a commencé à couvrir les claquements et les gémissements, et puis il y est allé de l'autre poing contre la porte. J'ai vérifié le périmètre, histoire de trouver un truc qui puisse l'aider, vu qu'apparemment on en était rendus là. Le daron de Maïk devenait chtarbé quand il avait bu, et il buvait presque sans arrêt; au quartier, tout le monde savait. Près de la porte des voisins, un plein seau de charbons. Je me suis rapproché un peu pour les avoir à portée si y avait embrouille. En même temps, j'avais les jetons et je pensais à Katia, mais pas moyen de reculer. Et y a embrouille.

«Bordel à queue!» vocifère le daron de Maïk à l'intérieur. Ça pète, la porte jaillit, Rico plonge sur le côté en levant le poing, mais le daron reste tout calme sur le paillasson, juste à tanguer un petit peu de gauche à droite, il cale son épaule dans l'embrasure en bafouillant :

– Qu'est-ci veulé zavortons?

– Chercher Maïk, fait Rico pendant que je louche sur les charbons.

– Maïk y peut pas. Fous cassez.

Mais au moment où il s'apprête à refermer, Rico cale son pied dans sa porte. Vraiment vif sur ce coup-là, et le voilà juste en face du daron, je le vois qui bombe tout, qui déplace son poids sur la pointe des deux pieds, pareil que sur le ring. Mais même maintenant qu'il lève les épaules aussi haut qu'il peut, il lui arrive tout juste à la poitrine.

– Tu débloques, gamin? Sors ton sale pied de ma porte!

– On est venus chercher Maïk.

Plus fort, cette fois-ci. Mais sa voix tremblote un peu.

– Lé pas là, que j'ai dit!

Le daron vocifère de plus belle, je suis pas loin de sentir le schnaps qu'il éructe. Rico aussi se met à beugler :

– Si, il est là ! Si !

– Cassez-vous ! Sinon ça va barder.

– Allez, Rico, viens. Viens !

Mais il ne m'entendait plus. Et dès l'instant où j'ai vu son regard vitreux et fixe, sans un clignement, j'ai su qu'à partir de là, il s'en battait complètement.

– T'as pas encore assez dérouillé Maïk, dis ?

– Je m'en vais t'en goller une, morveux !

Le daron lève le bras, titube vers Rico en penchant le front et se heurte en plein dans son poing, qui a l'air minuscule au milieu de sa grande face. Même en étant un bon boxeur, Rico n'est pas capable de coucher un adulte si facilement, et le coup qu'il vient de mettre au daron n'est pas assez fort pour l'envoyer au tapis. Sauf que Maïk arrive par-derrière (pas entendu se ramener) et lui met ses deux pieds dans les reins, le daron vient chanceler encore une fois contre le poing de Rico, ce qui encore une fois n'aurait pas suffi à le coucher, sauf que Rico s'écarte et que le daron continue à se prendre les pieds en avant, toujours le poing en l'air, pour venir s'encastrer le crâne contre un barreau de la rampe. Il grogne un coup, s'effondre, roule sur le dos et reste allongé là, tout sage.

Maïk était toujours dans l'embrasure. Écarlate, du sang plein le nez.

– Pourquoi ? il nous a lâché en allant s'allonger près du vieux. Pourquoi vous avez fait ça ?

– 'coute-moi bien, a répondu Rico. Si t'es pas poli…

Pendant ce temps, j'ai rebalancé mon charbon dans le seau.

– Viens, Rico. On se casse en vitesse.

– Restranquille. Juste lui dire deux mots.

Il s'est accroupi près de lui :

– 'coute. Ton paternel…

– Il voulait juste t'en coller une ou deux, lui a soufflé Maïk. Voulait t'en coller un peu. Mais il a pas le droit. Nan, pas le droit.

– Nan. Il a pas le droit, t'as raison. En vrai, il a le droit de taper personne.

Là-dessus, Maïk s'est redressé en lançant à travers la porte :

– Bernd ! Bernd, viens !

Je venais seulement de m'apercevoir que le rouge sur son visage correspondait à des traces de mains. Des grosses. Son sang passait de son nez à sa chemise, mais ça n'avait pas l'air de trop le déranger. Un gamin est arrivé dans l'embrasure, visage long et bouche ouverte, les yeux grands ouverts sur le vieux de Maïk, toujours allongé, tranquille.

– Mon reuf, a fait Maïk.

Rico a opiné vers l'autre.

– 'lut, Bernd.

Mais Bernd ne bougeait pas, et sa bouche restait grande ouverte. On a traîné le père de Maïk dans le salon, pour l'allonger sur le canap. Après, Maïk est allé choper une bouteille de schnaps qu'il a calée entre les coussins, près de la tête du vieux. Le frère était planté à côté lui, la lèvre pendante, à nous fixer de ses grands yeux. Rico s'est essuyé les mains à son fute et s'est assis à table.

– Tu sais pourquoi chuis là ?

Hochement de tête de Maïk, et puis :

– C'est bon, Bernd. Tu peux retourner dans la piaule.

Bernd a obéi, d'abord à reculons, et puis on l'a entendu détaler dans le couloir.

– Rico, j'ai fait en regardant le vieux de Maïk remuer les pieds. Rico. On se casse.

– Tu sais pourquoi chuis là, Maïk ?

– Je flippe pas.

– Je sais. T'as même pas peur de ton daron.

– Je flippe pas.

– Tu t'excuses ?

– Ouais. J'voulais pas cafter quand y a eu ça. Mon reuf, tu vois, Bernd…

Là, il a appuyé les deux mains au mur pour arrêter de tanguer.

– … chuis pas une balance, Rico. Chuis… 'scuse-moi.

– C'est bon, a conclu Rico en se remettant debout. Viens, Dani. On s'arrache.

– … 'scuse-moi, Rico.

Quand on est repassés devant Maïk, il nous a tourné le dos, le visage mouillé.

– Écoute, lui a fait Rico en se retournant sur le pas de la porte. Si ça te tente, on peut faire un round, toi et moi. Boxer. Mais pour de vrai, sur le ring.

Ensuite, on a repris l'escalier. Et il était grand temps, vu que les guiboles du vieux remuaient de plus en plus sur le canapé. Comme s'il nous pourchassait dans ses rêves.

Je n'ai rien raconté de tout ça à Katia pendant notre balade dans le Bosquet de l'Est. Je lui ai juste expliqué que je commençais à avoir une très bonne influence sur Rico, que mon soutien lui permettait de se réintégrer parfaitement au collectif. Ça lui faisait plaisir, à Katia. J'avais été nous prendre des glaces près du ciné, près du Palace, et elle était en train de me débarbouiller avec un mouchoir.

– Arrête de bouger, Dani. Tu manges vraiment comme un cochon !

– Et toi, alors.

– Même pas vrai.

Elle s'est occupée de ma bouche. Même s'il n'y avait plus du tout de glace sur son visage à elle, je lui ai passé deux doigts sur le coin des lèvres.

– Arrête…

– Non, je lui ai répondu en tirant doucement sur une mèche coincée derrière son oreille.

– Pourquoi tu fais toujours l'idiot ?

– Chais pas.

Ensuite, elle m'a tiré vers un banc.

– Eh ben moi je sais, elle a continué en m'enfonçant délicatement son index dans l'épaule, jusqu'à ce que je l'emprisonne.

– … lâche-le, Dani.

– Que si tu viens avec moi.

– Où ça ?

– Tu verras bien.

– Au lac ?

– Pas au lac.

– Allez. Dis-moi. S'il te plaît.

– Si je te le dis, tu voudras pas venir.

J'ai lâché son doigt, elle s'est serrée encore plus près. Je sentais ses cheveux qui me frôlaient l'oreille.

– Si, Dani. Si t'es là, ça m'embête pas de venir. J'aurai pas peur.

– T'as les chocottes, Katia ?

– Des fois.

Elle a mis ses deux mains sur mes épaules et s'est serrée encore plus près.

– Viens un peu là, je lui ai dit en me penchant pour défaire son foulard rouge.

– Non. S'il te plaît. Défais pas.

– Comme ça, t'es encore plus jolie.

Quand j'ai écrasé le foulard dans la poche de son manteau, elle a souri, aussi écarlate que le tissu.

– Dis, Dani…

– Quoi ?

– Il l'a vraiment brûlé, Rico ?

– Ben ouais.

– Et il regrette, maintenant ?

– Un peu.

– C'est bien, Dani.

Elle s'est pendue à mon épaule, je sentais tout son poids.

– T'aimes la boxe, Katia ?

– Chais pas trop.

– Alors, viens.

On s'est levés, je lui ai pris la main, et, tout doucement, on a traversé le Bosquet vers le Motor Süd-Ost, là où Rico s'entraînait.

C'était vendredi après-midi, il m'avait dit qu'il faisait quelques combats de préparation. « Passe, si tu veux. Comme ça, tu pourras me voir danser. » Et il dansait pour de vrai, il dansait le long du ring, dansait en cercle autour de son adversaire, frappait et frappait encore. On s'était mis juste à côté de la porte du gymnase. Katia se cachait derrière mon dos et me serrait le bras très fort.

– Ben allez. On s'approche un peu.

– T'es sûr, Dani ?

– Mais regarde ! Regarde un peu comment il danse.

Et les poings de Rico dansent en l'air, il touche son adversaire où il veut. Gauche, gauche, protège-dents, droite direct dans la face. Gauche au corps, l'autre lâche sa garde, et droite dans le casque, et deuxième droite en pleine face. Et là, il cherche la distance, danse toujours, plonge sous les coups de l'autre, l'encercle en dansant, frappe, frappe encore. « Attention, Rico ! Ralentis. Ralentis, fiston », lui lance le coach assis sur un long banc face au ring avec d'autres gamins qui ont tous les yeux rivés sur Rico. Et Rico danse encore et frappe encore, sans ralentir, le voilà qui coince l'autre dans les cordes, et l'autre glisse sur son derrière. « Stop, Rico. Ça suffit, fin du combat. Sortez. Tous les deux. » Rico aide l'autre à se remettre sur ses jambes, ils descendent du ring. Le coach va les voir, passe ses bras autour d'eux et leur parle tout doucement. J'avais tiré Katia de l'autre côté du ring, vers un banc vide, sous un espalier.

Tout à coup, j'ai eu peur que Rico gueule parce qu'on était venus ensemble. J'ai passé mon bras autour d'elle pour l'attirer plus près de moi, la serrer plus fort. Mais il n'a pas gueulé, il était de nouveau campé sur le ring, et quand il nous a aperçus, il a jeté les bras en l'air en claquant ses gants l'un contre l'autre :

– Hé, Dani ! J'espère que t'es bien concentré. Je vous montre un p'tit truc, toi et ta Katia. Vous êtes mes invités d'honneur.

Il riait en continuant à claquer ses gants l'un contre l'autre. Le coach a fait le tour du ring en nous toisant.

– C'est mon frangin ! lui a lancé Rico, sautillant dans son coin, claquant toujours les gants. Mon frangin et ma cheftaine.

Le coach a approuvé, et il a grimpé rejoindre Rico et son nouvel adversaire sur le ring. J'avais desserré mon étreinte, mais je gardais la main de Katia. Derrière le banc, pour que personne puisse voir.

– Ils vont se battre pour de vrai ?

– Ben ouais. Enfin, c'est pour s'entraîner.

Mais au moment où le coach, debout bras écartés entre les deux, donne le signal du combat, Rico se bat, il se bat comme s'il était en championnat de RDA, dans sa classe d'âge et de poids. Le front penché, il jaillit d'emblée contre l'autre, lui balance une salve de crochets au corps à travers le maillot, s'éloigne un peu en dansant, décoche son gauche, toujours ce gauche, et pour finir lui claque son droit dans le casque. Mais le type est passable. « Contre un peu, Ralf, contre ! », gueule le coach juste en dessous, alors Ralf contre, il contre et touche, une droite, deux droites placées juste au-dessus des gauches de Rico. Katia serre ma main, « t'inquiète pas, je lui chuchote dans l'oreille en l'effleurant du bout des lèvres, il est fort, Rico. » Et Rico est fort, mais pour de vrai. De plus en plus fort, il travaille le type du bout de son bras avant, ne le laisse plus du tout s'approcher, lui donne du gauche, gauche, droite, l'autre s'empêtre dans les cordes en levant désespérément les poings à hauteur de sa face. « Tout doux, Rico, tout doux ! » Mais c'est trop tard, le type se prend les pieds et s'assoit sur son cul.

– Dani, souffle Katia tout près de moi. Dani.

– N'aie pas peur, je lui murmure. Il va se relever.

Derrière le banc, elle tient toujours ma main serrée dans la sienne. Rico danse à travers du ring en nous balançant son rire.

Et puis, ce fut l'heure de se dire adieu. On était repartis par le Bosquet de l'Est, on marchait vers chez nous, tout doucement. On a longé la piscine du sud-ouest, celle en plein air, les cris derrière les arbres et de temps en temps un plouf quand quelqu'un sautait du plongeoir à trois mètres.

– Tu sais, Katia…

– Quoi ?

– On… on pourrait aussi y aller… aller se baigner, j'veux dire. Ce week-end, par exemple.

– Oh, Dani. Non, je préfère pas.

Elle avait remis son foulard et s'enroulait le bout autour du doigt.

– Mais comme ça, je pourrai te montrer mon saut de l'ange. Droit comme un I !

– Mais, Dani, mais mes jambes…

– Qu'est-ce qu'elles ont ?

– Oh, elles sont pas jolies. J'ai des jambes toutes maigres, tu sais. Et puis elles sont blanches.

– J'y crois pas. Non, Katia, tu dis des conneries !

Je lui ai bloqué la route :

– Reste comme ça.

D'abord, j'ai appuyé mes mains sur ses épaules, et puis j'ai reculé de quelques pas pour regarder ses chaussettes blanches et la peau blanche entre ses chaussettes et sa jupe de pionnière.

– … non. Rien à dire. T'es jolie. T'es vraiment jolie, Katia. Et tes jambes aussi.

– Oh, Dani.

Elle m'a pris la main, on est repartis. Dès que d'autres gamins venaient à notre rencontre, on se lâchait, mais juste quelques secondes. Après, on se redonnait la main et on marchait l'un contre l'autre. Mais on était presque arrivés à sa rue.

– Tu sais, Dani…

– Quoi ?

– On pourra pas aller se baigner. On pourra pas.

– Eh ben alors… alors, on pourra aller au cinoche. Ils vont passer *Les Enfants du dimanche*, au Palace…

– Je l'ai déjà vu, Dani.

On était arrivés devant chez elle. On s'est arrêtés. Lâchant ma main, elle est montée jusqu'à la porte et elle a appuyé la tête contre la vitre. « Daniel Lenz. » Je me suis approché pour lui caresser les cheveux. Elle s'est retournée, est tombée contre moi et m'a tenu très fort.

– Je veux pas, Dani. Je ne veux pas, mais c'est demain qu'on part.

– Qui ça… qui c'est qui part ?

– À l'Ouest, Dani. On part à l'Ouest.

Elle avait collé son visage à ma chemise, j'entendais sa voix à l'intérieur de moi.

– … à l'Ouest, Dani. On part… sortie de territoire.

– Mais… et toi ?

Mais je savais ce que ça voulait dire, partir à l'Ouest, ceux qui partaient à l'Ouest étaient nombreux, et dans les salles de cours, quelques chaises étaient déjà vides. S'en aller. Ne jamais revenir.

– Daniel Lenz.

Elle se tenait à moi, mais ne pleurait pas. Après tout, c'était la cheftaine du conseil de groupe…

– Non. Vous pouvez pas partir. T'as pas le droit !

– Prends bien soin de Rico. Et toi, plus de bêtises. S'il te plaît, Dani. Promets-le moi.

Vraiment, elle ne pleurait pas. Je me suis mordu la langue.

– Oui. Je te le promets. Parole de pionnier.

Elle m'a lâché, elle a reculé vers la porte.

– Excuse-moi, Dani.

Je me suis élancé vers elle pour la retenir, ne pas la laisser partir, mais d'un seul coup elle s'est penchée ; je l'ai touchée, elle a posé le bout de ses lèvres sur les miennes, juste une seconde. Elle souriait, et c'était tellement chouette que j'ai dû me retenir au mur. Après, elle a enlevé le bouton de son col pour défaire son foulard rouge.

– Tiens, Dani. J'en aurai plus besoin, tu sais.

Elle l'a plié bien soigneusement avant de le glisser dans ma poche de chemise. J'avais toujours envie de la retenir, j'aurais voulu qu'on soit grands, qu'on puisse s'enlacer, s'embrasser, longtemps, longtemps, comme les adultes dans les films.

Mais il n'y a pas eu d'adieu. Son foulard, elle ne me l'a pas offert non plus, même si je l'imaginais souvent et que parfois j'en rêvais. Elle est partie, comme ça, partie pour ne jamais revenir. Elle était assise juste devant moi, et un matin, sa chaise était vide. Frau Seidel nous a rien dit, elle n'a plus parlé de Katia, aucun prof ne parlait vraiment des chaises vides dans les salles de cours, mais nous, on savait bien que ses parents l'avaient emmenée avec eux à l'Ouest, ces salauds m'avaient pris Katia, comme ça, d'un seul coup. Et moi aussi j'avais un compte à régler, avec ses parents, même si je savais que je ne le réglerais jamais.

Pour me consoler, Rico a dit que je finirais bien par la revoir un jour ou l'autre. «Crois-moi, Dani. Elle reviendra. Moi aussi, j'ai fini par revenir. Crois-moi. Un jour ou l'autre, elle finira par revenir», mais je savais que je n'allais plus la revoir.

DANS LA PRAIRIE

Rico n'avait pas pu être là. Il était reparti à Zeithain, il lui restait presque un an à tirer. Peut-être qu'ils lui auraient filé une perm, mais c'était peu probable, et de toute façon j'avais pas pris la peine de lui écrire. C'est vrai que j'aurais pu aller le voir, tout seul ou avec sa mamie, j'aurais demandé une autorisation de visite, on aurait été là, avec ou sans mamie, chacun de son côté de la table, et je lui aurais dit.

Mais je n'avais rien fait de tout ça. J'aurais eu largement le temps, mais j'avais rien fait, et Mark était dans l'urne. La tombe était tellement recouverte de fleurs et de pétales qu'on voyait plus la neige, et l'urne, ils l'ont posée au milieu, dans l'orifice. Près de la tombe, une petite bosse de terre. La tombe aussi était petite, si petite que j'avais peur qu'on ait plus de place pour la grande couronne qu'on était allés chercher.

On attendait tout au bout de la file, qui n'était pas particulièrement longue, et je me suis mis sur la pointe des pieds pour regarder au-dessus des têtes. C'était bon, notre couronne était là, plus l'air aussi grande posée sur la petite tombe. Au début, on avait voulu aller la poser nous-mêmes, mais un type du cimetière nous l'avait enlevée des mains juste avant d'entrer dans la chapelle, où étaient l'urne et la famille et les autres. Pitbull n'avait pas voulu la lâcher, « not' couronne ! il lui avait dit. Qu'est-ce tu vas en faire ? », mais je lui avais mis la main sur l'épaule et il s'était calmé, il avait abandonné la couronne et suivi le type des yeux jusqu'à ce qu'on soit à l'intérieur et qu'il faille enlever nos bonnets. On les avait mis exprès pour pouvoir les enlever.

– Tu t'rappelles, chez Walter ? m'a chuchoté Pitbull.

Devant nous, ils ont avancé de quelques pas, et ça a bouchonné.

– Tu t'rappelles, ses vieux ? Comment elle avait gueulé, sa mère…

Je lui ai remis la main sur l'épaule, et il s'est calmé. Paul était contre moi. Il avait le visage très pâle et me souriait de traviole.

– Toi d'abord, Dani.

J'ai tourné la tête vers Pitbull, qui a acquiescé. Encore deux avant moi, des inconnus. J'ai regardé au-delà du cimetière. D'ici, on voyait les champs, noir et blanc, terre et neige, d'un seul coup c'était à moi, j'ai baissé les yeux vers Mark. De chaque côté, deux types du cimetière, un avec un petit seau de pétales, l'autre avec de la terre. J'ai d'abord fait tomber les fleurs sur l'urne de Mark, la terre venait en deuxième. C'était pas trois poignées ? J'ai encore posé les yeux sur l'urne, et puis, avant de me retourner, j'ai ouvert les lèvres. Ses parents étaient à quelques mètres de la tombe avec sa petite sœur, ça faisait des années que je l'avais pas revue, j'aurais même pas su dire son nom. Elle était petiote et fine et tanguait sur ses jambes toutes minces. Mark m'avait dit qu'elle avait déjà un gosse. J'ai avancé doucement vers eux en me mordant la langue.

Face à sa mère, j'ai tendu la main, mais elle m'a pris dans ses bras en enfouissant son visage dans mon cou. Je savais pas quoi faire de mes deux mains, je les ai posées légèrement sur son dos. Je sentais son cœur, ou c'était qu'elle tremblait. Pitbull attendait juste derrière. Après, je suis allé serrer la main au père de Mark, il a retenu la mienne longtemps.

– C'est bien que tu sois venu.

– C'était évident.

Et j'ai ajouté, alors que je voulais pas : « C'était le meilleur. »

Le père de Mark a souri, mais je voyais bien que ça lui travaillait les traits. J'ai fait un signe de tête à la sœur, je lui ai tendu la main mais elle a tourné les épaules. Paul et Pitbull me suivaient toujours. En repartant sur le chemin, je les ai vus serrer la main au père en tordant leur face toute blême. Je les ai lâchés des yeux pour regarder encore une fois sa tombe. Les deux types étaient toujours plantés là avec leur petit seau, mais plus personne pour venir jeter de la terre et des fleurs dans son trou.

– Et maintenant ?

Pitbull et Paul m'avaient rejoint.

– D'abord, je leur ai fait, on dégage.

– Ouais, a acquiescé Pitbull. D'abord, on s'en grille une.

Pendant qu'on remontait l'allée entre les tombes, je me suis retourné une dernière fois, et puis encore une autre, mais je me suis pris les pieds et il a fallu que je me retienne à Paul. L'un des types du cimetière avait pris une pelle. On arrivait devant le portail.

– T'as vu ses voisins ? m'a fait Pitbull.

– Chais pas qui c'est, ses voisins.

– Nan, j'veux dire les pierres.

– Y en a un, c'était Limburger.

– Comme le frometon, a fait Paul.

La neige s'amoncelait en gros tas le long de l'allée.

– Dommage, a fait Paul, que Walter il soit pas là aussi. Comme ça il serait moins seul, tu vois. Mark, j'veux dire. Comme ça, eh ben, ils seraient…

Des vieilles arrivaient vers nous. Leurs visages étaient rouges sous leurs fichus et leurs bonnets, elles portaient des petits seaux avec des bouquets et des branches de sapin.

– Elles aussi elles seront bientôt sous terre, a fait Pitbull, et on s'est marrés tout bas.

Passés sous le grand portail, on s'est arrêtés devant la caisse de Paul. Pitbull a payé sa tournée de clopes et il a sorti une 35 cl de grains de son blouson. Après sa gorgée, il l'a passée à Paul.

– Nan. Nan, laisse. Je conduis, moi.

– Parle pas, gars. Tu bois une gorgée. À la santé de Mark !

Pitbull lui pressait la mignonnette contre la poitrine. Paul m'a regardé.

– C'est bon, bois un peu. Tu vas pas te chier dessus pour une 'tite goutte.

Alors il l'a penchée et il a descendu la moitié. J'ai dû lui arracher. Le schnaps lui dégoulinait sur le menton. Il a souri, toussé, à l'entendre il était sur le point de dégueuler. C'était mon tour. J'ai dégluti et je leur ai fait :

– À Mark.

– À Mark.

J'ai versé une gorgée dans la neige avant de rendre la mignonnette à Pitbull.

– Range, ils se ramènent.

Les parents de Mark remontaient la grande allée, tout doucement. Les autres les suivaient deux trois mètres derrière, un gars côte à côte avec la sœur, le bras autour de ses épaules, mais on aurait plutôt dit qu'il la traînait sur le côté. Il était en noir, comme presque tous les autres. Nous, on avait pas de costume, que des chemises noires achetées pour l'occasion. On était descendus en ville avec des t-shirts sous nos blousons, chez New Yorker pour les chemises (« à

New York », comme disait Pitbull), c'est eux qui faisaient les moins chères, on les avait enfilées à la caisse, direct dans le magasin. On avait laissés nos blousons ouverts malgré le froid pour que tout le monde voie les chemises noires. La mère de Mark était face à nous. On a lâché nos clopes dans la neige.

– Vous allez venir avec nous à la maison, hein ? On va boire un café et manger un bout ensemble.

Elle avait la face rouge et toute gonflée, comme si elle s'en était ramassé quelques-unes.

– C'est gentil.

– Vous étiez ses amis… Vous avez toujours été là.

J'ai hoché la tête, et le père a passé son bras autour d'elle pour l'emmener vers la voiture. Il a ouvert la portière passager et l'a poussée sur le siège.

Paul raclait ses poches en vacillant un peu. Il avait jamais bien tenu. Son trousseau lui a échappé et il l'a ramassé en essuyant la neige, pour pouvoir ouvrir la caisse. On est repartis par la route de campagne, le cimetière était hors de la ville. Paul conduisait moins bien que d'habitude, il collait trop, et à une ou deux reprises il a manqué de percuter les parents de Mark.

– Ch'préférerais on boit un truc, a fait Pitbull dans mon dos.

– T'inquiète. Après. En premier, sa daronne. Ça lui fait plaisir.

Je regardais son visage dans le rétro, les valises noires sous ses yeux. Je savais d'où elles venaient.

– On ira à la Prairie ? a fait Paul une seconde avant de piler en faisant crisser les pneus et de rétrograder en seconde.

– Fais mieux gaffe, vieux ! j'ai sursauté en lui calant la main sur le bras.

– 'scuse, Dani. C'est qu'chuis un peu down.

– Et moi alors. Pas une raison pour nous planter.

– T'inquiète. Je gère.

Ça me rappelait Rico. Lui aussi disait toujours qu'il gérait en nous emmenant voir la tombe de Walter dans une bagnole volée ou semi-légale, alors qu'en général il avait tisé ou tapé. Chaque fois je priais le ciel pour qu'on rentre chez nous vivants ou blessés légers, même si Dieu, je le connaissais pas et que je croyais pas en lui. Y avait eu une époque, Walter avait cru en Dieu, mais à la fin plus qu'un petit peu, et ça l'avait pas sauvé pour autant.

– Tu crois qu'il nous voit, là ?

Pitbull s'était avancé pour mettre sa tête tout près de la mienne.

– J'en sais rien, a fait Paul qui s'était remis à conduire comme il savait faire.

– Nan, j'ai répondu. Il est parti. Mark. Pour de bon.

– Moi, a fait Pitbull, j'veux pas qu'on me crame. Vaut mieux... tout doucement, dans la terre... T'en dis quoi, Dani ?

J'ai pas répondu, en espérant que ça lui ferait la fermer.

– Tu t'rappelles, Dani. Pour Walter. Sûr qu'il devait pas être joli, hein, et pourtant lui ils l'ont pas cramé.

– Si si, a fait Paul. Si, il a cramé, en fait.

– S'il vous plaît, je leur ai fait tout bas, fermez vos gueules, mais j'aurais voulu crier.

Toujours la face de Pitbull dans le rétro, il s'était remis au fond de son siège et regardait par la fenêtre. Quand on a longé la brasserie Leipziger, ses lèvres ont remué. J'ai baissé la vitre, on a inspiré un grand coup par le nez, une odeur de houblon et d'épices, comme du thé noir mais en carrément mieux.

On y était. On s'est garés juste derrière les parents de Mark.

– Y a pire, comme créneau, hein ? a lancé le père quand on est descendus.

– Ouais, a fait Paul. Ça passe nickel à deux.

Une autre bagnole est venue se garer sur le trottoir d'en face. La sœur, son gars et une vieille sont sortis. La mère leur a fait signe avant de se tourner vers nous.

– Ça me fait tellement plaisir que vous... les meilleurs copains de Mark. Il serait tellement content, là. Il est tellement content.

J'avais le regard derrière elle, sur les fenêtres du rez-de-chaussée, sans rideaux. La grosse Paula avait créché ici, première nana que Mark ait jamais baisée, quelques jours après son quinzième anniversaire, sauf que sa mère en savait rien. Elle s'est tournée pour donner le bras à la vieille, « allez, maman », pendant que la sœur et son gars me passaient devant.

– Allez, nous a fait le père en tenant la porte, rentrez.

On les a suivis en haut, jusqu'à la piaule de Mark.

– Je vous laisse, a fait sa mère. Pour que vous puissiez regarder encore un peu.

Elle s'est retournée sur le pas de la porte.

– Ça lui fait plaisir que vous soyez là. Je suis sûre qu'il est content… Je descends préparer le café, vous nous rejoindrez dans le salon.

Et elle est sortie en fermant derrière elle. La fenêtre donnait dans la cour. Sur le rebord, un cendrier où il restait une clope. Paul regardait les deux platines et la mixette sur la table. Juste au-dessus, des flyers de l'Eastside étaient collés au mur.

– Je croyais qu'il posait plus, a fait Paul en se penchant pour déchiffrer les flyers. Je croyais qu'il avait revendu son matos.

– Nan. Il avait dit qu'il reprendrait quand il serait clean. Parce qu'il voulait redevenir clean, un jour ou l'autre.

J'avais dit ça en hochant la tête, les yeux sur Pitbull. Il a confirmé :

– Ben ouais, il voulait réussir, c'était ça le plus important pour lui. Même qu'il me l'avait dit.

– Ils ont tout laissé en état, a fait Paul en ramassant la poussière de la table du bout des doigts. Y a rien qu'a changé. Hein, Dani ?

– Ouais. Rien.

Sauf le lit. Ils l'avaient refait en rajoutant un plaid en laine. Je me suis rapproché de la fenêtre. Près du cendar, sur le rebord, une carte d'anniversaire. Je l'ai ouverte, un petit haut-parleur a chanté happy birthday to you. J'ai refermé direct.

– Qu'est-c'était ?

– Juste une carte de mes deux. Allez, on sort.

– Attends, a fait Paul. Deux secondes. La piaule à Mark, Dani. On la reverra plus jamais.

Il est allé ouvrir l'armoire et il a reniflé un pull.

– Même ses fringues elles ont pas bougé.

– Fais-en pas trop, lui a lâché Pitbull.

– Nan mais viens voir ! a répondu Paul en lui tendant le pull. Il sent Mark ! Il a toujours senti comme ça. Vous vous rappelez l'espèce de déo zarbi qu'il mettait tout le temps.

Pitbull a soulevé une manche. Et ils étaient là, à renifler en cadence.

– C'est vrai, a fait Pitbull en soufflant bruyamment par les naseaux. Ça sent Mark ! Ouais, c'est lui !

J'ai regardé par la fenêtre. On faisait des barbeuc dans le jardin les fois où ses parents étaient en vacances. On avait fait un énorme feu de camp, mais pas avant d'être tous raides bourrés. On avait arraché masse de lattes de palissade pour le petit bois, Rico était même allé choper une hache dans l'idée de se faire le petit hangar à vélo des voisins, mais quelqu'un avait appelé les pompiers. Ils s'étaient ramenés avec les flics en renfort.

– Nan mais viens voir, Dani. Renifle un peu! Allez, qu'est-ce t'as! 'tends, mais c'est quand même… c'est tout ce qui reste de lui!

Pitbull est venu me foutre le pull sur la gueule.

– T'es devenu con? j'ai gueulé en l'empoignant par les épaules, mais je l'ai vite lâché.

Ils avaient raison, le pull sentait vraiment Mark, il avait toujours eu cette odeur, un peu de son déo zarbi, un peu d'assouplissant, un peu de cigarette, un petit peu de sueur.

– Arrêtez avec vos conneries. Chuis enrhumé, toute façon. Jartez ça.

Pitbull l'a remis dans l'armoire.

– Allez, j'ai conclu. On descend pour le café.

Paul était déjà à la porte.

– 'tendez, a fait Pitbull en m'agrippant le bras. Faut qu'on parle de ce qu'on va leur dire…

Je l'ai regardé en face, sans bouger, et il m'a lâché le bras.

– De quoi?

– Pour le matos, Dani. Tu sais bien. Qu'on a essayé de lui parler. Jusqu'au bout, on a essayé de lui parler. Tu vois, pour ses darons, si jamais ils demandent…

J'ai acquiescé. Tout près de la fenêtre, sur la petite table de chevet, deux billes de billard, la 8, et puis la 1, sa préférée, la jaune, « l'or, qu'il disait toujours, l'or qui porte bonheur ». Paul était toujours à la porte, sa main tournait la poignée machinalement.

– Le café. Allez, ils nous attendent.

– C'était moi, je leur ai fait en tapant de l'index contre le mur près de la porte. C'est moi qui lui ai parlé. Ouais. Moi qu'ai essayé, tu vois. J'ai essayé, au moins…

– Ben ouais, a fait Pitbull en me passant devant. Je sais que t'as essayé.

Et il a écarté Paul pour ouvrir lui-même.

– Bon allez, il a ajouté. Café.

La mère de Mark nous attendait dans le couloir.

– Venez un peu avec nous dans le salon.

En bas, elle nous a tenu la porte. Le père présidait déjà, un cigare à la bouche, Handelsgold, ça se sentait. Devant lui, un plein verre de schnaps. Le gars et la sœur étaient en coin, avec en face la grand-mère qui dodelinait. Je lui avais pas vu de larmes sur le visage pendant l'enterrement, peut-être que les vieux n'en ont plus tant que ça, et j'avais pas chialé non plus.

– Allez, asseyez-vous !

Le père de Mark venait de vider son verre cul sec, il pointait les chaises libres du bout de son cigare.

– Y a la place. On est au complet.

On s'est assis. J'étais à côté de la vieille, et derrière tout le parfum, elle sentait pas bon. Un bébé s'est mis à brailler quelque part dans la maison, le gars de la sœur est sorti, le bébé ne s'arrêtait plus, la vieille a bredouillé un truc, le père de Mark a acquiescé. Ensuite, la mère est venue poser un énorme pot de café sur la table, avant de ressortir.

– Vous gênez pas pour fumer, a fait le père. Allez, fumez. Aujourd'hui, y a le droit.

Pitbull a payé sa tournée.

– Il fumait beaucoup, lui. Son pacson par jour, ou un demi. Par jour. Je le sais.

Son cigare a perdu sa cendre. Il l'a époussetée proprement avant de nous faire glisser le cendrier.

– Voulez un schnaps ?

– Carrément, a fait Pitbull.

– Annkeuh ! a gueulé le père vers la porte.

Elle est revenue avec des tasses et des parts de gâteau sur une assiette, et elle a posé le plateau près du café.

– Annkeuh !

Elle était à lui caresser l'épaule, mais il gueulait toujours.

– Mais quoi ? Quoi donc ?

– 'tits verres pour les jeunes, Anke. Manque encore des verres pour les jeunes. On est au complet, que j'ai dit.

Il avait pas vraiment baissé d'un ton. On écrasait nos clopes en fixant la table.

– Mais j'y vais, elle lui a fait en sortant l'assiette et le lait du plateau, avant de répartir les tasses. J'y vais tout de suite.

Elle lui a encore caressé l'épaule en reprenant le plateau, il a levé le regard une seconde, tiré sur son cigare presque fini, recraché la fumée sur sa tasse.

– J'y serais allée, de toute façon ! Il faut bien trinquer. Hein, on va trinquer.

– Ouais, a fait le père, doucement cette fois. Il faut.

Elle est ressortie, et on l'a entendue s'activer dans la cuisine. La sœur et le gars sont revenus, elle avec le bébé, c'en était pas un vrai, presque un petit môme, peu près deux ans, il avait l'air énorme dans sa grosse grenouillère pétante, par rapport à sa petite tête à elle et à ses épaules tout étroites. Ils se sont assis. La sœur, en face de moi, à pas me regarder. Le père de Mark tapotait le bout son cigare dans le cendrier :

– Peut plus fumer, les jeunes. Le marmot.

La sœur a souri en papouillant la tête du marmot.

– Ben ouais, j'ai fait au père. Mauvais pour les gosses, la fumée et tout.

Et la sœur s'est arrêtée de sourire. Quelqu'un s'est raclé la gorge sur le pas de la porte. Une femme aux cheveux gris qui boutonnait son manteau.

– Bien. Alors, j'y vais, elle a lancé en levant une main qu'elle a tout de suite laissée retomber.

– Nan ! a gueulé le père de Mark aussi fort qu'avant. Restez là. Venez un peu boire un verre. Faut trinquer avec nous. Faut trinquer à la santé du gosse… faut que vous…

– Et puis le gâteau, a fait la mère de Mark derrière elle, revenant de la cuisine avec les verres à schnaps. J'ai pris le gâteau exprès… vous avez été si gentille… avec notre garçon.

Elle lui est passée devant pour venir disposer les verres sur la table, et lui a tiré une chaise.

– Allez. Venez donc vous asseoir.

La femme s'est exécutée lentement, défaisant ses boutons du haut en nous lançant un signe de tête. Elle s'est assise en lissant son manteau et elle a fixé ses genoux. La mère faisait un tour avec le café.

– Allez, prenez-vous du gâteau. Tout frais de la boulangerie. J'y suis allée ce matin à la première heure. Il est encore tout frais.

Elle a posé le café pour distribuer les verres à schnaps.

– … gâteau de chez Hauke. Boulangerie-pâtisserie. Vous connaissez.

Elle a mis une part sur notre assiette :

– Mangez donc. Mangez.

– Hauke, je lui ai dit en souriant. Je connais.

Avec Mark, quand on était petits, au temps de la zone, c'était là qu'on allait toujours chercher des restes de gâteaux.

– À la santé du gosse, a fait le père. Allez, une bonne fois à la santé du gosse.

Il s'était levé, avait levé le verre rempli à ras à hauteur de sa face, ça lui coulait sur la main.

– … allez. Une bonne fois.

Il tendait le bras trop loin, ça gouttait aussi sur les parts de gâteau

– … encore une fois. Pour not' gosse.

Pendant que le bébé géant tendait ses menottes vers le gâteau, la mère a pris la bouteille de Couronne d'or pour refaire un tour, nos verres étaient restés vides.

– Au moins, a fait Pitbull en appelant le taulier, c'était pas comme chez Walter. Trois aut' pintes !

Le gars a opiné et il est venu enlever nos chopes.

– … tu t'souviens comment elle avait hurlé, sa daronne.

On était posés à la Prairie, pas envie d'aller chez Goldie qui aurait gueulé qu'on lui ait pas dit pour Mark et pour l'enterrement. D'ailleurs, Mark avait toujours préféré la Prairie au rade de Goldie.

Ils avaient tout refait, les tables, le papier peint, le zinc, même le taulier. Roman était parti depuis des lustres, raison pour laquelle maintenant fallait ramener plus de monnaie. Il nous avait toujours payé tournée après tournée. Le taulier s'est ramené avec les bières. Plus vif que Roman, c'était déjà ça.

– À Mark, j'ai fait en levant ma chope.

– À Mark.

Avant de boire, on a toqué nos chopes contre la table. On avait déjà bu à sa santé au cimetière et chez ses parents, mais c'était pas encore assez. On s'était posés dans notre coin, là où on s'était toujours mis à l'époque, avec vue sur la table de billard.

– Z'auraient dû en acheter une autre, de table, je leur ai fait. Ça fait déjà une paye qu'elle est à moitié niquée.

– Mouais, a fait Paul. À l'époque, ça suffisait. Tant que tu pouvais jouer…

– Sauf que toi, lui a répondu Pitbull en tapotant la table de l'index, tu pouvais jamais. Vu qu'il fallait toujours que tu sois rentré à l'heure chez môman. T'as oublié ?

Paul gardait les yeux sur sa bière :

– C'est pas vrai. Y a des fois où j'ai joué. Des fois, ch'pouvais rester.

– Ouais, je lui ai fait. Ça t'est arrivé de jouer. Même que t'étais pas mauvais.

Pitbull s'est levé pour aller aux chiottes, et Paul en a profité pour se rapprocher de moi.

– Dani, t'as pas le droit de le taper. T'entends. Ch'te jure, c'est pas sa faute.

– Pourquoi je le taperais ? C'est mon ami.

– Dani, tu sais bien qu'il lui a toujours… le matos, Dani. Tu sais très bien.

– Dis rien, dis rien.

Je m'en suis pris une et j'ai tiré dessus en matant le billard. Pitbull revenait. Il m'a tapé sur l'épaule, toqué contre la table, et puis il a fermé sa boucle de ceinture qui pendouillait avant de se rasseoir.

– Refoule toujours autant, il a lâché en tirant les lèvres et en se frottant les narines.

– On s'fait un schnaps ?

– Carrément.

– Carrément.

– Trois p'tites graines, j'ai lancé derrière, mais le taulier s'est pas retourné.

– Quatre, a fait Pitbull. Prends-en quatre direct.

J'ai encore appelé. Le taulier a opiné.

– Pour quoi faire, quatre ?

Mais je le savais pertinemment.

– Bah, à cause de Mark. Le quatrième pour Mark, à ton avis !

– Tu vas nous le vider sur le parquet, comme au cimetière ?

– Nan, pas de ça. Mais c'est comme s'il était là, tu piges. C'est comme ça qu'on fait.

J'ai acquiescé. Le taulier nous a ramené nos schnaps, il a tiré ses traits sur le rond-de-bière, et Paul a fait glisser le quatrième verre face à la chaise vide.

– Et puis une bière ? P'têt qui voudra une bière en plus ?

– Tu crois pas qu'ça suffit, le coup du schnaps ?

– Nan, Dani. Paul il a raison. Une bière en plus, obligé. Comme avant, tu piges.

Alors, Pitbull s'est tourné vers le zinc :

– Et une aut' bière !

Le taulier a approuvé, avant de pencher une autre chope sous le robinet. Il gérait vraiment, bien plus vif que Roman. Mes yeux sont passés du comptoir à la table des habitués, les mêmes types qu'avant étaient assis autour, et ils buvaient. Je reconnaissais le Client venu de l'Est, sa longue barbe blanc-jaunâtre, celui qu'ils avaient baptisé Salomon. Pendant longtemps, il avait gardé la face imberbe, tous les jours rasé de frais, et d'un seul coup la barbe s'était pointée, ils nous ont dit que sa femme était morte.

Le taulier se ramenait avec l'autre chope. Paul l'a poussée à côté du schnaps de Mark.

– Et maintenant, a fait Pitbull, on trinque avec lui.

– Tout doux, a soufflé Paul en heurtant son petit verre à celui de Mark. Pas renverser.

Ça m'a fait marrer :

– C'est ça, ouais. Ah la la, il aurait vraiment kiffé.

J'ai trinqué avec Mark, puis avec eux.

– À la tienne, a fait Pitbull en fixant les deux verres et la chaise vide.

Au moment de m'envoyer mon schnaps, j'ai fermé les yeux. Mark, c'était le Jäger ou la petite brune qu'il préférait, et on lui avait foutu une petite graine.

– T'y as déjà été, là-haut ? a repris Pitbull en sortant une cigarette pour l'aligner avec le schnaps de Mark.

– J'y ai pas été, nan. Et maintenant, t'arrêtes ton cirque !

Là-dessus, j'ai tendu le bras pour récupérer la clope et je l'ai allumée.

– C'est pas à toi, Dani !

– J'viens de te dire, t'arrêtes ton cirque ! Ça suffit, là !

– Et pourquoi t'y vas pas. Tu flippes ?

– Nan. Mais ça changera quoi si j'y vais ?

– Moi, chuis déjà passé devant, a fait Paul en se penchant par-dessus la table, les épaules entre nous. Mais je me suis juste arrêté deux secondes. Vu qu'ils ont cloué des planches sur la porte.

– Faut passer par-derrière, a fait Pitbull. Fenêtre de la cave.

– Donc t'y as déjà été ? je lui ai fait en essayant d'attraper ses yeux, mais il m'a grillé et cligné vite fait en les tournant vers la table.

– Ouais.

– Et t'as vu un truc ? Qu'est-ça t'a apporté ?

– J'me suis posé sur les marches, Dani. Lui aussi, il était assis là. C'était chelou. Y avait un truc chelou.

– Mais t'as vu un truc ? Les flics, ils ont...

– Y avait l'odeur. L'alcool. Et aussi les taches sur les marches, là où ils ont lavé. L'alcool, Dani.

– Tu sais quoi ? a fait Paul. Y a des fois où je m'imagine, mais j'y peux rien, je m'imagine à quoi il ressemblait. Après, ch'parle. À la fin, quand ça faisait une paye qu'il était mort... J'y peux rien, des fois j'y pense, ça vient tout seul.

– Ouais, a acquiescé Pitbull. Pareil pour moi. 'tends, même que des fois, je rêve de lui. On tise, t'sais, comme avant. Même que parfois, il va me dire des trucs...

– Ça m'étonne pas trop qu'il t'en dise, je lui ai fait en reculant ma chaise. Qu'il soit en rogne après toi, j'veux dire.

– Qu'est-ce que tu racontes, Dani ? Il m'en veut même pas. Nan, il m'en veut pas. Pourquoi ? Nan, Dani, t'as pas le droit de me sortir...

– Pardon. J'ai failli oublier que t'avais essayé de lui parler. Autant pour moi. C'est vrai, tu l'as déjà dit tout à l'heure. Pardon, Stefan, j'avais oublié...

– Pitbull ! Mon nom c'est Pitbull, t'entends !

– ... c'est vrai que t'as toujours été le mieux placé pour lui parler de ça.

– C'est mort, Dani. T'as pas le droit de dire ça... Nan, t'as pas le droit !

Il s'était levé, il me brandissait l'index sous le nez, pile devant mes lèvres. J'aurais pu le mordre. Mais j'ai repoussé ma chope en lui faisant un grand sourire :

– Eh bah, tu vois. On y est.

Paul s'était levé à son tour, il tenait les épaules de Pitbull :

– Allez, mon vieux. Pose-toi. Il voulait pas dire ça. Hein, Dani ?

– Nan, Dani. T'as pas le droit de dire ça !

– Eh, mais... regardez ! a coupé Paul en retirant son bras. Matez un peu, y a le vieux qui se ramène !

Il tendait la main vers la porte, mais je restais à fixer le doigt de Pitbull toujours collé à mon visage.

– ... tu vois, Stefan. On y est.

– Le vieux ! Vous l'avez oublié, ou quoi ? Vous vous souvenez pas ?

– Laisse béton, Paul. Arrête un peu avec ton vieux.

– Mais les gars ! Mais c'est Harry…

Et il s'est rassis en baissant la voix. C'était bien Harry. Il est venu toquer contre notre table :

– Salut la compagnie ! Salut la compagnie !

La poignée du flingue était en évidence sous sa veste, il le portait coincé dans le pantalon.

– … pas de chamailleries, messieurs. On ne se chamaille pas.

Pitbull a fini par se rasseoir.

– Y a pas de malaise, Harry, il lui a fait sans me quitter des yeux.

J'ai pointé le ventre de l'autre :

– Harry. Décale ton gun, tu veux ?

– Nan. Nan, pas moyen. Faut tous qui voient. Harry l'a peur de rien.

C'était vrai, Harry n'avait peur de rien. Mais c'était aussi parce qu'il avait un grain. Ça faisait des piges qu'il se trimballait avec le flingue, pas un faux, on voyait les cartouches dans le barillet, il nous avait montré plein de fois. Avant, il venait presque tous les soirs à la Prairie, et il nous en avait payé et payé.

– Longtemps qu'vous êtes pas venus.

– Vrai, je lui ai fait. Plus depuis Roman… Et toi, alors ? Toujours dans le coin.

– Sûr. Quasi tous les jours. Six heures, par là. Comme avant. C'est mon heure, vous savez bien.

Il a fait le tour de la table pour venir se poser à la place vide.

– Tiens, tiens. On m'attendait, à ce que je vois ?

Et il s'est enquillé le schnaps de Mark.

– Tu t'fous d'ma gueule, a lâché Pitbull en claquant sa paume contre la table. Tu te fous de ma gueule, Harry ?

– Qu'est-ci t'prend, Stefan ? Ch'paye, moi. Tu m'connais, moi.

– Pitbull ! C'est Pitbull qu'il faut m'appeler !

– J'avais oublié, gamin. Mais qu'est-ci vous prend ? Et puis, ça fait longtemps qu'vous êtes pas pointés.

– T'inquiète, je lui ai fait. Tout roule, y a aucun blème.

– Faisait chier sans vous.

Il trempait les lèvres dans la bière de Mark.

– Laisse, j'ai chuchoté à Pitbull en voyant son poing se refermer. Ça changera rien.

Harry a reposé la chope et s'est calé en arrière.

– Z'allez vous pointer plus souvent, hein ? Z'êtes de retour, hein ? Et les autres, vous les ramenez aussi, les autres ?

– Ouaip, je lui ai fait. Pourquoi pas.

Même s'il avait largement soixante piges, c'était avec les jeunes qu'Harry préférait boire. Il avait rien d'un vicelard ou quoi, juste envie de boire et de papoter un peu, sauf une fois où il avait fait la fête avec des types du club des jeunes qui s'étaient ramenés avec leurs nanas, et une fois qu'ils étaient raides, Harry s'était mis à les tripoter. Il l'a toujours nié par la suite, « c'est elles qu'è-m'sont tombées dessus, il nous disait toujours. Cherchaient à chauffer le bon vieux Harry, voilà tout », mais toujours est-il qu'il a méchamment pris sur la gueule, c'est depuis qu'il trimballe le flingue. Et voilà qu'il le fout sur la table.

– Harry. Range le bazar.

– Nan. Nan, moi j'ai peur de rien. Bruno il sait que je le protège. J'ai raison, mon Bruno ?

Le taulier passait avec des verres, il a hoché la tête en souriant malgré le flingue bien en vue sur la table.

– Harry est maître de la situation.

Sur quoi il s'est pris une clope. Davidoff, comme toujours. C'était les meilleures. Il nous a fait tourner.

– On se sert. Messieurs.

Pitbull a pris dans son paquet à lui et se l'est allumée. J'ai pris deux Davidoff, une pour Paul, une pour moi.

– Ce soir, faudra que je joue. M'en voulez pas, le devoir m'appelle.

Là, il a rentré le flingue, mais le canon dépassait toujours. J'ai regardé Pitbull, la cigarette oscillait de haut en bas entre ses lèvres, il recrachait droit devant lui, par-dessus la table. Je l'ai fixé en plein dans les yeux à travers la fumée, et il a baissé le menton.

– Dis, Harry, j'ai repris. Tu sais, depuis qu'il est parti, Roman…

– Ouais ouais, l'ours de Sibérie.

Le taulier s'est ramené avec les bières et les schnaps.

– … Bruno garde le contrôle. Bruno est maître de la situation. J'ai pas raison, Bruno ?

Bruno a souri : « Yep. Ça tourne », et il est reparti vers son zinc.

– Quand y avait Roman, a soufflé Harry, c'était mieux. Sauf que, les jeunes, allez pas le répéter, mais il a pas encore fait son temps. L'ours de Sibérie, il est toujours à l'ombre.

– Hein ? j'ai chuchoté. Toujours rapport au vieux dossier ?

Il a opiné avec un clin d'œil, en levant son schnaps :

– À la santé de Roman. À l'ours de Sibérie.

– À Mark, a fait Pitbull tout bas, mais l'autre a pas grillé.

– Il sort quand ?

Harry a collé sa main à sa bouche pour réprimer une quinte, avant d'essuyer la main sur sa veste.

– 'cune idée. J'en sais rien. Toute manière c'est sa faute. Agathe, nan. Elle était bien, Agathe. Un bon brin d'femme. Il aurait pas dû aller jusque-là.

Il jouait avec la crosse du flingue en fredonnant, paisible :

« Agathe, Agathe, espèce de vieille patate… »

Agathe, ç'avait été la femme de Roman jusqu'à ce qu'il s'élance sur elle avec le couteau, raide bourré. Il n'avait touché que le bras, n'empêche qu'ils l'avaient coffré, aussi à cause du conducteur de bus qu'il avait voulu agresser quelques semaines avant, même que ça n'avait pas été loin de marcher. Roman était frappé, mais que quand il avait bu, et il buvait presque tout le temps. Il nous appelait « ses enfants », « ses chers enfants », « oh mes cherrrs enfants », qu'il disait. Il roulait les r comme un Russe, même s'il l'était pas. C'était juste qu'il avait été là-bas. Et dès qu'il parlait de la Russie, il nous ramenait des schnaps et des bières, y avait presque jamais à payer, car on était ses chers enfants.

– Visez un peu, a fait Harry près de moi. J'ai gardé ça exprès.

Il a d'abord raclé ses poches pour extirper un porte-monnaie, foutu quelques billets sur la table, puis il m'a passé un papier plié en quatre. Pitbull baissait le dos pour mater le fric, mais Harry l'avait déjà rempoché. J'ai déplié le papier : une coupure de journal sur l'affaire du conducteur. À côté du texte, la tronche de Roman. Ça l'avait rendu vachement fier à l'époque, même qu'il l'avait collé au-dessus du zinc. Nous aussi, on l'avait découpé pour le montrer à tout le monde.

– Matez ça, j'ai fait en tendant l'article en l'air. Roman, le vieux Roman !

– Connais déjà, a fait Pitbull. Déjà vu.

– Vous vous rappelez, je leur ai fait en matant le visage de Roman, la fois où il avait latté les couilles à Mark, juste pour rigoler…

– Nan, a fait Pitbull. Mark, il l'a titillé. Il avait encore ouvert sa grande gueule pour lui sortir de la merde sur les Russkofs. C'est ça qui s'est passé.

– T'as raison, je lui ai fait. S'est passé comme ça.

– Ouais, a fait Paul. Même qu'après il a pas pu jouer au billard. On s'est marrés.

– Montre un peu la tof, a fait Paul en avançant les épaules.

– Pas intérêt à me la crader, lui a fait Harry.

– Te chie pas dessus pour ta photo de merde.

Après ça, Pitbull s'en est rallumé une en crachant la fumée vers Harry. D'habitude, il l'encadrait sans problème. C'était même arrivé souvent qu'ils se posent tous les deux à boire en racontant des histoires.

– Ça se voit direct, a fait Paul en tapotant la photo, qu'il lui manque une case. Avec cette trogne. Gueule de bestiau. Gueule de loup. Rouflaquettes jusqu'aux lèvres. Dééélire !

– S'il entend ça, a remarqué Harry, il te casse le bras en deux.

– Tu parles qu'il le ferait.

Roman avait les bras aussi épais que nos cuisses, avec pleins de tatouages et de chtars. Le plus gros, c'était au milieu de la main droite, soi-disant qu'il l'avait clouée à la table avec un couteau pour en imposer à je ne sais quels Bulgares avec qui il traitait. Il nous avait raconté ça plein de fois en nous montrant la table où avait eu lieu l'affaire bulgare : une petite table ronde en bois, devant le bar, sous le porche, une encoche au milieu, près de laquelle il avait gravé 1971. Fred était resté longtemps à la fixer. À la fin, il avait plaqué sa main sur l'encoche.

– Fait chier quand vous êtes pas là. Mais z'allez vous repointer plus souvent, hein ?

– Sûr, Harry. Tu sais bien.

– Et si jamais vous voyez les autres. Vos copains. Rico et Mark et pis le p'tit… Walter, qu'il s'appelait. Si jamais vous les voyez, et pi Fred, vous les voyez encore ?

– Ben ouais. C'est nos potes.

– Voilà, eh ben, vous les saluerez bien de la part du vieux Harry !

– T'inquiète. J'y manquerai pas.

Avant de se lever, il a bu sa dernière gorgée et toqué sur la table.

– Messieurs. Le devoir m'appelle. Z'habitués.

– Prends ton temps, je lui ai fait. Ce soir, on reste. On te verra tout à l'heure.

Et il a toqué une dernière fois sur notre table avant de s'éloigner vers celle des habitués. Des fois, on s'était assis parmi eux pour boire avec Roman et les papis, pour jouer au poker d'as ou au 21 ou au skat. Pitbull :

– Bon débarras, putain. J'ai rien contre le vioque, mais il se ramène, tranquille, et il siffle la tise de Mark. Il la siffle, ce con.

– Pourquoi tu lui as pas dit, Dani ? Pour Mark.

– Parce que ça le regarde pas. T'as bien fait, Dani.

– Au fond, j'aurais pu lui dire.

Je gardais les yeux sur les verres vides face à la chaise de Mark.

– Il nous aimait tous bien, le vieux. Et Mark aussi.

Pitbull s'est levé.

– Vidange, il a fait en ricanant.

J'allais pour lui emboîter le pas, mais Paul m'a retenu :

– Attends, Dani. Reste. Fais pas ça.

– Juste pisser.

– Steuplaît, il a insisté en m'accrochant le bras. T'as pas le droit de le taper.

J'ai ramené sa main sur la table.

– Je le tape pas.

Paul a levé les yeux vers moi en ouvrant les lèvres, et je suis parti aux chiottes. Harry était à la table des habitués avec deux trois autres types, à jouer au poker d'as. Il a secoué le gobelet, les dés se sont entrechoqués, j'ai eu droit à un grand sourire et un hochement de tête. Quand j'ai ouvert la porte des chiottes, Pibull était sur le point de sortir. Lui aussi souriait, gueule écarlate.

– Ça tire sur la vessie. Hein, Dani ?

J'ai pas bronché. Il a essayé de passer, mais j'ai calé les deux mains à l'encadrement. Ça l'a fait reculer un peu.

– T'as quoi ?

Derrière, toujours le gobelet et les dés. J'ai poussé Pitbull en arrière et j'ai fermé la porte.

– T'étais pas sérieux, Dani. Pour tout à l'heure.

Petites, les chiottes, juste une pissotière et une cabine. Et ça schlinguait pareil qu'avant.

– Tu vois. On y est.

Je m'étais mis face à lui. Il a collé le dos au mur. Avant, ç'avait été un bon. Pas autant que Rico, mais quand même. Lui aussi, ç'avait été un croqueur, masse de gens avaient vraiment les jetons, mais ça commençait à faire longtemps qu'il tenait plus la forme. Là, il se frottait les narines.

– Dani. Me la joue pas comme ça. Chais que t'as rien contre. T'as rien contre une p'tite trace.

– Exact. J'en ai absolument rien à battre.

– Un p'tit coup de temps en temps, tu me connais. T'étais pas comme ça, avant. Avec Un-seul-Œuf, tu t'souviens…

Il m'a ressorti son sourire. Un-seul-Œuf, il était dans mes rêves. Je me suis avancé. Pitbull me dépassait d'un bon bout, son nez m'arrivait au front.

– Pourquoi tu fais ça, Stefan ? Pourquoi t'as fait ça ?

– Qu'est-ce que tu racontes, putain ? C'est Pitbull qu'il faut dire ! Tu veux quoi ?

Il a plaqué ses deux mains contre ma poitrine ; il reprenait du poil de la bête. J'ai trébuché en arrière. À l'époque, j'aurais valdingué dans la porte. Mais je me suis remis face à lui.

– Maintenant t'arrête, Dani. Sinon, j'me maîtrise plus ! Arrête, steupl. Me force pas !

Il avait repris du poil de la bête, et j'ai écrasé mes doigts autour de son cou.

– Pourquoi t'as fait ça ? Dis-moi que c'est pas vrai. Dis-moi que c'est pas toi qui lui as vendu !

– Steuplaît, Dani, steuplaît !

– Je sais que tu l'as fait, Stefan. Je sais que tu lui as vendu.

– Non, Dani ! Non !

Ma main bougeait un peu quand il ouvrait sa gueule, je tenais sa pomme d'Adam.

– C'était mon pote. Mon meilleur pote, Dani. Mon frère. Comme toi, Dani, comme toi. Tu le sais, merde.

– Alors pourquoi t'as fait ça ? Pourquoi tu lui as vendu ?

– T'as pas le droit de dire ça, Dani. T'as pas le droit. C'était mon pote.

J'ai arraché un bout de sopalin au distributeur, il en avait bien besoin.

– Pourquoi tu me fais ça, Dani ? Pourquoi tu me traites comme ça ?

– Tu le sais très bien.

Quand il est allé aux lavabos, j'ai continué à regarder sa face dans le miroir. Il a retroussé ses manches sur ses bras tout fins, ouais, ça faisait vraiment une paye qu'il tenait plus la forme.

– Écoute-moi. Pitbull. On va se faire un billard. Toi et moi. Partie. T'étais vraiment balèze, avant.

Il a tourné le visage vers moi. L'eau lui dégoulinait.

– T'es sérieux ?

– Ben ouais. Pourquoi pas.

– D'acc, il a fait en prenant un autre bout de sopalin. Mais que si tu me traites bien.

– T'inquiète. On est potes, quand même.

Il a souri.

– Mais avant, une p'tite trace. Juste une p'tite trace. Pour la partie, tu vois.

Il a sorti son pochon et l'a renversé pour se faire un petit tas de poudre brune sur le dos de la main.

– Mate pas comme ça, Dani. J'veux pas que tu me guettes comme ça.

Je me suis tourné en l'écoutant sniffer.

– Avance, steuplaît. Commence à préparer le jeu.

– T'as intérêt à te ramener…

– Ben, évidemment que j'me ramène. Tu veux que j'aille où ?

Ça l'a fait marrer. Ils étaient toujours au poker d'as à la table des habitués. Salomon, celui qu'on appelait le Client venu de l'Est, tenait le gobelet des deux mains et le secouait comme un shaker. Je suis allé au zinc. Derrière, le taulier notait des chiffres dans son bouquin. Le vieux était toujours à table, à secouer le gobelet. « Pour aujourd'hui ou pour demain », a gueulé un autre.

Tout au fond, dans le coin, Paul n'avait pas bougé de notre table. Je lui ai fait signe, mais il a rien vu.

– Les billes, a fait le taulier dans mon dos.

Il me tendait le plateau.

– Une heure, c'est huit.

– Ça marche.

Plateau en main, j'ai avancé vers Paul. Avant, ça coûtait six marks. Des pas suivaient derrière, sûrement Pitbull. Je suis venu poser le plateau de billes sur la table. Paul m'a regardé avec un sourire en prenant la jaune, et il l'a fait rouler en douceur sur le bois. Mais Pitbull l'a tout de suite remise sur le plateau.

– Moi et Dani. On s'fait une partie. Comme avant. Hein, Dani ?

– Ouais. Pour voir si t'as pas trop perdu.

– Fait au moins un an que j'ai pas joué. Mais ch'te prends, fastoche.

En emportant les billes vers la table, il a encore eu un éclat de rire.

– Ramène-toi, Paul. Prends une chaise, tu pourras suivre.

Sur quoi Paul a rempoché ses clopes et pris sa bière, en me disant :

– J'ai cru que tu déconnais. Que vous...

– Pourtant, tu vois. Y a rien eu. Te fais pas de mouron.

– Pas lui en vouloir, Dani. Il voulait pas. Il savait pas...

J'ai récupéré ma chope. Celle de Pitbull était vide. On l'a rejoint, déjà penché au-dessus du billard. J'ai calé ma bière sur la petite table haute près de la fenêtre. Pitbull avait fini de mettre. Il a retiré le triangle pour l'accrocher au-dessus de la grosse lampe qui éclairait le tapis.

– On passe aux choses sérieuses.

Il a sorti une queue du râtelier, je m'en suis aussi pris une et je l'ai inspectée en la faisant tourner sous la lampe. Du coup, j'en ai choisi une autre.

– Un peu voilée, la flèche.

– Fait longtemps qu'elles sont toutes plus ou moins niquées, a fait Pitbull. Les ont jamais changées.

Il a pris la blanche et l'a posée sur le point.

– Çui-là qui place il casse.

– Nan, a fait Paul. C'est pas fair-play. Une seule partie, vous avez dit !

– On verra.

– Çui-là qui place il casse, a répété Pitbull en mettant du bleu, avant de laisser le petit cube sur le rebord de la table.

– T'as pas oublié, Dani ? C'est comme ça qu'on a toujours fait.

– Vas-y, alors.

– Nan, a répété Paul. C'est pas fair-play. Pour une seule partie, c'est pas fair-play. Je lance.

Il a pêché une pièce de cinq dans sa poche.

– Dani. Pile ou face ?

– C'est mort, a fait Pitbull en laissant la queue en équilibre contre la table. Pas avec une pièce de cinq. 'tendez deux secondes, on va la jouer autrement.

Il est retourné au comptoir pour parlementer avec le taulier qui a fini par lui passer un truc. Revenant vers nous :

– Si on le fait, autant le faire bien !

Et il a posé un jeu de cartes sur le tapis, près de la blanche.

– Vas-y, Dani. Tu peux les battre encore une fois. T'iras pas croire que ch'te gruge.

– Vas-y, toi, j'ai fait à Paul.

La moitié du jeu en éventail dans chaque main, il a mélangé le tout en faisant danser le jeu de skat entre ses doigts. Ensuite, il l'a étiré comme un accordéon pour séparer en deux tas, et rebelote, trois fois, quatre fois, et puis il a posé les cartes sur la bande, tout sourire.

– Maintenant, on est bons.

– Toi d'abord.

Pitbull a dévoilé la carte du dessus.

– Valet, a fait Paul. Valet de pique.

J'ai retourné la mienne :

– Huit. Huit de cœur. C'est toi qui casses, Pitbull.

– J'ai dit quoi. C'est çui-là qui place qui casse.

– Règles de bar, a fait Paul. Toujours la même.

– Toujours, a confirmé Pitbull en écartant la blanche un chouia du point.

Il a remis un peu de bleu, et puis, épaules baissées, il a claqué la blanche vers la gauche du triangle, sous le sommet, pile entre la deuxième et la troisième bille. Presque sans viser. C'était son coup, celui qu'il sortait toujours quand c'était à lui de casser. Presque à chaque fois, il arrivait à coller une rayée dans la poche milieu gauche, et voilà le triangle qui éclate pour la énième fois, les billes roulent dans tous les coins, sauf la rayée qui va taper la grande bande droite tout en douceur et repart dans l'autre sens, vers la poche milieu gauche. Son coup, il suffisait qu'il le joue trop fort pour empocher la blanche direct au fond, dans le coin gauche, mais là, une fois encore, ça fonctionne. L'un des coups de la Prairie, un qui ne marche que quand c'est Pitbull qui place et qu'on joue avec nos règles de bar. « Rayée », il fait en tournant autour de la table pour aller viser la prochaine. La rayée est rendue pile en face de la poche fond gauche, la blanche aussi est facile, juste derrière, à quelques centimètres de la bande. Pitbull plisse un œil, fait glisser la queue d'avant en arrière entre le pouce et l'index, la bille rentre sans problème.

– Coup de mère-grand, je lui fais.

Il recule un peu pour observer la table.

– C'est ce que tu crois. Et maintenant, regarde bien. Checke ça !

Il joue la rouge plein cul, mais avec un tout petit peu d'angle, et elle vient s'arrêter au fond, pas loin de la poche du coin droit, le long de la bande.

– Chiasse. Fausse queue. T'as entendu, Dani, hein ?

– Choses qui arrivent.

Mon tour. Je scrute la table. Ma rouge pleine est près de la poche bas gauche, mais pas mal de chemin à faire avec la blanche, et les couloirs tellement serrés qu'elle ne passera pas forcément. Je fais le tour, courbé pour évaluer la place entre les billes, pose la main sur le tapis et place la queue.

– Tu te rappelles, Pitbull, votre match en dix, avec Mark ? Il t'avait mis ta misère. Huit-deux, si je me souviens bien.

Je ferme un œil en faisant courir mon regard le long de la queue, visualiser le chemin de la blanche à la rouge, et juste derrière, à la poche. La taper pleine face, mais léger.

– Sept-trois, fait Pitbull dans mon dos. Sept-trois, ça avait fait. Les fois d'après, je l'ai presque toujours battu.

La blanche passe entre les deux, vraiment tendu, elle vient taper la rouge derrière, pile là où je voulais, et l'empoche. Mais au lieu de basculer proprement, la rouge hésite un poil. Et on l'entend rouler-bouler sous le tapis. À l'époque, ça arrivait que les billes restent coincées et qu'à la fin on soit obligés de faire basculer la table pour les faire ressortir par le bac. On s'y mettait à trois tellement elle était costaud.

– Joli coup ! fait Paul.

Je fais un aller-retour à la petite table pour vider ma chope, et je crie au taulier :

– Trois bières, trois p'tites graines.

Il opine en zigzaguant entre les tables avec son plateau.

– Dépêche, Dani. Viens taper.

Avant, je m'en allume une et tire quelques taffes. Je cale la clope dans le cendrier et retourne près de la table pour mettre du bleu. Je me penche par-dessus le tapis : ma une jaune est rendue un chouia sous la poche milieu droite, assez près de la bande. Celle-là, il va falloir la jouer tout doux. Je la joue tout doux. Elle bascule en plein dedans et rebondit à travers les rails. J'annonce :

– Deux-deux.

Pitbull m'a rejoint. Il tire ses taffes.

– T'as vu, je lui fais. Là, sous la bande. Le trou de clope à Mark. Tu te souviens comment il avait gueulé, Roman ?

Mon doigt reste posé près de la petite tache noire, encore visible sur le tapis.

– Arrête, putain. Joue, au lieu de déblatérer !

Je rentre ma deux bleue, coup facile, sauf que j'ai pas fait gaffe à la blanche qui vient taper la huit en l'envoyant rouler doucement au fond, vers la poche gauche. Pitbull :

– Ça rentre pas.

Toujours le compas dans l'œil. La huit s'arrête près de la petite bande. Je fais le tour, refais le tour en sens inverse. Toutes mes pleines sont au fond, la blanche en bas près de la huit, impossible d'en jouer une directement, toutes les rayées de Pitbull me barrent la route. Je joue la blanche le long de la bande droite, bien gentiment. Elle s'arrête contre ma violette, la sept, une paye que les numéros et les couleurs m'échappent.

Tour de Pitbull. Le taulier vient poser la bière et le schnaps sur la petite table.

– Alors, ça s'passe ?

– Sûr, je lui fais.

Et je bois ma gorgée tout en surveillant Pitbull qui tourne autour de la table en hochant la tête, les épaules rentrées comme un boxeur.

– T'es smart, Dani, il me fait en passant le doigt le long de la bordure verte. N'empêche que si je gère, je chope la mienne quand même.

J'ai positionné la blanche exprès pour l'empêcher de jouer sa rouge rayée en un coup. Elle est toujours au fond, près de la poche droite, et il sera obligé de passer par la bande du bas. Coup avec rebond sur la bande, ça, Mark avait toujours aimé faire, car celui qui la gérait et rentrait la bille, c'était le plus grand. Le plus grand, c'était Pitbull : à peine la blanche roule vers la rouge que je sais déjà qu'il l'empoche.

– Oui ! il s'écrie en tapant du poing en l'air, enquille son schnaps.

La bonne humeur est revenue. Il doit même plus savoir que je l'ai agrippé par le cou aux chiottes.

– Presque au niveau de Mark.

– Arrête, Dani, j'ai toujours été meilleur que Mark. Tu le sais très bien !

– C'est quand au juste la dernière fois que t'as joué contre lui ?

– Chais pas, doit faire un an. Sûrement plus.

Il se passe la main sur la bouche et traîne des pieds vers la table. Reprend la queue, le bleu couine.

– … et c'était quand au juste la dernière fois que tu l'as vu ?

Il s'est déjà penché, la orange rayée bien en vue, sûr qu'il va aller pour la poche milieu gauche. Mais il se redresse :

– C'est quoi, ton blème, Dani ? T'avais dit que t'arrêtais avec ça.

– Ch'fais que demander.

– C'est pas fair-play ! renchérit Paul. Pitbull il doit se concentrer.

– Mais j'demande juste.

Pitbull se repenche au-dessus du tapis et fait son coup. Sans rentrer la orange.

– Ton blabla, Dani, ton blabla qui me déconcentre.

– Attends, si ça te dérange que je l'ouvre un peu, maintenant…

– C'est bon, Dani. C'est bon.

Je joue ma violette pleine ; coup médiocre, pas l'angle qu'il faut, normal sans entraînement. Pitbull re-va pour la orange rayée vers la poche milieu gauche, mais elle manque de quelques centimètres et jumpe contre le coin pour revenir en plein dans le jeu.

– J'y crois pas !

Son bras tremblait au moment de taper, j'avais bien vu. Imperceptiblement, mais ça a suffi. Après avoir descendu mon schnaps à la petite table, je retourne mettre du bleu face au billard, et demande à Pitbull :

– Et tu te souviens quand on t'a pris en train de caquer ?

– J'ai même pas caqué. Pas besoin.

– Tu l'avais foutue dedans. Avec la main. Mais Mark, il a grillé.

Je claque la violette pleine dans la poche gauche, en bas. Elle a joliment frôlé la huit. Pour moi, plus que trois billes sur le tapis. J'empoche la bleue sans réfléchir, et Pitbull me fait :

– Tu t'entraînes en scrède, avoue.

Ensuite, je joue la marron vers la poche milieu gauche, mais avec un angle trop serré, elle longe la bande et atterrit dans l'autre moitié du tapis, en bas. Pitbull joue sa verte rayée et l'amène pile devant la poche.

– Je me la garde exprès.

À mon tour, je touche juste la bande, mais j'ai du pot, la orange roule vers la poche opposée en ligne droite, bien propre.

– T'as de la moule.

– C'est le jeu.

Je bois une gorgée de bière, reste plus que ma marron, pratiquement au milieu du tapis. La blanche est toujours au fond, près de la bande, je peux essayer de taper plein cul dans la marron pour la jouer dans la poche du milieu, la gauche, celle dont elle est le plus près, sauf qu'après il faudra rentrer la noire dans la poche milieu d'en face. Et ça, c'est pas gagné : la noire est restée en bas, près de la poche gauche.

– Tu sais, Pitbull, y a une fois, je jouais avec Mark. Avant. Mais il était tellement fait, tu vois, et pas à l'alcool, hein. Eh ben, il a touché presque zéro.

Je tape bien en douceur, ma marron dépasse la poche du milieu en effleurant la huit. Mais ça passe quand même, elle tombe dans la poche et roule à l'intérieur de la table.

– Carambole sur la huit, conclut Paul. Pas mauvais, Dani.

– Au fond à droite, reprend Pitbull. Joue, Dani.

– Et devine où il est parti, après ?

– Où il est parti qui, Dani ? Vas-y mais joue !

Je gère la huit de manière à ce qu'elle remonte à partir de la poche bas gauche et atterrisse au fond, là où il faut. Elle vient taper la petite bande et recule d'un bout sur le tapis.

– Mark. Je parle de Mark. À ton avis ?

Mais j'ai pas fait assez gaffe. La blanche n'y est plus, et j'entends le roulement sous la table. J'ai dû la jouer trop fort, elle a dû partir vers la poche milieu droite après avoir tapé la huit. C'est le coup qui devrait me faire perdre, sauf qu'on la joue selon nos règles de bar.

– Chez toi, Pitbull. Chez toi qu'il est allé. Pour pécho ce qui manquait. Ton tour !

Je récupère la blanche pour la placer sur le point. Paul intervient :

– Dani ! Dani, laisse tomber, avec ça !

Mais Pitbull me fait face, bouche ouverte. Je vois son incisive fendue.

– Bah alors. Ton tour !

– Dani. Dani, arrête, maintenant !

– Qu'est-ça fait ? Puisque tout le monde a su. Sauf ses darons.

Il a empoigné la queue. J'ai la pointe de la flèche sous le menton.

– Dani. Steuplaît. J'veux juste jouer. Rien d'autre.

– Bah alors ! Bah vas-y ! Je fais que déblatérer un peu.

Il se retourne pour mettre du bleu.

– … pas comme si c'était grave. C'était comme c'était, point final.

Il rentre sa marron. Coup solide, il a tapé la blanche tellement fort qu'elle jumpe contre la marron avant de retomber en toquant sur le tapis.

– Bon coup de poignet, commente Paul. Comme ça que c'est bon.

– Sauf que tu vois, je fais à Pitbull en m'adossant au mur, y a un mois, eh ben là, t'aurais pu éviter. Tu sais de quoi je parle. Déjà qu'il allait pas bien.

Pitbull joue la orange rayée contre la grande bande, vers la poche milieu d'en face.

– Bon coup, je lui fais.

Là-dessus, il joue sa rayée sans lever les yeux. Mais on dirait qu'au lieu de viser, il a bourriné en plein dedans, elle fait des va-et-vient entre les bandes, tape la huit qui repart au fond et réussit tant bien que mal à se retrouver dans la poche milieu droite.

– Il avait été à l'hosto. Tu le savais. Tu le savais, Pitbull.

Pas moyen d'empocher la verte. À la place, il rentre la blanche et pose la queue en équilibre contre la table.

– Non. Non, Dani. Je le savais pas.

Je passe à côté de lui pour faire le tour, il va pour me mettre une main sur l'épaule, mais je ne me retourne pas. Bille en main. La huit est rendue un peu en bas des poches milieu. Pour la jouer, obligé d'envoyer la blanche au fond, contre la petite bande. Je tape la huit plein cul, mais de justesse ; elle s'éloigne à peine. Dans mon élan, je renverse la queue de Pitbull. Je lui tends :

– Allez. Dernière bille.

– Avant, faut que j'y retourne. Aux chiottes. Deux secondes.

– Non, je lui fais en appuyant la queue contre son torse. On est au bout, de toute façon.

Alors, il se penche par-dessus la table pour viser. Je vois son bras trembler. Le choc sonne aussi fort que s'il avait fait fausse queue, mais il rentre la violette quand même.

– Au fond à gauche, je lui fais. Va jusqu'au bout.

– Je savais pas, Dani. Ch'te jure. Et puis, il est venu mendier, aussi. Je savais pas qu'il se piquait, moi.

– Sa cure. Pour ça, t'as su. Même qu'on lui a écrit.

– Non, Dani. T'étais parti, à ce moment-là, tu sais bien. T'étais barré, pareil que Rico.

– Suffit avec Rico.

J'avais tué ma bière, mais pas de taulier en vue. La huit vient toucher la petite bande du fond et repart jusqu'au centre. Pitbull vient se poster à côté de moi. Il vide sa bière, et puis :

– Franchement, Dani. J'ai pas su qu'il se piquait. Ch'te jure. Sinon, j'aurais quand même pas…

– Pas quoi ?

Mes yeux se tournent vers Paul, toujours assis sur sa chaise, la tête calée au mur, l'air de pioncer.

– … tu sais bien, Dani, tu sais…

On mate le tapis. La blanche est rendue un poil au-dessus de la petite bande du bas. Il suffit que je chope la noire avec l'angle qu'il faut et je rafle la partie.

– Pourquoi, Stefan. Pourquoi t'as fait ça ?

– Franchement, Dani, arrête. Il en aurait pécho autre part, tu le sais très bien. Il aurait pécho ailleurs.

– Ouais. Peut-être.

Je me rapproche de la table avec la queue.

– Et n'toute façon, me lance Pitbull derrière, personne peut dire si c'est ça qui l'a fait partir… Si c'est la mienne. Personne peut dire combien il a pompé à la fin. T'entends, Dani ?

Je plisse les yeux sur le tapis, déjà pas mal d'accrocs à certains endroits, masse de taches aussi, mais les billes continuent à rouler pépère.

– Trois bières, trois schnaps !

C'est Pitbull. Le bleu est tombé sous la table. En me penchant, je repère un peu de monnaie. Mais trop chaud à remonter avec la main. J'essaie de racler avec la queue.

– Mais qu'est-ce que tu fous, bordel ?

Les jambes de Paul passent de l'autre côté de la table. Les pièces finissent par sortir, une de un plus trois sous, j'aligne le tout sur le rebord.

– Voilà. Pot commun.

Je remets du bleu, me penche par-dessus le tapis. Le bois coulisse mal entre mes doigts, obligé d'essuyer la main sur le fute. Juste au moment de viser, j'entends le taulier passer dans mon dos :

– Alors, ça tourne ?

– Sûr, je lui fais en me redressant. Tourne bien.

J'attends qu'il ait remplacé nos vides par des pleines et qu'il reparte vers le zinc avec son plateau pour claquer la huit en plein dans la poche fond gauche, tout en haut. Et je retourne au râtelier sans plus faire gaffe à Paul ni à Pitbull.

– … Dani. C'était mon trou. Fausse queue, là. Y a eu fausse queue.

En même temps, il écrase son mégot et boit un gorgeon de bière.

– C'est ton jeu, Pitbull. Mais t'aurais pas dû faire ça. Pour Mark.

– Dani, mais qu'est-ce que… mais pourquoi tu me la fais comme ça ?

– Rentre chez toi, Stefan, je réponds en me mettant face à lui.

– Attends, Dani, mais c'est… et ma reubié, elle devient quoi ? Et mon schnaps…

– Rentre chez toi. Casse-toi, c'est tout.

Paul s'intercale :

– Écoute, Dani. Laisse-le. Franchement, laisse-le…

Mais je l'écarte :

– T'as pas compris, Pitbull ? Ch'te demande de t'arracher.

C'était la dernière.

Il a la bouche ouverte et je mate son incisive fendue.

– Dani, mais pourquoi… ma bière, Dani. Mon…

Je lui verse le schnaps sur la chemise.

– Non, Dani, non.

Paul s'est mis à me tirer en arrière, mais je le repousse encore. Pitbull s'adosse au mur à reculons. J'ai peur qu'il se mette à chialer.

– T'oublieras pas ton blouson.

Paul est toujours collé à moi. Il ouvre les lèvres :

– Daniel.

Pitbull retourne à notre table, toujours à reculons, son blouson est resté sur un dossier.

– C'est pas moi qui l'ai crevé, il dit dans un murmure.

Et là, il trébuche contre une chaise et se retourne, j'ai les yeux sur son dos, sa chemise noire. Il renfile son blouson.

– Nan, je lui fais tout aussi bas, c'était pas toi.

Mais il ne peut plus l'entendre, il est déjà rendu près de la porte. Paul lève la main et la laisse retomber. Pitbull ouvre la porte, nous regarde une dernière fois, et sort. Je regarde la porte se refermer en douceur.

Ça jetait toujours les dés à la table des habitués. Ils faisaient sonner le gobelet en se poilant. Je m'en suis allumé une et j'ai tendu le paquet à Paul. Il remuait la tête. En sortant les billes de la table pour les remettre sur le plateau, j'ai vu qu'il en manquait une. Avant, dans d'autres rades de la ville, on s'en allait parfois avec des billes, en souvenir. Mais y avait qu'avec les tables automatiques que les serveurs ne captaient pas d'emblée. On ramenait les billes dans nos piaules, Pitbull en gardait même une dans sa cave. J'ai refait un tour pour vérifier les poches. La bille manquante était dans la milieu droite, sûrement la violette rayée que Pitbull avait rentrée en dernier. Mais j'arrivais qu'à la frôler des doigts. J'ai balourdé la blanche le plus fort possible à l'intérieur et elles ont dégringolé toutes les deux à travers les rails. Je les ai récupérées dans le bac pour les ranger avec le reste.

– Eh, j'ai fait à Paul par-dessus mon épaule en retournant vers le zinc. Commence à ramener nos bières sur la table, tu veux.

Il a approuvé.

«C'est moi que j'gagne! braillait Harry depuis la table des habitués en me faisant des coucous. Chance vous m'avez porté, messieurs!»

Le voyant shaker le gobelet des deux mains tout près de sa tête, j'ai acquiescé avec un sourire. Le taulier était derrière son robinet, à remplir une chope. J'ai posé le plateau sur le zinc.

– Les billes.

– Vous vous rentrez déjà?

– On prend deux Jäger en plus, et on règle.

– Billard, ensemble ou séparé?

– C'est pour moi.

Il a sorti la bouteille verte du petit frigo, rempli deux verres à ras :

– Tu peux les embarquer direct, hein.

– Sûr.

J'ai rejoint Paul en douceur, un dans chaque main.

– J'vous fais la note dans cinq minutes! a lancé le taulier dans mon dos. Ça roule?

– D'acc.

Le Jäger a laissé quelques gouttes froides sur ma main gauche.

On était dehors, devant le bar. Il faisait noir depuis longtemps.

– Là ! m'a fait Paul. Taxi !

– Laisse. Pour cent mètres.

– T'as raison.

On a remonté la rue tranquillement jusqu'au pont du chemin de fer, le long des jardins. Il neigeait un peu. Quand j'ai levé la tête pour chercher le Chariot, je me suis pris des flocons dans les yeux, je les ai essuyés avec ma manche. Paul m'a passé une cigarette qui grillait déjà, et je me suis retourné une dernière fois. Entre les branches des arbres, les lumières du rade. La Prairie était en bordure de la ville, pas loin du Bosquet de l'Est, à peine quelques mètres du panneau de sortie. Avant, quand on rentrait chez nous, ça nous arrivait de défoncer les palissades à coups de pied. Une fois, Rico en avait escaladé une pour nous jeter des chaises en plastique. Pitbull s'en était gardé deux pour sa cave, une troisième avait atterri sur le balcon des parents de Mark. Les flics passaient presque jamais dans le coin.

La rue était déserte. J'ai traversé.

– Oh, Dani. Mais attends !

Paul restait planté sur le trottoir.

– … c'est tout droit, qu'on va.

Au même moment, un train est passé sur le pont. Train de marchandises, pas de phares.

– Raccourci ! j'ai été obligé de lui crier à travers le boucan des roues.

J'ai bifurqué dans la petite rue sombre qui longeait le terre-plein et qui du coup s'appelait rue du Terre-Plein.

– Alors, tu t'ramènes !

Il m'a rejoint en courant, mais je n'entendais que l'écho de ses pas.

– Mais c'est quoi, ton raccourci ? Il fait noir comme un cul, on voit que dalle !

Pas de bâtiments dans les parages, seulement des potagers, et la plupart des lampadaires étaient éclatés. Une bagnole venait à notre rencontre.

– Eh, mais fais gaffe, clodo !

Le type roulait quasiment sur le trottoir, son rétro m'a caressé le bras.

– Qu'est-ce que j'disais, Dani.

– On passait tout le temps par là, avant.

– Tu m'étonnes, m'a fait Paul en toquant à une palissade. Parce qu'ici, ils pouvaient pas nous entendre, et encore moins nous voir.

Les deux rottweilers aboyaient. Ils aboyaient dès que quelqu'un passait, ça faisait des années, ils devaient être ancestraux. Ils créchaient dans un jardin perché sur une petite colline près des rails, personne savait à qui ils étaient. Plusieurs fois, on avait vu une voiture stationnée devant avec des types qui faisaient des allers-retours en traînant on savait pas trop quoi, sûrement des croquettes ou de l'or ou de la came. Au quartier, ça racontait des tas d'histoires sur les deux clebs et le trésor du jardin.

– Enculés de toutous, a lâché Paul. Tu te souviens quand Pitbull il a voulu les libérer ?

J'avais les pleins phares d'un mec dans les yeux.

– Coupe tes feux de route, vieux clodo.

– Au fait, Dani… pour Pitbull.

– Nan, Paul.

Au coin suivant, on a aperçu l'enseigne lumineuse verte et blanche de Loto Sarl.

– Je sais où tu veux qu'on aille. Mais moi j'veux pas, Dani. Nan.

– Arrête, je lui ai fait en me marrant. Rien à craindre. J'entre pas là-dedans. Pas l'intention de me faire la cagnotte.

– Non. Ça, je sais.

Les nuits où on rentrait de la Prairie, on s'imaginait toujours qu'ils stockaient leurs millions là-dedans, dans les grands coffres-forts de la cave de Loto Sarl.

– Je sais où tu veux aller, Dani. Mais moi, je rentre pas. J'en peux plus, là. J'ai eu ma dose, aujourd'hui.

– Personne t'oblige à rentrer. Mais moi, je dois lui… Je suis obligé, tu comprends.

– Sûr, Dani. S'ils arrachent ou qu'un gars emménage, ça ferme, plus jamais tu peux aller voir. Mais moi, faut pas m'en vouloir, Dani. Ce soir, ch'peux pas.

Il a pris un bon coup d'air et s'en est allumé une.

– Tu sais, Paul. En plus, j'ai des fleurs.

– Des fleurs ? T'es sérieux ?

– Carrément. T'as qu'à voir.

Je me suis arrêté pour tirer le petit vase en bois avec les fleurs en plastique que je gardais dans ma poche intérieure, je venais de les récupérer à la Prairie, sur la grande table familiale, au moment de régler. De toute façon, la table restait libre en permanence.

On a laissé Loto Sarl derrière nous, puis on a remonté la rue de l'Est vers la villa nazie. C'était une maison individuelle, déserte depuis des lustres, sûrement rapport à l'emplacement, à deux pas des rails. Pendant un temps, les nazis s'étaient retrouvés ici pour s'arsouiller, mais quand on avait pris possession des lieux, y avait plus que leurs croix gammées et leurs slogans aux murs.

Devant la villa, un petit mur jonché d'éclats de verre, mais ça faisait longtemps qu'ils étaient émoussés. On a stoppé devant le portail.

– Écoute, Dani. Si tu veux, j'viens quand même.

– Personne t'oblige, Paul. Je comprends.

– Alors, je préfère rester là. Mais je fais le guet.

– Tu peux rentrer chez toi. Pas obligé d'attendre.

– Non. J'attends. Tu me connais, hein.

Je lui ai tapé sur l'épaule. Ensuite, les deux mains agrippées en haut du portail, j'ai calé les pieds contre le métal et je me suis hissé à califourchon ; une seconde après, je sautais de l'autre côté. Un petit chemin menait à la porte, mais je l'ai quitté pour faire le tour, « par-derrière, avait bien dit Pitbull, fenêtre de la cave ». Là, je me suis arrêté pour guetter. Un truc craquait dans les buissons. On voyait pas mal de chats dans le coin. L'une des lucarnes de la cave avait perdu sa vitre. Je me suis accroupi pour introduire mes pieds tout en me retenant au cadre, et j'ai lâché prise juste au moment où je sentais le pic de verre me chatouiller la main. J'y étais. J'ai allumé mon feu pile devant une porte mais aussi une araignée noire posée sur le mur d'à côté. J'ai jailli. « Maudite bestiole ! » Même en criant, d'un seul coup, ma voix était très basse et étouffée.

Dans le coin, un matelas, et quelqu'un dessus. J'ai sorti mon cran d'arrêt, un déclic et la lame trique. « Salut ? » Je tenais le briquet à bout de bras, les doigts chauffaient. Sur le matelas, juste un sac de couchage et des bouts de couverture. « Putain, j'ai soufflé, Mark. » Rempochant le couteau, j'ai filé un coup de pied au matelas, peut-être qu'il avait pioncé là, peut-être que le bordel appartenait à un autre clodo. La main à l'intérieur du blouson, j'ai sorti le petit vase avec les fleurs en plastique et je me suis engouffré à travers la porte, vers l'escalier qui donnait au rez-de-chaussée. Arrivé là, j'ai fait une pause pour m'en allumer une. J'ai éteint le briquet, histoire qu'il refroidisse un peu, et je me suis assis sur une marche, les yeux vers le couloir. Dans les pièces, derrière les portes entrebâillées, un peu de lumière tombait par les carreaux. Au-dessus de moi, le plafond était penché, sûrement l'escalier qui menait à l'étage, Mark était mort sur les marches. Un carré de lumière jaune se découpait sur le sol de la pièce juste à côté. J'ai allumé une nouvelle cigarette avec la braise de l'autre, et puis j'ai ramassé les fleurs et avancé le long du couloir, vers l'escalier, lentement. À travers une fenêtre, le petit mur et la rue. Des phares ont glissé sur le papier peint avant de redisparaître.

Au bout de quelques marches, je me suis adossé à la rampe. Il était assis là, sur une marche ou sur l'autre, le torse contre les genoux, le bras encore sanglé, les mains reposant l'une dans l'autre, comme pour prier. Les flics l'avaient raconté à sa mère qui me l'avait dit au téléphone. Il s'était fait avoir sur l'escalier, il était resté assis, simplement, et après, son buste s'était affaissé vers l'avant, et la dernière chose qu'il avait vue, c'était cet escalier de malheur. Il était resté assis comme ça longtemps, deux trois jours, sa mère voulait pas me dire. Après, un clodo l'avait trouvé. Il a appelé les flics, coup de fil anonyme, sûrement que ce fumier a même dépouillé Mark, car ils n'avaient rien trouvé sur lui, ni fric, ni papiers, ni cigarettes, ni drogue. Juste la seringue vide sur la marche d'en dessous, il avait quand même réussi à se la sortir. Apparemment, il avait pas envie de crever la pompe dans le bras. Je me suis assis. J'ai laissé tomber le mégot dans l'escalier, et je m'en suis rallumé une. « Pourquoi t'es pas monté là-haut, sur le toit ? » Il aurait suffi qu'il grimpe la petite échelle, elle menait au grenier, arrivé là, il aurait ouvert une lucarne… Bien des nuits d'été, on s'était allongés sur le toit et on avait bu. Mark nous montrait toujours le Chariot, et s'il était monté sur le toit pour crever – s'il s'en doutait ? –, il l'aurait vu, son Chariot, et peut-être qu'à ce moment-là, il aurait pas crevé.

Je me suis levé en rallumant le briquet et j'ai continué à monter. Pitbull avait parlé d'une tache, mais j'en voyais aucune, plus d'odeur d'alcool non plus. Mais là, quelque chose. Je me suis baissé, quelqu'un avait gravé un truc dans le bois. « Stefan war hier. » J'ai passé la main sur les lettres. J'ai déposé mes fleurs à côté, je les ai poussées un peu pour pas qu'elles cachent le nom. Et puis, j'ai gravé un grand D près des fleurs. Après, je suis redescendu lentement. J'ai ouvert une fenêtre du rez-de-chaussée. Une croix gammée était dessinée sur le mur, et en dessous, RR, les Radicaux de Reudnitz. Le bras étendu le long du battant, j'ai regardé la nuit. J'ai grimpé sur le rebord et j'ai sauté pour retourner au portail.

– Dani ? C'est toi ?

– Ouais, j'ai répondu à Paul en escaladant le portail.

– Alors ? il a demandé quand on s'est retrouvés face-à-face.

– Quoi, alors ?

– Tu sais, Dani. Moi aussi, j'veux y aller. Peut-être même dès demain, tu vois. Mais pas en pleine nuit.

J'ai hoché la tête. On a regardé une dernière fois les fenêtres noires, et on est rentrés chez nous.

LE CHARIOT

C'était la dernière fois que j'allais réviser chez elle, et il faisait presque noir quand je suis sorti de l'immeuble en claquant la porte et puis en balançant un bon coup de pied dedans, histoire qu'elle puisse entendre jusque là-haut. Comme j'étais un peu crevé, je marchais en gardant les yeux fixés sur la route. Partout, des merdes de chien, on les calculait mal dans la pénombre. C'était la rue la plus encrottée de toute la ville, chaque clampin qui vivait dans le coin avaient un clebs, ou parfois deux. J'avais révisé toute la journée pour le gros DS de chimie. La chimie, je détestais, et je détestais la fille avec qui je révisais. Les seins écrasés sur la table, elle m'expliquait les formules et tout le tintouin en me dévorant des yeux par-dessus ses lunettes en écaille. C'était la seule fille qui m'aimait, et elle m'aimait d'amour. Mais elle était pas belle, vraiment pas, et j'aurais préféré qu'on puisse réviser dans le noir, en braille. Mon pote Mark m'attendait au coin de la rue.

– Salut, Dani.

– 'lut.

Nos deux bras droits ont pris leur élan. D'abord, on a fait claquer nos paumes, puis on s'est serré la main gauche par-dessous. Mark a tendu son poing, j'ai checké, on s'est marrés.

– Ramène-toi, Dani. J'vais choper deux trois binouzes à la station. J'ai un peu de monnaie, là, il a ajouté en me tendant un billet de vingt sous le nez.

– Chais pas. J'voulais rentrer, moi…

– Oh la la, ça peut pas attendre ? Et dis-donc, qu'est-ce que tu trimballes ?

Il a mis un petit coup de pied dans le sac plastique que je tenais serré contre ma jambe, avec tout le bordel de cours, et entre les manuels et les cahiers, un peu de sel, le sel des larmes de l'autre.

La tête appuyée à ses formules et ses exos, elle avait chialé à fond, jusqu'à faire couler l'écriture, tout ça parce que juste avant de repartir de chez elle je lui avais dit que ça marcherait pas entre nous, jamais, et que je retournerais jamais réviser chez elle si elle arrêtait pas d'avoir le béguin pour moi (trop les jetons qu'un pote finisse par l'apprendre). « Mais tu es mon rebelle ! » qu'elle m'avait crié du haut de l'escalier.

– OK, j'ai fait à Mark en garant le sac. Une bière ou deux, mais en vitesse.

– T'inquiète.

Et on est repartis vers la station. Il tanguait déjà un peu.

On était allongés sur le toit de l'entrepôt, dans la ZI qui s'étendait juste derrière la station-service. Mark avait aussi acheté des clopes, des Golden American 25, et j'essayais de ne pas tousser. Ça faisait seulement quelques mois que je fumais pour de vrai, avant je joufflotais tout le temps, mais les autres m'avaient grillé et s'étaient foutus de moi. Je lui lançais des coups d'œil envieux, il se calait clope après clope en balançant des crachats d'expert entre les dents de devant, le toit était déjà recouvert. Mark avait commencé la cigarette à quatorze ans.

Je regardais les immeubles sombres de notre quartier, la lumière bleue qui vacillait derrière certaines fenêtres. Ma mère était là, quelque part. À attendre, si ça se trouvait.

– Regarde. Le Chariot.

Couché près de moi, il montrait les étoiles du bout de sa cigarette.

– Mortel, je lui ai fait en pichenettant la mienne par-dessus le toit.

Posée en équilibre sur le rebord, elle hésitait, et j'ai eu le temps de regarder le petit point rouge.

– Tu sais ce que c'est, son autre nom ?

– Nan. De qui ?

En même temps, je caressais le revêtement du toit qui gardait la chaleur de la journée. La petite Estrellita était allongée là, à la place de Mark, et on – nan, pas de cochonneries, ça ce serait pour après, dans ma piaule – on était allongés côte à côte, sans rien faire, et nos pieds se touchaient.

– Eh bah, la Grande Ourse. Moi j'kiffe. Une vraie ourse. Une ourse, quoi, une ourse mastoc avec sa fourrure noire. Comme celle de la grosse Paula !

– Pas si grosse que ça. Sauf là où il faut.

– Quoi ? Attends, alors toi aussi, tu l'as… Vas-y, raconte !

– Rien de spécial.

La grosse Paula, elle habitait dans le même immeuble que Mark, au rez-de-chaussée, et certaines nuits, quand on descendait l'escalier, elle laissait sa porte un poil entrouverte. Une fois, je l'avais tringlée. Les yeux fermés, en tâchant de penser à Estrellita. Mais Paula était vraiment trop grosse ; allongée sous moi, elle grognait comme un bonhomme, et vu que chacune de ses respirations me faisait faire l'ascenseur, j'avais pas besoin de m'occuper de grand-chose.

J'ai ouvert ma deuxième canette en faisant dégringoler l'autre du toit.

– Mais allez, quoi ! Mate un peu, Dani. Regarde les deux bouts, là. Les quatre étoiles, elles ressemblent vraiment à une voulve. Ça fait un V, V comme voulve, ça crève les yeux !

– C'est pas plutôt la vulve ?

– Ah la la, Monsieur-je-chie-tout. C'est pas la question. Ils t'apprennent que dalle dans ton vieux lycée ? C'est rempli de chattes, là-haut ! L'imagination, Dani, tout vient de là !

– Lâche-moi. C'est juste que je plane un peu.

Et j'ai repris une gorgée de bière en caressant le revêtement. Il m'a posé la main sur l'épaule :

– Je sais, Dani. T'es encore reparti avec ta petite salope. Putain, mon gars, mais oublie-la !

– C'est ma Petite Étoile. C'est pas une salope, pigé !

– Merde, Dani, merde ! Elle est tarée, demande à n'importe qui. Y a que toi qu'elle laisse pas toucher. Elle est en train de te faire la nique !

J'ai encore bu une gorgée, j'ai même vidé la moitié de la canette pour éviter de répondre. Il avait raison, elle me faisait la nique, je pensais à elle partout, même à la maison, sur le trône, et aussi dans mes rêves. Mais elle ne me désirait pas comme moi je la désirais, « chuis pas assez bien pour toi, Dani. Toi, t'es trop bon, t'es trop gentil. T'es comme mon frère, Dani ». Des fois, je me prenais à penser que tout le merdier dans lequel je me mettais avec les autres, c'était un peu à cause d'elle, parce qu'il fallait bien que ça ressorte d'une manière ou d'une autre. Et quand je lui parlais des nuits vertes, enfin, les fois où elle était pas de la partie, elle me disait : «Dani. Mon pauvre petit bâtard.»

– Elle a tout d'une chienne, m'a fait Mark en s'en ouvrant une autre avec un pschitt. Oublie-la, ta petite chienne. Elle finira toujours par t'abandonner. Peut-être même que tu te feras mordre.

– Parle pas d'elle comme ça, toi ! j'ai répliqué en lui plantant l'index dans la joue, mais il s'est contenté de tourner la tête, hilare. Nan, Mark. Je t'interdis de parler comme ça !

Il continuait à se marrer :

– Tranquille, Dani, tranquille.

Je l'ai regardé tenir la canette bien haut et se laisser couler la bière dans le gosier. Quand j'ai voulu faire pareil, la moitié m'a dégouliné sur le menton et le pull. Et là, au moment où je me passais la manche sur le visage, une sirène a hurlé. Les flics qui traversaient la nuit.

– T'entends, Dani. C'est notre chanson.

Là-dessus, il a écrabouillé sa canette et l'a lancée par-dessus le toit. Je l'ai entendue atterrir en douceur.

– Au fait, Dani, tu sais (ça a encore pschitté, alors je m'en suis aussi repris une, bien obligé de tenir le rythme). Pour ton nouveau bahut, j'veux dire. Tu sais, j'ai vraiment flippé que tu te mettes à nous regarder de haut, Dani. Que t'oublies…

– D'où tu me sors ça ! Tu sais très bien que c'est juste pour ma daronne… c'est que à cause d'elle que j'ai bougé là-haut !

(«Va au bout de quelque chose, pour une fois, m'avait répété ma mère encore et encore. Je te le demande. Fais ce qu'il faut !» Et je lui avais promis, parce qu'elle avait dû rembourser les vitres du bus que j'avais fracassées en étant raide.)

– Tu sais, Dani. Tes trouducs, là. Tes fayots, tes gros fayots, ils te bourrent tellement le mou que t'en oublies tes racines. Nan, franchement, j'ai flippé. Parce que, Dani, t'es l'un des nôtres. T'es avec nous.

La sirène continuait à chialer quelque part dans le quartier, quelque part dans le secteur est de Leipzig.

– Notre chanson, Dani.

Je hochais la tête, mais il a pas pu voir : il levait encore sa bière qui glougloutait en arrivant dans sa gorge. J'ai pris une gorgée, encore une autre, et puis j'ai regardé le Chariot, tout là-haut. La lune était pas loin, avec un bout qui manquait d'un côté, pas tout à fait ronde. Fallait aussi avouer que le bout de la remorque avait un peu l'air d'une vulve. Mais bon, ça restait un triangle irrégulier.

Mark et sa Grande Vulve. Moi, j'en étais au point où j'apercevais la petite constellation d'Estrellita, tout là-haut, même si celle-là, c'était dans mes rêves que je l'avais découverte.

– Paye ta clope, Mark.

Il s'en est coincé deux dans la bouche, les a allumées et m'en a glissé une entre les lèvres. On a fumé en regardant les étoiles.

– Un clebs ! a crié Mark d'un seul coup. Chiasse. T'entends le clebs qui s'ramène !

J'ai bondi en renversant ma canette, elle a roulé le long du toit, pas de blague, un chien aboyait pas loin, dans le périmètre à tous les coups, et ça se rapprochait.

– Les v'là ! V'là les vigiles !

– Arrête de t'exciter ! je lui ai soufflé. Tu vas nous foutre dans la mouise pour de vrai !

– On fait quoi, Dani ? À tous les coups ils nous ont déjà grillés !

– Go ! On descend du toit ! On repasse par l'arbre, on saute et on se taille !

– Nan, Dani ! Nan, ça va pas le faire. Si on redescend par là, le clebs il nous chope ! Chuis sûr qui l'ont détaché ! Nan, Dani, trouve autre chose !

Mark avait la trouille des chiens, vraiment une méchante trouille, à cause d'un rottweiler qui lui avait croqué la jambe et puis le cul chez Böhland, spécialiste du matériel recyclable. Parce qu'une nuit, au temps de la zone, on y était allés pour taper des bouteilles et de la paperasse qu'on voulait refourguer à la consigne le lendemain. Les cicatrices, il les avait toujours, et à l'époque, sa jambe et son cul n'avaient pas été loin de pourrir, étant donné qu'il pouvait raconter ça à personne et qu'il avait traité les plaies lui-même à coups de schnaps et d'essence à briquet.

– Bouge ! On prend la lucarne !

Mais je restais bloqué, à guetter le faisceau d'une lampe torche dans la cour toute noire de l'entrepôt. Le chien l'avait bouclée. On ne respirait plus. Ensuite, j'ai repéré un deuxième faisceau qui croisait le premier, et le chien s'y est remis.

– Vas-y, bouge ! a encore soufflé Mark dans mon dos avant de se mettre à ramper vers le haut du toit pour rejoindre la lucarne.

– Ch'parie qu'elle s'ouvre de l'intérieur, je lui ai chuchoté, car j'avais moyennement envie de tenter le coup.

Jusque-là, y avait seulement violation de domicile, s'ils nous coffraient on écopait de quelques heures, max. Sauf que je m'en doutais, non, je le savais, je savais qu'une fois en bas, à l'intérieur de l'entrepôt, on allait faire de la merde. Le chien aboyait sa race, à se dire qu'ils étaient deux, mais ça tenait peut-être à l'écho de la cour. Mark avait déjà atteint la lucarne, il tirait dessus en trafiquant la poignée. Et puis :

– C'est bon, je l'ai ouvert ! J'ai ouvert le bordel de mes deux ! Le verrou, z'avaient pas bien refermé, ces bouffons !

Après avoir rabattu la porte vitrée bien prudemment, il a passé une main à l'intérieur du carré sombre.

– N'échelle, Dani.

En dessous de nous, juste quelques aboiements. J'ai plissé les yeux vers la lucarne. Maintenant, j'avais l'impression qu'un truc absolument fantastique nous attendait à l'intérieur. Plus que la tête de Mark qui dépassait de l'ouverture.

– Mark, attends. Faut que tu me promettes, là…

– De quoi ?

– Eh ben, si on descend là-dedans pour de vrai…

Mais sa tête avait disparu. Sa voix m'arrivait tout étouffée :

– La vache, Dani ! C'est pareil qu'aux Moulins, tu vois le délire ?

Ouais, je me suis dit, aux Moulins, là où cette raclure d'agent de quartier nous l'avait justement mise bien profond. C'était là-haut qu'on se retrouvait, dans les immeubles et les usines, avant qu'ils soient soufflés. Avec Mark, Walter, Paul, Pitbull qui s'appelait encore Stefan, et puis Rico, enfin, les fois où il était de retour.

J'ai scruté la cour. Les chiens avaient fini d'aboyer, les cônes des lampes torches avait disparu. On aurait pu se casser en redescendant par l'arbre, facile, mais j'ai rien dit. Le crâne de Mark a émergé :

– Le sac, Dani. Les reubié.

– Merde !

J'ai rampé dans l'autre sens pour atteindre le bord du toit.

– Allez, grouille !

– Ça va, ça va ! j'ai râlé en chopant le sac et en me remettant sur mes jambes.

– T'es con ou quoi ? Couche-toi, tu veux qu'ils te grillent !

– Restranquille, j'ai articulé bien fort, en sentant mon cœur palpiter jusqu'à la pointe de ma langue. Y a personne.

– T'es malade.

Et il a encore disparu sous la lucarne. Je l'ai suivi par l'ouverture en me retenant au toit et j'ai rabattu la petite fenêtre. Dernier coup d'œil au ciel étoilé. Mais le Chariot s'était barré avec la lune. Et ensuite, le noir complet. Pendant que j'étais à chercher mon feu dans mes poches, j'ai entendu un bruit suspect juste en dessous. Quelque chose a dérapé, l'échelle en fer a vibré, y a eu un bon gros choc tout en bas, et puis plus rien. J'ai sondé l'obscurité. D'abord, que dalle, et puis le crâne de Mark noyé dans une flaque de sang, encore rattaché au reste, mais le corps complètement de traviole, surtout les bras et les jambes.

– Et merde ! C'est pas vrai, la misère !

– Mark ! T'es blessé ? Fais pas de connerie !

Il gémissait dans le noir. J'ai pêché mon briquet-tempête chouré deux semaines avant sur le stand de bric-à-brac des Niaques devant la halle. J'ai fait tourner la roulette, étincelles, la mèche crame, la flamme monte peu à peu. L'échelle s'arrêtait un poil plus bas. En dessous, plusieurs mètres de vide. Pile sous la lucarne et l'échelle, un van Volkswagen blanc. Mark gisait sur le toit. Il a suffi qu'il remue la jambe pour que je sache qu'il avait rien. C'était un dur à cuire, Mark, les toubibs le félicitaient pour la dureté de ses os. Une fois, des types l'avaient si bien amoché avec leurs matraques qu'on aurait dit qu'une deuxième gueule était en train de lui pousser du côté gauche. Après, il nous avait montré la fiche d'hospitalisation : « Risque fracture base du crâne, os maxillaire, zygomatiques, nasal », sauf qu'en fait, à part les contusions et les enflures, il avait rien, tout le reste du corps était indemne, à part une dent de devant qui manquait, mais du coup, il crachait trop bien à travers. On était allés le voir à l'hosto, sur son lit blanc carrément trop grand, et quand j'avais essayé de prendre une photo de lui avec sa deuxième tête, il m'avait viré l'appareil des mains pour l'éclater contre le mur en beuglant (pas grave pour l'appareil, on l'avait tapé cet été-là chez Karstadt). Les boulons et les ressorts avaient volé dans la pièce pendant que les autres patients clopinaient vite fait dehors. « Plus jamais. Je veux plus jamais voir comment ils m'ont niqué, ces pisseux ! » (Par la suite, on avait réussi à en coincer un. Du moins, Mark prétendait qu'il était dans le lot. Il lui a vaporisé une demi-bouteille de lacrymo dans la face, le gars pouvait plus s'arrêter de chialer.)

– La vache, Dani! Quelle chiasse!

Agenouillé sur le toit du van, il se palpait les membres.

– Rien de cassé. Tout marche comme d'hab. Eh, Dani, tu te rappelles, ceux avec les matraques…

– Tu parles, je lui ai fait en palpant ma pommette gauche.

Mark s'était relevé, il se tenait bien droit. Il a extirpé son briquet-tempête perso, celui que je lui avais offert deux semaines avant. J'en avais chouré trois, le dernier pour Rico.

– Eh bah, tu vois! Au moins, maintenant, ch'peux en faire quelque chose!

Mark, c'était un mec à allumettes. Il avait entendu dire que le feu d'un type du quartier lui avait explosé dans la main et que ça lui avait coûté trois doigts. Sauf que les nôtres, ils pouvaient pas péter. Construction différente, avec mini-éponge dedans qui absorbe l'essence. Ça changeait rien au fait que Mark se servait presque jamais de mon briquet, vu que, comme il disait : «Bête de truc. Faut en prendre soin.»

– Bon, il a repris en tendant son feu vers le haut. Et maintenant, tu te démerdes pour atterrir ici.

– Chut! Attends, ferme-la!

– Y a quoi? Y a quoi?

– Ta gueule!

On l'a bouclée tous les deux. Ni pas, ni voix, ni woufs. C'était bon.

– Vas-y, je lui ai fait. D'abord, réceptionne le sac!

– 'tends, 'tends!

Il a calé le briquet allumé à ses pieds, sur le toit du van. J'ai lâché le sac, il l'a rattrapé de travers et les canettes ont rebondi sur son crâne, sur le toit, par terre. Et le briquet s'est éteint.

– Tu peux pas faire gaffe! il m'a gueulé. Pourquoi tu fais jamais ce qu'il faut?

– C'est ça, ouais! C'est toi, même pas foutu d'attraper un sac, imbécile!

J'ai descendu les barreaux en douceur, jusqu'à ce que mes jambes pédalent dans le vide au-dessus de sa tête.

– Allez, encore un poil. Pose ta semelle sur ma main!

Je restais pendu au dernier barreau.

– Oh nan, t'as marché dans la merde !

– T'as qu'à prendre l'autre pied !

Et, je me suis retrouvé perché à côté de lui sur le toit du minibus. J'ai rallumé mon feu. On était là, bras tendus, à balader nos briquets-tempête un peu partout, mais toujours pas moyen de distinguer les merveilles censées nous cerner.

– D'abord, une reubié.

On s'est laissé glisser le long du pare-brise jusqu'au capot, puis sur la terre ferme. Les flammes de nos briquets traînaient une petite fumerolle. Chacun a ramassé une canette. La mienne avait pris un choc, ça moussait.

– Nasdrovia.

On les a tapées.

– Aboule une clope.

On recrachait la fumée avec un petit souffle, technique qui passait bien avec les gonzesses, même si là, y en avait pas.

– OK, a fait Mark. Faut qu'on trouve une vraie lumière.

– Minute. On regarde d'abord si y a une fenêtre. Faudrait pas qui nous grillent.

– T'as raison.

Y en avait pas. Impossible d'apercevoir les lueurs de la nuit, nulle part, aucune vitre qui reflétait nos feux. On commençait à distinguer les étagères, elles couvraient les murs presque en entier, jusqu'au plafond. Et des tonnes de cartons. Dans un coin, des établis sombres avec tout un bordel par-dessus, et puis, juste à côté, la grande porte en fer, celle qu'on voyait de l'extérieur.

– Et comment on va faire pour sortir ?

– Pas de blème, mon gars. On va trouver. Doit forcément y avoir une autre porte à enfoncer, tu vois !

Il est retourné vers le van, garé au beau milieu du hangar.

– Jamais tu trouveras un interrupteur. Mais t'inquiète, j'ai un autre moyen.

Il s'est accroupi pour remonter la jambe de son pantalon. Un élastique retenait un tournevis autour de sa chaussette, dans un petit étui en cuir.

– Et maintenant, ouvre bien tes yeux, Dani. Si t'as envie d'apprendre un truc.

Il a glissé le tournevis tout doucement dans la serrure de la portière, « toujours au feeling », et s'est mis à le remuer bien gentiment.

Je savais qu'il cartonnait pas. Il était peut-être moins nul que moi, mais je l'aurais jamais avoué, et Dieu sait que j'étais loin d'être aussi mordu de bagnoles que les autres. Ni excellent pilote, d'ailleurs. Toutes les fois où Fred me laissait le volant, la caisse me tombait des mains à chaque intersection. J'ai emporté un tas de rétros, même qu'une fois, j'ai tamponné une caisse et il a fallu prendre la poudre d'escampette. Mais les flics nous retrouvaient jamais. « Tu conduis comme une bouse, m'avait sorti Fred, mais t'as le cul bordé de nouilles. »

– Enculée de porte !

Non, en braquage de bagnoles, Mark cartonnait vraiment pas. Il était encore en apprentissage chez Fred & Cie, période d'essai, mais il aimait bien jouer à l'expert.

– Pompe à merde. Chais pas pourquoi, mais la saloperie de bidule bloque.

Non, il gérait pas son affaire. Encore faire appel à la violence, mais bon, fallait ce qu'il fallait. Y avait pas longtemps, un type m'avait montré comment fracturer une Wartburg avec une sorte de coup de pied karaté, en claquant le talon à un endroit très précis, juste au-dessus de la portière conducteur. J'ai retiré mon blouson pour me l'enrouler autour du poing droit. J'ai écarté Mark, briquet allumé debout sur le sol. J'ai pris mon élan avec une pensée pour Ange, lui qui avait été sur le point de me démolir y a quelques jours de ça, et mon poing s'est écrasé sur la vitre en laissant de vagues fêlures. Rebelote, aussi fort que possible, c'était bon, plus de vitre, juste quelques pics de verre collés au cadre.

– Chier, Dani. C'était ma tire, putain…

Avant de passer la main à travers la portière, j'ai renfilé mon blouson qui lâchait de petits éclats. Les pics s'enfonçaient dans le tissu.

– Allez. On commence par l'éclairage.

Je me suis retourné, mais plus de Mark. Son feu se baladait vers les étagères, au fond. J'ai grimpé dans la caisse pour mettre les feux de position, je me suis installé bien confortablement. Même en m'efforçant de faire refluer le sang ailleurs, ça chauffait au niveau de la tête. J'ai porté la main au front. Une clope derrière l'oreille. Je me souvenais pas l'avoir calée là, ce qui m'a pas empêché de la griller. Paupières closes, je soufflais la fumée contre le pare-brise, avec une pensée pour le Mage Niaque. Depuis qu'il m'avait ensorcelé, j'arrêtais pas de dénicher des clopes dès que j'étais à court. De toute façon, y avait quelque chose qui clochait dans mon rapport aux Niaques depuis qu'on avait commencé, moi et les autres, à taper toutes sortes de camelote sur leur stand, devant la halle. On avait aussi entendu dire qu'au Pré vert, ils avaient tranché quatre doigts à un type avec une épée de samouraï. Il lui restait que le pouce. Parce qu'il avait essayé de leur piquer deux trois cartouches. Mais au fond, les Niaques, je les aimais quand même un peu ; ils faisaient le paquet à deux cinquante ! Et leurs gonzesses ! Avec leurs tout petits corps sublimes. En plus, quelqu'un m'avait dit : « Tu sais que ça s'achète, la porcelaine noiche. C'est cinquante pièce », parfois, je commençais à mettre de côté, mais rien à faire, je grignotais toujours l'argent, bière, schnaps, billard, plus les jumelles que je m'étais payées. Mais sûrement que ç'aurait été craignos de se payer une femme, ensuite elles m'auraient fait pitié, petites qu'elles étaient…

Ça pète. Des grêlons me criblent la gueule. Non, des éclats de verre. Mark grimaçait un sourire à travers la deuxième vitre tout juste éclatée. Il a jeté la pierre plus loin. « Un partout. » Ouvrant la portière pour se caler à l'avant, il a posé deux nouvelles canettes sur le tableau de bord, s'est allumé une clope. J'ai chiquenaudé la mienne par la fenêtre.

– D'où tu sors ta tige ? Je croyais que t'en avais pas à toi.

– Je t'ai raconté pour le Mage Niaque ?

– Oh nan, tu vas pas recommencer ton délire ! C'est des histoires bonnes pour ton lycée pourri ! T'as juste oublié combien il t'en restait dans ton paquet.

– Nan !

– Rien à battre, Dani ! Allez, viens, j'ai déjà fait un tour du proprio pendant que tu ronflais !

– Même pas ronflé ! Attends. D'abord, prends le temps de boire. Tu sais, à tous les coups, ils nous ont entendus, les clebs. Tu savais qu'ils entendent cinq fois mieux que nous… cinq fois plus fort, tu vois le délire ?

– Fayot !

À travers le pare-brise, les deux faisceaux des phares sur la grande porte.

– Allez, ramène-toi.

Après avoir écrasé nos mégots sur le pare-brise et jeté nos canettes à travers ce qui restait des vitres, on est sortis en balançant les portes. Des petits éclats ont encore volé à mes pieds.

– Je t'explique. Y a pratiquement que de la camelote.

On se rapprochait des étagères. Des tiroirs avec masse d'outils, des pots de peinture en masse aussi, blanc industriel. On a commencé à fouiller, les bras jusqu'à l'aisselle dans les rayonnages, en envoyant valdinguer tout le fourbi par terre.

– Pas impossible, j'ai remarqué, qu'ils aient foutu les trucs de valeur tout en haut. Faudrait une échelle !

– Putain de Dieu, pourquoi ça doit toujours être aussi compliqué. Toujours des échelles à escalader, bordel. Chiasse, gars, j'en vois nulle part !

– On s'en tape. Qu'est-ci peut bien y avoir, toute façon, à part leurs outils à la con ? Même pas d'électronique.

– Sale temps…

C'est là que j'ai repéré les grands cartons sous l'étagère d'en face.

– Eh, mate un peu les toncars ! Tout un tas !

Je l'ai devancé pour aller tirer le carton du milieu, ce qui a fait s'effondrer la pile entière. Ça a dégringolé sur Mark qui s'était accroupi un peu plus loin pour en déchirer un.

– Dani ! Ch'pète les plombs ! Un écran, un vrai écran d'ordi !

Il l'a brandi au-dessus de sa tête comme un trophée avant de le ramener au sol délicatement pour se pencher sur les autres cartons.

– C'est nous les plus grands ! On s'les traîne tous chez nous. On va les refourguer comme des petits pains ! Dans ton bahut, Dani. Sûr qu'ils kiffent ces trucs-là, tes gogols !

J'allais pour me poser sur un carton, mais il s'est mis à me secouer le bras :

– Merde, Dani ! Mais fais gaffe, quoi, t'assois pas dessus. C'est hypersensible, ces conneries ! Pose pas ton cul partout, mets-toi un peu debout ! Participe, mon gars. Dehors, go, allez, on les trimballe tous dehors !

– Vas-y mais calme ta joie !

Je me suis quand même levé.

– Franchement, Dani, si t'as les jetons ou quoi, ch'peux aussi gérer seul tout !

– Wopopop, tu me la joues comment ? j'ai fait en lui lattant l'épaule. Jamais j'ai les jetons, et tu le sais très bien !

Je me suis penché pour caresser le verre bombé. Tout froid. Mark était à compter les cartons.

– Treize. Y en a treize. Attends, mais fais le compte deux secondes, ça va chercher dans les cinquante balles, cent balles, si ça s'fait ! Pour tes Mention-très-con, Dani.

– C'est pas *mes* Mention-très-con.

Je repensais au DS de chimie du lendemain. Et merde, le sac à révision que j'avais laissé sur le toit ! Fallait pas rigoler avec les cours, les partiels arrivaient, j'avais juré à ma mère de pas être recalé, au moins pour cette fois. Mais tout recommençait déjà à partir en vrille. Envie de pisser, je me suis éloigné vers un coin sombre.

– Oh, tu vas où ?

– Pisser un bol.

– 'tends !

Il m'a emboîté le pas pour se foutre quelques mètres plus loin, face aux étagères. J'ai entendu le ruisseau.

– Pisse pas si fort, je lui ai fait en découvrant que j'arrosais une petite porte.

C'était dans des moments comme ça que je croyais en Dieu, sur qui le petit Walter m'avait raconté tellement de trucs. J'adorais enfoncer les portes. Y avait pas si longtemps, on s'en était fait quelques centaines dans un immeuble du Pré vert qu'ils allaient raser.

– Hep, Mark ! J'ai trouvé notre sortie.

– T'es sérieux ?

Il s'est approché en rebraguettant.

– Voyez-vous ça. En plus, t'as préparé le terrain !

Il pointait la flaque qui scintillait dans le noir.

– Plus qu'à enfoncer.

J'ai donné du poing contre la porte. En métal.

– T'as essayé la poignée, au moins ?

J'ai essayé dans le vent.

– Ça serait quand même fendard que tu nous la fasses comme dans les films, hein. Tu l'éclates, et elle était déjà ouverte !

– Et comment on fait pour sortir tous les toncars, à ton avis ? Deux dans chaque main ? Ouais, ça me paraît faisable.

– Arrête, Dani. Nique pas tout comme ça. Tous, Dani, t'entends ? Tous ! Tout le bordel ! Et si tu flippes…

J'ai fait marche arrière pour prendre un peu d'élan et balancer le pied droit aussi sec que possible, mais la porte n'a pas bougé d'un poil, alors j'ai réitéré avec l'épaule. Rien à faire, plus dure que moi. J'y suis encore retourné...

– Attends, Dani, mais attends deux secondes ! Y avait une pince-monseigneur sur l'étagère, chais plus où !

– Si t'insistes. Je me la serais faite. Et tranquille.

– 'videmment Dani. Ch'te crois.

On s'est mis en quête de la pince. Même qu'on en a déniché deux, comme si les proprios nous les avaient gardées bien au chaud. On s'est accroupis devant les cartons pour entamer notre dernière bière. Mark m'a encore payé une clope.

– Nan, suffit qu'on s'en prenne chacun deux. Ça fera trois voyages, je reviendrai choper la dernière.

– Et tu comptes les foutre...

– Cave à Pitbull, par exemple.

– Nan, pas à cette heure. Pour que son vieux grogne.

– La gare, Dani. L'ancienne gare à marchandises...

– Chais pas...

– Mais carrément, mon gars ! En plus, c'est à deux pas, et qui ira fouiner ? En bas ! Dans la cave à tonneaux !

Il a soulevé un écran pour caresser le verre bombé et l'a hissé au-dessus de sa tête. Il l'a lâché d'un coup.

– Attends, quel délire ?

Même si ça n'avait pas fait de bruit, l'écran était craquelé et la coque plastique avait un pète en haut.

– Ils ont pas le droit ! Ils veulent rigoler !

– Mais qu'est-ce que t'as ?

– Mate un peu ça ! Mate ce que les enfoirés ont écrit dessus. Ils nous mentent ! Ils se payent notre gueule !

– Mais quoi, Mark ? Marqué quoi ?

– Regarde, ch'te dis ! Regarde le truc... les sales crevards !

Il a mis deux coups de pompe contre la coque. J'ai remarqué le sticker blanc avec un gros D rouge, et sous le D, en petites lettres : « défectueux. juil. 92. »

– Imagine c'est faux ?

– Merde, Dani. Arrête un peu. Pourquoi ils se feraient chier à l'écrire ?

– Et si c'est juste celui-là qu'est mort ? T'as… on en aurait encore douze.

– Tu crois ?

Il s'est baissé pour s'attaquer à tous les cartons, l'un après l'autre, pendant que je le toisais en buvant ma bière. À quoi bon retrousser mes manches, il les dépeçait comme une vilaine bestiole.

– Que dalle ! Chiasse ! Défecte, niqués, tous dans le fion, à la race ! Mais à quoi ça sert de me faire miroiter ça, tête de mort ? C'était évident qu'ils étaient tous niqués ! Fallait pas rêver… Défecte, défecte, défecte ! il continuait à gueuler en balourdant les moniteurs contre les étagères et l'autre mur. Les crevards !

Le vacarme était monstre, plus de doutes qu'ils viendraient nous chercher, ici même ou dehors, et autant commencer à évaluer la casse. Rendre kapoutt des écrans déjà kapoutt : est-ce qu'on est sur de la dégradation de biens ? Mark avait fini d'inspecter le dernier carton mais continuait à fouiller le tas de bordel, à genoux, en baragouinant. Son paquet n'était pas loin, j'en ai allumé deux, une que j'ai coincée dans sa bouche. Il a coulissé sur le côté, dos contre la porte.

– C'est là que j'ai seup.

Il s'est décalé contre l'étagère, un truc a basculé.

– Même pas vrai ! il s'est écrié en brandissant une bouteille. Le trip ! Couronne d'or !

Au moment où il se la collait aux lèvres, je lui ai emprunté pour enquiller direct. On est retournés dans la bagnole. Il l'a court-jutée, petite marche arrière en mettant la radio. Nostalgie Leipzig, « vos plus beaux tubes, à toute heure du jour et de la nuit ! » On buvait. « Et c'est reparti avec la soirée sixties de Mister Mario, a fait le mec. Que vous traversiez la nuit ou que vous restiez dans votre lit douillet… »

– Vieille pédale, a fait Mark.

« Sur les coups d'une heure du matin… »

– Tant mieux pour toi, a fait Mark avec un coup de klaxon. File mes clopes.

Je les ai sorties du tableau de bord.

– Et maintenant, ouvre tes yeux. J'ai une petite surprise. Ça devait être pour ce week-end. Pour ma gueule, tu vois. Mais on va se la faire ici et maintenant. C'est tellement cool, Dani. La nuit, et tout. Hein !

Il s'est mis à fouiller son paquet en faisant tomber quelques clopes. Je les ai cherchées à tâtons.

– J'voulais garder ça pour le week-end, t'sais. Que pour ma gueule, tu vois. Mais bon... Et voilà, mon pote ! Vise un peu !

J'ai levé la tête pour caler les clopes sur le tableau de bord. Ça me tournait. Il tenait un truc entre le pouce et l'index, dur de bien voir, j'ai tendu la tête vers sa main. C'était bel et bien une pilule. Ce petit mangeur de chiure. Même que j'arrivais à voir le dessin en relief, un truc qui avait l'allure d'une... petite étoile. Il m'a grimacé, en reprenant :

– On fait moite-moite, Dani. Elle vient de Karsten. Quinze boules. Prix d'ami.

Je me suis calé en arrière en prenant une gorgée, j'ai hoché la tête.

– Karsten. Tu m'étonnes.

Karsten, il avait qu'un an de plus, mais ça lui arrivait de dealer un peu. Son grand frère était videur à l'Apple, Karsten approvisionnait les gens que son frangin laissait entrer en bonne santé.

«Nase pété peut pu sniffer», disait Karsten à son frangin les fois où y avait embrouille à la porte ou dans la boîte. On y était souvent, à l'Apple, c'était dans le quartier d'à côté, et le son était correct. De la tech qui envoyait bien. Un gonze chantait à la radio, ça sonnait comme du Elvis, «why do fools fall in love». Dans les boîtes illégales de Connewitz, la techno était plus puissante et plus dure, mais les gonzesses de l'Apple sortaient moins couvertes, même en hiver. On connaissait Karsten et son frangin, on était les plus grands...

– T'es sérieux, Mark ? Franchement ?

Non, impossible que ce soit Elvis, le gonze sonnait comme si la bande déconnait. «Why... oh oh, oh oh oh, why do they fall in love...»

– À donf.

Il m'allongeait la pilule tellement près du nez que j'avais peur de l'aspirer par la narine.

– Une moitié chacun, Dani. En frères. Ça va être le kif intégral.

J'ai acquiescé.

– Attends, Mark, mais t'as déjà...

– Chuis plus un puceau, Dani.

Il tirait les lèvres en faisant rouler la pilule entre le pouce et l'index.

– Et toi ?

– Bah évidemment.

J'ai encore acquiescé en m'envoyant une rasade.

– Plusieurs fois, même. Rien de spécial.

– Les couleurs, Dani. Les couleurs, tu sais, elles…

– C'est ça. Les couleurs.

Mark tirait les lèvres, sa poitrine tanguait.

– Aboule, je lui ai fait. Que je nous la casse en deux. Pas envie que tu la perdes, vu comment tu trembles des paluches.

– Moi, trembler des paluches ? Tu parles.

Il me l'a quand même filée. Il l'a déposée en plein milieu de ma paume ouverte.

– En frères de sang. Deux moitiés bien propres.

– Attends, je lui ai fait en refermant le poing dessus. D'abord, on s'en refume une. Monter la sauce, tu piges !

– T'as vraiment de ces idées.

Il a transféré les clopes du tableau à son paquet, en a allumé deux. Deux filtres.

– Autre sens, j'ai expliqué.

Il s'est fendu et les a lancées par la vitre avant de recommencer l'opération. Il fumait vite, presque aussi vite et avide que les taulologues posés devant la halle, dont les tatouages bleu noir remontaient jusqu'à la gueule. Même en fumant et en s'enfilant des bières, ils n'arrivaient pas à trouver la paix.

– Ayé, Dani ! Plus de clope, on est partis !

Et il l'a balancée par la vitre en se trémoussant sur son siège.

– Restranquille, gars. Je fume encore.

Je sentais la pilule dans mon poing. Il aurait suffi que je serre un peu plus fort pour qu'on soit obligés de la sniffer sous forme de poudre blanche. J'ai jeté ma clope en buvant une gorgée de schnaps :

– Tu sais quoi ? Ce soir, ça va pas le faire.

Nouvelle gorgée.

– Qu'est-ce qui se passe, Dani ? Qu'est-ce tu me fais ?

J'ai tendu la pilule. Mark hurlait. Elle est restée une seconde dans mon champ de vision avant de disparaître au fond de l'entrepôt. Au même moment, le poing de Mark est venu s'écraser sur mon appuie-tête. Rico m'avait tout dit sur la boxe, et aussi montré quelques trucs. Mark a donné un autre coup dans le vide et j'ai eu sa poitrine sur les genoux.

– Salopard ! T'es mort !

Je tenais son crâne bien serré.

– Sale merdeux ! Crevure ! T'as niqué ma pilule, Dani !
Pourquoi ?

Il recommençait à vouloir m'atteindre, mais je le tenais bien.

– Mais putain, Mark. Mais t'es mon pote…

– Pote de mes deux, ouais ! Faux frère !

Il m'a touché à l'épaule, mais sa force lâchait.

– Quinze boules, arschlor !

Je sentais sa voix à travers ma poitrine, jusque dans les côtes.

– Lâche-moi !

– Mark. Hé. Arrête-toi un peu. J'voulais pas qu'on les gobe…

– Eh ben t'as gagné, gros con !

– Parce que là, on est trop faits. Tu vois bien.

– Parle pour toi, arschlor.

– Elle va nous percher, t'as pas compris. Nous latter. Avec le
schnaps en plus, vieux. Nan, j'ai pas envie. Pour le fric, tu le reverras
demain !

– Va le taper à ta mère !

– Écoute. Je t'en prendrai une autre. Sûr de sûr. Juré. Ça
marche ? Et celle-là, on se la fera bien tranquilles, tu vois. Que nous
deux. En rave, ou bien chez moi, sur le toit. Mais ce soir, ça le fait
pas… désolé.

– Sur le toit ? Sans déc ?

Je l'ai lâché, il a ramené son cul sur son siège.

– Carrément. Chez moi. Sur le toit. Y a personne qui y a été.
Même pas Rico.

Je lui ai tendu la bouteille :

– Allez, on s'en jette encore un avant de déguerpir.

Il a sorti la main pour taper dedans, mais même pas besoin de la
garer, il faisait juste mine.

– D'accord. Mais que si c'est sur le toit… avec une pilule…

– Mais bien sûr, mon gars ! Si ch'te le dis.

– Quand même, Dani. Ça se faisait pas.

– Écoute, Mark. En plus, tu le connais, l'autre. Le pote à Pitbull.
Le Berlinois, là. Celui qui est déjà à sniffer de l'héro.

– Eh ben, c'est son blème.

– Ouais, mais Mark, c'est ça qui me fait peur. Faut vraiment
jamais…

– T'es con ou quoi ? Moi, de la H.

Il a chopé la bouteille en s'essuyant la gueule avec sa manche.

La caisse slalome à travers l'entrepôt. Une étagère bascule. Plus de pare-brise. Mario nous envoie ses meilleurs tubes. Tous les gonzes sonnent comme Elvis. On klaxonne. Je pisse par la vitre pendant que la caisse fait des boucles. Quelqu'un à la porte. Mark gueule : « Vingt-deux ! » Les voilà. Du verre dans nos cheveux.

P'TIT PILOTE

PREMIER VIRAGE

Quand ça s'est passé, on était tout près. Avec Mark et Rico, on était au Champi, on tisait. Je ne sais pas pourquoi on s'était décidés pour le Champi, cette nuit-là. Même si la binouze était pas chère, on y allait pas souvent. En général, on bougeait au Gazon, ou alors chez Goldie, aux Tractoristes, mais peut-être que cette nuit-là on avait eu une sorte de pressentiment, faut dire qu'on revenait de la cave de Pitbull où on s'était déjà mis bien, et parfois, dans l'ivresse, tu vois la vérité tout entière étalée juste devant, et parfois même un minuscule morceau d'avenir, sauf que si on avait vu ce qui allait se passer, sûr que Walter on l'aurait cherché partout dans le quartier et partout dans la ville, et si on l'avait trouvé, on l'aurait cadenassé dans la cave de Pitbull, même si Pitbull ça lui aurait pas trop plu, c'était quand même là qu'il créchait. Ou alors on aurait emmené Walter au commissariat du secteur sud-est en priant les flics de le menotter au radiateur, avec le 8, pour lui c'était pas nouveau, il aurait appuyé sa tête au mur et peut-être pioncé un peu.

Mais on se doutait de rien, on voyait rien, Mark, Rico et moi, on était au Champi, on tisait. Paul devait venir, mais il arrivait pas, sûrement qu'il s'était encore pris la tête avec sa mère. Pitbull aussi s'était pris la tête avec sa mère, elle lui était tombée dessus avec une bouteille parce qu'on s'était enquillés en faisant un brin pas possible, et à l'heure actuelle il se reposait, allongé dans sa cave.

– Ça, nous a fait Rico, je capte pas. Elle a un blème, la daronne à Paul. Veut tout contrôler. Faut toujours tout qu'elle dicte. Quand il peut sortir, quand il rentre. Qu'elle le laisse en paix. Elle a qu'à se trouver un nouveau gars.

– Tu la prendrais, toi ? lui a fait Mark. Juste comme ça, j'veux dire. Pour kène…

– Arrête ton délire, je lui ai fait. Quand même, c'est sa mère !

– L'est pas piquée des vers, Dani. Même pas quarante piges. Peu sèche, p'têt, mais justement, elle a besoin d'un minot pour lui redonner un peu de jus, tu suis ? Elle est pour. Comment elle me balance l'hameçon, à chaque fois…

– Franchement, Mark. Ferme-la un peu avec sa mère !

Et il a fini par se la fermer, par mater la porte sans dire un mot, vu qu'elle venait d'être balancée grande ouverte et que Paul était là. On a levé nos verres pour trinquer à sa santé, et c'est seulement à cet instant qu'on a vu qu'un truc ne collait pas. Il tanguait en se tenant à l'encadrement, la face aussi blanche qu'une balle de foot neuve pétante. Il a soufflé :

– Walter. Walter…

Et peut-être qu'à ce moment-là, on s'est douté de quelque chose, car on a posé nos verres tous en même temps, comme au ralenti, et après on était sur nos jambes, à courir vers lui, vers la porte, sans un mot.

– Hé ! a crié le taulier derrière son zinc. Où z'allez comme ça ?

On n'y buvait pas souvent, au Champi, alors il se méfiait. Rico a froissé un billet de vingt et l'a largué sur une table libre. Pas grand-chose à voir, au Champi.

– Walter… a répété Paul en vacillant de gauche à droite dans l'encadrement, mais je le tenais.

– Il a quoi, Walter ?

Paul m'a tiré dehors en m'empoignant les épaules à me faire mal. Il s'est mis à me secouer.

– Il a quoi, Walter ?

– Plus là. Mort, Dani.

Rico m'a poussé sur le côté pour venir le soulever par le col en faisant se toucher leurs gueules.

– Va pas raconter une merde pareille. T'as entendu ? Joue pas, garçon, joue pas.

– Nan, joue pas… a susurré Paul en levant son bras, qui tremblait, pour le tendre vers la Place de Prague, celle qu'on appelait le Tapin tchèque parce que les filles du quartier, les solitaires, se retrouvaient là, sur la petite pelouse face au carrefour, pour traîner leurs guêtres en aguichant chaque bonhomme qui passait, c'est qu'elles en avaient marre d'être toutes seules, mais ça changeait pas que dans l'ensemble elles étaient trop grasses ou trop sèches ou ratées d'un autre point de vue. Et là, près du carrefour, trois, quatre cents mètres devant, on a vu le halo du feu. Je me suis mis à courir.

– Dani ! gueulait Rico dans mon dos. Dani, attends !

Mais j'attendais pas, je courais vers la Place de Prague, vers le Tapin tchèque, sauf que là, pas de filles sur leurs bancs à nous croiser leurs jambes trop sèches ou trop grasses, une voiture brûlait là-haut, contre un arbre. J'ai accéléré, j'y étais presque, je voyais le peuple debout sur le trottoir et en pleine rue. Très loin, le pin-pon des sirènes. Les vertes, les blanches, les rouges.

– Walter ! je criais, Walter, sors de là !

Sauf que le petit Walter était déjà sorti, couché à quatre-cinq mètres de la bagnole, et les flammes ne pouvaient plus rien lui faire. J'ai couru à lui, quelle chaleur là où il reposait, et je l'ai traîné un plus loin de la caisse en feu. Je me suis agenouillé près de lui, j'ai crié, jeté la tête en arrière en levant les yeux dans le ciel, pas d'étoiles, car son visage était tout noir, plein de sang, il n'avait plus de cheveux. Ses fringues étaient en lambeaux, le sang, je ne voulais pas le voir, ce chien de sang, et puis je me suis penché vers lui pour glisser ma main sous son crâne. Là, le petit Walter a bougé, il a bougé sa tête dans le creux de ma main, juste un tout petit peu. Je cherchais ses yeux, où étaient ses yeux ? mais l'un s'était ouvert, du bleu dans sa face noire.

– Walter. Putain, Walter…

Il a bougé les lèvres, et là, tout en douceur, j'ai collé mon oreille à sa bouche.

Deuxième virage

Quand ça s'est passé, on était tout près. Avec Mark et Rico, on était au Champi, on tisait. On jouait au trente et un, c'était pour Mark, il était nul au skat, mais au trente et un il raflait presque chaque tour.

– C'est qu'un sale jeu de hasard, a fait Rico.

– Savoir-faire, a fait Mark en abattant ses trente et demi sur la table.

Nouveau tour dans sa poche. On attendait Paul, à tous les coups sa mère l'avait encore enfermé. Elle avait su pour les quelques semaines à Zeithain que Pitbull avait écopé après avoir fait je ne sais quelle merde, et depuis, Paul aussi était pour ainsi dire en détention, mais sûr que ça le chagrinait pas trop, avec toutes les gonzesses qui lui tenaient compagnie dans ses mags et ses films.

– Chuis à court d'allumettes, a fait Rico en lâchant ses cartes. Plus un rond.

– Tu veux les miennes ?

– Nan, Dani, laisse. J'ai déjà trop perdu. Pas besoin de dettes.

– Moi qui croyais que t'étais un bête de joueur, lui a fait Mark en comptant ses allumettes. Qu'en cage t'étais champion du monde.

– Ferme un peu ta gueule !

Rico a plaqué sa main sur le tas de Mark en faisant crépiter les allumettes dans son poing.

– Oh, tu fais quoi ? C'était deux reubié !

– T'y auras droit. Suffit que t'arrêtes de jacter dans l'atmosphère.

Sauf que Mark n'a pas eu droit aux deux bières de Rico, il venait de gagner ses allumettes dans le vent, car la porte a été balancée grande ouverte, Paul a titubé vers nous, et en moins de deux on a su qu'un truc ne collait pas.

– Keskispasse, vieux, keskispasse ? T'es en cavale ? Y a embrouille ?

– Walter… il a soufflé, et c'est là qu'on a grillé qu'il tremblait. Tapin tchèque, l'arbre, la caisse…

D'un bond, on l'a laissé derrière nous pour courir vers la porte.

– Hé, la note ! a crié le taulier derrière son zinc.

Souvent embrouille, au Champi. Des fois, les buveurs ne réglaient pas, ou alors ils s'entrecassaient la gueule en attendant la descente des flics. Sans un mot, on a couru vers le carrefour, vers la Place de Prague, celle qu'on appelait le Tapin tchèque parce que c'était le rencard des plus belles filles du quartier, en chien sur nous pour la plupart. C'est moi qui courais le plus vite, mais pas pour elles, de toute façon y en avait pas une seule cette nuit-là, une voiture brûlait là-haut. Fumée dense et noire, à peine moyen de voir les flammes. Un agent sautillait autour de la caisse, le voilà qui se fout sur les genoux et qui se recule, un truc dégoulinant de la bouche.

– Walter ! je criais, Walter !

Si ça se trouve, Paul s'était gouré, si ça se trouve c'en était un autre qui était assis à la place de Walter, à brûler dans la caisse, y avait assez de braqueurs au quartier, et puis à Reudnitz, Anger-Crottendorf et dans les autres banlieues est de Leipzig, chaque jeune bonhomme ou presque braquait des caisses, et nous avec. Mais dès l'instant où j'ai vu les flammes et la fumée, je savais, pas de doute, d'un seul coup dans ma tête je savais que c'était *lui* qui était assis là et qui brûlait.

– Walter ! je criais, Walter !

C'était une Volkswagen Jetta rouge vif, celles qu'il préférait tirer vu que c'était le modèle que conduisait la Princesse du Loto dont il avait été amoureux, avant. J'ai avancé vers les flammes en tendant la main. Je sentais la fournaise, la fumée me brûlait les yeux.

– Dani ! a crié Rico en m'agrippant par-derrière. Dani, reste là !

Il me bloquait les épaules, je tiraillais, je poussais pour aller voir le petit Walter, mais Rico ne lâchait pas. Très loin, le pin-pon des sirènes. Les vertes, les blanches, les rouges. C'est là que j'ai vu Mark, accroupi par terre en train de gerber. Et c'est seulement là que j'ai vu le peuple debout dans la rue et sur le trottoir en train de lorgner la caisse en feu.

– Foutez le camp ! Foutez-moi le camp, bande de fumiers !

Je me suis arraché à Rico pour courir sur ces voyeurs de mes deux, le poing en l'air, mais Rico était vif, il m'a re-attrapé les épaules par-derrière en bouclant son bras autour de moi.

– Dani, il chuchotait, Dani, c'est trop tard.

Les sirènes étaient déjà tout près. Rico m'a lâché, je suis tombé au sol, et après, me traînant vers le trottoir à quatre pattes, je suis allé m'adosser au mur d'un immeuble. Gyrophares. Les pompiers étaient là.

– Sûr qu'il était pas tout seul, chuchotait Rico près de moi.

– Non, j'ai répété, pas tout seul, avant de refaire un bond et de courir en m'égosillant vers la caisse en feu déjà entourée par les pompiers, mais Rico qui était resté à mes trousses m'a saisi les jambes, et je me suis encore effondré. Je suis resté couché, à écraser mon visage dans le bitume.

Troisième virage

Avec Mark et Rico, on était au Champi, on tisait. On y allait pas souvent, et pourtant c'était pas un mauvais rade, de la gueule, même les chiottes étaient clean, et c'était là que pas mal de buveurs du quartier commençaient leur ronde, et nous aussi on était posés au Champi, à tiser, car Walter avait brûlé tout près d'ici. On l'avait lu dans le journal, étant donné que la nuit où ça s'était passé, on tisait dans la cave de Pitbull. Il avait foncé dans un arbre, un peu plus loin, au carrefour de la Place de Prague, celle qu'il avait toujours appelée le Tapin tchèque parce que le week-end les filles du quartier s'y retrouvaient avant de s'enfoncer dans la nuit, et de temps à autre Walter patrouillait dans le coin avec une caisse volée, mais je crois qu'il en a jamais levé une seule. Y avait trois autres mecs dans la bagnole, des braqueurs des Moulins, ils ont brûlé avec lui. L'agent qui était arrivé le premier à la voiture avait dit au journal qu'ils n'étaient pas morts sur le coup et qu'il avait voulu les dégager, mais contre les flammes il n'avait aucune chance.

– Ch'crois pas, a fait Rico. Nan, ça ch'crois pas. Ils tournaient à cent vingt, cent trente, sûr que ça les a achevés direct. À tous les coups qu'ils étaient même pas attachés.

– Rico, je lui ai fait. Rico, stop.

– Tout doux, Dani, tout doux.

Il s'est enquillé une double graine, et puis encore une autre, on les commandait à l'avance. Ça faisait trois jours que Walter était mort, et trois jours qu'on se la mettait. On commençait dès le midi, et j'étais content qu'ils m'aient viré du bahut y avait quelques mois de ça, car maintenant que Walter avait fini par nous lâcher, j'y serais pas retourné.

– J'braque plus aucune tire, a bredouillé Mark. J'grimpe dans plus aucune caisse. Vini, t'entends, vini.

– Ouais, j'ai répété, c'est fini.

J'ai fait signe au taulier : « Autre tournée ! » Il nous a toisés un moment derrière son zinc avant d'hocher la tête et de s'occuper de son robinet. Peut-être qu'il se doutait que Pitbull était avec nous, et en l'occurrence Pitbull était interdit de Champi, à cause de je ne sais quel incident qui l'avait fait écoper d'un mois de redressement à Zeithain, même endroit où j'avais été peu de temps avant. Mais de toute façon Pitbull n'aurait pas pu nous accompagner au Champi ce soir-là, il avait bu, bédave et bégère et s'était couché dans sa cave.

Mark a calé sa tête sur la table :

– Il avait… hein qu'il avait… Walter. Avec Dieu, et tout. Tu t'souviens avant. L'allait à l'église avec sa mère.

J'ai répondu :

– Mais ça l'a pas sauvé.

– Nan. Pas sauvé. Tu t'en souviens… tu t'souviens comment on se foutait de lui ? Pour son histoire d'église, ch'parle.

– Je m'en souviens.

Le taulier nous a ramené notre tournée, alors on s'est encore tus et on a bu. Le taulier avait mis la radio, on a rien dit pendant trois chansons, on buvait en fixant la table.

– Vous en êtes, après ? a fait Rico en s'en allumant une.

– Aux Moulins ? a fait Mark en décollant la tête de la table.

Rico a acquiescé.

– Quequchose, j'ai répondu. Faut bien qu'on fasse quequchose.

– Y faut, a fait Rico.

– Y faut, a fait Mark.

– Et Paul ?

– Sûr qui viendra plus.

J'ai opiné. Sûrement que sa mère le laissait quasiment plus mettre le nez dehors maintenant que le petit Walter s'était tué au volant.

– Veut toujours tout contrôler, a fait Rico (ses épaules tanguaient de droite à gauche, n'empêche qu'il a réussi à s'enquiller une autre petite graine). La vieille. Sa daronne, j'veux dire. Veut tout contrôler. Pire que la cage, à force.

Il a balancé un coup dans la table, hilare. Jamais je l'avais entendu prononcer prison, il disait toujours cage, cabane ou bloc, et avant, il avait jamais dit détention non plus.

– S'est défilé, le baltringue ! a crié Rico en attrapant sa bière (elle a manqué de valser, et en voulant l'aider, moi aussi j'ai attrapé le vent). S'est défilé devant la cage, le p'tit baltringue. Mais tôt ou tard, l'aurait bien fallu qu'il y aille. Il s'est défilé, tiens ! Et maintenant, il est dans la cage pour toujours.

Il s'est encore marré en bastonnant la table et en tanguant des épaules.

– Rico, je lui ai fait, steuplaît…

– La note ! il a crié en faisant signe au taulier qui trafiquait le robinet derrière son zinc. La note, putain de bordel !

Après, on a bougé aux Moulins. On vacillait, nos genoux s'affaissaient, chacun soutenait l'autre. On était pas loin d'avoir notre compte, mais on a quand même réussi à choper un ou deux Braques-bagnoles avec qui Walter traînait tout le temps vers la fin. On leur a défoncé leur race jusqu'à tant qu'on ait dessoûlé. Ensuite, on est allés chercher masse de fleurs sur les plates-bandes des nouvelles barres d'immeubles, et puis on a chancelé direction la Place de Prague.

Estrellita était couchée sur l'un des bancs, sous l'arbre de Walter. Elle nous a regardés en glissant un bras sous sa tête, elle était toute sage. On l'a bordée avec nos blousons.

On a posé les fleurs au pied de l'arbre à moitié brûlé, et on est restés là jusqu'au matin.

RASSEMBLEMENTS

Tous les lundis, y avait rassemblement. On débattait pour savoir ce qu'on allait faire pendant la semaine. On se retrouvait soit au Bateau Pirate, soit aux Moulins, dans le vieil immeuble. C'était le dernier, les autres avaient été rasés, ils en construisaient de nouveaux. Notre agent de quartier[10] nous avait défendu d'aller jouer dans les vieux immeubles, il était venu en cours pour nous expliquer tous les dangers qu'il pouvait y avoir, pareil pour Frau Seidel, elle n'arrêtait pas de nous mettre en garde, mais ça nous empêchait pas d'y aller. Walter n'assistait plus à nos rassemblements, maintenant il allait à l'église avec sa mère. L'église, ça lui arrivait aussi d'y aller les dimanches, et on se foutait de lui.

– Nan, il nous disait. Lundi, y a pas vraiment église. Là, c'est autre chose, on marche.

– En rond autour de l'église ?

– Nan. Dans toute la ville.

Aujourd'hui c'était lundi, et il était encore absent, il marchait avec sa mère, ils partaient de l'église et traversaient toute la ville, du coup, on a dû faire sans lui pour le planning de la semaine. On était dans le vieil immeuble, avec Mark, Paul et Rico, au quatrième, faut dire que ça devenait craignos au Bateau Pirate depuis que les mecs de l'usine à jouets se trimballaient là-haut, et puis, peu de temps avant, Mark avait repéré la bagnole de l'agent de quartier dans la cour.

– Il peut y avoir embrouille, je leur ai fait.

– Je m'en bats de ce mec, a fait Rico en claquant un poing dans sa paume. J'ai pas peur de lui !

– Tu te fous de tout, aussi… lui a lâché Paul en se levant pour aller à la fenêtre.

– Vas-y mais ferme ta bouche !

Depuis qu'il était de retour, Rico se mettait vite en rogne, mais on en parlait pas. Même qu'ils voulaient encore l'exclure, mais ça lui faisait pas peur, il cartonnait pas mal en boxe et il disait qu'ils avaient besoin de lui pour le championnat municipal.

– Au fait, a hésité Mark, les yeux fixés sur lui. C'est vrai, ce qu'ils ont… ?

– Eh ben accouche, mon gars. Te chie pas dans ton benne !

– Eh bah… que tu l'as croqué. L'autre. Dettleff, j'veux dire.

– Tiens, tiens. Sont allés gueuler sur les toits, alors ?

– Tu m'étonnes, je lui ai fait. Tout le bahut ! Même ma daronne elle sait… au quartier, tout le monde !

Ça l'a fait sourire :

– Sérieux ?

– Ouais, a repris Paul en venant s'asseoir par terre, sérieux. Même qu'il se baladait avec un pansement sur le nez.

– Sauf que ça m'étonnerait, a fait Rico. Vu que je l'ai même pas chopé. (Toujours son sourire.) Enfin, juste un p'tit peu, allez. Il l'a rangé, son nase. La frousse qu'il a eue. Après, il m'a lâché la grappe.

– Et ta BD ? je lui ai demandé alors que je connaissais très bien l'histoire, il me l'avait racontée pas mal de fois, même qu'il m'avait prêté le magazine. C'était une vraie Captain America ? Tu l'as dégotée où ?

– Ma mamie. Tu sais bien. Vu qu'elle peut faire l'aller-retour.

Ensuite, il a sorti une boîte d'allumettes pour allumer la bougie qu'on avait mise sur une petite assiette au milieu de nous. C'était l'après-midi, mais la fenêtre filtrait la lumière. Y avait des petites étoiles dorées sur la bougie, celle de Walter qu'il avait trafiquée lui-même dans son église. C'était lui qui avait rajouté les étoiles.

– … sauf que moi, a repris Rico, chuis pas un croqueur ! Stefan c'est un croqueur. Moi, c'est avec les poings !

Trois fois, qu'il avait mordu, Stefan, et ils le menaçaient d'une piquouse contre la rage. Mais il continuait à mordre dès qu'un type le titillait ou qu'il se tapait. Des croqueurs, y en avait d'autres à notre bahut, et ils menaçaient tous de les piquer. Sauf que personne en avait jamais vu la couleur.

– Bon, écoutez-moi un peu. On en est où, là ?

J'ai sorti le cahier de textes où on marquait notre planning. En général, nos plans tombaient à l'eau, tout finissait autrement, mais bon, c'était comme ça.

– Y a l'Expo qui revient, j'ai continué. Donc : moyen d'y retourner. La semaine prochaine, je crois.

J'ai coché le lundi d'après avec mon stylo, et à côté, j'ai marqué
«Expo».

– Par contre, a fait Paul, j'en serai pas. Ch'peux pas.

– Juste que tu balises, lui a fait Rico.

– Exact, a ajouté Mark. Môman qui va crier !

– J'balise pas, mais ch'peux pas.

– Vas-y mais laissez-le, s'il dit qui peut pas.

Alors, j'ai rajouté «Rico et Mark», et à côté : «Paul sûrement
que non».

– ... et puis, ça vaudra mieux si on est que trois. Autrement, ça
servira qu'à nous faire repérer.

– Et si ça dit à Walter d'en être ?

– Nan, a fait Rico. Nan, lundi il pourra pas, il sera encore à son
église, c'est le jour où ils marchent.

– On a qu'à y aller mardi, a fait Mark. Sûr que là il pourra venir.
On aura qu'à faire deux groupes. Moi et Rico, toi et Walter. Chacun
se faufile de son côté, tu vois le plan. Un groupe aux rails, un à la
palissade.

– Faut voir, a fait Rico. Laisse-moi trouver le meilleur chemin.

Il le connaissait bien, le site des Expos. Au printemps, il y avait
été presque tous les jours pour ramener des tonnes de sacs plastique,
même qu'y en avait avec des autocollants, des stylos et des voitures
miniatures. Une fois, il nous avait emmenés avec lui, et aux stands,
ils nous avaient filé des autocollants, des sacs plastique et des stylos,
sauf que le prof nous avait confisqué la plupart des trucs parce qu'on
arrêtait plus de les montrer à tout va, et à la fin le dirlo a tout verrouillé dans un coffre-fort du secrétariat qui contenait en plus des tas
de BD et mon écharpe de Chemie (le dirlo, c'était un Loqueteux).

– Et pour le stade ? Samedi, c'est Chemie.

– Tu sais bien que t'y vas avec ton daron, a fait Paul, et Rico lui
a latté la jambe.

Après avoir ajouté «Peut-être Expo mardi», j'ai fait glisser les
pages en arrière jusqu'au samedi qui arrivait, en répliquant à Paul :

– Mon père il y va plus.

– Moi j'viens, m'a fait Rico. Ch'te l'avais dit.

– Moi, a fait Mark, chaud pour samedi. C'est le jour où on part.

– T'as juste les jetons, lui a fait Paul. Trop de barouf pour toi à
Chemie !

Les samedis, la mère de Paul bossait, ce qui lui laissait du temps jusqu'au soir. Dans le petit cadre du samedi, j'ai écrit : « Chemie avec Rico et Paul. RV 12 h 30. »

– D'habitude, a fait Mark, j'en suis toutes les fois. Pas vrai, Dani ? Tu m'connais, moi, moi aussi chuis un Chimiste.

– Carrément. Quand on peut pas, on peut pas.

– Euh, a fait Paul, au fait, j'ai pas trop de fric, moi…

– On va trouver un truc.

« Mercredi collecte bouteilles », j'ai noté dans le cahier de texte.

– Faut qu'je ! a fait Mark en passant dans la pièce d'à côté.

– Décale-toi dans celle de derrière, je lui ai crié. Schlingue trop, sinon !

– Trop tard !

Et on a entendu la fontaine. Rico a tiré un cigare, « de chez ma mamie », il s'est penché pour l'allumer à la bougie. Avant de faire tourner, il a recraché la fumée en toussant. Mark était revenu et s'appuyait déjà contre la fenêtre.

– Ramenez un peu vos fesses ! La police au complet, les flics qui descendent en ville !

On s'est levés d'un coup. En le rejoignant, Paul lui a filé le cigare. Les vitres étaient crades, quelqu'un avait dessiné une femme à poil dans la couche de crasse. Rico a ouvert la fenêtre et j'ai viré Paul pour me pencher dehors.

– Gaffe à toi, m'a engueulé Mark juste derrière. Pas qu'ils te grillent !

La rue Lénine était pleine de bagnoles de flics et de camions qui s'acheminaient lentement vers le centre-ville, gyrophares allumés, mais sans sirène.

– T'as vu ça ? a fait Rico. Z'ont bloqué la rue. À part eux, aucune caisse.

– Sud-est, a fait Mark en se faufilant entre nous. Du secteur sud-est, qu'ils se ramènent. Rue Witzgall !

– Pas tous, a fait Rico. Ça s'peut pas, ils sont trop. Obligé qu'y a du renfort.

– Réservistes, je leur ai fait. À ce qu'il paraît qu'ils sont à l'extérieur, en banlieue. Pareil que l'armée. Flics en caserne, vous voyez.

– T'as vu ? Y a des clebs qui viennent guetter !

Les bagnoles remontaient la rue Lénine en longeant les vieux jardins et le parc de la Paix, avant de tourner au coin. D'ici, on apercevait les tours de l'Expo, dans le centre. Le grand double M rouge et bleu brillait en tournoyant comme un manège.

– Va y avoir embrouille, a fait Rico en refermant. À tous les coups qu'ça se tape.

– Il est passé où, le cigare ?

Il était resté sur le rebord de la fenêtre.

– Laisse ouvert, j'ai fait à Rico qui retournait l'ouvrir. On étouffe, là-dedans.

Une fois le cigare rallumé, on est retournés se poser dans notre coin.

– Et Walter ? a fait Paul, la tête calée en arrière, en crachant des ronds de fumée.

Mark les a déchirés en refermant sa main dessus :

– Ben, il est là-bas. Dans le centre.

– Y a sa daronne, j'ai ajouté. Peut rien lui arriver.

En chipant le cigare à Paul, j'ai fait tomber la cendre sur mon fute.

– Là-haut, a fait Mark, c'est bondé. Plein à mort, encore plus qu'au stade.

– T'es sérieux ? j'ai répondu en lui passant le cigare. Plus que pour Chemie ?

– Hé là, crapote-moi pas tout !

Rico a fait tomber le cigare en voulant lui sortir de la bouche et s'est penché pour l'épousseter.

– Ma daronne aussi elle était là-haut, a fait Paul. La semaine dernière.

– Sans déc ? Ta daronne ?

– Eh ouais. Direct après son taf.

– Ah, d'accord. C'est pour ça que t'es resté aussi longtemps... môman était de sortie...

– Et alors ? Moi, au moins, ma daronne elle est allée marcher. Vos parents, mon œil !

– Ma mamie elle est trop vieille. Pas un truc pour elle.

– Et moi, j'ai ajouté, ma daronne elle est obligée de bosser jusque tard. En plus, ça craint là-haut.

– Ça m'étonnerait que ça craint, a fait Rico. Si même Walter il bouge là-haut...

– Et ma daronne !

– … s'il y va, le p'tit Walter, et ben nous aussi, on devrait… Au moins aller voir, quoi.

– Hein ? Là, tout de suite ?

– Nan, a fait Rico en se mettant debout. Lundi, ch'parle, lundi d'après. 'jourd'hui c'est trop tard. Faut pas manquer le début, tu piges…

– Mais quand même, avec tous les poulets…

– Raison de plus, Dani. Là-haut, t'as des trucs de dingue. Tu vois le plan. C'est vraiment la folie.

– Ouais, mais bon, c'est un trip avec l'église, là. Un délire pour les chtarbés de Dieu.

– Ça s'pourrait bien, Dani. N'empêche que quand ils marchent, c'est la folie absolue.

– Tu m'étonnes, a fait Mark. Moi, j'ai vu ça à la téloche, masse de gonzesses, ça se bouscule. Y a vraiment moy' pour toucher les seins et tout.

– J'y crois pas, a fait Paul.

– Personne t'oblige. Vu que c'est pas encore de ton âge !

– T'as rêvé ! Même que la dernière fois, Sandra, eh ben elle m'a… en EPS.

Là, Mark s'est adossé au mur, hilare.

– … rigole, rigole. T'as qu'à demander à Dani !

Pendant ce temps, je faisais défiler les pages jusqu'au lundi d'après pour barrer « Expo » et remplacer par : « Centre-ville. Mark, Rico, Paul. Expo : mardi ou mercredi ». En dessous, j'ai fait une flèche qui montrait le mardi et le mercredi.

– 'coutez ça ! a fait Mark d'un seul coup en se rapprochant de la fenêtre. Nan mais écoutez !

Quelque part, ils sonnaient les cloches. Rico a posé le cigare près de la bougie, et on s'est levés.

– Les églises, a fait Rico. Ça, c'est les églises.

On a avancé vers la fenêtre pour aller voir la pointe des églises et les tours du centre-ville. Les coups de cloches ont diminué, remonté d'un chouia, certaines avaient un tintement aigu et clair, certaines sonnaient beaucoup plus profond, et à certains moments je croyais que les cloches d'autres églises s'y mettaient aussi. À Leipzig, y avait plein d'églises, et pas qu'au centre. Dehors, c'était presque noir, et là où la rue Lénine faisait un angle, on apercevait les gyros.

– File la chair de poule, a fait Paul.

– Un peu de cloches, a fait Mark, qu'est-ça peut foutre?

– Et Walter? Il est en plein dedans?

Rico s'est penché sur le rebord :

– Je l'aurais pas cru cap, avec tous les flics.

– Z'êtes encore foutus de lui, aussi, a fait Paul en reculant de la fenêtre. La dernière fois, vous vous êtes marrés parce qu'il va aussi à l'église le lundi, maintenant.

– 'coute un peu, le nain, a fait Rico en continuant à regarder par la fenêtre. Va pas raconter un frometon pareil. Pas de conneries!

– Mais attends, c'est quand même vrai que…

J'ai dû lui mettre un coup de coude pour qu'il se taise.

– Bon, a repris Rico. T'as noté le truc? Pour lundi prochain.

– T'inquiète.

– Important, Dani. C'est toi notre secrétaire.

– 'videmment, j'ai confirmé en tapotant le cahier. Tout est dedans.

– Alors on fait comme ça! s'est exclamé Rico en refermant la fenêtre. Semaine proch!

Il a tendu sa main, on a mis les nôtres.

– Vendu.

– Vendu.

J'ai écrit «Marcher», on a soufflé la bougie et on est redescendus.

– En plus, a fait Mark, j'ai un drapeau à la maison. Truc du premier mai, là, un drapeau de pionnier…

– Nan. Je crois que ça va pas le faire.

– Ben pourquoi? À la téloche, ils en ont tous.

– Pour la paix, a fait Paul. Là, c'est un truc pour la paix. C'est ma mère qui m'a…

– Ben et alors? Le premier mai aussi, c'est pour la paix!

Descendus au rez-de-chaussée, on est sortis par la lucarne des chiottes extérieures.

– J'vais pas tarder à plus pouvoir passer, a remarqué Paul.

– Tu m'étonnes, je lui ai fait. Musclor.

On s'est marrés, et après avoir contrôlé que la voie était libre, on est repartis vers chez nous.

– … dans la cour voisine de la Manufacture de jouets en plastique thermodurcissable. La Manufacture du Peuple. Et nous connaissons les coupables !

Arrivée là, Frau Seidel a fait une pause. Elle nous fixait du haut de l'estrade qu'ils avaient montée dans le grand hall. Assise à côté d'elle, Frau Minkusch, prof principale des 5ᵉ B, et puis, assis derrière, bien alignés, le dirlo, puis Herr Singer, puis Herr Dettleff, chef des pionniers, puis Frau Lorenz, prof principale des 5ᵉ C, et puis notre agent de quartier. Il avait garé sa Wartburg dans la cour, pas loin des bagnoles des profs. Ce matin, quand on l'avait repérée, on avait su que ça allait chier. Rico était allé chercher un gros clou pour crever les pneus, mais impossible de percer le caoutchouc. Du coup, il s'était mis en tête de rayer la peinture, mais comme les surveillants étaient déjà à l'épier, on a préféré lui retirer le clou des mains. Il s'était placé deux rangs derrière moi. Ils étaient allés le chercher exprès, vu que maintenant il était une classe en dessous. C'est ce qu'ils avaient décidé quand il était revenu après deux ans d'absence ou presque, même si là-bas, il allait aussi en cours tous les jours.

– Je ne peux que vous répéter ce que vous venez d'entendre, a commencé Frau Minkusch de sa voix piaillante. Cela portera à conséquence. Herr Lansky, Médiateur de la Police du Peuple en charge de notre arrondissement, souhaiterait lui aussi prendre la parole.

Herr Lansky s'est levé en retirant son képi, l'a posé sur sa chaise, a lissé son pantalon d'uniforme vert, et puis il est venu se camper entre Frau Seidel et Frau Minkusch.

– Mes chers Pionniers de Thälmann, élèves des classes de 5ᵉ B et 5ᵉ C. J'ai déjà eu l'occasion de vous mettre en garde contre les dangers auxquels vous vous exposez si vous jouez dans les bâtiments désaffectés ou si vous vous rendez dans les lieux qui vous sont défendus. Il est primordial, et tout particulièrement ces jours-ci, que vous observiez ces règles, et je suis d'ailleurs bien conscient que la majorité d'entre vous s'y tiennent de manière exemplaire.

Il a pris un grand coup d'air, une ou deux chaises ont crissé, je me suis retourné vers Rico, Paul et Walter, Mark était tout au fond. Ils regardaient tous par terre, sauf Rico qui m'a fait un clin d'œil, assis tout près de la grande fenêtre qui donnait sur le terrain de sport. En bas, une classe avait course à pied, ils faisaient un tour de terrain dans leurs tenues de sport pétantes. Trois élèves en tête, le reste un bon bout derrière, l'entraîneur planté tout seul au milieu.

– … hélas, que certains… qu'il y ait certains éléments incorrigibles, et c'est pour ça que nous nous devons de… c'est pour cela. Nous sommes obligés d'agir.

Il a encore inspiré un bon coup, voilà qu'il recommençait à cafouiller, franchement moyen comme topo. Alors que moi, je m'étais plusieurs fois retrouvé là, devant tout le monde, pour les concours des jeunes talents, à réciter des poèmes ou des histoires. Je savais faire, je parlais fort et j'articulais bien, j'avais aussi une bonne mémoire à force de jouer au skat. Bref, Herr Lansky, je le coiffais largement. Après sa conclusion, il est retourné s'asseoir, le képi sur les genoux. J'avais espéré qu'il pose ses fesses dessus. Frau Seidel s'est encore avancée, elle a ouvert un gros dossier et s'est mise à faire comme si elle lisait dedans.

– Les élèves suivants sont priés de se lever : Walter Richter.

Un couinement de chaise dans mon dos.

– Daniel Lenz.

Son regard est passé par-dessus ses lunettes, puis le long de mon épaule, et je me suis levé.

– Mark Bormann. Rico Grundmann.

Je pensais à Katia, ma cheftaine du conseil de groupe, elle qui m'aurait grondé si gentiment. Mais elle n'était plus là.

– Paul Jendroschek.

C'était Stefan qui nous avait vendus, Stefan, et dire qu'on l'avait emmené deux fois au Bateau Pirate.

– Stefan Schulte.

Impossible. Dans ces cas-là, il aurait fait un pacte avec eux.

– Rico Grundmann. Sors du rang.

Et là, le dirlo est venu se planter à côté avec Frau Seidel. D'ailleurs, tous les profs s'étaient levés, même notre agent de quartier, et Rico se traînait vers eux. Il a écopé d'un avertissement écrit du dirlo, ils étaient tous là à le mater bien sévère et à pincer leur bouche pendant que l'autre parlait. C'était la pire punition du collège avant le renvoi. N'empêche que Rico n'en rictussait pas moins au moment de quitter l'estrade et de nous passer devant en brandissant le petit papier que ses parents allaient devoir signer, sauf que ses parents s'étaient barrés et qu'il habitait chez sa mamie, et elle, elle signait tout, à ce qu'il me disait, sans même prendre le temps de lire, vu qu'elle galérait avec ses yeux.

– Daniel Lenz. Je te prie de t'avancer.

Pendant que Rico retournait s'asseoir, je suis allé me planter droit devant Frau Seidel, la main alignée sur la couture de mon pantalon.

– Daniel, elle m'a fait en gardant les yeux sur ses feuilles. J'ai l'honneur de te décerner le Diplôme du Conseil ministériel venant récompenser nos meilleurs élèves.

Je me suis incliné et elle m'a passé la chemise en cuir rouge avec les insignes dorés de la RDA et les arabesques sur le devant.

– Merci. Merci, Frau Seidel.

Quand je suis retourné à ma place, personne ne me regardait, je venais de me prendre un avertissement du prof principal, et même si c'était pas aussi grave que Rico avec son avertissement écrit du dirlo, ça me suffisait. Je serrais la petite feuille dans ma main, mais j'avais envie de faire un avion en papier qui irait s'envoler à travers le hall.

– Walter Richter. Je te prie de sortir du rang.

Je me suis rassis pendant que Walter s'y collait. Je lui ai souri en agitant la main, mais il a juste eu un tic au bord des lèvres. Debout sur l'estrade, là-haut, il avait l'air encore plus minus, et Frau Seidel lui a sorti les mêmes trucs qu'elle m'avait sortis. Mais d'où ils savaient où on se retrouvait ? D'où ils connaissaient le Bateau Pirate ? Ils savaient toujours tout, et ça, j'arrivais pas à comprendre. Ç'a été le tour de Paul, puis Mark, et puis Stefan. Pendant ce temps, je regardais par la fenêtre. La classe avait fini ses tours de terrain, ils étaient assis sur la pelouse face au mur, et l'entraîneur gesticulait.

Quand Stefan est retourné s'asseoir, les profs sont restés seuls sur l'estrade.

– Pionniers !

C'était Herr Dettleff. Juste derrière lui, Herr Singer donnant l'impression qu'il était en train de lui souffler un truc à l'oreille.

– Mes chers pionniers de Thälmann, élèves des classes de 5ᵉ A, 5ᵉ B et 5ᵉ C. Vous n'êtes pas sans le savoir : ces jours-ci, des rassemblements ont lieu dans notre ville. Des manifestations d'individus représentant une menace pour l'ordre et la sécurité socialistes. Vous n'êtes pas non plus sans savoir que toute participation à ces marches ou à ces rassemblements est interdite. Pionniers ! J'en appelle à vous : tenez-vous sur vos gardes, ne prêtez aucun soutien

à ces individus, ces individus qui, faisant preuve d'une grande irres-
ponsabilité, menacent l'ordre et la sécurité socialistes. Ces marches
et ces rassemblements entachent les acquis du Socialisme, et, de par
leur irresponsabilité, l'ordre et la sécurité de l'État... Pionniers!
Il s'est interrompu, écarlate, la bouche ouverte. Tout détendu,
Herr Singer lui a posé sa grosse main sur l'épaule et l'a coupé de sa
grosse voix :
– Vous connaissez la passerelle pour piétons à proximité de la
Boîte-de-conserve?
Un ou deux cons ont répondu oui ou hoché la tête.
– Lors des rassemblements, cette passerelle va être utilisée
comme point de passage. Pour des centaines de personnes incitées à
la révolte par des individus irresponsables. Peut-être des milliers de
personnes. Or il se trouve que ce pont... (il a fait une pause, l'index
tendu à hauteur du visage)... que ce pont n'a pas été conçu pour
accueillir une telle foule, et les individus à l'origine de ces troubles
le savent pertinemment. Ce pont peut s'effondrer, et s'ils sautent
dessus, s'ils essaient de le faire bouger dans le but de provoquer
notre Police du Peuple en martelant leurs slogans outrageux, ce
pont s'effondrera! Et vous comprendrez aisément (il a encore fait
une pause, index tendu à hauteur du visage), vous comprendrez
aisément qu'il y aura de nombreux blessés, je ne veux pas dire des
morts. Voilà comment ces agitateurs, ces fauteurs de troubles,
œuvrent dans un esprit d'irresponsabilité totale. Et ce n'est là qu'un
exemple.
Herr Singer s'est tourné vers les autres profs qui ont opiné en
pinçant les lèvres, l'air hyper sérieux, puis il a remis la main sur
l'épaule de Herr Dettleff, comme s'il lui chuchotait un truc.
– Pionniers de Thälmann, a fait Herr Dettleff, merci de vous
lever!
On s'est levés.
– Nous allons clore ce rassemblement par le Salut des Jeunes
pionniers et des Pionniers d'Ernst Thälmann : pour la Paix et le
Socialisme : soyez prêts!
– Toujours prêts! on a crié en chœur, main au-dessus de la tête,
le salut des pionniers. Les profs aussi ont fait le salut, et même notre
agent de quartier, après avoir remis son képi. Lentement, tout le
monde est reparti vers la porte.

On avait arrêté de se donner rencard au Bateau Pirate. On se retrouvait au parc, près du petit bac à sable, comme avant. C'était lundi, mais y avait pas rassemblement, et on faisait pas non plus le planning de la semaine. Fini, tout ça. Walter était en ville avec sa mère, et même si au bahut ils avaient dit que c'était défendu, on voulait y aller aussi, parce qu'on avait dit qu'on le faisait. J'étais posé à côté de Rico sur le banc. Perchés sur le dossier, on attendait les autres.

– Ils viendront pas, ça s'trouve. Ça a pété grave chez Mark à cause de l'avertissement.

– Et chez toi, Dani ?

– Boaf. Pouvait aller.

– C'est quand même des belles raclures, hein ?

– Tu m'étonnes.

– T'en dis quoi, qui c'est qui leur a fourgué ?

– Chais pas, d'abord ch'pensais Stefan, mais bon, il s'est fait prendre aussi, alors qu'il en a été que deux fois.

– Nan, Dani, nan. Sûr et certain que c'était pas Stefan. Jamais il cafterait !

– Il veut venir à l'Expo mercredi. T'en penses quoi ?

– Chais pas encore. Faudrait qu'on le bizute, truc comme ça. Ch'trouverai bien quoi.

Quelqu'un se ramenait vers nous sur la pelouse. Stefan, un petit sac à la main.

– Alors, il nous a fait, ça roule ?

– Peut aller.

– Vous voulez bouger en ville, pas vrai ?

– Ça s'peut.

Il a lâché son sac sur le banc.

– Qu'est-ce tu trimballes là-dedans ? a fait Rico en enfonçant la pointe du pied dans le tissu rouge.

– Shoote pas dedans, steupl. C'est mon appareil. Fragile, comme machin, ça se pète en moins de deux.

– Et qu'est-ce tu comptes en faire ?

– Si vous bougez en ville…

– Vas-y, mais qui t'a dit qu'on bougeait en ville ?

– Mark, c'est de Mark que je tiens ça. Mais aujourd'hui, il peut pas. Son daron, tu sais… Alors moi, je m'étais dit… que je pourrais peut-être… à sa place…

– Alors montre voir ton appareil.

Il a plongé la main et l'a extirpé en faisant bien attention.

– Pour le club photo. Vous savez, chuis au club photo.

C'était un gros appareil noir avec des petits boutons argentés et un énorme flash par-dessus.

– Vous savez, ils élisent toujours le cliché du mois. Pour l'instant, j'ai pas réussi à gagner. Mais si vous bougez en ville…

– Première fois que j'entends, lui a fait Rico, qu'ils prennent des croqueurs au club photo.

Je lui ai planté mon coude.

– Ouais nan, il s'est repris, pas ça que j'voulais dire ! Ch'trouve ça cool, en fait…

– Chuis plus un croqueur. Fait déjà une paye. En plus, j'étais petit à l'époque.

– Détends-toi, je lui ai fait en me mettant debout. Allez, on bouge, remballe ton appareil.

– Et Paul ? a demandé Rico.

– Il viendra plus, tu peux oublier. Déjà qu'il a pas pu venir au stade.

– Poules mouillées. Que des poules mouillées. Tout ça pour une connerie d'avertissement !

– Chuis pas une poule mouillée, a fait Stefan.

– Nan. Toi, nan.

Rico avançait déjà sur la pelouse pour rejoindre l'arrêt.

– Bah alors, il nous a lancé, bougez-vous !

Stefan a soulevé son sac, et on lui a emboîté le pas.

Plus loin, Mark attendait sur le trottoir, appuyé au manche de son drapeau. C'était un manche à balai, il avait enroulé le tissu autour et nous lançait des sourires et des signes de la main. Rico est venu lui taper sur l'épaule :

– Eh ben t'es là, toi !

– Bah, bien sûr. On avait dit. Je me suis faufilé à l'air libre, tu vois le délire ?

– Même que tu nous as ramené le drapeau !

– Tu croyais quoi ? Je l'ai dit ou je l'ai pas dit ? Avec ce truc, ce sera nous les plus grands !

Stefan restait planté derrière, sur le bord du trottoir.

– Et moi, alors ? Ch'peux venir quand même ?

– Bah carrément, lui a fait Rico. Sinon, tu vas le gagner comment, ton prix ?

– Bougez plus… Voilà. Là, c’est parfait !

On était devant l’église Saint-Nicolas. La petite place était bourrée de monde à plus pouvoir remuer, mais Stefan voulait quand même faire quelques photos de nous. Il s’était mis sur une petite saillie du mur, et on était là, à agiter la main, Mark son manche à balai. Le tissu n’était pas encore déployé, toujours coincé avec deux élastiques, « pas dérouler trop tôt, il nous avait dit, faut attendre jusqu’à ce que ça parte et que les cloches elles se mettent à sonner, sinon c’est mort pour la surprise ! »

Le flash a crépité, et Stefan a encore bidouillé l’appareil avant de redescendre.

– Pas mal de monde, hein ?

– Carrément, je lui ai fait. Carrément plus qu’au stade.

– Toi aussi t’es pour Loco ?

Il a fourré son petit sac dans sa poche de blouson et s’est enroulé l’appareil autour du cou.

– Attends voir, je lui ai répondu. Tu te payes ma gueule ? T’es avec des Chimistes, ici !

– Ah ouais ? Chavais pas.

– T’es le seul à pas savoir, ducon !

Les cloches se sont mises à sonner, une foule encore plus énorme a déboulé par les portes de l’église, grosse bousculade, et on a commencé à dériver direction l’Opéra. L’obscurité tombait doucement, les gyrophares des flics clignotaient dans les rues d’à côté.

– Dani !

Bloqué à quelques mètres, Mark agitait son drapeau vers nous. Il avait fini par le déployer, un grand fanion de pionnier en triangle avec l’emblème de chaque côté, et en dessous, en grosses majuscules rouges : « Nous marchons ensemble pour la Paix et la Solidarité entre les Peuples. »

J’essayais de forcer mon passage entre les gens, Stefan et Rico collés à mes basques.

– Tiens-le bien ! a crié Rico.

– T’as vu ! lui a répliqué Mark, c’est quand même mieux avec un drapeau ! ’garde, eux aussi ils en ont un.

Juste devant, deux types déroulaient une banderole. Après l'avoir attachée à des manches à balai (probable qu'il devait plus y avoir une seule vraie hampe dans la ville entière), ils l'ont brandie. C'était marqué «Wir sind das Volk», et ça m'a fait marrer.

– Mate un peu, Rico! T'as vu, Nous sommes le Peuple.

Rico a éclaté de rire. Un type s'est retourné, mais il a tout de suite croisé les mains devant sa figure en voyant que Stefan lui tirait le portrait.

– Le peuple, a rigolé Rico. Ben quoi, Dani? Moi aussi, chuis le peuple, tu comprends?

On était rendus au niveau de la rue Goethe, on dépassait l'Opéra. Les cloches des églises sonnaient toujours, sûrement un signal, étant donné la foule encore plus énorme qui déboulait de la place Karl-Marx. Et les trams restaient bloqués devant leur arrêt. On avançait au beau milieu de la rue; les trottoirs étaient occupés par des flics debout près de leur voiture, certains avec des clebs.

– C'est tout? a fait Rico. Tout ce qu'on a comme flics?

– 'tends un peu voir, lui a lâché un type qui baladait une bougie qu'il venait juste d'allumer. Restez bien au centre, il a ajouté. Pas intérêt à déborder.

Il la tenait de traviole, sa bougie, la cire lui gouttait sur le blouson.

– Vous en voulez une?

– De quoi?

– À ton avis? Une bougie.

Il en a tiré une autre de sa poche de blouson, il lui en restait encore plein. Il l'a tendue à Stefan après l'avoir allumée avec la flamme de l'autre. Mais Rico lui a chopée des mains illico.

– Toi, occupe-toi de ton appareil.

– Un drapeau et une bougie! a fait Mark. C'est nous les plus grands!

Les deux mains agrippées tout en bas du manche, il faisait flotter le drapeau au-dessus de nos têtes.

– Merci! j'ai lancé au type, mais il avait déjà dérivé quelques mètres plus loin.

Les bougies commençaient à briller un peu partout dans la foule, sûrement que le type était une sorte de distributeur.

– Comme à la Saint-Martin, nous a fait Stefan en continuant à se retourner pour prendre les gens qui nous suivaient.

– Toi, lui a fait Rico, si t'as pas envie que les poulets te coincent…

– Pfff, pourquoi tu dis ça ? J'ai ma carte du club photo.

Et il nous a sorti une petite carte sous un plastique, avec photo d'identité plus tampon et signature. Elle était fixée à son blouson par une épingle à nourrice.

– Bordel, mais range-moi ça ! lui a crié Mark en agitant son drapeau. Tu fais trop pitié !

– Ben nan. Comme ça, c'est comme si j'étais du journal. Chuis autorisé à faire des photos. Club photo, tu piges !

– Le p'tit croqueur, m'a fait Rico dans l'oreille en souriant.

On arrivait Place de la Gare. Encore plus de flics de chaque côté, face à la gare et sur l'autre trottoir. Ils étaient là, alignés devant leurs bagnoles. Les casques et les boucliers formaient un mur.

– Canons à eau ! a fait Rico. Vise un peu ça ! Mieux qu'au stade !

Les canons attendaient pas loin de la gare, comme des tanks.

– Et merde, je lui ai fait. Et s'ils envoient la sauce ?

– Ça m'étonnerait. Trop de monde.

Stefan photographiait toujours. Il avait coupé le flash et faisait tourner l'objectif pour faire la mise au point.

– Prise de nuit, il nous a expliqué. Avec les gyros et les bougies, ça va être le top !

Ça ralentissait. Au milieu de la rue, l'arrêt de tram coupait la foule en deux.

– Mate là-haut ! a crié Stefan en dirigeant son appareil vers la gare. Ils sont perchés sur le toit, ils cavalent dessus ! La police !

Il faisait du surplace en tripotant son appareil, j'ai été obligé de le tirer par l'épaule. Partout, des trams vides, avec l'éclairage intérieur allumé.

– Écoute ça ! Qu'est-ce qu'ils gueulent ?

Devant, ça bouchonnait encore. Mark s'est appuyé contre son manche.

« Nous-sommes-le-Peuple ! Nous-sommes-le-Peuple ! »

Ça venait de plus loin devant. D'un coup, ça a suivi autour de nous :

« Nous-sommes-le-Peuple ! Nous-sommes-le-Peuple ! »

– Les gars de tout à l'heure ! a gueulé Rico. Avec leur pancarte, là. C'est eux, c'est eux qu'ont lancé le truc tout seuls !

Mark s'y était mis aussi :

– Nous-sommes-le-Peuple !

Et son fanion des pionniers tournoyait. Deux grosses bloquées près de nous avaient repéré le drapeau. L'une l'a pointé du doigt, ça les a fait se poiler.

– Nous-sommes-le-Peuple ! Nous-sommes-le-Peuple !

La marche reprenait. On contournait les trams et leurs portes grandes ouvertes. Certains conducteurs fumaient, assis sur les marchepieds, d'autres agitaient la main. Les flics avançaient en parallèle le long les trottoirs et empiétaient un peu sur la rue.

– Délire ! a crié Mark. Des centaines, y en a des centaines !

– Peut-être, a rétorqué Rico, mais nous, on est des milliers.

Stefan s'est glissé dans un tram et il a commencé à prendre les flics depuis la portière.

– Par là ! lui a crié Mark. Et nous, et nous !

Alors, on s'est mis face à lui, moi au centre, Rico levant sa bougie, Marc faisant battre le drapeau. J'ai mis mes bras autour de leurs épaules.

– Oh la la, les gens ! Les gens qui me bouchent le cadre !

La foule pressait le pas, on se faisait déjà bousculer vers l'avant. Quelqu'un m'a donné une bourrade dans le dos, et j'ai réceptionné Stefan qui bondissait hors du tram en s'emmêlant les jambes. « Peaux de vache ! » a gueulé quelqu'un, mais les flics n'avaient pas décollé du trottoir. Peut-être qu'ils s'étaient mis en marche derrière nous, tout au fond, depuis qu'on avait dépassé la gare.

– On se serre les coudes ! criait Rico, serrer les coudes !

Juste derrière, des types se prenaient par la main et mettaient le bras derrière la nuque de leur voisin. On avançait un peu plus serrés, je tenais Mark par le blouson et Rico par le bras. Et là, plus loin devant nous, le Miracle bleu[11], la grande passerelle pour piétons construite tout près du grand magasin argenté que tout le monde appelait juste la Boîte-de-conserve. Le pont était noir de monde, les banderoles pendaient le long des rambardes couvertes de bougies.

– Non mais mate-moi ça ! a soufflé Rico en me tiraillant le bras. On dirait Noël.

– Pour un veau libre ? a déchiffré Stefan en décollant l'œil de son objectif. Attends, c'est quoi ce délire ?

– Gros con. T'as pas vu le –TE ? Pour un vote libre ! lui a fait Mark en saluant la foule du pont avec son fanion des pionniers.

« Nous-sommes-le-Peuple ! » ça criait tout en haut, on aurait dit qu'ils sautaient tous sur place, « Nous-sommes-le-Peuple ! » ça s'est mis à crier autour de nous, et puis ça a encore bouchonné. On était rendus pile devant le Miracle bleu qui commençait à osciller pour de vrai, comme dans le discours de Herr Singer. La foule qui s'engouffrait sous la passerelle commençait à crier « Nous-sommes-le-Peuple ! » en faisant un bruit monstre, pendant que la masse du haut sautillait sur place.

– Qui-ne-saute-pas-est-B-F-C, hé ! a crié Rico dans un éclat de rire. Qui-ne-saute-pas-est-B-F-C !

Avec Mark, on l'a rejoint :

– Qui-ne-saute-pas-est-B-F-C, hé !

Même truc que braillaient les supporters de Chemie dans le tram qui les emmenait au match, tout en sautillant sur place et en se démenant pour faire tanguer les wagons. On s'était mis à sauter à notre tour, quelques types nous suivaient.

« Nous-sommes-le-Peuple ! Nous-sommes-le-Peuple ! Qui-ne-saute-pas-est-B-F-C ! »

Stefan continuait à faire ses photos à reculons. La bougie de Rico s'était éteinte, il avait la main pleine de cire. Une nana lui a tendu la sienne en le voyant fouiller dans ses poches, et il a rallumé sa mèche avec la flamme. C'était reparti. On s'est engouffrés sous le pont. À gauche, un canon à eau, Stefan a changé la pellicule pour pouvoir le prendre. Ensuite, il a levé les yeux et m'a tapé sur l'épaule :

– Hé, Dani ! C'est vrai qu'il peut s'effondrer ?

– Nawak. Me dis pas que tu crois aux conneries de Singer ?

– T'as raison, il m'a fait en hochant la tête, sans quitter la passerelle des yeux. C'est n'imp !

Et puis, sans prévenir, il a accéléré pour se faufiler entre les gens. L'instant d'après, je l'ai aperçu de l'autre côté du pont, debout sur le chemin. Mais il s'était mis bien trop près des flics. Je lui ai fait signe de revenir :

– T'es complètement con ? T'as pas le droit de les mettre en boîte ! Bonjour les emmerdes !

– Pas sûr, Dani ! il m'a lancé en pointant sa carte de membre qui lui pendait autour du cou. Club photo !

– Cette fois, c'est parti ! a fait Rico près de moi. Ça y est, ça pète !

– Qu'est-ce qui te fait dire ça ?

Mais au même instant, j'ai aperçu la masse de la vieille villa à colonnes. Je la connaissais bien, j'étais passé devant pas mal de fois en tram. Sauf que d'habitude, elle n'était pas encerclée par des flics, des canons à eau et un blindé.

– Vrai char, a fait Rico. Hallucinant !

Y avait même des flics postés sur le balcon aux colonnades, mitraillette sanglée derrière le cou, comme l'appareil de Stefan. Y en avait même un qui nous regardait avec ses jumelles. Ils avaient installé des projecteurs sur le toit, les faisceaux allaient et venaient sur les têtes de la foule, et puis en plein sur nous, je me suis couvert les yeux.

– Comme à la guerre ! a fait Mark pendant que Stefan prenait la villa.

– Char de flic, a fait Rico. Pas un truc de l'armée.

Il s'y connaissait bien ; avant, son père était officier. Ça bouchonnait encore. Autour de nous, les gens commençaient à se tourner vers la villa et les flics en brandissant leurs bougies et leurs banderoles, puis les slogans ont recommencé, tout doucement d'abord, c'était ceux de devant, et de plus en plus fort : « Nous-sommes-le-Peuple ! Nous-sommes-le-Peuple ! » et puis beaucoup plus vite, sur un autre rythme : « Libres-de-voter ! Libres-de-voter ! »

Les flics commençaient à perdre leur sang-froid, ça se voyait bien, ils ne restaient plus alignés aussi sagement, les boucliers remuaient et se rapprochaient peu à peu. Le type du balcon avait lâché ses jumelles pour attraper un talkie plus gros que son crâne.

– Qui c'est qu'habite là ? criait Mark. Qui c'est qu'habite là ?

– Le maire, a fait Stefan.

– N'imp, a répliqué Rico. C'est des flics. Grosses pointures, services secrets !

Un gars venait de grimper sur une bagnole près du trottoir, il lançait ses bras dans tous les sens et beuglait tellement fort qu'on l'entendait d'ici, « Dehors, la Stasi, dehors ! On en veut pas, de ces pourritures de Stasillons ! » Avant que les poulets aient le temps de lui courir dessus, deux autres types sont sortis de la masse pour aller l'arracher au toit et disparaître avec lui dans la foule.

– De quoi, la Stasi ? a crié Mark.

– Ben, les flics ! a crié Rico. Services secrets !

Le canon à eau s'est mis à avancer vers la foule avec sa petite tourelle qui tournait. Des poulets et des clebs avançaient en escorte de chaque côté, j'entendais les aboiements d'ici. Quelques types sont allés se mettre juste en face pour hisser une grande banderole qui disait « Halte à la violence ! » Un flic a écrasé son bouclier dans un visage, l'homme s'est couché en s'agrippant à sa banderole, c'était une femme, deux flics l'ont soulevée pour la traîner autre part.

« Halte à la violence ! criait la foule. Halte à la violence ! » Tournant les yeux, je me suis rendu compte que Rico criait aussi, lui le boxeur. Mais les flics ne voulaient rien entendre, ils préféraient avoiner les autres porteurs de banderoles.

– Go ! a crié Mark en enroulant son fanion, le manche coincé sous le bras. On se tire !

Ça se remettait déjà à pousser derrière, tout le monde courait vers le trottoir de droite, sauf les flics et les canons qui tenaient leur position.

– Arme automatique de gros calibre, a fait Rico en tendant la main vers le tank. S'ils envoient la sauce, c'est la boucherie !

– Attends, je lui ai crié, mais ils peuvent pas ! C'est quand même pas possible, ils vont quand même pas nous…

J'ai regardé la villa par-dessus mon épaule. Elle avait déjà reculé un bout derrière, mais la foule continuait à la dépasser. La banderole « Halte à la violence ! » avait disparu.

– C'est ce que j'dis ! a fait Mark en redéployant le drapeau au-dessus de sa tête. Juste pour l'intimidation, le tank ! À tous les coups, il est même pas chargé. Pour la paix. On marche pour la paix, là !

– La paix ? lui a fait Rico. Tu parles ! Pas de violence ? T'as vu ce qu'ils viennent de faire ?

– Il a raison, lâche-nous avec ta paix. Y a que toi qu'as ça sur ton drapeau !

– Dites pas du mal de mon drapeau ! T'as vu, là-bas ? Liberté, c'est écrit. Je vois pas la différence !

– Trop de monde, a fait Stefan en changeant la pellicule. Ils me bouchent la vue, à tous se mettre devant l'objectif. Z'avez vu comment la police elle les a… d'un coup, elle les a…

– Franchement, si mon daron était là, il les…

– Ouais, a fait Rico. Il les défoncerait !

En même temps, il a posé la main sur mon épaule, et j'ai acquiescé. À gauche, face à nous, la mairie, avec sa gueule de château fort.

– Faut se mettre au milieu! a crié Rico. Faut qu'on se remette dedans!

Et il avait pas tort, on avait presque dérivé jusqu'au trottoir. On a fait ce qu'on a pu pour se renfoncer dans la masse, sauf que ceux de devant titubaient en sens inverse et nous refoulaient vers le trottoir, à parier que de l'autre côté les flics matraquaient direct dans la foule, et là, d'un seul coup, on s'est trouvés dans une ruelle avec des inconnus. Et trois bagnoles de flics au bout, qui formaient un cul-de-sac.

– On rejoint le cortège! a crié un type en lâchant sa bougie.

Mais Rico voulait pas lâcher la sienne. On s'était éloignés de dix vingt mètres, pas plus, je voyais encore les banderoles, les bougies et les têtes, ça s'était remis à scander : «Nous-sommes-le-Peuple!» Mais des flics s'étaient faufilés entre notre petit groupe et la foule, la grande foule.

– Pourquoi on se retrouve là? criait Mark en tenant son manche à balai comme un gourdin.

Au bout de la rue, derrière les bagnoles, y avait aussi un camion, le cul grand ouvert. Ils comptaient peut-être nous y balancer de force, mais pourquoi?

– Merde! a crié Rico. Et maintenant?

– Club photo! protestait Stefan en reculant et en brandissant son appareil, et puis un flash, et puis : j'ai le permis pour ça!

Quelques-uns essayaient de sortir de l'impasse en forçant le cordon de flics à l'entrée, mais c'était mort, les poulets n'avaient qu'à les repousser gentiment avec leurs boucliers.

– Immeuble! a crié Rico, on rentre dans un immeuble, n'importe lequel!

J'ai vu sa bougie heurter un bouclier, et puis il a détalé au hasard. Mark a laissé tomber son fanion pour le suivre au pas de course, y avait plus que Stefan qui restait vissé là, à photographier les flics.

– Stefan, viens!

Quelqu'un m'est rentré dedans, j'ai perdu l'équilibre, plaqué contre le mur, ça courait de partout dans la ruelle, certains se jetaient contre les portes des immeubles, plus de Stefan, je sprintais vers Rico qui venait de réussir Dieu sait comment à ouvrir une porte qui donnait sur un hall.

– Magne, Dani, file là-dedans !

Le hall était sombre, on a dû avancer à tâtons contre les poubelles pour rejoindre la cour. Un briquet s'est allumé, d'autres visages tout près des nôtres, mais pas ceux des flics. On a continué vers le fond de la cour, la porte du deuxième bâtiment était ouverte.

– Nan, a fait Rico, pas moyen de sortir après. Là, Dani. On grimpe sur le toit.

Il a repris la cour dans l'autre sens pendant que j'attirais Mark par les épaules.

– Mince, Dani, ils vont nous pincer.

– Mets-la en veilleuse, toi ! Fais confiance à Rico !

Rico avait réussi à escalader le muret, il essayait de rejoindre le petit toit de l'auvent.

– Vous attendez quoi !

– Courte, Dani ! Steuplaît, fais-moi la courte, j'vais pas y arriver !

Les cris et le piétinement des bottes m'arrivaient de la rue. J'ai tendu les mains à Mark pour qu'il cale son pied, me suis hissé après lui, Rico m'a tiré, j'étais allongé contre eux sur la tôle.

– Et maintenant, on reste couchés, a fait Rico. Rien d'autre à faire !

Des lumières ont traversé le hall, traversé la cour : lampes de poche, lampes de poche de poulets. Et là, lumière dans la cage d'escalier, mais pleins feux, cris et piétinements dans la cage d'escalier, ils les ont coincés, pas difficile à entendre, un flic passe devant la fenêtre de la cage en violentant un type par l'épaule. Les revoilà dans la cour, encore les cris ; bon sang, mais y a quelqu'un qui chiale !, face écrasée contre la tôle à m'en abîmer le nez, et plus personne.

– Reste couché, m'a fait Mark dans un souffle en me voyant me redresser. Si jamais ils espionnent !

L'ombre venait de revenir dans la cage d'escalier. Mais là, un truc a encore tinté, ils s'étaient pas tous fait prendre ? Fausse alerte, juste une vieille à sa fenêtre, je voyais ses cheveux blancs se pencher du deuxième étage. Un autre carreau s'est ouvert deux étages au-dessus.

– Alors ? a soufflé un type. Z'y sont plus ?

– Nan, a fait la vieille. Bon débarras.

– J'voulais en cacher un, moi, mais qu'est-ça aurait changé…

– Nan, a fait la vieille, ça nous apporte rien de bon. Tout ce qu'ils font c'est nous mettre la porte en morceaux. Si c'est pas malheureux…

– C'est ben vrai, a fait le gars.

– Enfin, a toussé la vieille, on en a p'têt plus pour longtemps.

– Longtemps quoi ?

– Bah, elle a encore toussé, vous savez bien.

– Vous l'fais pas dire.

– Bonne nuit, a fait la vieille.

– Nuit, a fait le gars en refermant sa fenêtre.

La vieille est restée là, à tousser dans sa chemise de nuit blanche. Dernier hoquet, crachat par la fenêtre. Pas impossible qu'elle ait glavioté un gros bout de poumon. Ensuite, elle a fermé sa fenêtre et ses volets, et puis elle a éteint. Je me suis tourné sur le dos.

– Visez ça, nous a fait Mark. Là-haut. Le Chariot.

– Et Stefan ?

– Ah, m'a fait Rico, t'inquiète pas. Avec sa carte photo, il risque rien.

Ça m'a fait sourire. Et comme ils me voyaient pas, j'ai rigolé dans la pénombre, mais pas trop fort :

– Çui-là, avec sa carte photo.

– Nan, a continué Rico, ils seront obligés de le relâcher direct, ou de le ramener chez lui. D'ailleurs, ça a du bon. Treize piges, tu vois… c'était son bizutage. Maintenant, il est des nôtres pour de vrai.

– T'as raison, je lui ai fait. Maintenant, il peut venir à l'Expo.

– Qui sait où ils vont le coffrer… a fait Mark. Bon, et maintenant, regardez ! Là, juste à côté. Le P'tit Chariot, il elle s'appelle.

Je lui ai tapé sur l'épaule :

– T'es un crack en étoiles !

– Dis-donc, Dani. T'y comprends quelque chose, toi ?

– De quoi ?

– Ben, pourquoi ils ont fait ça. Aujourd'hui. La marche, j'veux dire.

– Franchement, pas super bien.

– Qu'ils aillent leur rentrer dedans, comme ça… j'aurais pas cru !

– Ouais, mais bon. Au stade aussi des fois ils tapent dedans !

– Peut-être, Dani. Mais pas aussi fort.

– Fermez-la un peu, a soufflé Rico.

Des pas descendaient l'escalier. La porte s'est ouverte et quelqu'un a traversé la cour vers le hall d'entrée. Peut-être que le type d'avant en avait quand même planqué un. Ou la vieille, ou un autre gars de l'immeuble.

– Imagine si Dettleff et Singer apprennent qu'on est venus. Et la Seidel. Vu qu'ils finissent toujours par être au courant.

– Là, ils auront rien à dire. Avec tout ce peuple. C'est quand même pas tous des fauteurs de trouble.

– C'est contre des salauds comme ça, a fait Rico en venant se serrer contre nous, c'est pour se battre contre eux qu'y a tout ça. Et puis contre les flics, hein, contre les flics aussi.

– N'empêche que chuis dans la mouise, a fait Mark. Mon paternel, vous savez bien. J'avais interdiction de sortir. (Il s'est levé) On bouge ? Peut-être qu'il sera moins sévère si je rentre pas trop tard.

– On commence par contrôler, a fait Rico en redescendant le long du muret. Si jamais ils sont toujours dans le périmètre, faudra qu'on trouve moyen de se tailler par les autres cours.

Une fois en bas, on est passés de la cour au hall. La porte sur la rue était toujours grande ouverte. On a inspecté les environs, gauche, droite, personne. On est repartis sur le trottoir, la rue était plongée dans l'obscurité, plus de gyros nulle part, juste deux lampadaires allumés sur tous les autres d'éclatés. On a remonté jusqu'à la Grand-Rue, déserte elle aussi. Sauf pour les deux bagnoles en vue. «Poulets!» a crié Mark en se plaquant au mur, mais ils ont continué leur route bien tranquillement, sans gyros. Sur le trottoir et sur la route, quelques bougies avec leurs taches de cire. «Mon drapeau!» a fait Mark en allant s'accroupir au-dessus du machin tout crade et froissé. Sans rien dire, il a passé la main sur le tissu et le manche à balai. Après, il a sorti un élastique et s'est mis à replier le fanion, mais Rico l'a arrêté :

– Laisse ouvert. S'ils nous coincent maintenant, on était à un truc des pionniers.

Mark lui a fait un grand sourire :

– Tu vois ! Mon drapeau.

On a longé la Grand-Rue direction l'arrêt de la place Karl-Marx. Là aussi, des bougies dans tous les coins. J'en ai empoché une. On a continué sur le trottoir, rien que nous. Mark faisait voler son drapeau.

– Bonjour, vous auriez des cadeaux publicitaires ?

On était à l'Expo. Avec Stefan, Rico et Walter, on se faisait tous les stands. Mark avait encore interdiction de quitter le domicile, et pour une fois il n'avait pas pu filer en douce. Pareil pour Paul. Stefan avait pris son sac à dos, déjà pas loin de déborder. Maintenant, on le voyait un peu comme un héros, c'était depuis que les poulets l'avaient embarqué dans leur camion comme les autres interpellés. On était un peu jaloux, mais on lui disait pas. On lui disait juste que c'était son bizutage, son initiation, et que maintenant il faisait partie de nous.

Il avait encore ramené son appareil, il prenait les stands. Les flics lui avaient confisqué toutes ses pellicules pendant la garde à vue, sauf une qu'il avait réussi à se fourrer dans le slip, et il comptait bien remporter le prix du club photo avec.

On a traversé les halles 3 et 4 pour rejoindre la 5, celle où ils mettaient les bagnoles, mais alors les vraies de vraies, pas juste les Skodas, les Ladas et les Wartburgs. Même qu'ils avaient des Mercedes et des Volkswagen. Stefan s'était encore épinglé la carte du club photo au blouson, « ça porte bonheur », qu'il nous avait dit. Parce que, dès qu'il avait montré la carte aux flics, ils l'avaient ramené chez lui, chez ses parents.

– Tous les quatre devant la merco, nous a fait Stefan. Ça c'est du cliché !

– Pour gagner ton prix ?

– Nan. Le prix, j'vais l'avoir pour les photos du rassemblement de lundi. Là, c'est rien que pour nous. Souvenir, tu vois !

– Vas-y, lui a fait Rico, demande un peu au gusse, là, s'il veut bien nous bombarder.

– Mieux pas, j'ai répliqué. Pas qu'il aille chercher la sécurité…

Dans les halles, aucun flic à l'horizon, ils se baladaient juste à l'extérieur. Par contre, le service de sécurité et les vigiles pouvaient vraiment nous emmerder, on avait pas le droit d'entrer en dessous de seize piges.

– 'porte quoi, a repris Rico. Tu vois bien qu'il s'en fout !

Le type avait déjà l'appareil en main, ça allait bien avec son costume noir. Stefan lui a montré pour le flash et le reste, et puis il est venu nous rejoindre, et on s'est mis devant la Mercedes en se tenant par la main. Blitz. On souriait.

TRAVAUX D'INTÉRÊT GÉNÉRAL

Avec Mark, on travaillait au club des jeunes du quartier des Moulins. Ils nous avaient filé soixante heures. Ça faisait beaucoup, mais d'autres avaient écopé de cent au bas mot. Faut dire qu'on s'était pas attendus à autre chose : la fois d'avant, on était déjà à trente, celle d'avant à quinze, et celle d'avant : procédure sans suites, normal pour une première fois. Au fond, j'aurais bien voulu qu'ils me renvoient à la maison de retraite où j'avais tiré mes trente heures, là-haut il suffisait de pousser le chariot avec la bouffe, en plus de ça j'avais une blouse blanche et un badge, pareil qu'un vrai infirmier, les gens me donnaient du Monsieur Lenz, et de temps en temps des vieux types venaient me voir pour réclamer des clopes. Parfois, je leur rapportais aussi des bières ou du schnaps et ils me glissaient un peu de monnaie. Quant à Mark, il avait bossé à l'entretien des espaces verts, pas envie d'atterrir en maison de retraite, « les vieux, ça fait des trucs pas propres », qu'il m'avait expliqué. Pas faux, mais dès qu'y en avait un qui pouvait pas attendre d'être sur le trône, ou qu'il décédait, j'étais plus en charge, c'est les experts qui prenaient la main. Mais là-haut, ils ne voulaient plus entendre parler de moi. Quand ils m'avaient demandé pourquoi je venais bosser chez eux ce coup-ci, j'avais dit « lourde dégradation de biens », ce qui leur avait moyennement plu. C'était la fille de la protection judiciaire de la jeunesse qui nous avait refilé le plan pour le club. Là-bas, au moins, personne nous demandait pourquoi on avait nos heures à faire.

Le club des jeunes était en rénovation, on faisait un peu d'heures après le bahut et aussi les week-ends. Ça ramait, on en avait encore quarante devant nous et la juge nous avait seulement filé un mois de temps.

– Quelle vieille truie, a fait Mark. Elle cherche juste à nous foutre la haine. Elle sait très bien qu'on doit aller au bahut !

On était dans la cave, à repeindre les murs du bar à bière en noir. Sur le comptoir, une caisse de bières, on s'octroyait pas mal de pauses.

– Tu peux faire durer le truc, je lui ai répondu. Suffit de faire une demande. Avec tes raisons, et tout.

– Ça reste du caca. Dani, encore quarante heures à tirer !

Sortant son rouleau du pot, il l'a claqué tellement fort contre le mur que la peinture a platsché.

– Tiens-toi un peu, mon gars. Moi qui croyais que tu voulais devenir peintre.

– C'est pas que je veux, Dani, c'est qu'il faut !

Il faisait une année d'apprenti spécialité peinture en bâtiment. L'an prochain, il devait commencer sa vraie formation.

– Viens on s'en fait encore une.

– Et s'ils nous grillent ?

– Bah, je leur lâcherai les trois balles !

Et il est passé derrière le bar pour décapsuler deux bières.

– Attends, mais quand même ! T'as vu comme ils nous exploitent !

– Pas faux.

– Viens par là ! il a fait en me passant deux tabourets par-dessus le comptoir. Et puis c'est samedi, merde.

On a trinqué. C'était juste après le coup d'une heure, on en était déjà à la troisième, j'avais plus grande envie de bosser.

– T'as raison, je lui ai fait. Ils se payent tout pour que dalle, tout le taf. Que des TIG et des bénévoles.

– Plus les chômedus en réinser'. Enfin, depuis pas longtemps. Ils refont le pavillon dehors, mais que à deux. Vieux croûtons.

– Alors, les garçons, on se la coule douce ?

Dans l'embrasure de la porte, Andrea. Pour une responsable du club des jeunes, elle était pas bien vieille.

– Ras le bol ?

Mark s'est calé dos au comptoir en faisant disparaître sa bière.

– Carrément pas, j'ai lancé à Andrea. On était sur le point de s'y remettre. Juste une pause.

– C'est pas un peu tôt pour la bière ?

– Rien qu'une petite, lui a fait Mark. Juste histoire de se chauffer.

Elle s'est approchée en scrutant le mur, et elle a approuvé :

– Eh bien, on dirait que ça prend tournure. Vous aurez fini aujourd'hui, hein ?

– 'videmment, a fait Mark. Tranquille.

Pour une gonzesse déjà avec marmot, elle était vraiment pas mal. Mais d'après ce que nous avaient dit les autres, elle vivait seule. « Sûr qu'avec elle il peut se passer un truc, m'avait garanti Mark. Suffit de rester au taquet, à tous les coups elle kiffe les minots. » Elle s'en est allumé une, elle fumait des f6, « fais-lui-du-sex, m'avait expliqué Mark. Signe qui ne trompe pas, Dani », mais j'en attendais rien. Elle nous a tendu le paquet, on s'en est tiré chacun une.

– Pas de problème, elle nous a fait en recrachant la fumée, et pour être honnête elle était vraiment belle. Faut bien faire une petite pause de temps en temps !

– On pourrait pas s'occuper d'un autre machin ? a fait Mark en allumant sa clope, avant de me passer le feu. Les coups de pinceau, ça commence à…

– Moi qui croyais que tu voulais devenir peintre.

– Ben ouais. Justement.

– Bon, écoutez. Je vais vous envoyer un chômeur, il vous aidera à terminer plus vite. Après, vous pourrez poncer l'escalier.

– Sympa, Andrea !

Il lui a pris la main, l'a tapotée, mais elle l'a vite garée en riant et en secouant la tête. Derrière le bar, elle nous a sorti un cendrier.

– Faudrait pas non plus que tout le monde voie vos bières. La prochaine fois, attendez de débaucher, hein ?

– D'acc, Andrea ! on lui a fait en chœur.

– Vous aurez de quoi grignoter vers quatorze heures. En haut.

On l'a matée qui retraversait la cave. Elle était vraiment pas mal, même pour une gonzesse déjà avec marmot.

– Sûrement un pauvre type, a fait Mark.

– De qui ?

– Ben son gars, là. Son connard, çui qui lui a fait le gosse… Doit être le roi des cons pour la laisser toute seule.

Quelqu'un se ramenait dans l'escalier. Un mec en bleu de travail avec grand béret bleu est apparu dans l'embrasure et nous a lancé un bonjour, main sur le béret, avant de s'approcher. Il est resté planté face au mur.

– Eh bien, messieurs ! C'est déjà du beau boulot, il a commenté de sa grosse voix calme. On y est presque !

Il est venu se mettre entre nous et il a toqué contre le comptoir.

– Je vois qu'on se fait plaisir !

– Bien sûr, je lui ai fait. Bien sûr, Herr Singer. Les pauses, ça fait partie du boulot.

Il a posé son béret sur le comptoir en me regardant. Mark a levé sa bière, avalé une gorgée, j'aurais plutôt dit qu'il allait lui fracasser sur le crâne.

– Daniel, a repris Herr Singer en baladant son béret sur le comptoir. Daniel Lenz.

Il avait vieilli. L'air beaucoup plus vieux qu'à l'époque, presque plus de cheveux, et blancs. Il m'a tendu une main qui semblait avoir rétréci. Avant, ses mains étaient énormes et pleines de force. En même temps, il était prof de techno, prof de techno doublé d'une pointure au parti. Je l'ai serrée, j'ai serré sa main le plus fort possible, mais elle était flasque et moite.

– Bormann ! a gueulé Mark dans son dos en le faisant frissonner. Mark Bormann ! Bien le bonjour, Herr Singer !

Après quoi il est venu lui taper sur l'épaule :

– Fait une paye, Herr Singer !

Voyant la main collée à son épaule, Herr Singer a reculé un peu.

– 'jour, Mark.

– Et comment vous allez ? lui a grimacé l'autre.

– Ma foi, a fait Singer. Tant qu'il y a du travail, je ne me plains pas.

– C'est sûr, je lui ai fait. Ça se voit.

Il s'est passé la main sur le caillou avant de remettre son béret.

– Et vous, comment vous portez-vous ? Je vois que vous vous êtes mis au bénévolat, vous aussi ? Toujours prêts à servir ?

– Eh ben, disons, a repris Mark, vous savez bien, tous les trucs qu'on a appris grâce à vous. Toujours être prêts à servir ! Hein, Dani ?

– Sûr. Un pionnier doit toujours être prêt à servir. Affable et discipliné !

– Un pionnier doit toujours veiller à ce que son corps demeure propre et sain !

Sa bière vidée, Mark a claqué le cul de la bouteille sur le comptoir. Herr Singer souriait. Il est allé se prendre un rouleau près des pots de peinture pendant que Mark déposait les bouteilles vides dans la caisse.

– Ce vieux Singer, il m'a fait en hochant la tête. T'y crois ? Imagine, si Rico…

– Dis-lui pas, Mark. Franchement.

Il a approuvé :

– Il lui marave la gueule. Crois-moi, Dani.

– Je sais.

Je matais Singer qui appliquait le rouleau de haut en bas, obligé de se mettre sur la pointe des pieds pour atteindre le plafond.

– L'aurait quand même bien mérité, pas vrai ?

– Peut-être. Mais tu te souviens, à l'époque ? Le stand de tir. Les fusils électriques. Là, t'avais été un bon. Tu t'en rappelles…

Impossible d'arrêter mon fou rire. Je nous revoyais, debout au stand des fusils avec Herr Singer, le foulard rouge de Mark noué pas comme il fallait, les pointes carrément trop longues. N'empêche qu'il faisait mouche à tous les coups…

– Faut oublier, vieux, il m'a fait en rejetant l'air de la main.

On est retournés à nos rouleaux. Mais quand on lui est passés derrière, Herr Singer ne s'est pas retourné. Pendant que Mark allait s'attaquer au mur d'en face, je me suis mis à l'autre bout du mur de Singer. Assez long, le mur. J'étais sur le point d'appuyer quand il m'a serré le bras : « Prends tout le temps de viser, Herr Lenz. » Il réservait le Herr aux fois où on était dans la lune, ou dissipés, ou… « aligne bien les mires, il a continué en posant le bout du doigt tout au bout du canon. Fixe bien ton point entre la hausse et le guidon, pile au centre de la cible, et tu mettras dans le mille, je te le garantis ! » Il avait raison, je mettais dans le mille. De haut en bas, de bas en haut, tremper le rouleau, et rebelote : de haut en bas, de bas en haut ; j'entendais la respiration de Singer, presque comme un petit gémissement. J'ai tourné les yeux sur sa face cramoisie, il avait tombé le béret, je tenais le bon rythme, envie de le rattraper avant qu'il atteigne le milieu du mur. Fallait déjà un nouveau pot. Plonger le rouleau, dégorger sur la plaque, rebelote, de haut en bas, de bas en haut… certains penchants destructeurs, et qui plus est, le caractère de Rico présente certains… penchants destructeurs… avoue tout, avoue tout… savons pertinemment… nous savons… savent toujours tout… penchants destructeurs… nous ne tolérerons plus… l'Elbe s'écoule vers Hambourg… l'Elbe s'écoule vers Hambourg… « Tenez, l'Elbe ! poursuit Herr Singer de sa grosse voix. Savez-vous au juste pourquoi ce fleuve est si pollué ? Eh bien, les fédéreux, la

455

République fédérale rejette toutes ses immondices dans l'Elbe, par kilos entiers, et c'est pour cette raison et cette unique raison que sur nos rives, l'Elbe est si polluée ! Pendant ce temps, ils mentent, ils ne cessent de mentir en prétendant que leurs immondices viennent de chez nous, de chez nous. Mais nous n'avons pas rejeté une seule immondice dans l'Elbe. La République démocratique allemande n'a pas produit une seule immondice ! Elles viennent toutes des monceaux d'ordures fédéreux !» L'Elbe s'écoule vers Hambourg, je me disais en replongeant le rouleau. Penchants destructeurs. Jamais j'avais été à Hambourg.

– Temps mort !

J'ai lâché le rouleau, des gouttes de peinture sur ma main. J'étais côte à côte avec Herr Singer. Sa face luisait, son front aussi.

– Montez nous voir ! a lancé Andrea dans l'encadrement. C'est l'heure du goûter !

– Eh bien, nous a fait Herr Singer en s'épongeant avec un grand mouchoir. Messieurs !

– Vous en pouvez plus, hein ?

Mark lui faisait face, mains dans les poches.

– Je ne me plains pas. Tant qu'il y a du travail.

– Fous-lui la paix. C'est plus qu'un pauvre diable, tu vois bien…

Il a extirpé son béret d'une poche de son bleu de travail et l'a vissé sur son caillou. Ensuite, il a tiré un étui à cigarettes de son pantalon. Les armoiries de la RDA étaient gravées dessus. Juste en dessous, en majuscules : UN CAMARADE EST UN COMBATTANT.

– Ne vous gênez pas, messieurs. Prenez-en une.

On lui a jeté un regard, et on est partis vers l'escalier en lui tournant le dos.

CŒUR DE CLEBS

Stefan venait d'avoir son chien. Un pitbull. « Un pitbull, qu'il disait, c'est pas un clebs. Un pitbull c'est un pitbull. Eux, c'est carrément aut' chose. » On pouvait pas dire qu'il avait tort, car même si le clebs n'était pas bien gros, tout le monde avait les jetons. Il l'avait acheté au Pré vert, plus à l'ouest, à une petite bande de Skins qui faisaient de l'élevage dans leur jardin. Il l'avait payé cinquante marks, mais c'était parce qu'il connaissait les types. Le chien avait à peine six mois, il était encore tout nain, n'empêche qu'il devenait un peu plus gros semaine après semaine. Il était obligé d'aller s'aligner contre un mur, dans la cave, pour que Stefan tire un trait et qu'on puisse voir de combien il avait grandi.

Le chien n'avait pas encore de nom, il l'appelait juste Pitbull, mais pour autant, il se creusait la tête toute la journée et sûrement toute la nuit.

– Change rien, je lui ai fait. Juste appelle-le Pitbull. Ça suffit.

– Nan, Dani, ça ira pas. Faut bien qu'il ait son blase, c'est pas n'importe qui. Obligé qu'il s'appelle.

Il lui a caressé la tête et l'a assis sur ses genoux. Le clebs s'est mis sur le dos, et Stefan lui a flatté le ventre.

– Vise un peu les bourses. Tu verras, elles vont vraiment grossir.

Ça m'a fait marrer :

– On s'en fout de ses bourses, mec. Mais bon, si c'est ton trip…

– Range ta bouche, il m'a fait en rougissant.

Dès qu'il l'a caressé sous les babines, puis sous le cou, le chien s'est mis à haleter et à grogner, les pattes avant enfoncées dans la poitrine de Stefan comme deux petites menottes.

– Tu sais quoi, Dani, faut qu'on retourne lui chercher ses croquettes.

– Donne voir.

Il l'a porté vers moi, et je me suis calé en arrière pour l'asseoir sur mon torse. Ça pesait déjà son poids. Le chien s'est mis à me flairer le visage.

– T'as vu comme il m'aime bien ?

– Boaf. Il est comme ça avec tout le monde.

Stefan a tiré sa chaise un peu plus près. On était posés dans sa cave, c'était là que créchait le chien.

– Ch'te disais, Dani. Pour la bouffe…

– Ils donnent plus rien, tes vieux ?

– Nan, gars. Tu sais bien.

Les parents de Stefan avaient une dent contre le chien. Surtout son père. Raison pour laquelle il partait toute la journée en balade avec, quand il le traînait pas chez des potes ou dans la cave.

– Tu sais que j'ai plus un rond. Mais lui, faut bien qu'il graille. T'as vu comment il pousse, il lui en faut plein !

– Ch'peux bien te prêter quelques sous.

– Nan, il me faut plus. Quelques sacs. Eukanuba, c'est les mieux. T'as tout dedans, ça lui file plein de force.

– Tu sais combien ça coûte ?

– Attends, t'as cru que j'allais payer ? Nan… Tu vois le magasin d'animaux ? À Mölkau, là ?

– Bien sûr que j'vois. Coin du marché aux fleurs.

– Exact, Dani, çui-là.

Dès que Stefan s'est redressé pour aller chercher deux bières dans le placard, le chien s'est éjecté de mes genoux et lui a collé aux basques.

– T'as vu ça ! Je l'ai déjà dressé !

Il essayait de lui grimper à la jambe. Quand Stefan s'est penché vers lui, le chien lui a léché la face avec sa langue toute rose.

– Ça me débecte.

– Ben quoi, Dani ? C'est ça, les clebs.

Il a décapsulé :

– À mon chien.

– À ton chien.

Et on a bu.

– T'es sûr de vouloir les chourave ? Fait au moins dix kilos, ces sacs-là.

– Chuis au courant. Mais pas dans le magasin. Faudrait être con, sachant qu'ils gardent leur stock dans la cour de derrière. J'ai déjà tout vérifié. Y a juste le rideau en ferraille. Tout ce qu'il nous faut, c'est un peu d'ice spray.

— Et comment tu veux transporter les sacs ? Tu penses pas à une bagnole, quand même ?

— Mais nan. On bouge en mob, on fout une remorque.

— T'as fumé la moquette !

Il a lâché sa bière pour prendre le chien et l'a soulevé au-dessus de sa tête. Le pitbull gigotait des pattes en gémissant gentiment à la lune.

— Chuis pas sûr qu'il apprécie tant que ça.

— Tuuu parles, c'est juste que ça lui fait plaise.

Il l'a encore fait tanguer un peu avant de le rasseoir par terre, et le chien est retourné dans son carton.

— Ah. Il a sa p'tite envie.

Stefan a pris la laisse en mettant deux doigts dans sa bouche. La tête de Pitbull s'est montrée sur le bord du carton. Il a encore sifflé, et le chien est ressorti lentement pour aller voir son maître.

— Allez, Pitbull. On sort !

Pitbull s'est mis à hurler et à tourner en boucle en essayant de se mordre la queue.

— Non mais regarde ça. Regarde-moi ce bêta.

— C'est normal. Il te fait toujours ça quand il est content.

Dès qu'on a été dans le couloir, le chien s'est lâché contre le mur.

— Vas-y nan ! Mais pas là !

Il l'a écarté d'un bon coup de laisse. Je me marrais. La cave tout entière puait le parfum, Stefan pschittait chaque endroit arrosé par le clebs, pour pas que les autres locataires aillent gueuler. Sauf que du coup, c'était la daronne qui gueulait parce qu'il lui finissait tout son beau parfum. Au début, le chien allait pisser et chier dans chaque recoin de la cave tous les matins, mais c'était aussi la faute à Stefan, vu qu'il le laissait tout seul pour aller à son année de formation pro. Il revenait dans l'après-midi, mais pour un petit chien, ça faisait trop long. Alors, il avait fini par le prendre au bahut, deux ou trois fois. Il laissait les bouquins à la maison, et Pitbull roupillait dans le sac à dos que Stefan avait percé de trous. Les profs grillaient rien, Stefan lui faisait faire sa promenade aux récrés. Sauf une fois où le clebs avait réussi à se faufiler hors du sac pour trottiner jusqu'au bureau. Évidemment, le prof avait joliment flippé, c'était quand même un pitbull.

Stefan en était rendu à engager les pochetrons qu'on connaissait de notre bar ou de devant la halle, il avait qu'à leur filer un peu de schnaps ou de bière pour qu'ils viennent chercher Pitbull dans sa cave le matin et l'emmènent se dégourdir les jambes dans le parc dès qu'il avait envie de. Bien sûr, je m'y collais aussi quand je trouvais le temps, ou alors Rico, ou Mark, on aimait bien. Et puis, quand on passait avec le chien dans la rue ou dans le parc, on était fiers.

Pitbull s'est accroupi pour mouler un énorme cake en plein milieu du trottoir.

– Je croyais que tu l'avais dressé, Stefan.

– Ben quoi ? Je l'ai dressé, ouais.

– Ouais, enfin j'veux dire, pour pas qu'il chie sur le trottoir.

On a accéléré, ça loufait à mort.

– T'inquiète, Dani, ça aussi j'y ai montré. D'habitude, il chie que sur le gazon. Il a dû bouffer une saloperie. Bon, et t'en es, pour les croquettes ?

– Sérieux, Stefan, chais pas. Tu voulais faire ça quand ?

– Ben, j'avais pensé… entre trois et quatre. C'est là qu'y a le moins de flics en vadrouille.

– Chuis pas con. Mais quel jour ?

On était arrivés dans le parc. Il a retiré la laisse, le chien a détalé aussi sec vers la pelouse pour aller bondir en cercles comme un mongol.

– Demain, Dani. T'en dis quoi ? Ouais. Ouais, nuit de demain.

– Chais pas. Tu veux pas attendre samedi ? Vu qu'ils sont fermés le dimanche.

– Nan, Dani. Autant faire ça demain. Le clebs il a besoin de ses croquettes, et si on se démerde pour choper quatre cinq sacs, on sera parés pour un moment.

– Vendu, mais que si c'est moi qui conduis.

– Merci, Dani !

Il m'a boxé l'épaule, et j'ai eu droit à ma clope. J'ai jouffloté le 22 en faisant bien gaffe, ça m'arrivait encore de tousser un peu.

– Évidemment, évidemment que tu conduis !

Le chien s'était déniché un bout de bois qu'il mâchonnait dans son coin. On est allés le voir, et il s'est redressé, le bâton entre les crocs, à nous grogner.

– Lâche, Pitbull, lâche !

Campé devant lui, Stefan lui montrait la laisse.

– Tu vas lâcher, oui !

Mais Pitbull n'écoutait rien, il était là, à se plaquer au sol avec son bâton en grognant encore plus fort. Stefan s'est accroupi devant lui et l'a pincé par la peau du cou.

– Vas-y lâche ! Pfuitt.

Le clebs a fini par lâcher dans un couinement.

– Geeentil.

Il l'a soulevé contre sa poitrine et s'est mis à lui faire des caresses.

– … t'es bon chien. T'es grave bon chien.

– Va bien falloir que tu lui donnes un nom, à la fin. Sinon il t'écoute pas.

– Un peu qu'il m'écoute, Dani. Tu sais très bien qu'il a déjà appris masse de trucs grâce à moi !

Même qu'il avait voulu lui apprendre à chier sur commande ou au moins à pisser, avec ça, il pourrait le ramener chez les gens qu'il pouvait pas encadrer, par exemple ses profs. Qui d'ailleurs ne lui auraient jamais laissé passer la porte, mais bon, il pouvait toujours aller jusque sous leurs porches. Dès que le clebs s'apprêtait à chier sur la pelouse ou le trottoir, Stefan lui faisait « pousse ta crotte » en lui filant un bout de biscuit pour chiens ou un quignon. Sauf que Pitbull ne chiait pas parce que Stefan lui disait « pousse ta crotte », mais parce qu'il fallait que. « Vas-y aboie », il lui avait appris en plus, et ça, ça marchait, même si Pitbull ne faisait que hurler à la lune au lieu de lâcher un vrai aboiement.

– Vas-y aboie ! lui a ordonné Stefan en sortant un petit quignon de son sac. Bah alors, Pitbull, aboie !

Le chien s'est posé sur son cul en levant le museau au ciel, il s'est remis à hurler, cette fois avec deux trois glapissements, les progrès commençaient à venir.

– T'as vu comment il gère ça !

– Ouais, y a pire.

Il lui a tendu le quignon, mais l'a garé d'un coup sec juste au moment où l'autre allait mordre dedans.

– Vas-y mais donne-lui ! Regarde comment il a faim !

Le chien était posté devant lui et reluquait le bout de pain en haletant, plein de bave.

– Ouvre bien tes yeux, Dani !

Stefan s'est baissé vers le clebs, le quignon coincé entre les dents.

– Vas-y chope, Pitbull ! il ânonnait à travers le pain.

Pitbull a penché la tête d'un côté en le dévisageant.

– Chope, Pitbull !

Et là, Pitbull bondit, il bondit en frôlant le crâne de Stefan et lui chipe le quignon de la bouche.

– T'as vu, Dani ? Nan mais t'as vu ? Bête de chien ! Viens un peu me voir !

Le bout de pain englouti, Pitbull est venu s'éjecter contre la poitrine de Stefan pour lui léchouiller la gueule avec sa langue toute rose. Je me suis accroupi près d'eux et j'ai caressé la tête de Pitbull. Il m'a léché la main.

– Vraiment un beau chien que t'as là, Stefan.

Il souriait.

– Quand il sera vraiment big, il me protégera. Et là, personne pourra me casser les couilles, tu vois ?

– Carrément.

Le chien s'était mis sur le dos, il pédalait des pattes en se vautrant dans l'herbe.

– Ça change pas qu'il lui faut un nom.

– Je sais, je sais.

On a retraversé la pelouse pour aller se caler sur le dossier du banc, près du chemin. Pitbull a grimpé et s'est couché à nos pieds en continuant à s'essouffler et en lorgnant les passants.

– Tu vois, Dani, pour le blase. Eh ben, c'est tout un truc. Rico, il veut que je lui file un nom de boxeur, genre Tyson.

– Nan, ça craint. En plus, je crois que Tyson il est retourné à l'ombre. Ça fera que t'attirer le mauvais œil.

– Chaque chien de mes deux se tape un nom pourri. Style Rex. Ou style… Tu sais quoi, Dani, même que j'connais un gusse du Pré vert, là, eh ben, Adolf qu'il s'appelle, son clebs.

– Un Skin ?

– Un Skin.

Il m'a payé une clope. On a tiré en matant la pelouse de l'autre côté du chemin.

– Tu sais quoi, Dani, ch'crois que je vais juste l'appeler Pitbull.

– Si tu le dis.

– Parce que tu vois, sûrement qu'y a aucun pitbull qui s'appelle Pitbull tout court.

– Pas faux.

– Et en plus, il répond déjà. Hein, Pitbull ?
Le chien a levé ses yeux vers nous en haletant comme un dingue.
La soif, peut-être. En tout cas, on aurait cru qu'il nous faisait oui de la tête.
– Pitbull. Ouais, Dani. Ça, ça le fait. Viens, on va trinquer chez Goldie pour fêter ça.
– Je croyais que t'étais pas large.
– T'avais dit que tu m'avançais.
– Pour les croquettes, j'disais…
Il s'est redressé en me tapant sur l'épaule :
– Allez. Sois cool. Juste deux trois reubiés chez Goldie.
Pitbull a détalé vers la pelouse en hurlant.
– Tu vois bien. Même lui, il veut bouger chez Goldie.
– OK. Mais alors juste une.
On a pris par la pelouse. Pitbull avait retrouvé son bâton, il partait en éclaireur.

On était au Bosquet de l'Est avec Rico et Stefan, perchés sur la petite colline face à la vieille scène en bois. De là, on pouvait guetter si quelqu'un se ramenait. Stefan gonflait la poupée à trous. Karsten et son frangin étaient allés faire l'inventaire de je ne sais quel kiosque dans un bled de banlieue. À la base, ils comptaient juste ramener du schnaps et des cigarettes, sauf qu'ils étaient tombés sur tout un stock dans une remise, et ils avaient vite pigé que la boutique était le sex-shop illégal du bled. Depuis ce jour-là, ils stockaient tout ce bordel chez eux, mais c'était impossible à refourguer.
On avait troqué Mona contre deux paquets de clopes, on voulait la prendre pour dresser Pitbull. Stefan avait la gueule cramoisie, sa sueur gouttait sur la jambe de Mona. La valve était percée sur le pied de la poupée, ses loches et sa tête refusaient de prendre forme. Pitbull était couché près de son maître, à rogner une branche.
– J'y crois même pas !
Stefan a refermé la valve, et puis il a balancé la poupée.
– … y a tout qui ressort. Tout qui lui ressort par la gueule.
Mona avait la bouche béante, on pouvait y mettre le poing, facile, mais je me suis contenté de deux doigts. Dedans, elle était hyper douce, avec des petits patins en caoutchouc à la place des dents, et juste derrière, une petite paroi en caoutchouc que j'ai fait coulisser sur le côté, et puis encore une autre, ce qui m'a fait penser

à Rico et toutes ses gonzesses dont il me parlait sans arrêt, alors j'ai retiré mes doigts.

– Y a que dalle qui sort par-là. T'as qu'à mieux souffler en haut !

– Mais remplacez-moi !

– C'est ton clébard, Stefan.

Il a retourné Mona sur le ventre.

– Elle est bourrée de trous, aussi. Comment tu veux que ça aille ? Je suis allé inspecter le sac de Rico.

– T'as pas une pompe ? Celle pour les bateaux gonflables ?

– Nan. Ça, Karsten avait pas.

Pendant que Stefan rouvrait la valve et se remettait à souffler, Rico a sorti un pull en laine et un bleu de travail.

– J'espère que c'est la bonne taille.

– Tu crois vraiment qu'on peut le dresser avec la poupée ?

– No problemo. Vise un peu ça.

Dès qu'il l'a vu sortir un paquet de biscuits pour chiens, Pitbull a abandonné son bâton pour venir nous voir.

– Nan, Rocky. Si t'en veux un, d'abord tu t'entraînes à choper.

– Pitbull. C'est Pitbull qu'il s'appelle.

– T'inquiète, Dani. T'inquiète.

Rico a arraché le paquet pour en filer un à Pitbull.

– Écoute-moi comme ça craque. C'est bien, tu croques bien. Si tu chopes sur commande, je t'en file d'autres !

– Aboule un autre, je lui ai fait. J'veux lui en filer aussi.

– Alors juste un.

J'ai balancé le biscuit tout en bas de la colline.

– Cherche, Pitbull ! Cherche !

Il a filé museau à terre, tac, il l'avait, on l'entendait grignoter jusqu'ici. Il est revenu vers moi à fond la caisse pour me sauter dessus et me chiper le paquet des mains.

– Lâche, Pitbull, pfuitt !

Stefan a décollé la bouche de la valve, l'air a sifflé en ressortant, il a couru sur Pitbull et lui a sorti le paquet des babines. Pitbull grognait. Il lui a montré la laisse :

– Suffit, Pitbull ! T'es sourdingue !

Le chien a reculé tout doucement en baissant la gueule et en grognant encore plus fort. Je suis allé voir Mona pour lui fermer sa valve. Rico a voulu contourner Pitbull pour le calmer par-derrière, mais Stefan s'était déjà accroupi devant.

– Bouge, Rico. Mon chien.

Et là, il s'est mis à grogner, son grognement couvrait celui de Pitbull, il l'a attrapé par les côtes pour le mettre sur le dos. Pitbull disait plus rien, et là, Stefan a pris tout l'élan qu'il fallait et lui a claqué une bonne tatane dans les bourses. Le chien a laissé sortir un mini hurlement en frétillant des pattes, mais c'était tout. Rico était venu s'accroupir près de moi.

– T'inquiète, il m'a soufflé en posant la main sur la jambe de Mona. Il sait y faire !

– T'as honte de toi, Pitbull. T'as honte. Pfuitt. Pas gentil.

Il l'a lâché, s'est reculé, mais Pitbull restait sur le dos, les poils blancs de son poitrail tout crades, les pattes arrière tremblantes. Son maître avait une main calée sur la hanche, l'autre pointée vers le sol.

– Reste couché. T'as honte.

Le chien bronchait toujours pas, sauf son bide qui se soulevait avec sa respiration.

– Debout, a fait Stefan, et le chien s'est redressé pour trottiner vers lui. Chuis plus fâché, Pitbull.

Stefan a plié les genoux, et le clebs lui a sauté dessus en recommençant à lui lécher le visage avec sa langue rose.

– C'est bon, Pitbull, chuis plus fâché. T'es re un bon !

La seconde d'après, il hurlait et tournait en boucle en essayant de se choper la queue.

J'ai mis Mona sur ses jambes. Elle était toute flasque.

– Bon. On essaie de le dresser ?

– Un peu, ouais, a fait Rico en montrant Pitbull qui se roulait dans l'herbe, les pattes frétillantes. Il doit encore apprendre quand faut attaquer et quand faut pas.

– En vrai, il est pas obligé d'attaquer.

– Chien de garde, a coupé Stefan. Pareil qu'un chien de garde, Dani. Pour qu'il obéisse. Chope, lâche. Tu vois le truc ? Chien de garde. Il doit faire que ce que je lui dis.

Il est retourné voir Mona pour continuer à la gonfler. Pitbull sautillait autour de nous en hurlant, il commençait même à aboyer un peu. On regardait les seins de Mona grossir. Rico est allé prendre une bouteille d'eau dans son sac :

– Ramène-toi, Pitbull. T'as pas soif ?

Stefan a fait une pause, un doigt pressé sur la valve. L'air sifflait et couinait à travers.

– Attends. C'est avec ou sans bulles ?

– Nan. C'est robinet.

– Je préfère demander. Tu sais qu'il a peur des bulles. Ça pique, tu vois. Il peut pas comprendre.

Il s'est remis à l'œuvre, Mona était pas loin d'être prête, les seins lui poussaient direct sous le cou, y avait que devant que l'air manquait encore, sur les tétés. Rico a fait couler un peu de flotte dans sa main, et Pitbull a lapé. Jusqu'au fond de la bouteille.

– Comme les bébés, j'ai fait.

– L'emmerde pas tant qu'il boit, m'a lâché Rico. Ça, il déteste.

– Qu'est-ce tu m'fais ? Je l'emmerde pas.

Rico a retiré la bouteille, et Pitbull lui a fait la fête en projetant des gouttes sur son pantalon.

– On est bons, a fait Stefan en se relevant, un bras autour de l'épaule de Mona.

– Elle est trop grosse, je lui ai fait. Vire un peu d'air.

– Ben quoi ? Elle est parfaite. Tout ce qui faut là où il faut.

Il lui a mis la main sur la hanche en caressant son ventre.

– Nan mais les joues. Mate les joues.

Fallait avouer qu'elle avait un poil trop d'air. Elle gonflait les joues et ses yeux lui sortaient des orbites. Rico nous a apporté le pantalon et le pull.

– T'as pas tort, Dani. Pas cool d'avoir trop d'air. Qu'elle se nique pas trop vite.

– Attends, mais pourquoi ! a protesté Stefan en l'emmenant un peu plus loin. Elle est parfaite, j'vous dis. Vous allez juste lui rétamer sa valve.

– Vas-y mais file !

Rico lui a arraché Mona et l'a couchée pour rouvrir la valve.

– Stop ! protestait Stefan. Elle est bien, là ! Vas-y, lâche !

Il baissait les yeux vers Rico allongé sur elle à la tripoter, et vu comme ses poings s'ouvraient et se fermaient en oscillant près des hanches, j'ai cru qu'il allait l'arracher d'elle. Je lui ai pris le bras.

– Calmos, Stefan. Il lui fait rien.

Rico a refermé la valve de Mona une bonne fois, avant de lui enfiler le pull.

– Oh ! Aidez-moi.

Elle avait les bras tout raides, comme si elle voulait nous attirer à elle, on a dû la tordre et la plier jusqu'à ce que le pull lui aille.

– Faites mieux gaffe ! criait Stefan. Plus doucement, z'allez finir par la niquer !

Mona ouvrait grand la bouche, Rico toujours couché sur elle, elle aurait pas fait autrement si elle était en train de gémir.

– Stop, il a conclu. Stop, on est bons.

Il a sorti un petit coussin de son sac et lui a glissé sous le pull.

– Pour qu'il croque dedans.

Et on est allés l'adosser à un arbre.

– Au pied, Pitbull ! Pose-toi là. Vas-y, pose-toi là !

Pitbull est allé renifler la guibole de Mona.

– Assis, j'ai dit ! Pitbull ! Assis !

Il s'est assis face à Mona et l'a reluquée.

– Regarde ça, a fait Rico. Comment il la mate. Alors là, il l'aime pas. Tant mieux, il croquera plus vite.

Debout contre Mona, Stefan a amené le biscuit à hauteur de son ventre.

– Viens le prendre, Pitbull ! Chope !

Le chien a bondi sur Mona en emportant le biscuit.

– Voaaalà, Pitbull ! Rassis-toi !

Après avoir répété l'opération, il a coincé le biscuit sous le pull.

– Viens le prendre ! Chope !

Mais au lieu de ça, le chien s'est assis devant Stefan.

– Il a pas encore imprimé, a fait Rico. Pourquoi t'as pas insisté avec le machin devant le bide ?

– À quoi ça sert ? Vous êtes juste en train de le rendre neuneu.

Je me suis rassis près du sac pour sortir ses clopes.

– Balances-en une !

J'ai catapulté le paquet à Rico, mais Pitbull était plus rapide, il les a interceptées quasi en vol plané devant sa face.

– Lâche, Pitbull ! Pfuitt, lâche ! Mais arrête-toi ! Pfuitt, bordel, pfuitt !

On était tous les trois à gueuler n'importe comment pendant que le chien se carapatait dans les buissons juste derrière Mona, les Golden 25 des Niaques entre les crocs. On gueulait, on beuglait, il est revenu dans l'autre sens en faisant craquer les fourrés, filant comme une flèche sous nos yeux, direction la scène en bois, Stefan collé aux pattes.

– Mes clopes ! Sa mère, mes clopes ! a vociféré Rico avant de détaler à son tour.

Il avait entendu dire comme quoi en taule, les clopes étaient la monnaie d'échange n° 1. Depuis, il déconnait plus avec ça, valait mieux pas toucher à son fric. « Autant prendre de l'avance », il me disait parfois.

Pitbull avait déjà atteint la scène, Stefan et Rico aux trousses, mais un bon bout derrière. Je suis retourné voir Mona. Toujours adossée à son arbre, elle me toisait. Je l'ai couchée doucement près du sac pour la désaper. Et je lui ai mis un doigt. Ça faisait pareil que dans la bouche. Après avoir remballé le coussin, le pull et les biscuits, j'ai rouvert la valve. Ses jambes ont commencé à mincir, ses seins se sont ramollis, son visage s'est ratatiné. Elle avait vieilli. Je lui ai caressé les yeux une dernière fois avant de la replier et de la fourrer dans le sac, en refermant le zip par-dessus. Rendu à la scène, j'ai ramassé le blouson de Stefan qui traînait dans l'herbe. « Stefan ! Rico ! » Mais rien à signaler sur le chemin qui montait entre les arbres. « Vous êtes où ? Me laissez pas, quoi ! » En fait, ils étaient sous mon nez. Mais juste leurs guiboles, et juste une demi-seconde. Elles ont disparu sous la scène pendant que Pitbull refaisait surface pour me courir dessus. Je me suis mis sur les genoux en lâchant le sac :

– Vieeens là ! Allez, sois cool !

Il est venu me poser ses pattes contre la poitrine et m'a léché la gueule avec sa langue toute rose.

– Tout doux, chuchotait Stefan, tout doux.

On était dans sa cave, on poussait notre mob vers la petite porte qui donnait sur la rue. Il a ouvert. Dehors, le noir complet, et pas un bruit.

– ... deux secondes.

Il a calé une planche par-dessus les deux marches, et on a fait rouler la mob jusqu'au trottoir. C'était une S51 quatre vitesses, mais débridée. En solo, elle faisait du 100 à l'aise.

– Et le chariot ?

– Dans la cour. Tiens ça.

Il m'a laissé le rouleau de fil en métal dans les mains.

– Et j'en fais quoi ?

– Pour le chariot, Dani. Not' remorque.

Il s'est barré dans la cour en contournant l'immeuble. Des petits pas dans la cave. J'ai plissé les yeux : Pitbull me fixait, tête de traviole.

– Ben quoi, petiot ? Coucouche !

Mais ça l'a juste fait se rapprocher pour venir flairer d'abord la mob, puis moi.

– Franchement, y a pas moyen que tu viennes. T'as encore besoin de pioncer.

Je me suis baissé pour lui flatter le museau. La main écartée sur son flanc pour lui caresser les côtes, j'ai senti son cœur. Il battait carrément plus vite que le mien.

– On va te ramener des super Eukanuba.

Stefan revenait avec le chariot. En me redressant, j'ai lancé un coup d'œil aux blocs d'en face. Tout était noir, sauf pour quelques fenêtres avec des soubresauts de lumière bleue.

– T'as vu, là-haut ? Tous le même film.

– À ton avis. C'est l'heure du film érotique.

Il tirait les lèvres. On les avait aimés, les films érotiques, mais c'était avant que Karsten et son frangin nous approvisionnent en porno brut.

Il était en train de placer le chariot derrière la mob. En vrai, c'était une remorque de vélo avec un long bras, il comptait la fixer au porte-bagages.

– Aboule le fil.

– Comment tu veux qu'ça tienne ?

– Ça va tenir. Je m'y connais.

J'en ai cramé une. Pas envie de savoir comment il se démerdait pour fixer la remorque. Rasant le mur, Pitbull a levé une patte.

– Regarde qu'il se barre pas.

– Sûr.

– File ton schlass.

Avant, j'ai fait sauter la lame.

– Je laisse pas mal de jeu, il m'a expliqué. C'est essentiel. Pour les virages, tu captes.

– Sûr.

Pitbull avait poussé jusqu'à l'arrêt de bus. J'ai sifflé deux trois fois, et il a fait demi-tour en prenant son temps.

– Regarde, Dani. Chiasse. Ça le fait pas du tout, pour le phare arrière.

– C'est-à-dire ?

– Bah, ouvre les yeux. Il est caché. Y a le chariot devant.

– On a qu'à rouler sans. Ça m'gêne pas.

– Nan, Dani, c'est pas bon. Trop risqué. Suffit qu'y en ait un qui nous passe dessus !

Il s'est reculé pour scruter la remorque. Voyant que Pitbull se promenait toujours au milieu de la rue, je suis allé le choper pour le ramener près de nous.

– Projo de chantier. J'vais foutre un projo de chantier au cul. Sur le porte-bagages, tu captes. Mieux que rien.

Et il est retourné dans la cave.

– Merde alors, Stefan ! Arrête ton délire ! Qui tu veux qu'on croise, toute façon ?

Mais il m'entendait plus. Pitbull essayait de repartir en douce, j'ai préféré l'asseoir dans la remorque.

– Un rouge, a fait Stefan en posant le projo sur le siège. Ch'te jure que c'est mieux. Sinon, on s'fait rouler dessus.

Il a posé une pince-monseigneur sur la remorque, avant de rajouter une petite lampe de poche et un tube d'ice spray, sortis de sa poche de fute.

– Et voilà, Dani. Là, on est bons.

J'ai acquiescé. Il a enroulé le fil autour du projo pour l'harnacher au porte-bagages.

– T'as pas une allumette ?

– Nan.

Il a tiré sur un bout de fil pour le remettre bien droit, histoire qu'il rentre dans le tout petit trou sous la lampe du projo. Ça s'est mis à clignoter.

– Mets-la en continu, au moins.

Il a refait glisser le fil dedans. Au lieu de clignoter, l'ampoule rouge palpitait juste un peu, probable que la batterie serait vite à plat. Et là, Pitbull s'est mis à hurler gentiment. Stefan a jeté un œil dans la remorque :

– Oh, et puis… Pourquoi tu viendrais pas ?

On était posés chez Goldie avec Rico. On buvait des bières et des korns en attendant Stefan et Pitbull.

– Ramène déjà une blonde, Goldie, tu veux. Il va pas tarder.

– Pomme-korn en plus ?

– Logique, lui a fait Rico, et Goldie s'est mis à trafiquer ses verres derrière le zinc.

– Faut déjà qu'il retourne au toubib, pour faire des piqûres ou chais pas quoi. Coûte masse de tunes, un chien comme ça.

– Tu m'étonnes, a fait Rico. 'fin, l'autre, ça le dérange pas de raquer non plus. Fini les binouzes, et tout. Y en a que pour Pitbull.

– Il a bien raison. C'est pas n'importe quoi, un cabot comme ça.

Goldie est venu poser la pinte et le korn en face de la chaise de Stefan.

– Il vient avec le clebs ?

– Tu sais bien qu'il vient toujours avec, lui a fait Rico.

Goldie a souri :

– Je sais, ouais. Il a bien raison, d'ailleurs. C'est un bon toutou.

Avant de retourner au comptoir, il a toqué contre la table. On s'en est grillé une en matant la porte.

– À tous les coups qu'il est en train de repeindre tout ce qu'il croise.

– Ouais, je lui ai fait. Mais c'est à cause des croquettes au rabais.

– Et le projet Eukanuba ?

– Nan, ça l'a pas fait. Blindé de vigiles.

J'ai préféré omettre que le casse était parti en couilles à cause de Pitbull qui s'était roulé dans sa chiasse. On était déjà en chemin qu'on avait dû faire un arrêt dans le Bosquet de l'Est, Pitbull refoulait tellement qu'il avait fallu le pousser dans l'étang. Sauf qu'après, c'était pire.

– Enculeuses de privés, je lui ai fait. Tu vas voir le jour où on réussit à leur détourner l'attention. Là, t'inquiète qu'on se fera l'inventaire en entier.

Goldie est venu poser un petit bol de flotte sous la table.

– Il doit avoir soif. Ça tape, aujourd'hui.

– Mouais. Oui et non.

Je me suis retourné pour écarter le rideau.

– Je peux, Goldie ?

Goldie n'était pas exactement un amateur d'air pur, ça lui suffisait d'aérer deux secondes juste avant de débaucher.

– Jarte-le. Fais-toi plaise !

J'ai ouvert la fenêtre. Le soleil est venu taper sur la table.

– T'as craqué ? a fait Rico en mettant la main sur ses paupières. Ça nique les yeux !

En me penchant dehors, j'ai vu quelqu'un passer au coin avec un petit chien blanc. J'ai sifflé, mais c'était un vioque et son caniche.

– Alors, il se ramène ?

– Nan, pas là.

J'ai laissé entrouvert, rideau rabattu.

– Sa bière elle va tourner, a fait Rico. Sûr qu'il va se ramener.

– T'as un chien comme lui, a lancé Goldie, t'as des responsabilités. Pareil qu'un chiard, voyez. Regarde, suffit qu'ils soient au parc, eh ben, il va devoir attendre que l'autre ait fini de chier. Voyez. Responsabilités, pour qu'après il puisse venir se poser ici tranquillou.

– T'as pas tort, Goldie.

Goldie a souri en toquant sur la table, et il est retourné au comptoir. On tirait des lattes en fixant la porte. Presque plus de bulles dans la pinte de Stefan, alors on se l'est partagée dans les deux nôtres. Je me suis repenché dehors, une ambulance remontait la rue, gyrophares allumés. Au moment de tourner au coin, ils ont enclenché la sirène.

– Il se passe quoi, là-haut ?

– Chais pas. Ambulance.

Je me suis rassis.

– Castagne, a fait Rico. Sur la gueule. Obligé.

J'ai bu le korn de Stefan.

– Pitbull !

On a tourné la tête. Mark était dans l'encadrement.

– Grouillez. Vite.

On s'est mis sur nos jambes :

– Mais qu'est-ce qu'y a ?

– Mort ! Pitbull est mort !

– Où ?

– Chez Stefan.

On a détalé aussi sec en l'écartant de la porte. Direction le coin, puis cap sur le parc, Stefan habitait de l'autre côté. Je me suis retourné pour chercher Mark des yeux, plus là, il avait dû rester chez Goldie. L'ambulance était garée devant chez Stefan, les fenêtres de l'appart ouvertes, et ça gueulait… mais pas sa voix, non. On a fait le tour du véhicule. Pitbull était couché sur la route, les yeux ouverts, la tête toute plate. Il avait du sang qui lui sortait de la gueule et un croc fendu. À l'arrière de l'ambulance, un brancard entouré d'appareils et de tuyaux, mais l'ambulancier m'a claqué les portières sous le nez. Rico s'engouffrait dans le hall. Je me suis assis près de Pitbull pour poser la main sur ses poils blancs. Il était encore tout chaud. Je lui ai caressé le dos, le cou, j'ai passé la main sur ses yeux. Je voulais lui rabattre les paupières, mais ça marchait pas. Je me suis tourné vers l'ambulancier :

– Alors ?

– Alors quoi ?

– Le chien. Vous allez quand même l'embarquer ?

Dans l'immeuble, un cri.

– Brigade vétérinaire qui gère ça. Il est mort, toute façon.

– Et il se passe quoi, là-haut ?

– 'cune idée. Paraît que c'est une urgence. Gamin qui serait tombé de la fenêtre.

J'ai eu le temps d'apercevoir Rico qui prenait l'escalier.

– Des flics ?

– 'cune idée.

Ça se remettait à crier dans l'immeuble, mais c'était Stefan. Une bagnole de flics s'est pointée au moment où j'allais passer la porte d'en bas.

– Non ! Non ! Tu vas me lâch…

Mon regard a grimpé le long du mur. Le daron de Stefan avait tout le haut du corps en équilibre par la fenêtre. Une main l'étranglait. Quand je me suis engouffré, la caisse freinait à hauteur de l'ambulance. Dans le hall, deux gosses.

– Vous me prêtez la clé ?

Le plus grand a tiré l'autre loin de moi. J'ai pêché de la monnaie dans ma poche.

– La clé, j'ai répété en fourrant les pièces dans la main de l'aîné. Tu la récupères après !

Il a fini par enlever le cordon de son cou. Le temps de revenir sur mes pas, les flics causaient déjà avec l'ambulancier. Après avoir verrouillé la porte du hall, je suis revenu mettre la clé autour du cou du gosse.

– Interdiction d'ouvrir ! Faites mumuse dans la cour !

J'étais déjà lancé dans l'escalier que ça a pété en haut, avec un nouveau cri. L'appart était ouvert, mais j'ai dû retirer la chaise calée derrière la porte. J'ai traversé le couloir sans m'arrêter à la daronne posée dans la cuisine, la gueule bouffie, une multitude de bouteilles devant elle sur la table.

– 'jour, je lui ai fait sans attirer son regard.

« Un accident ! »

473

La porte du salon avait perdu sa vitre, le daron de Stefan était face contre terre avec son fils à califourchon sur le dos. Il lui pétrissait la figure dans les éclats de verre. Rico, au fond du canapé, la petite table en verre contre ses genoux éclatée pareil. D'autres bouteilles jonchaient le sol.

– T'attends quoi? Rentre.

Rico fumait, une bière à la main.

– Un accident! braillait le daron en essayant de donner des coups de pieds. Je te jure, fiston!

Stefan lui a collé son poing derrière le crâne, sans s'arrêter de hurler. J'ai maté Rico qui s'était tranquillement collé le goulot et déglutissait en regardant le plafond. Je me suis campé derrière Stefan. Dès que je l'ai vu prendre son élan, je lui ai chopé le bras. Il hurlait, jamais je l'avais entendu hurler comme ça, il a bondi comme un ressort en arrêtant son autre poing tout près de mon visage.

– Stefan, oh! C'est moi, c'est Dani! Viens me voir!

Je lui ai passé mon bras autour du torse pour l'attirer loin de l'autre.

– Pitbull! il me hurlait dans l'épaule. Pitbull, Dani!

– Je sais.

Ça sonnait à l'interphone. Je me suis frayé un passage vers la fenêtre en enjambant le père. Penché à la balustrade, je pouvais voir les poulets qui faisaient coucou. Et Pitbull, petite tache blanche au milieu de la route, tout en bas. J'ai refermé, et ça a encore sonné. Le daron voulait se remettre debout :

– Rescouché, lui a lâché Rico depuis le canap. Refous-toi par terre, crevard. Tueur de clebs!

– Tueur de clebs, a répété Stefan tout bas.

Il avait la face qui luisait et la morve qui lui coulait des narines. Rico a ramassé une bouteille de petite brune pour nous la tendre. Stefan l'a débouchonnée, il a descendu un bon gorgeon avant de la projeter contre le mur près de la porte.

– Pitbull!

Je l'ai encore tiré en arrière pour l'empêcher de retourner à son daron :

– Stefan. Oublie. Sert plus à rien, là. Tu vois bien, tu lui as déjà mis sa misère.

Il a titubé jusqu'au canapé pour aller s'enfoncer à côté de Rico.

– Pitbull, il a soufflé. Faut qu'il retourne dans son carton. Ça va pas, là. En plein soleil.

Du monde arrivait dans l'escalier. J'ai retraversé l'appart pour verrouiller la porte. La daronne était toujours posée dans la cuisine, maintenant sa tête reposait parmi les bouteilles. J'ai fait demi-tour vers l'encadrement du salon.

– Dis, Stefan. Dis-moi, qu'est-ce qui s'est…

– C'était lui, il a murmuré. C'est lui qui l'a balancé dehors.

Toujours enfoncé dans le canapé, il avait l'air minuscule, on aurait dit qu'il disparaissait au fond des coussins. Le daron avait réussi à s'adosser au mur. Plus qu'un œil qui clignait, et beaucoup de sang sur la gueule, sauf aux endroits où on voyait les marques de dents de Stefan.

– Un accident, qu'il baragouinait encore. Tout ce que je voulais, c'était… j'ai voulu l'empêcher de tomb…

Les flics tambourinaient.

– Tu fermes ta gueule ! Tu fermes ta sale gueule. Maman, elle m'a dit !

La bouteille a traversé la porte du salon en faisant encore plus d'éclats. Les flics tapaient plus fort. Stefan s'est levé :

– Faut que j'aille voir Pitbull. Faut bien que je le… Sinon, ils vont l'emmener, sinon ils vont me l'enlever.

Il est repassé dans le couloir juste sous mon nez.

– Les flics, Pitbull. Y a les flics, là.

Et ils étaient là pour de vrai, déjà dans le couloir, la daronne avait ouvert et causait avec l'un pendant que le deuxième arrivait au salon.

– Embarquez-moi le gamin, marmonnait le père. Allez, embarque…

– Chiredé, a fait Rico. Full, le vieux. Lui est tombé sur la gueule. Vous voyez le truc.

Le poulet était planté là. Il découvrait les lieux.

– Noms et adresses, il a fait en sortant son petit bloc.

On a enterré Pitbull dans le Bosquet de l'Est. Tous ceux qui l'avaient connu étaient là. Mark, Walter, Paul, Rico, Fred et son frangin, Karsten et son frangin, Thilo-l'Arsouille, Un-Seul-Œuf le fêlé qui voulait tout le temps être partout. Goldie aussi avait fait le déplacement, même qu'il avait fermé son rade pour quelques heures.

Stefan avait couché Pitbull dans une boîte en carton, la tête sur un coussin ramené par Walter, du velours rouge, c'était à sa mère.

On l'a enterré tout en haut de la petite colline, c'était la volonté de Stefan. «Ici, il aimait bien. Ici, il peut tout voir.»

Il nous a fallu pas loin d'une heure pour que le trou soit assez profond, à cause de toutes les racines. Goldie devait prononcer quelques mots, comme dans les vrais enterrements, on pensait que c'était lui le plus à même, après tout il avait son propre rade, mais il a juste dit : «Lui, c'était un bon chien. Pas n'importe quoi. Moi j'vois, j'le connaissais. Et pour l'oublier... ah çà, non, ah çà, jamais qu'on l'oubliera.» Stefan a balancé un peu de terre et quelques fleurs dans le trou, sur Pitbull. Quand ç'a été mon tour, on voyait plus que sa tête. Après, on a envoyé les pelletées. Tout le monde a pris Stefan dans ses bras en disant un truc genre «Chuis avec toi» ou bien «Tête haute» ou bien «Il est au paradis des chiens», Stefan hochait la tête, il attendait que tout le monde lui ait serré la main, l'air vraiment au bout. On s'en est fumé une dernière avant de redescendre la colline pour rentrer au quartier, Goldie voulait payer sa tournée. Je marchais côte à côte avec Stefan.

– Stefan, écoute...

– Non, il m'a fait. Non.

– Stefan... t'inquiète, ça va aller...

– Plus jamais. Pitbull. Maintenant, tu dis Pitbull.

– Ça marche. Pitbull.

J'ai mis mon bras autour de lui. On a traversé le Bosquet de l'Est sans dire grand-chose jusqu'au rade de Goldie.

L'AVIATEUR

Un-Seul-Œuf, il est dans mes rêves. Rico lui faisait : «Un-Seul-Œuf, bois.» Et Un-Seul-Œuf buvait. Ensuite, on lui filait un peu de speed, et il kiffait tellement qu'il se gobait une autre pilule. Après, je lui faisais : «Un-Seul-Œuf, t'es le plus grand!» Et Un-Seul-Œuf rigolait, et il kiffait tellement qu'il allait voir les gonzesses posées sur les canap et les chaises près du bar, déjà affaissées pour certaines. Faut dire qu'il allait pas les voir, il dansait les voir, parce que derrière les platines (foutues à même une vieille table d'écolier), c'était le petit Walter qui nous balançait les derniers skeuds techno. Un-Seul-Œuf kiffait tellement qu'il s'approchait des gonzesses en bougeant son corps; il devait déjà avoir oublié le mec qu'il était et la gueule qu'il avait. Un-Seul-Œuf, c'était pas son vrai nom. En fait, il s'appelait Hof, David Hof, mais nous, on l'appelait David Un-Seul-Œuf, ou Un-Seul-Œuf tout court, c'était à cause de David Hasselhoff et de sa belle gueule qui plaisait tant aux filles. Car Un-Seul-Œuf, il lui manquait une burne. À ce qui se disait. Mais ce qui est sûr, c'est qu'en plus Un-Seul-Œuf avait un bec-de-lièvre qui lui salopait à mort la lèvre du haut. Même les ailes du nez n'avaient pas été épargnées. Son blair était encore plus niqué que les blairs de tous les potes de boxe de Rico réunis, pété plein de fois puis ressoudé en vrac. D'ailleurs, son visage entier était en vrac, car il se ramassait autant de coups qu'un violeur d'enfants en taule, même si lui-même était encore un gosse. Un-Seul-Œuf, c'était un pauvre diable, un enfant de la DASS qui s'était retrouvé dans la rue après la chute. Au quartier, les gens disaient qu'il avait pour père l'une des Deux Fiottes de l'épicerie près de la Colline d'argent. Apparemment, le type l'avait chassé parce que ça lui avait fait trop mal qu'Un-Seul-Œuf soit sorti par une femme, et qu'en plus il ressemble à rien.

Il avait tenté sa chance partout, mais personne voulait le prendre. Les Braque-bagnoles des Moulins l'avaient refoulé parce qu'il savait rien faire de ses deux mains, sans compter qu'avec sa dégaine les flics l'auraient repéré même dans le noir ; après, c'était les mecs à Ange qui l'avaient laissé pour mort la fois où il avait tenté de faire un business avec eux (mais bon, ceux-là, c'étaient vraiment des fils de pute) ; et puis, la fois où il s'était tondu pour rejoindre les fachos de la Piste à rollers, ils l'avaient si bien avoiné qu'il en était ressorti encore plus pitoyable qu'avant. À part nous, y avait personne pour l'aider. C'était surtout Rico qui s'en occupait.

Il lui a gueulé : « Un-Seul-Œuf ! Vas-y, champion, mont'-leur ! » Et Un-Seul-Œuf leur a montré. Il balançait les épaules en rythme, les balançait toujours une fois posé entre les gonzesses sur le grand canap, celui qu'on avait ramené de la décharge sur le toit de bagnole à Fred, en nocturne. Il a calé sa tête en arrière sur le dossier, les bras autour de deux paires d'épaules, et franchement, elles étaient vraiment belles, masse de peau nue qui descendait jusqu'aux seins. Au début, les gonzesses n'avaient même pas vu qui c'était qui était en train de s'affairer derrière elles, mais moi je voyais très bien les mains d'Un-Seul-Œuf se glisser entre le coussin et leurs nuques, sûrement qu'il pouvait déjà palper les petits osselets de leur colonne vertébrale. Qui sait, je me suis dit à ce moment-là, allez, peut-être qu'il va avoir du pot et qu'il va réussir à s'allonger entre elles deux. Fallait dire qu'elles étaient vraiment au bout du rouleau, ça se voyait direct ; pareil pour Un-Seul-Œuf, sauf que pour lui, Dieu sait qu'il n'y aurait sûrement rien eu de plus grand que d'être là, juste d'être là, à leur caresser la peau du dos. Les flashs du strobo lui embellissaient un peu sa gueule en Z, mais pas de chance, les gonzesses l'avaient reconnu quand même. Elles ont traîné leur carcasse vers un autre canap, tellement HS que leurs talons décollaient à peine. Plus tard, pas loin du matin, Un-Seul-Œuf était toujours là, couché au même endroit, tout seul, et il dormait.

Après, je saurais plus dire qui c'est qui a eu l'idée de se marrer un petit coup avec lui. Moi, si ça se trouve. Et quand Un-Seul-Œuf apparaît dans mes rêves, il confirme, sauf qu'à mon avis, c'est plutôt Rico qui avait commencé. Après tout, c'était *son* Seul-Œuf, c'était lui qui s'en occupait, lui qui essayait de l'aider un peu. Parce qu'Un-Seul-Œuf avait été placé en foyer, et Rico aussi. Mais ça, on en parlait jamais. Probable que si Rico avait voulu se marrer un petit coup avec Un-Seul-Œuf, ça venait de la chienne de came, du speed, des pilules et de toutes les autres merdes, sans oublier la tise ; on est encore à l'époque de l'Eastside, mais plutôt vers la fin, au moment où la chienne de came commence à tout niquer. Ça pouvait aussi bien être un mec à Ange qui avait voulu se marrer un petit coup avec Un-Seul-Œuf, et dans ce cas-là, possible que Rico ait voulu jouer le jeu, pour prouver qu'en fait il s'en battait, d'Un-Seul-Œuf, pour prouver qu'il était pas moins dur à cuire que les mecs à Ange. Alors qu'en fait, Rico s'en serait pris à n'importe quel mec qui aurait essayé de toucher Un-Seul-Œuf. Mais bon, tout ça, au fond, c'était pour rigoler : Un-Seul-Œuf, ce soir-là, personne lui aurait fait du mal.

Surtout à le voir dormir comme ça, en paix. Il devait rêver des filles. D'ailleurs, quelques-unes sont venues nous aider quand on a commencé à lui hérisser les cheveux de petits bâtons de bretzels. Puis, d'autres bâtons lui sont apparus dans les oreilles, avec, en plus, deux ou trois particulièrement longs qui lui ont poussé dans les narines. Ensuite, on lui a arrangé un turban de papier cul sur le haut du crâne, et puis une longue, très longue cravate autour du cou, mais ça pouvait être un nœud coulant. On l'a fini en le momifiant de bandelettes de PQ, pieds à la tête. Et Un-Seul-Œuf dormait. Après, y a eu le truc avec le feutre. Je ne sais plus qui l'avait ramené. « Toi », me répond Un-Seul-Œuf dans mes rêves, sauf que moi, de feutre comme ça, j'en ai jamais eu. Ça devait plutôt venir des graffeurs du club des jeunes, un bon gros marqueur noir style posca, qui tenait même sur le verre et le métal, un de ces trucs qu'ils prenaient pour poser leurs autographes dans les trams et sur les vitrines. Et nous, on a peint sur Un-Seul-Œuf, on a peint sa drôle de tronche. Une moustachette par-dessus la charcute de sa lèvre du haut. « Ouah l'autre ! a gueulé Pitbull. Hitler ! Téma, c'est Hitler ! » Des larmes sous les yeux, des gros mickeys dans les trous de nez (toujours garnis de bretzels), et après on est passés au front, pour conclure par ses mains. Et Un-Seul-Œuf dormait. Et nous, on se fendait. Un par un, chacun a pu exprimer son côté artiste. Mais quand un des mecs à Ange s'est ramené pour lui poser sa griffe sur la joue, là, d'un seul coup, alors que sur la gueule et les mains d'Un-Seul-Œuf y avait plus d'espace vierge, j'ajoute aussi que tout le bandage papier cul avait déjà été pourri, là, d'un seul coup, projetant sa bière à pleine force contre le mur, Rico a crié : « On arrête tout ! » Il était penché au-dessus d'Un-Seul-Œuf, il baissait les yeux vers lui comme s'il venait juste de s'apercevoir, comme s'il s'était assoupi *lui* et non pas

Un-Seul-Œuf, Un-Seul-Œuf qui dormait toujours, hochant sa tête repeinte en silence.

– Non mais attends, Dani ! C'est quoi, ce délire ?

Rico s'est ébroué la tête encore une fois, la chienne de came devait commencer à s'évaporer.

– Bah alors, tu défends ton reuf ? lui a fait un mec à Ange.

D'abord, j'ai cru que Rico allait lui en coller une. Au début, ça en avait tout l'air. Il fait glisser son pied gauche un poil vers l'avant, le poing gauche relâché à hauteur du bassin, je vois ses épaules se gonfler sous sa chemise, classe la chemise, blanche avec des petites roses cousues sur la poitrine, normal, à l'époque on tenait notre propre boîte, et même si la boutique n'était pas légale, fallait bien avoir la gueule de l'emploi ; et puis, finalement, le mec à Ange ne s'est pas pris de mandale. Parce que, d'un seul coup, Rico est allé s'écrouler sur le canap, tout contre Un-Seul-Œuf défiguré.

– Faut pas abuser, il rictussait en lui tapotant le visage. Nan, faut pas aller trop loin.

Sauf que c'était trop tard, on s'était un peu trop marrés avec Un-Seul-Œuf. Difficile d'aller plus loin, à moins de lui foutre le feu. Et là, Un-Seul-Œuf s'est réveillé. Il a éclaté de rire, on sait pas pourquoi, les bretzels se sont barrés de son nez, et il a posé une galette derrière le canap. Pitbull lui avait fait bouffer trop de pilules. Y avait de la gerbe partout sur son PQ, mais il ne l'a même pas déroulé avant de repartir vers chez lui, dans la vieille piaule que lui laissait l'Aide à la jeunesse. J'imagine que c'est seulement à son deuxième réveil qu'il a enfin compris ce qui s'était passé sur sa gueule, et je sais pas non plus s'il a trouvé moyen d'enlever tout le marqueur, car je l'ai plus revu. Un-Seul-Œuf a sauté du quatrième, c'était quelques semaines après, au réveillon du jour de l'An. Peut-être qu'il était à une teuf et que là-bas les gens n'avaient pas voulu de lui, peut-être qu'il avait encore gobé trop de pilules et qu'il avait cru qu'il pouvait voler. À l'époque, y en avait pas mal à qui ça arrivait quand ils dépassaient la dose.

Un-Seul-Œuf, il est pas mort sur le coup, ils l'ont encore gardé en vie quelques jours à l'hosto. Mais à quoi bon, puisqu'il voulait pas se réveiller. Et quand Rico est sorti de taule (il avait fait le Nouvel An là-haut), je lui ai appris la nouvelle, étant donné qu'au quartier y avait eu que lui pour s'occuper un peu d'Un-Seul-Œuf.

Ça lui travaillait les traits, je voyais bien. Il a détourné les yeux pour s'en allumer une. Après, il s'est ébroué en me crachant la fumée au visage, envie d'être un dur, quoi, et il m'a fait : « On aurait dû lui peindre des ailes. »

ADIEU

Rico allait bientôt devoir repartir, retourner en cage, c'est comme ça qu'il appelait la taule. Les flics n'avaient pas réussi à le coincer, mais les gens de la Caisse d'épargne l'avaient vu, et pas de doute que les caméras l'avaient filmé.

– Prends le large. Tire-toi de Leipzig. Va te terrer quelque part.

– À quoi bon ? Ils te trouvent, tu sais bien.

– Pas faux.

– Quelques jours, Dani. Le temps de régler une ou deux affaires. La dernière charge. Les femmes, et le reste. Tu comprends ?

– Tente-la quand même. Allez, tente. Regarde, je peux te prêter, moi. Je bosse, maintenant. Tu bouges en Pologne, tu montes à la Baltique. Ou alors, va à Berlin. Fais des chantiers, jamais ils iront te chercher là-haut. Ou reste là, si tu veux. Ouais, reste à la maison, reste autant que tu veux !

Depuis le temps, j'avais mon petit appart à deux blocs de ma mère, Goldie aussi était au coin, et ça faisait quelques jours que Rico squattait mon canapé.

– Nan, Dani. Ça amène rien. Pas envie de prendre la fuite. Moi, je flanche pas. Tu me connais !

– Tu peux rester ici autant que tu veux, ça tu sais déjà. Et puis, ch'te dois bien…

– Oublie. Tu me dois rien, laisse tomber ces merdes !

Un bras allongé au-dessus du dossier, il a ramené le coussin sous sa nuque. Déjà toute la journée qu'il était au lit à fumer en buvant des bières et à pas vouloir se lever.

– Mais attends, Rico… et s'ils étaient même pas après toi ? S'ils savaient même pas que t'étais dans le coup ?

– Ils ont déjà le reuf à Karsten. Il va l'ouvrir, tu connais le reuf à Karsten.

– Ouais.

– À quoi ça sert, tout ça ? Ils ont des photos, à tous les coups des empreintes. En plus, j'ai un casier.

– Ouais.

J'en avais un aussi. Il a lâché sa clope tout juste finie dans le trou de la canette, avant de s'en ouvrir une autre. Ça a pschitté en éclaboussant sa main.

– Je reste là, il a repris en la léchant, chez toi, ch'fais que rester à l'horizontale. Suffit qu'ils me dénichent et t'es dans la merde. Ton sursis, garçon !

– Ils peuvent rien me…

– T'sais, c'est pas la mort entre les murs, je m'arrangerai.

– Ouais.

Je lui ai emprunté la bière. C'était la moins chère, Ratskrone. Goldie était passé déposer une palette, normal, Rico ne quittait pas les lieux à part pour aller chez lui, et Goldie était le seul à savoir que Rico squattait chez moi.

– Qu'est-ça changera, de toute façon ? Maintenant qu'y a plus personne. Maintenant qu'ils sont tous loin, ou morts. Je retourne à l'intérieur, Dani. C'est pas la mort, là-haut. Ce sera la der des der. Table rase, tu comprends ?

– Ils vont te filer au moins un an.

– Je sais.

Deuxième gorgée, et je lui ai rendu la canette.

– C'est pas si mal, là-haut. Pas plus mal qu'à l'extérieur.

– Et les femmes ?

– Ah, les femmes. T'as raison, elles, elles manquent. Mais hé, avant qu'ils m'enferment, je compte bien envoyer la dernière charge. Du lourd ! La dernière, tu comprends !

J'ai acquiescé. Il a souri en serrant son poing, le pouce sorti entre l'index et le majeur.

– Demain, Dani. Demain qu'on s'fait ça. Déjà tout prévu. Deux trois gonzesses. La dernière !

Il a projeté la couette et s'est redressé pour s'asseoir. Il portait marcel, le tatouage de l'Eastside visible sur son pec. Moi, c'était sur l'avant-bras. Les jours de boulot, je mettais des pulls à manches longues ou des chemises, même en ce moment, avec l'été. Il a ramassé sa bière pour aller ouvrir le carreau, et puis, en se penchant dehors :

– Balances-en une, Dani.

Il a réceptionné son paquet et l'a placé sur le rebord, juste devant lui.

– Téma, il m'a fait en recrachant la fumée par la fenêtre. Les keufs.

J'ai bondi :

– Où ?

– Mais nan. Patrouille.

Il s'est repenché en avant pour leur faire coucou.

– Bordel, Rico. Déconne pas !

– Patrouillent gentiment, Dani. Mais tu te souviens, les keufs… ces sales keufs…

– Ils sont déjà après toi, tu penses ?

– Chais pas. Vu qu'ils en ont même parlé dans le journal…

Et il s'est retourné en me lâchant un sourire. C'était sa fierté, je savais très bien, même qu'il avait découpé l'article pour le ranger à l'intérieur de sa pochette à souvenirs qu'il gardait avec lui dans son sac de voyage. Pendant qu'il était en bas, à boire dans l'arrière-salle de chez Goldie, j'y avais jeté un œil. Il gardait quelques photos là-dedans, y en avait une où il était avec Pitbull, Stefan à l'époque, et puis Walter et moi, on posait tous devant une merco, main dans la main, et on riait. C'était sur l'Expo, automne quatre-vingt-neuf. Dans sa pochette, Rico avait aussi les avis de décès de Walter et Mark, un vieil exemplaire du journal du collège, ses autorisations de sortie. Il avait collé l'article sur un bout de carton protégé par un plastique. Même si le casse avait complètement merdé et que les deux autres s'étaient fait pincer, ça restait sa fierté.

– Club échangiste, Dani.

– De quoi, club échangiste ?

– Tu m'as entendu, il a continué en revenant enfiler sa chemise. Ils vont me coffrer, je t'ai déjà dit. Mais avant, j'envoie la dernière charge.

Il a disparu dans le couloir. Deux secondes après, j'entendais le bruit du déo dans la salle de bains.

– Attends, je lui ai lancé, tu sais combien ça coûte ?

– Cent boules. Si tu ramènes pas de femme. Pas besoin de flipper, Dani, c'est moi qui régale ! Il me reste des dettes à collecter.

Il est repassé devant mes yeux pour aller à sa bière, près de la fenêtre. Il avait dû vider le flacon entier, ça cocottait jusqu'à moi.

– J'en sais rien, Rico. J'irais foutre quoi là-haut ?

– Ah çà, mon pote, y a pas mal à y foutre. Bourré de gonzesses. Jeunes, moins jeunes, mais toutes en chien !

– J'en sais rien, Rico. Doit tout le temps y avoir du peuple…

– Mais attends ! Mais c'est le but, Dani ! C'est ça, le but ! Bourré de gonzesses ! Et toutes en chien !

Il a ouvert le journal sur la table pour m'amener aux annonces de cul et aux numéros des professionnelles (avant la page sport).

– Là-haut, Dani. Là-haut, qu'on va ! Super Sex6, le Club Coquin – Époux ou concubins !

– Tu vois bien, elles ramènent toutes leurs gars.

– Mais naaan, ils font aussi soirée célib ! Et là, que des meufs ! Et toutes en chien !

Il a replié le journal et l'a fait claquer sur la table.

– J'en sais rien…

– Me laisse pas seul tout. La dernière. Toi et moi, personne d'autre. Font open bar, tu bois autant que tu veux ! Et puis les femmes, Dani !

Il est venu se pencher au-dessus de moi et m'a collé sa paume derrière la nuque.

– Toi et moi. Personne d'autre.

J'ai acquiescé. Sa main était chaude, elle tremblait, mais impossible de dire s'il était clean. J'avais fouillé ses affaires pendant qu'il était en bas, à boire dans l'arrière-salle de Goldie, mais j'étais resté bredouille.

– OK. J'en suis.

– La soirée de demain, Dani. On va leur montrer, aux femmes, ça va être nous les plus grands, ch'te dis qu'elles seront contentes de tomber sur des mecs comme nous. On est pas des hommes ? Hein ? On est pas des mecs en or ?

Il a retroussé sa manche en bandant le biceps. Pour quelqu'un qui avait lâché l'entraînement depuis tout ce temps, il tenait encore la forme. J'ai reluqué les tatouages.

– Ouais. En or.

– Mais avant, deux trois trucs. Juste deux trois trucs à régler.

On était posés dans l'arrière-salle de chez Goldie, on jouait au skat. C'était l'après-midi, on avait dit qu'on commençait par s'en jeter un, après quoi Rico irait régler ses affaires, après quoi on monterait à la ZI ouest où le Super Sex6 nous attendait. On était à la bière et aux grains, comme à l'époque, mais raisonnable, «éviter que ça dégonfle au moment venu», pour reprendre Rico. Goldie, lui, disait : «C'est un coup à prendre. Pas évident, il te faut exactement la dose précise dans le cornet. Une goutte de trop, tu rentres rien. Par contre, tu trouves la bonne dose, alors là, les femmes tu les allonges!» Ça faisait une longue paye qu'on l'avait pas vu avec une femme, mais ça restait un connaisseur. Une fois, il avait eu une douce. On avait seize piges à l'époque, mais elle, dès qu'elle avait un peu enquillé, elle tenait plus en place. D'ailleurs, Rico l'avait ramenée une ou deux fois, vu qu'à l'époque lui aussi s'y connaissait bien, mais ça, Goldie savait pas.

– Dix-huit, fait Goldie.
– J'ai, fait Rico.
– Vingt, fait Goldie.
– Yes, fait Rico.
– Vingt-deux?
– J'ai.
– Vingt-trois?
– J'ai.
– Je passe, fait Goldie.

Là-dessus, Rico a passé, et puis *idem* pour moi, mon jeu était à chier. Finalement, on a décidé de se faire un rami, mais là, c'était Goldie qui tombait sur les pires cartes. Il a fini par tout gagner en un pli. «Pour un peu, j'vous sortais une vierge», il a conclu avec une grimace, en rassemblant les cartes. Rico s'est tiré une cigarette. Il tapotait le cul du paquet contre la table. Franchement pas son jour de chance. Pourtant, Dieu savait qu'au skat il touchait pas mal. Il avait été champion du monde de taule plus d'une fois, à ce qu'il m'avait raconté. Goldie lui a remis du schnaps à ras, et puis :

– T'en fais pas. Bon signe pour ce soir. C'est toujours comme ça, dès que t'as des femmes en attente, faut jamais jouer.

Rico a enquillé en hochant la tête.

– Faut que je ressorte, a fait Goldie. La clientèle, ch'crois.

Après avoir toqué contre la table, il est allé lorgner à la porte, puis il est sorti par l'interstice, mais en l'écartant le moins possible; peur que quelqu'un repère Rico dans son rade et aille le moucharder. Alors que dans ces eaux-là, même s'il avait ouvert depuis deux ou trois heures, le bar était toujours désert. Des verres ont tinté dans la grande salle.

– Sûr qu'il est juste à rincer, m'a fait Rico. Qui tu veux qu'y ait, toute façon ? Y a plus jamais personne. Mais tu te souviens, à l'époque…

Et on s'est en remis un à ras.

– Aux femmes de ce soir.

– À la tienne, je lui ai fait, et avant de lever le coude, il a souri.

Une fois le schnaps déglutiné, il est allé pousser la porte tout doucement.

– Y a deux gonzes. Deux vieux sacs.

J'ai rassemblé les cartes et j'ai mélangé le jeu pour faire le tour avec la dame de cœur. Dès que je tirais, c'était toujours elle qui se retrouvait en haut. En fait, ça marchait aussi bien avec toutes les autres, mais c'était elle que j'aimais. La dame de cœur.

– Des keufs, a soufflé Rico, toujours collé à l'embrasure.

– Tu te fous de moi ? je lui ai fait en repoussant mes cartes.

– Si, Dani. Deux keufs. Des civils !

J'ai avancé.

– Reste assis, y en a un qui regarde par-là, cette raclure de keuf me mate.

Il a refermé en laissant juste un trait de lumière. J'avais pas bougé.

– Ils en ont après moi, Dani, ils veulent me coffrer ! Mais c'est mort, gars ! Nan, pas aujourd'hui, aujourd'hui ils m'auront pas !

En me penchant, j'ai vu l'un des deux qui s'approchait du zinc pour parler à Goldie. Pas l'air d'un poulet, même avec le cigare et le chapeau en cuir marron.

– Lui, j'ai soufflé, c'en est pas un. Déjà vu, ch'crois, c'est un gars du quartier. Un des pochetrons…

– Nan, Dani, nan ! a fait Rico en baissant tellement la voix que je peinais à comprendre. Ma gueule que c'en est ! Devine ce que ça boit.

Je me suis pressé contre lui, nos oreilles se touchaient.

– J'vois rien.

– Coca, t'en as un avec un Coca. Et l'autre, là, il…

– C'est bon, Rico, je vois. Teille de bière, tout ce qu'y a de plus normal. C'en est pas un.

Goldie venait de lui filer une petite boîte d'allumettes gratos, le type retournait s'asseoir.

– Sans alcool, a murmuré Rico tout près de moi. Une sans alcool, 33 cl. P'tite bouteille, Dani. Chez Goldie, ça peut que être de la sans alcool.

Et dès que j'ai vu, j'ai compris : Coca plus une sans alcool, fallait que ce soit des poulets.

– Et merde, Rico, chuis plus sûr... T'as raison, y a vraiment moyen que c'en soient.

– C'en est !

– Ouais, mais si ça se trouve, c'est juste des mecs qui se trimbalent en bagn...

– Stop, Dani. Pas aujourd'hui. Aujourd'hui, ils m'auront pas. Dani ! Les femmes !

Il a commencé par tirer la porte tout doucement, avant de retourner chercher sa veste, plus précisément la veste de costard que Goldie lui prêtait pour la soirée, même s'il fallait ajouter que pendant la petite promenade à l'intérieur du Super Sex6, on allait sûrement garder un peu moins de fringues que ça. Raison pour laquelle, le matin même, je nous avais acheté deux boxers, mais des vraiment classes, vingt marks pièce. Au début, petite envie de les chourer, mais c'était du passé. Ensuite, je les ai avais ramenés chez ma mère pour les asperger avec son beau parfum. Rico venait d'ouvrir la fenêtre, il prenait appui sur le radiateur :

– On bouge, Dani. Go !

– Attends !

Mais il avait déjà sauté. Je me suis précipité à la fenêtre pour l'apercevoir juste en bas, debout près des bennes, à épousseter sa veste.

– Magne, Dani !

J'ai grimpé sur le rebord en marche arrière, pour pouvoir me faire glisser le long du mur en me retenant par les mains, et hop, atterrissage sur la benne, côte à côte avec Rico.

– Faut s'arracher, il a fait en me tractant par le bras. On verra après.

Et on est partis en détalant vers le bas de la rue, direction la halle, et puis, un bout derrière, le train de banlieue.

– Et maintenant ?

– Maintenant, on s'arrête à la banque.

Rico a sonné. La sonnette n'existait plus. Il a toqué deux fois. Trois fois. Silence complet à l'intérieur.

– Laisse tomber. Y a personne.

Mais il y est allé du poing :

– Uwe ! Ouvre cette enculée de porte !

Il y est allé du pied, mais ça remuait pas plus.

– Viens. Allez, ramène-toi !

– Nan, Dani. Il est forcément chez lui à st'heure. Il flippe, point ! Uwe ! Uwe, c'est moi !

Mais Uwe n'avait pas envie d'ouvrir, et même sans le connaître personnellement, c'était possible de se mettre à sa place.

– OK, Dani. C'est mort.

– Je t'avais dit quoi ? Allez, on s'arrache. Et si on se faisait une petite glace sur le chemin ? Chez Adria, t'sais. C'est le top.

Mais Adria lui disait rien, il a enfoncé la porte d'un coup d'un seul, sans élan, même pas besoin de bouger l'autre pied, faut dire qu'à une époque il boxait bien, même qu'il avait fait du karaté. Imaginons qu'Uwe ait l'oreille collée à sa porte…

– Putain, mais c'est qu'il est pas là ! a lâché Rico en s'engouffrant à l'intérieur. Il est vraiment pas là, ce crevard !

– Fais pas le con, Rico !

– Tu connais Uwe, p'têt ? il m'a fait en inspectant la serrure.

– Nan.

– Alors qu'est-ce tu parles ? Laisse-moi gérer. Il a même pas verrouillé, ce crevard. Ça veut dire qu'il est là.

Une chaise pas loin de la porte. Rico l'a couchée pour récupérer l'un des pieds. Moyennant un kick. Des pas nous arrivaient de la cage d'escalier, j'ai filé dans l'appart en prenant soin de pousser la porte.

– Merde, Rico ! On s'embarque dans quoi, là ?

– Faut que j'règle un truc. Mais avec Uwe, impossible de savoir la couleur.

Il avançait en douce vers la cuisine, le poing autour du barreau de chaise transformé en gourdin. Il a jeté un œil à travers la porte ouverte, secoué la tête, après quoi il m'a fait signe de le suivre vers la porte au fond du couloir, recouverte d'un poster montrant une gonzesse assez peu vêtue et un soleil qui rougissait en se couchant dans son dos. Avant de continuer, j'ai préféré bloquer l'entrée avec la chaise amputée. Rico plaquait l'oreille à l'affiche, pile entre les deux seins ; il aurait fait pareil s'il avait voulu l'ausculter. Il chuchotait :

– S'est planqué, le goret. Il flippe, et quand Uwe flippe… Tiens-moi ça.

Il m'a foutu le pied entre les mains, le temps de retirer sa veste et de l'accrocher à une patère, tout près. Les autres crochets étaient vides, sauf pour un chapeau en cuir marron, réplique exacte de celui du poulet de chez Goldie.

– C'était pas des poulets.

– De qui ?

– Bah, les vieux du bar.

Une seconde après m'avoir repris le gourdin, il a tourné violemment la poignée et s'est rué dans la chambre. Pas de meubles, juste un pauvre matelas avec des couvertures et une chaise.

– Où il est, ce clodo ? il a crié en poussant le matelas du pied.

Sur la chaise, juste une assiette, vide comme tout le reste.

– Cette lopette me doit trois cents boules, Dani !

– Tu vois bien qu'il a que dalle.

– Il a du blé. En taule, il se chopait du matos à l'infini. Même trip à l'extérieur.

– Il te le chopait à toi ?

– Yes.

Il est retourné au couloir, mais après avoir envoyé voler l'assiette.

– Pitbull… toi… mêmes enfoirés.

Rico s'est campé dans l'embrasure en se tapotant les lèvres de la pointe du pied de chaise, qui d'un seul coup ressemblait à un doigt super long.

– Tu sais quoi, Dani ? Parle pas. Dis pas des trucs comme ça, nique pas notre soirée. Je te le demande.

– Tu sais très bien comment je hais cette chienne de came depuis que Mark…

– Je sais.

Il m'a tendu son paquet.

– Merci, mais nan. Pas le moment, Rico. Tu sais très bien que je veux arrêter.

– D'acc. Mais par contre, il a rictussé en venant m'agripper l'épaule, par contre, après t'as intérêt. Ce soir, tu fumes. Quand les femmes on les… Nan mais merde, Dani ! Super Sex6 !

– Et ton blé ?

– Te fais pas de bile, il a répliqué en regardant sa montre. Y a du temps. J'ai d'autres candidats. Mais d'abord, on irait pas se chercher une caisse ?

– J'en sais rien, Rico.

– T'as raison. Gaffe à ton sursis. T'inquiète, même pas j'y ai pensé ! Déjà que j'y retourne… Un seul bonhomme, c'est déjà pas mal, nan ?

Il a fait chemin inverse vers la cuisine. La seconde d'après, j'entendais les verres tinter et l'eau couler. Et puis :

– Pfutain, j'hallucine. Dani, ramène-toi !

En sortant de la chambre, j'ai balayé du pied les éclats d'assiette. Rico était debout, dos à la fenêtre de la cuisine. À côté de lui, le poêle, et dans le trou entre le poêle et le mur, un mec, yeux fermés et bouche ouverte.

– C'est Uwe, ça ?

– Eh ouais. C'est bien Uwe.

Uwe portait un t-shirt qui disait Security, et ses avant-bras étaient piqués de points rouges et bleus alignés bien proprement.

– Il est mort ?

– Nan. Impossible. Il encaisse masse.

C'est quand il a dit ça que j'ai repéré la seringue posée tout près, à côté de la cuillère et des autres merdes, le tout dans un petit moule à gâteau couleur marron.

– Il est mort. La même que Mark.

– Dani. Nan. Il va super bien, t'as qu'à voir.

Il a écrasé le bout d'une cigarette pour saupoudrer un peu de tabac sur sa main ouverte, et l'a placée à l'horizontale juste devant la bouche d'Uwe. Les miettes brunes ont trembloté, quelques-unes se sont envolées de sa paume.

– J'avais dit quoi ? Il va super bien.

– Pourritures de son espèce. Ils s'en sortent toujours, et après, t'as Mark…

– Chier, Dani ! Merde ! Va pas niquer notre soirée ! Nous deux, Dani. Personne d'autre. Les femmes, la tise à gogo…

Il s'est levé et m'a enserré le visage entre ses paumes.

– La dernière, Dani.

J'essayais de faire oui, mais ça desserrait pas. Même en ayant lâché l'entraînement depuis tout ce temps, il avait encore masse de puissance.

– T'inquiète, Rico.

Uwe remuait. Il m'a filé un coup dans le tibia, son buste a coulissé sur le côté et il est allé donner du crâne contre le poêle. Rico m'a lâché pour se reconcentrer sur lui.

– C'est moi, Uwe. Dis un truc! L'argent, Uwe!

Uwe a levé les paupières. Juste avant de les refermer, il a réussi à dire : «Jouette.» Puis son menton s'est affaissé sur sa poitrine. Rico a récupéré le menton pour lui redresser la tête et l'appuyer au mur.

– C'est moi, Uwe. Merde, mon blé! Hé! Il me faut mon blé!

Mais l'autre était redevenu tout calme, une sorte de sourire collé aux lèvres.

– Il est au bout. Tu vois bien qu'il a rien.

– Uwe, il a toujours!

J'ai retenu le bras de Rico en pleine prise d'élan.

– Essaie même pas de m'arrêter!

– Commence par lui faire les poches. C'est pas en lui écrasant la trogne qu'il se montrera plus généreux. Tu vois bien qu'il est fini.

– T'as raison, Dani, t'as raison!

J'ai libéré son bras qui m'a boxé gentiment l'épaule.

– Vise un peu! il m'a fait en pointant un blouson en jean abandonné sur la table. Vas-y, Dani, fouille.

Pendant qu'il s'accroupissait face à Uwe pour lui racler les poches de fute, je suis allé soupeser le blouson, qui recouvrait une tartine fromage-rondelles de tomates. À vue d'œil, elle datait d'aujourd'hui.

– Que tchi! Juste un peu d'étrennes, a conclu Rico en faisant voir un billet de dix et tinter les pièces dans son autre main.

C'est là que j'ai senti le porte-monnaie d'Uwe dans la poche intérieure. Masse de biftons. J'en ai choisi quatre de cinquante et un de cent, sous le regard de Rico.

– Eh bah alors, Dani? Tu vois qu'il a du blé. Darons pleins aux as.

Je lui ai tendu le tout pour qu'il le glisse dans sa poche poitrine.

– Aboule aussi le reste.

Après avoir recompté ce qu'il restait dans le porte-monnaie, il a tiré une coupure de vingt en plus.

– Le crevard est assis sur des centaines de marks, mais il paye pas ses dettes quand même. Donc, intérêts. Intérêts, normal.

Et il a empoché les coupures et les pièces.

– … ch'pourrais aussi lui taper tout.

– Tu pourrais.

– Ouais mais nan, Dani. Ça va pas le faire. Les intérêts, il a ajouté en rangeant la bourse à sa place. Point final. Je suis un homme d'honneur, tu sais bien.

Après avoir garé la tartine pour remettre le blouson sur la table, il s'en est allumé une.

– Toi aussi, Dani. Franchement. Juste une. On fume pour honorer ce soir, pour les femmes !

– Ça roule.

Il m'a refilé la sienne et s'en est tiré une autre.

– Même pas de reubié, il a fait en inspectant le frigo. Crevard.

– Tu veux pas plutôt qu'on le foute sur son lit, histoire qu'il aille pas…

– Il se porte bien, Dani. Uwe il encaisse bien, déjà en taule, il… 'fin bon, si ça te dit. C'est vrai qu'il vient juste de rembourser ses dettes.

Il est retourné arracher Uwe de son coin en laissant la porte du frigo ouverte. À l'intérieur, des tas de petites fioles de pharmacie en verre marron. Elles ont toutes tinté quand j'ai balancé la petite porte.

– Allez, Dani, chope-le ! Ton idée, merde.

Rico a attrapé le haut, moi les jambes. Pour un gars qui se piquait, il pesait son poids. On l'a traîné jusqu'au matelas, dans la chambre toute vide, et Rico a secoué deux trois fois la couverture en laine avant de le border.

– Allez, Uwe, et bonne nuit !

– Rico.

On s'est retournés sur le pas de la porte. Uwe remuait sous sa couette, sa tête roulait de droite à gauche.

– Qu'est-ce t'as ?

– D'en souviens, Rico ?

Il articulait à peine. Rico est allé s'accroupir près de lui. Je me tenais tranquille dans mon coin.

– Souvenir de quoi ?

– En cabane, Rico. D'en souviens, en cabane…

– Ouais, Uwe, je m'en souviens.

– Je le faisais pas mal, le schnaps, hein…

– Ouais, ouais. De la bombe, ton schnaps.

Il lui a remonté la couette jusqu'au menton et il est sorti sans me calculer. Je l'ai suivi dans le couloir. J'ai attendu qu'il remette sa veste, et puis on s'est cassés en refermant derrière nous. Sauf que vu l'état de la porte, il restait un petit espace.

– Vont rentrer comme dans un moulin…

– Sa faute à lui, a fait Rico.

Mais après avoir rouvert en grand, il a quand même sorti son cran d'arrêt, un déclic, la lame triqué, il a commencé à fouiller un peu le bois autour de la serrure et les bords de l'encadrement.

– Apporte-moi genre un bout de carton.

Dans le couloir, j'ai arraché un morceau de la petite boîte en carton où l'autre mettait ses lettres. Rico a enfoncé la cale dans le bois éclaté de l'encadrement.

– Ça devrait tenir. Comme ça, au moins, personne grille.

Il a rangé le cran, et on a dégringolé.

– Et maintenant ? Super Sex6 ?

Il a vérifié l'heure :

– Dernier bail, Dani. C'est sur le chemin.

– On a largement assez.

– Nan nan, pas rapport au blé. Truc que j'dois éclaircir, ça prendra deux secondes. Chez les Frères Noirs.

– Attends, on bouge chez les Renoi ? Au Rastabar ?

– Nan, Dani, pas eux. Frères Noirs, les Nécrophiles !

– Ch'préfère.

J'étais soulagé qu'on évite le Rastabar. À l'époque où Rico et Pitbull allaient choper de la beuh et du shit aux négros, c'était arrivé que ça chauffe bien comme il fallait, et même si c'était des années derrière, les Renoi avaient de la mémoire pour ce genre de trucs ; ils avaient surtout des mastodontes dans leurs rangs, même les Skins du Pré vert refusaient de s'approcher. On s'est remis en marche direction le train de banlieue.

– J'en ai vraiment pour une seconde. Juste ça. Après, direct les femmes, ch'te jure ! Si tu savais comment chuis déjà chaud. Dis-moi que toi aussi !

– Si tu savais.

Les Frères Noirs puaient la mort. Ils mettaient tous le même parfum, genre entrailles pourrissantes, mais ils trouvaient ça chic.

Les Frères Noirs tenaient leur propre club dans une ancienne villa de la banlieue ouest, à Lindenau, un arrêt après le stade, notre stade. J'avais pas encore idée de ce que Rico voulait éclaircir, en tout cas j'espérais que ce serait sans embrouille, car des histoires sur les Frères Noirs, j'en connaissais des tas. Ils se promenaient avec un mini-pieu en bois qui leur pendouillait à une chaîne autour du cou, pieu dont ils se servaient pour transpercer le cœur des mecs qu'ils avaient choisi de sacrifier. Faut dire que les sacrifices, c'était leur dada, de préférence la nuit, dans les cimetières de la ville. J'avais aussi entendu dire qu'au sous-sol de leur club, ils avaient un genre de crypte, et que les intrus qui s'y risquaient n'en ressortaient jamais. Eux aussi étaient sacrifiés.

– Pire connerie, m'a fait Rico. Va pas me dire que tu crois une merde pareille !

– Pfff, tu m'as pris pour qui ?

La porte d'entrée de la villa était ouverte. On a pris directement l'escalier qui menait à la cave.

– Sûr que tu connais l'endroit, Rico ?

– T'inquiète, Dani. Chuis déjà venu.

On a passé une porte étroite pour tomber dans une salle de bar dont les murs étaient noirs, à vrai dire tout était noir, y compris les tignasses et les fringues de la poignée de types et de gonzesses posés autour des tables avec leurs faces blanches. Dans un coin, une table de billard à tapis rouge, occupée par deux types. Des mauvais, facile à voir. Celui à qui c'était le tour a joué la 1 plein cul, mais pas vers le coin qu'il fallait, elle est passée au large de la poche pour finir sa course le long de la bande. Rico a fait :

– Ch'trouve pas que ça refoule tant que ça, moi.

– Bordel, mais tiens ta langue !

Mais personne ne prêtait l'oreille. On a poussé vers le bar, on s'est calé chacun sur un tabouret, et Rico a toqué sur le comptoir. Le barman nous tournait le dos, il était en train de s'affairer avec les bouteilles et les verres de son étagère.

– Deux bières, a lancé Rico presque en gueulant, ce qui a fait se retourner le gars.

Il était assez solide, les avant-bras pris dans de gros bracelets de force noirs à piques d'argent. Mais la chaîne qu'il portait autour du cou était sans pieu en bois. À la place, une croix inversée qui devait sûrement être aiguisée en bas.

– 'lut, Rico, lui a rétorqué le barman avant d'aller choper les deux bouteilles dans son petit frigo. Verre ?

– Nan. Ça ira comme ça.

Le barman a ouvert les bouteilles avec un décapsuleur attaché au comptoir par un fil et nous les a poussées.

– Allez, lui a fait Rico. Prends-en une pour toi. Sur ma note.

– On boit à la revoyure, pas vrai ?

Il en a sorti une troisième et l'a décapsulée juste devant nous.

– Bon. Bah alors... à la tienne, Rico !

– Nan. On boit à celle de mon vieux pote Daniel.

Il m'a tapé sur l'épaule, mais l'autre buvait déjà.

– Hep là, hep là. Pas si vite, bonhomme. J'ai pas dit qu'on buvait à celle de Daniel ? Hein, Dani ?

– Tu l'as dit.

Le barman a décollé la bière de ses lèvres et l'a reposée juste à côté de la capsule.

– Écoute, Rico. Si t'es venu là pour faire des histoires...

– Arrête un peu, a fait Rico en lui pichenettant la capsule derrière l'épaule. C'est pas des trucs à dire. Combien de temps qu'on a pioncé ensemble ?

– Onze mois.

– Nan. Dix mois et dix-huit jours.

Le barman souriait :

– T'as p'têt raison.

– Nan. J'ai raison. Mais au fait, t'es resté longtemps à l'intérieur ?

– Tu sais très bien. Trois de plus.

– C'était chaud ?

– Y a eu pire.

– Et maintenant ? Resté clean ?

Un Frère Noir s'est posé à côté de nous en demandant deux bières. Le barman lui en a ouvert deux, le gars s'est barré.

– Et pourquoi vous refoulez autant ? a demandé Rico en agitant la main sous ses narines.

En même temps que le barman grimaçait un sourire, le gars de juste avant s'est arrêté pour nous mater. Mais le barman lui a fait un signe de tête et il s'est remis en marche. J'aurais aimé retourner à l'air libre, puis au Super Sex6, même si ça aussi, ça me filait les jetons.

Rico avait une main dans sa poche de blouson.

– Hé. Je t'ai demandé un truc. J'ai dit : t'es redevenu un garçon sage, ou pas ?

Le barman a regrimacé en se prenant une gorgée. Il a heurté nos bouteilles, on a trinqué aussi.

– À ce qu'il paraît, a lâché le barman, que t'aurais fait capoter un coup.

Là-dessus, il a posé sa bouteille presque vide sur le comptoir, mais en la maintenant par le col.

– Qui t'a raconté une bouse pareille ?

– On me l'a dit, Rico. On me l'a dit.

– J'ai fait capoter que dalle, donc va pas le répéter encore une fois. C'était les deux autres branleurs !

Il a fait glisser sa bouteille vide jusqu'au barman.

– Allez. Deux autres. Plus une pour toi.

– Merci, mais nan. Je bosse.

Et il a glissé la bouteille de Rico à l'intérieur d'une caisse en plastique près du frigo.

– Trois autres.

– OK. Parce que c'est la revoyure.

Il en a ouvert trois autres, les a placées sur le comptoir.

– Fait capoter que dalle ! a répété Rico en serrant sa bouteille à deux mains. Dis pas un truc comme ça ! T'as pas le droit de dire un truc comme ça !

– Respire. Je l'ai entendu, c'est tout. J'y crois même pas, que tu l'as fait capoter.

Rico acquiesçait :

– Nan. Personne a le droit de dire ça. C'était eux.

Et il avait raison. Sauf que l'idée venait de lui, c'était lui qui avait décidé de faire équipe avec le frangin de Karsten et je ne sais quel autre handicapé pour s'attaquer à la Caisse d'épargne du Parc des Expos. Le frangin de Karsten s'était déjà fait coffrer plus d'une fois, il était connu pour tout faire capoter, sans compter qu'en plus il planait, il planait presque tout le temps, même quand il partait en mission.

– Tout ça parce que ce SDF a pas été foutu de tenir son gun droit. En plus, il avait un pot débridé !

Le barman s'est passé la main sur le menton.

– C'est vraiment des belles têtes de vainqueurs. Désolé pour toi, Rico.

– Même qu'ils en ont parlé dans le journal. Pas vrai, Dani ? Toi aussi, t'as lu.

– J'ai lu, ouais. Grave long, l'article.

– Pas mal, lui a fait le barman, pas mal… Te voilà célèbre.

– Vas-y, arrête-toi ! Tu me fais marcher !

Ensuite, Rico a souri, puis il s'est pris une clope et se l'est allumée.

– Ouais, enfin… p'têt un petit peu. Sauf que mon nom, mon nom ils l'ont pas eu.

Il m'a tendu le paquet, je m'en suis tiré une, et il a placé le paquet ouvert juste devant le barman.

– Vas-y. Je t'en lâche une.

– Merci, ch'fume plus. J'ai arrêté. Juste un cigare par-ci par-là.

– Tiens, tiens, et toi qui tirais comme un pompier quand on était en cage.

– C'était autre chose, Rico.

– Allez, ch'te dis. Prends-en une ! On fume à la liberté !

– Oublie, avec ça. Ça fait déjà bien longtemps que chuis dehors.

– Dis voir, tu sais où ch'crèche ? Tu vois, là où ch'créchais avant ? Face la Caisse d'épargne.

– Ouais. Tu m'avais dit.

– Eh ben vas-y, alors. Fumes-en une, ch'te dis. Pour moi ! Fais-le pour moi !

– Eh, Rico. Je te le répète : commence pas à faire des histoires. On est potes, pas vrai ?

Il m'a enlevé ma bouteille vide et l'a rangée dans la caisse avec celle de Rico.

– Un peu qu'on est potes. Vieux potes de zonz.

Rico a toqué sur le comptoir en me clignant. J'ai opiné, attrapé ma nouvelle bière et bu la moitié d'un trait. Si ça continuait comme ça, mieux valait garder la bouteille sous la main.

– Bon, tu te la prends, ta garo ?

– Nan, Rico. Stop. Tu vas arrêter avec ça !

En reculant un peu, il a trébuché contre un truc et s'est retenu d'une main à l'étagère aux bouteilles.

– T'emballe pas. Y a pas d'blème. Mais les garo, hein, pourquoi tu m'as jamais ramené mes garo ? On avait dit. T'avais juré !

J'ai éclusé ma bière pour pouvoir empoigner la bouteille.

– Tes clopes, putain… toujours tes putains de clopes. T'es plus en cage, Rico. C'est du passé. Quand est-ce que tu vas oublier toute cette merde ?

Il a refait un pas en avant, c'est ce qui l'a perdu. Rico a empoigné son pull par-dessus le comptoir, le gars a jailli en arrière. Du coup, Rico s'est retrouvé le crucifix dans le poing. Il l'a balancé par-dessus son épaule, je l'ai vu s'envoler à travers la pièce. Le barman essayait de se défendre.

– Bordel, Rico, bordel !

Il lui a balancé son poing. Le buste plaqué au comptoir, Rico a paré le coup de la main gauche tout en refermant la droite sur la tignasse de l'autre, qu'il avait longue, et l'attirant à lui, il a plaqué sa tête contre le bois du comptoir.

– Merde ! beuglait le barman. Non mais merde, non mais lâche !

– Les garo. Pourquoi t'as pas voulu me ramener mes garo, hein ? On s'était mis d'accord, en cage. On était potes, toi et moi. Les garo, t'as oublié ? Les garo !

Rico a enroulé la tignasse du gars autour de sa pogne pour lui hausser le visage tout près du sien.

– S'il te plaît, Rico. S'il te plaît, lâche. J'vais te les donner, j'irai les choper au distrib !

– C'est quoi comme marque ? C'était quelle marque ?

– S'il te plaît, Rico… ch'sais pas… ch'sais plus…

– Attends, tu sais plus ? Notre marque, putain, nos Récolte. Nos bonnes Récolte !

– C'est ça ! Voilà, ça me revient, ça y est, je m'en rappelle… putain mais lâche-moi !

Le type était coincé ventre sur le comptoir, les bras ballottant des deux côtés, et là, même avec sa carrure, il pleurnichait comme un gosse. C'est aussi là que ses Frères Noirs sont venus voir ce qui se passait. Ils sont restés plantés à quelques mètres du bar, ça se sentait. J'ai poussé mon tabouret sur le côté en agrippant ma bouteille. Des gouttes sur ma main. Rico a soulevé le type un peu plus haut et s'est retourné vers la salle sans lâcher sa tignasse.

– Dis à tes copains que tout roule. Qu'ils se taillent.

– Vous avez entendu ! j'ai gueulé en envoyant valdinguer un tabouret. Arrachez-vous ! Taillez-vous ou on le termine. Et après, on fout tout en miettes !

– Lâchez-le, a lancé un Frère Noir. Lâchez-le et tirez-vous. Comme ça, pas de guerre.

– Y a pas de guerre ! a répliqué Rico. On est juste en train d'éclaircir un truc, ça dure deux secondes. Après, on disparaît. Pas vrai, toi ?

Il a filé une tape sur la joue du barman, celui-ci a fait oui, et Rico l'a libéré. Le gars s'est essuyé la gueule et les yeux.

– C'est fini, il leur a fait tout bas. Ça va, retournez vous asseoir. C'est fini.

Rico a acquiescé, mais en lui collant une autre tape. Les types retournaient à leur table sans se presser.

– Pourquoi ? Pourquoi t'es si dur ?

– C'est toi qu'as tout niqué. Pourquoi il a fallu que tu niques tout ?

J'ai reposé ma bouteille pour repêcher les clopes de Rico, éjectées par terre dans l'action. Je m'en suis allumé une, Rico m'a chipé le paquet des mains et l'a calé sur le comptoir, sous les yeux du barman.

– Un paquet. Un bon pacson de Récoltes. T'avais oublié ?

L'autre s'en est pris une. Rico lui a donné du feu, l'autre a toussé.

– Alors ? Pourquoi il a fallu que tu niques tout ?

– Rico… chuis… ch'pensais pas que tu prendrais ça à cœur. C'était juste un paquet…

– Pourquoi il a fallu que tu niques tout ? T'avais promis. Un paquet de Récoltes, vieil arschlor. Ça voulait dire quelque chose, entre les murs. Ça voulait dire un truc, tu piges ! Ça voulait dire un truc !

Il a broyé le paquet et l'a balancé à pleine force vers l'étagère.

– Viens, je lui ai fait. On se casse.

Le barman avait reculé de quelques pas, dos contre ses étagères. Le paquet de Rico lui avait atterri pas loin, sur un compartiment entre les verres et les bouteilles.

– T'as raison.

Et on a rezigzagué lentement entre les tables. Les Frères Noirs nous mataient, mais sans se lever. J'ai encore vu la main de Rico plongée dans sa poche. Rendu à la porte, il s'est arrêté une dernière fois pour tourner les yeux, mais tout ce qu'il a fixé, c'était le mur recouvert d'un poster avec une immense tête de mort et le nom d'un groupe. Ensuite, on a repris l'escalier dans l'autre sens.

Devant la villa, Rico a commencé par se poser sur le rebord du trottoir. J'ai fait pareil.

– Chuis crevé, Dani.

– Ah ouais ? Pas de femmes, alors ?

Là, il s'est remis sur ses jambes avec un sourire et il a commencé à sautiller en long en large sur le trottoir, roulant les épaules et balançant les bras, comme sur le ring.

– Nan, nan, on leur montre tout, on leur donne tout. Rien que toi et moi. Super Sex6, Dani !

Dès que je me suis levé, il m'a feinté d'un crochet du gauche en m'envoyant sa droite, j'ai réussi à bloquer, mais sa gauche a quand même frôlé mon coude pour me terminer dans l'estomac. Pour un mec qui avait lâché l'entraînement depuis tout ce temps, il était encore vif. On a éclaté de rire. Il a tendu la main, j'ai topé, et on est repartis jusqu'au train de banlieue.

– Garetteci, il m'a fait en tendant le bras vers un petit kiosque sous les rails. Il me faut un nouveau paquet.

Le Super Sex6, club échangiste, c'était une villa au bout de la ZI ouest. À l'époque, elle avait sûrement dû héberger une usine d'État, ou bien la Stasi. Je l'avais déjà remarquée deux ou trois fois à travers la fenêtre du train de banlieue, les projecteurs l'éclairaient toute la nuit. Si les usines de la ZI ouest, vides sans exception, continuaient à se délabrer d'année en année, le Super Sex6 avait l'air de tourner correctement : de loin, on voyait déjà le parking blindé. Mais à mesure qu'on approchait, on a commencé à voir les prix collés aux pare-brise. D'ailleurs, la petite baraque en bois n'était pas au gardien du parking mais au type qui refourguait les bagnoles, et vu qu'on était vendredi soir, le store en métal était baissé.

– T'as vu ça ? m'a lancé Rico en avisant une vieille Golf. Huit mille ! Les rats !

– T'es pas au courant qu'ils font ça pour du blé ? j'ai répondu en lorgnant la villa, déjà sous le feu des projos alors qu'il faisait encore jour. On était toujours en été, le soleil avait attendu jusque là pour descendre.

– 'tends, Dani. On commence par s'en griller une.

Il a posé les fesses sur le capot en sortant son paquet.

– Tiens. La bonne Récolte.

Je me suis posé à côté de lui.

– Pfutain, il m'a fait en tendant le feu. Toutes ces caisses. Si seulement j'avais du pèze…

– Et ton permis.

– Si j'avais du pèze, si on avait pas foiré la Caisse d'épargne, je l'aurais fait direct, cet enculé de papelard. Et je me serais pécho une caisse. En légal, Dani. Ç'aurait été du légal de chez légal. Tu vois le tableau.

– Ouais. Ç'aurait pas été mal.

J'avais les yeux fixés sur la villa, dos à lui.

– Bon. On commence à avancer ?

– À l'aise, Blaise. Pas le feu. Commence par fumer en paix.

Il a jeté la première pour enchaîner sur la deuxième.

– Tu sais Dani, avec les femmes… Ça fait déjà un bail que chuis sorti… eh ben… du coup, j'manque un peu d'entraînement, t'sais.

– Rico. C'est rien, ça.

– 'fin, tu sais bien. Que des emmerdes, les femmes. Dès que tu veux en ramener une, y a que des emmerdes, tu vois ? Tu comprends ?

– Rico. Chuis pas né de la dernière pluie.

– À l'époque, Dani… tu me connais, toi. Tu sais bien qu'elles étaient toutes en…

– Sûr. Tu tenais une bête de forme.

Il hochait la tête en tirant des traits et des ronds dans la poussière du pare-brise.

– Au fait, euh, tu sais quoi… je dois juste faire un p'tit tour, avant.

Et il m'a pointé une vieille usine du périmètre en se triturant les cheveux.

– C'est toi qui vois. Vaut p'têt mieux, ouais.

– Pas toi ?

– Nan, ça ira. Va juste toi. J'attends.

– T'aurais pas un truc genre kleenex ?

– T'inquiète, Rico. J'ai tout en magasin.

J'ai raclé ma poche. Toujours des mouchoirs sur moi quand je sortais avec Rico, ça pouvait finir en sang.

– Bon, ben… j'y vais.

J'ai acquiescé. Mon regard s'est arrêté sur les projos de la villa. Il commençait à faire nuit. J'ai suivi Rico des yeux, l'ai vu jeter sa clope en marchant vers l'usine. Je m'en suis tiré une de son paquet resté sur le capot.

Devant la villa, deux gonzesses se sont extirpées d'un taxi qui venait de s'arrêter. L'une devant, l'autre derrière (pas mal potelée). Elles ont avancé vers la porte. Le taxi a redémarré, signal allumé, pour disparaître sous le pont du train de banlieue. J'ai tapoté ma cendre contre le pare-brise de la bagnole, elle a dégringolé avant d'être arrêtée par l'essuie-glace.

95 CV, selon la pancarte. Construite en 1988, vignette du contrôle technique valable jusqu'au… Rico, derrière moi. Il rictussait, le regard perdu dans le vague. J'ai ramassé son paquet de cigarettes pour le foutre dans la poche de sa veste, il a approuvé, et on s'est dirigés lentement vers la villa. Nouvelle bagnole arrêtée devant la porte, mais pas un taxi. Deux hommes sont descendus, le conducteur a fait marche arrière pour aller se mettre devant une Lada rouge, au bord du trottoir, et il est descendu pour aller rejoindre les autres. On a attendu qu'ils soient à l'entrée. D'ici, on les entendait rire. J'ai vu Rico glisser la main dans sa poche. Face à la porte, l'un a appuyé sur la sonnette et ils ont levé les yeux vers la caméra de surveillance installée au-dessus. Un autre type a fait un signe de main, ça s'est ouvert de l'intérieur, et ils ont disparu. On s'est approchés sans se presser.

– Pas si vite ! a fait Rico en s'arrêtant devant la porte peinte en rouge.

Accroché dessus, un grand panneau en bois : « Super Sex6. 20 h – Open End », et de chaque côté de l'écriture, une fleur peinte. Rico lissait les revers de sa veste.

– Alors, Dani ? J'ai l'air comment ?

– Bouge pas.

Tirant un mouchoir, j'ai essuyé la petite tache noire qu'il avait sous l'œil. J'avais aussi emmené deux pastilles à la menthe. Je lui en ai filé une en expliquant :

– Haleine fraîche. Les gonzesses apprécient.

– T'as pensé à tout, il m'a fait en chiquenaudant le papier devant les marches.

– T'inquiète. Rien oublié, Rico.

Mais là, jetant un coup d'œil à ses pompes, il s'est accroupi :

– Bordel, Dani. Pourquoi tu dis rien, elles sont super crade !

– Ça change quoi ? Tu pourras pas les garder.

– Pas de demi-mesure. File ton mouchoir.

Il a craché sur ses pompes et s'est mis à les essuyoter tant bien que mal. Il palpait ma jambe :

– Sa mère, Dani. Comment c'est possible que tu te trimballes comme ça ? Bouge pas !

Et il a envoyé un crachat sur mon pantalon.

– Arrête de déconner !

– Nan, pas moyen que t'y ailles comme ça. Mais regarde un peu cette tache de ouf, c'est mort !

Après avoir frotté ma jambe de pantalon comme il fallait, il a froissé le mouchoir et l'a jeté plus loin.

– Voilà, Dani. T'es bon.

Ensuite, j'ai entendu ses dents broyer la pastille.

– Alors, Rico. On est prêts ?

– À ton avis ? J'attends que toi.

En haut des trois marches, on a levé le menton vers la caméra. Rico a appuyé sur la sonnette, ça a bourdonné à l'intérieur, et puis, au bout de quelques secondes, toujours à mater la caméra, ça a fini par s'ouvrir de l'intérieur. Sur une fille en culotte-soutif, l'air assez jeune, sûrement la vingtaine, vingt-cinq berges maximum, et j'étais content qu'on fasse plus que notre âge. C'était à cause de la taule, de la boisson et de toutes les autres merdes.

– Bah alors. Vous entrez ?

Elle nous souriait.

– Vous êtes nouveaux ?

J'ai hoché la tête.

– Yes, a fait Rico. Première fois.

Il parlait tout bas.

– Venez avec moi, elle a fait en refermant derrière nous. Qu'on commence par vous inscrire à l'accueil.

Elle était belle, et les cent balles, j'aurais préféré les aligner pour *elle*, ou alors les prendre pour l'emmener dîner quelque part. On s'est écartés pour la laisser passer, elle allée à une petite porte à gauche dans le couloir. « Bah alors ! » elle s'est exclamée en nous faisant signe de suivre. Plutôt sombre, le couloir, juste une petite loupiote rouge au plafond. La fille a ouvert, et puis je l'ai vue sourire avant de disparaître derrière la porte. Rico m'a mis un coup de coude, on lui a emboîté le pas.

– Celle-là, a soufflé Rico. Elle.

Debout au milieu du petit bureau, elle farfouillait dans un classeur étalé sur la table. Il faisait clair, le faisceau du projecteur était braqué droit sur la fenêtre. J'ai regardé son dos et les bretelles de son soutien-gorge.

– D'abord, il me faudra vos pièces d'identité.

On les a posées sur la table, et la fille a mis nos noms sur une liste. Elle a levé les yeux :

– Rico, c'est bien ça ?

– C'est ça.

– Daniel, elle a fait en posant son index sur ma poitrine.

J'ai hoché la tête.

– Moi, c'est Claudia. Ça fait deux fois cent.

Rico a sorti les deux billets. Elle est allée les ranger dans un petit secrétaire, en refermant le tiroir à clé. Au moment où elle repassait devant la fenêtre, le faisceau est resté sur son dos et sa nuque. La main sur les paupières, elle a fermé le rideau.

– Il vous faut un reçu ?

– Nan.

– Alors, elle a fait en nous tendant nos papiers, vous pouvez vous déshabiller.

– Attends… tout de suite ?

– Mais non !

Ses seins bougeaient quand elle riait. Elle a avancé vers la porte.

– Venez, je vais vous montrer.

– C'est ça, a susurré Rico près de mon oreille. Tu vas nous montrer.

Elle nous a tenu la porte. Quand on lui est passés devant, j'ai vu la main de Rico lui effleurer le ventre. Elle a reculé en le toisant, avant de refermer pour nous amener à la deuxième porte, dans le même couloir. On était à la traîne.

– Vous pouvez vous changer là.

Un vestiaire avec des bancs et des petites armoires, pareil qu'en EPS.

– Bougez pas, elle a ajouté en se faufilant entre nous. J'ai oublié le cadenas. Une armoire pour deux, ça ira ?

– Sûr, a fait Rico. En plus on est frangins.

On l'a suivie du regard avant qu'elle redisparaisse dans le bureau, et puis on est allés se poser sur un banc du vestiaire.

– Alors, Dani… Tu crois qu'elle… tu crois qu'elle aussi, elle…

Sa semelle faisait bouger la petite grille du sol carrelé.

– J'en sais rien. Sûrement pas.

– Ouais mais attends... regarde comment elle se balade ! Celle-là, elle est vraiment... belle.

– Ouais. Elle est belle.

Ses pas revenaient dans le couloir. On s'est tus, les yeux rivés aux carreaux.

– Et voilà le cadenas !

Elle s'est plantée devant nous et nous l'a tendu, enfilé au bout de son index. Je l'ai cueilli, la clé était dedans.

– Choisissez votre armoire. Dès que vous êtes prêts...

– Qu'est-ce t'enlèves ? a fait Rico en retirant sa veste.

Elle s'est remise à rigoler, ça faisait sautiller ses seins.

– Eh ben, tout. Sauf ce qu'y a en dessous.

– Normal, a fait Rico. C'était juste pour vérifier.

Il avait déjà posé sa veste sur le banc et déboutonnait sa chemise. Rico tenait toujours la forme, même les marques de piqûres sur ses bras avaient bien guéri, elles se voyaient pratiquement plus. Après tout, ça faisait une paye.

– T'es tout peinturluré, elle lui a fait, et il a passé la main sur les tatouages de son torse.

– Attends de voir mon pote Dani. Il en a encore plus. Dix-sept. Je me trompe, Dani ?

J'ai choisi une armoire en me sentant rougir et je me suis caché derrière la porte en fer, cadenas en main.

– Bon, je retourne au bureau. Venez me voir quand vous serez prêts. Que je vous fasse visiter.

Ses pas ont résonné sur les carreaux, puis dans le couloir.

– T'as vu, Dani. Elle m'aime bien.

– Possible.

Pendant que je rangeais mes affaires sur le petit compartiment de l'armoire, Rico a choisi un cintre pour sa veste, puis il a enlevé pompes et chaussettes.

– On aurait dû prendre des chaussons. Ou des tongs. Tu te chopes une mycose, sinon. Tu sais, en taule...

Après avoir écrasé les chaussettes dans ses pompes et rangé le tout en bas de l'armoire, il s'est mis à inspecter ses pieds sous toutes les coutures. Et puis, quand j'ai eu les miens à l'air :

– Viens voir, Dani. J'ai des boutons chelou sur les panards.

– Garde-les pour toi.

J'ai cadenassé l'armoire.

– Attends, Dani ! Mes clopes.

Il les a repêchées dans sa veste pour se les coincer dans le boxer, côté hanche. C'était des boxers de qualité, et ils nous allaient bien.

– Et la clé ?

– Bouge pas, Dani. J'la fous dans mes clopes.

Les carreaux froids accrochaient à la plante des pieds. Claudia poireautait devant la porte du petit bureau, bras croisés sur la poitrine. Elle se frictionnait les épaules, on aurait dit qu'elle avait froid ; pourtant, c'était l'été, et il faisait pas plus froid à l'intérieur. Elle nous regardait. La paume de Rico recouvrait la petite nana aux gros nichons qu'un sombre type lui avait percée en taule. Sous la nana, «Maman», et le pouce de Rico ne cachait qu'à moitié son chapeau géant paré d'une plume bleue.

– Je vous fais tout le tour du proprio, elle a annoncé en laissant ses épaules tranquilles.

Elle s'est mise en marche lentement dans le couloir.

– D'abord, ranger un peu le pacsif, m'a soufflé Rico en fouillant dans son boxer.

On a suivi Claudia dans une grande salle avec bar et foule de canaps et de fauteuils. Certains étaient pris par des gonzesses en culotte-soutif, rien de transcendant, ça se voyait tout de suite malgré le peu de lumière. Y avait juste une petite guirlande d'ampoules colorées derrière le bar, et aussi, calés devant, quatre types qui buvaient. La nana du comptoir fouillait dans un petit frigo, accroupie derrière le bar. Sa tête et son dos se découpaient dans la lumière jaune, rien d'autre. Elle s'est redressée pour poser une bouteille sur le bar. Beaucoup plus vieille que Claudia, mais pas mal. J'ai inspecté celles des fauteuils.

– Et là-bas, vous avez notre buffet, a fait Claudia en tendant la main vers les deux grandes tables le long du mur et leurs deux faux palmiers. J'arrive. La visite reprend dans une minute.

Elle a laissé glisser sa main sur mon bras en s'éloignant vers le bar. Rico est allé se prendre une petite tartine au thon piquée d'une olive, chiquenaudant le cure-dent sur la salade de pommes de terre.

– Pas beaucoup de femmes, il a fait en rajoutant une tomate. Que des thons.

– C'est pas encore l'heure.

J'ai encore tourné les yeux vers Claudia, debout face au comptoir. L'autre nana se penchait pour lui caresser l'épaule.

– T'as raison, m'a fait Rico.

J'avançais le long du buffet, l'œil sur les tartines, les salades et le reste de la bouffe. Au bout, j'ai empoigné la branche d'un palmier, ça poussait dans des grands pots en plastique, mais c'était des vrais. La voix de Claudia m'est arrivée d'un coup. Venait-elle de dire «maman»? Le temps que je me retourne, elle était penchée par-dessus le comptoir et posait son front contre celui de la nana.

– Euh, Rico…

Mais elle était déjà revenue, et on lui emboîtait le pas vers les autres salles. Ça commençait par une sorte de dark room où on était censés se faufiler par le trou d'une cloison en bois; ensuite, une pièce avec une cage garnie de chaînes et de matos en cuir, puis une chambre où ça gémissait déjà (on entendait même une femme crier) alors qu'il était pas dix heures.

– Quand la porte est ouverte, c'est le signe que vous avez le droit de regarder. Ou de participer.

Celle-ci était fermée, ça gémissait déjà moins fort, probable qu'ils nous avaient entendus ou qu'ils venaient de finir.

– Et voilà notre coin câlin. D'habitude, ça commence un peu plus tard.

Le sol était recouvert de matelas et de tatamis, les murs, de poignées et de cordes. Il y avait un trampoline en plein milieu. Elle l'a montré en voulant dire quelque chose, mais son rire l'a arrêtée, faisant sautiller ses seins. J'aurais voulu la voir sauter toute nue sur le trampoline, rien que pour nous, sauf que la nana du comptoir, sa maman, n'aurait pas apprécié. On est descendus à la cave pour qu'elle nous montre le swimming-pool, y avait même un sauna, mais ça, on voulait pas tester. Rico m'a cogné les côtes en apercevant les deux gonzesses qui pataugeaient, avant de repérer les trois types à poil avachis sur le banc, bière à la main, gardant les slips-soutifs des deux naïades.

– Les ordures, a fait Rico tout bas. Regarde ces sacs à foutre.

– Et pour les préservatifs, vous en avez dans chaque pièce.

Claudia attirait notre attention sur une petite table collée au mur, avec un bac en plastique rempli de capotes. À côté des capotes, deux rouleaux d'essuie-tout et un paquet de serviettes.

– Par contre, chez nous, les rapports dans l'eau sont interdits. Question d'hygiène, vous comprenez.

– Ça s'comprend, a fait Rico en rictussant.

Il a tiré ses clopes du boxer, s'en est allumé une et m'a filé le paquet.

– Tu fumes ? j'ai fait à Claudia.

– C'est gentil, mais pas maintenant. Faut que je retourne à l'accueil.

– Ça marche.

J'ai hoché la tête en me prenant une clope et le feu. La visite se terminait par le bar.

– J'y pense : pas le droit de fumer dans le coin câlin. C'est à cause des marques de brûlures. Pareil pour la dark room. En fait, pareil pour les couloirs.

– Pas de souci, Claudia, a fait Rico en lui touchant le bras, pas loin de l'épaule. Toute façon, on commence par le bar.

Elle s'est arrêtée illico en détournant les yeux, profitant de l'occasion pour nous faire remarquer une porte déjà ouverte. Derrière, ça montait au premier.

– Là-haut, vous trouverez des salles de détente, deux alcôves, c'est là que vous pourrez par exemple nouer des…

– T'inquiète, lui a fait Rico en cherchant encore son bras, on sait se débrouiller.

En même temps qu'elle prenait une grande inspiration, ses seins se sont levés. Pas aussi imposants que ceux de la femme au chapeau, sur la jambe de Rico.

– Il faut que j'aille à l'accueil. Profitez bien.

Les épaules des Rico ont tressailli, il a allongé le bras, mais elle était déjà à la porte du bar. Il a pichenetté ses cendres par terre et s'est penché pour les souffler contre le mur.

– Faut qu'on boive un truc.

– Mais oui, mon chéri, j'ai chuchoté en lui passant le bras autour de la taille.

Il a souri bêtement, et c'était reparti vers le bar. Les types du comptoir avaient rejoint leurs gonzesses. Leurs rires sonnaient jusqu'à nous.

– Deux bières.

La maman de Claudia m'a fait un signe de tête. Dur de se douter que c'était sa mère, j'avais peut-être mal entendu. On a rapproché deux tabourets, et la maman de Claudia a posé les deux petites bouteilles sous nos nez.

– Verres ?

– Non merci, ça ira.

– Alors, première fois ?

– Ouais.

Elle a hoché la tête, seins plus gros que ceux Claudia, petit haut plus plongeant.

– Et comment vous trouvez ?

– Cool.

– C'est classe, ouais, a fait Rico. Et puis, y a la place.

– Vous allez voir, tout à l'heure ça devrait vraiment se remplir.

La clope de Rico s'effritait sur le comptoir, il a tout ratissé dans le cendrier avec son doigt.

– Dites donc, vous êtes bien bariolés, tous les deux. Ça plaît aux femmes. Moi, ça me plaît.

– Sympa, a fait Rico. Tu m'étonnes. J'espère bien qu'y en a qui kiffent.

– Vous les avez faits où ?

– Boaf. Par-ci, par-là.

Elle a acquiescé tout en prenant un long couteau pour aller tailler quelques fruits sur une planche.

– Chier, a soufflé Rico. À tous les coups, les plus bonnes c'est celles qui bossent là. Et puis, là-haut (il tendait le menton vers les fauteuils et les canaps où les cinq types se poilaient avec leurs gonzesses), là-haut, elles sont déjà prises. Mieux fait d'aller au bordel, Dani.

– Tranquille, je lui ai fait en ramenant le cendrier vers moi. Dix heures et des brouettes. Tu l'as entendue, ça va se remplir.

– Allez, ouais. T'as raison, elles vont pas tarder à se pointer. Les vraies gonzesses. Les jeunes. Tu sais de quoi je parle, Dani. Les vraies douces. C'est mort, elles vont arriver. Ils vont pas tarder à me boucler, tu sais… avant, faut absolument que je baise, mais sérieusement. Après, je serai parti, tu sais. Des années, tu comprends… au moins quelques années.

Il m'a pris la main.

– Rico. Je sais.

– Dani ! La dernière charge !

Il serrait à m'écraser les doigts, mais je les ai laissés où ils étaient en me contentant d'acquiescer.

– Mais ouais, Rico. La fête, une dernière fois. Pour les adieux.

Il a cogné l'autre poing sur le comptoir :

– Leur montrer ce que c'est ! La dernière teuf !

Pas impossible que la maman de Claudia l'ait entendu, car au même moment, la musique a commencé. Elle a tourné les boutons de la stéréo, la musique grossissait, « Copa, Copacabana… ».

Je toquais à la cloison en bois. « Quelqu'un ? » j'ai soufflé à travers. Mais pas un bruit. Écartant le rideau, j'ai rampé dans le trou en gardant le whisky serré contre ma poitrine. Étant donné qu'il était rempli à ras, les glaçons étaient superflus. Et puis ça avait l'avantage de pas me geler la peau. J'avais versé les quatre whiskys secs ensemble dans un grand verre. J'ai rampé sur les tapis en caoutchouc jusqu'à ce que ma main heurte le mur. Recroquevillé dans un coin, j'ai ramené mes genoux contre ma poitrine et posé mon menton sur mon avant-bras. L'air était moite et étouffant, j'avais connu mieux pour s'envoyer en l'air. J'ai pris ma gorgée pendant que des gens passaient dans le couloir. Voix d'hommes, voix de femmes, éclats de rire. Rico était autre part. Il était dans une pièce, il baisait. Ou enchaîné dans la cage, à se prendre une bonne fessée. Rico avait vraiment mis le paquet, il tenait de nouveau la grande forme ; mais c'était les femmes, elles n'étaient plus aussi belles ni aussi jeunes qu'avant. N'empêche qu'à en juger par son rictus et son clin d'œil au moment de partir avec elles, ça lui allait quand même. « Tu nous accompagnes ? » m'avaient fait les deux. « Verrai plus tard. » Pourtant j'étais chaud, et elles, pas si mal foutues, et puis on voyait bien qu'elles en voulaient, Rico me faisait des signes de tête et des clins d'œil, mais comment dire… j'ai pas pu. Je me suis bu une autre gorgée avant de plonger la main dans mon boxer. « Ranger un peu le pacsif », j'ai murmuré, et ça m'a fait marrer. Une goutte de whisky m'a atterri sur la main. « Y a quelqu'un ? » Un corps bouchait l'ouverture, un corps de femme quasi nu, mais je l'ai aperçu juste une seconde devant la lumière du couloir avant que l'obscurité le fasse disparaître sous mes yeux. Le rideau s'est refermé, et je l'ai entendue ramper sur les matelas. Sans la voir, j'essayais de humer son parfum, de sentir sa chaleur, mais rien, alors que je l'entendais remuer tout près de moi, et brusquement elle s'est assise et n'a plus bougé, je percevais un doux tintement, les glaçons qui se cognaient légèrement dans le verre. Et je l'entendais boire à petits traits. Ça y était, je sentais son parfum, alcool, quelque chose et vodka, mais aussi quelque chose d'autre. «Nasdrovia», je me suis dit en descendant le whisky. J'ai avancé la main dans le noir ; et là, son cou. Je sentais les cheveux coupés court dans la nuque.

– Non.

Je l'ai entendue ramper un peu plus loin.

– Claudia ?

– Non. Faut que j'aille à l'entrée. Je travaille.

– Mais attends, mais te sauve pas comme ça. Daniel ! C'est moi, Daniel. Le tatoué.

– Avec une femme sur la jambe ?

– Nan. Ça, c'est Rico.

– T'es tout seul ?

– Ouais.

– J'avais juste envie de boire un coup. Ici, personne me voit.

– Mais reste, reste juste une minute. Te sauve pas tout de suite. Tiens, regarde, j'ai du whisky.

– Merci. J'ai ce qui faut.

Je l'entendais revenir. Elle s'est assise près de moi, dos au mur, l'épaule contre mon bras.

– Juste souffler deux secondes.

– Tu peux, je lui ai fait. T'inquiète. Je reste là, je fais rien.

– Daniel, elle m'a dit tout doucement.

– Et alors, Claudia, qu'est-ce que tu bois ?

– Vodka tonic. Mais en fait, j'ai pas le droit, tu vois.

– Et c'est bon ?

– Tu veux goûter ?

– Sûr.

Elle m'a touché le ventre à tâtons. J'ai serré son bras, et elle m'a passé le verre.

– Tu veux mon whisky ?

– Juste un peu.

On a bu en même temps, et puis je l'ai entendue s'ébrouer. On a échangé nos verres.

– Pas ton truc, hein ?

– Ben… Tu sais, je préfère la vodka. Toujours coupée avec autre chose. Mais attends, il est pas mal, ton whisky.

– J'avais jamais bu. Vodka tonic, j'veux dire. C'est vraiment bon.

Elle remuait contre mon bras, mais j'étais très calme, je retenais mon souffle.

– Dis, Daniel. T'as déjà été en taule ?

J'ai tendu la main. À deux doigts de toucher sa tête, je l'ai retirée. Et je me suis marré.

– En taule. T'en poses, des questions.

– Vu que t'es… vu que t'as tous ces tatouages.

– C'était y a une paye. Je les ai presque tous eus avant.

– Mais t'as… t'as fait rien de grave.

– Nan. Que des babioles.

– Et ton copain ?

– Rico ? Rico, il est relax.

– Tu sais, je l'ai vu, là. Avec deux nanas… franchement, elles sont pas terribles…

– Je sais.

J'ai entouré ses épaules pour l'attirer contre moi, et elle a recommencé :

– Dis…

Sa main revenait. Cette fois, elle palpait mon torse.

– On peut les sentir ?

– De quoi ?

– Ben, les tatouages. Tu les sens sur la peau ?

J'ai guidé sa main de l'autre côté.

– Là. T'en as un ici.

Ses doigts se promenaient sur mon torse. Son pouce s'est arrêté sur mes côtes, puis ma gorge.

– Nan. Je sens rien. Ça palpite, c'est tout.

– Mon biceps, je lui ai fait en me rapprochant encore. Là, à droite. Tu peux toucher.

Et j'ai penché le visage. Mais je l'ai sentie détourner le sien. J'étais face à son dos, mon nez s'est heurté à son épaule.

– Faut vraiment que j'y retourne. J'ai droit qu'à des mini-pauses, c'était juste une petite pause.

– Regarde. Là, tu peux le sentir. Les tatouages, c'est un peu comme en 3D.

– C'est vrai ?

– Pas besoin d'avoir peur. Je … t'as pas besoin d'avoir peur.

– Je sais. T'es pas un mauvais, toi.

Elle glissait autour de moi, son doigt continuait à se promener le long de mon biceps. Son autre main était posée sur mon ventre. Je commençais à durcir, lentement mais sûrement, alors que je voulais pas.

– C'est comme si y avait un truc en dessous… sous la peau… en fait, il veut sortir, le tatouage.

La bouche contre mon dos, elle a ri. Je le sentais à l'intérieur.

– Mais pourquoi ça fait ça ?

– Encre à deux balles et perceur à deux balles. C'est plein de chtars.

– C'est quoi comme motif ?

– Devine.

Elle a suivi les contours du bout du doigt.

– Je l'ai vu, tout à l'heure. C'était une… une espèce de tronche, nan ?

– L'autre côté. Elle est de l'autre côté.

Elle m'a enlacé de son bras et s'est mise à me caresser l'épaule.

– Là, je sens que dalle. C'est tout lisse.

– Celui-là, c'était un bon tatoueur.

– Faut que j'y retourne. Chuis tellement fatiguée.

Les bras enlacés autour de mon ventre, elle s'est blottie dans mon dos. Je sentais sa poitrine à travers le soutien-gorge, et quelque part derrière, son cœur. J'avais des fourmis dans le pied. Je l'ai remué pour stopper l'engourdissement, il a heurté son verre. J'ai passé ma main par dessus mon épaule, je cherchais ses cheveux.

« D'où tu me touches ? Tu m'as touché ! Ch'te prends à mains nues, sale clochard ! »

La voix de Rico résonnait dans le couloir. Je me suis levé d'un bond, en sentant le whisky se renverser sur mon pied.

– Reste là. S'il te plaît. J'veux pas sortir tout de suite.

Sa main s'agrippait à ma jambe, mais j'ai continué à quatre pattes vers l'ouverture.

– S'il te plaît.

Elle restait dans le coin du fond, immobile, la voix très basse. Dans le couloir, tout le monde vociférait. Soudain, ça a éclaté fort, et pas qu'une fois. J'étais juste derrière l'ouverture, la main tendue vers le rideau.

– Il faut que j'aille voir Rico.

Mais peut-être qu'elle avait rien entendu, tout au fond, plus aucun bruit. J'ai écarté le rideau pour me faufiler par le trou. Même avec les ampoules du couloir, le changement de clarté tuait les yeux.

Il devait aussi y avoir des lampes à UV : quand Rico braillait, ses dents ressortaient en blanc ultra brite, pareil pour celles du type qu'il tenait à la gorge, elles avaient l'air flambant neuves dans sa bouche grande ouverte.

– Non ! criait le type. Je t'en prie, non !

Mais rien à faire, Rico lui a collé une droite sur le menton, sans grand élan, mais pile là où il fallait, travail millimétré, ça s'est vu quand Rico l'a lâché et que le type s'est affaissé sur lui-même, Rico qui gueulait toujours, « je vous maudis, sales fils de putes ! », et c'est seulement là que j'ai grillé les deux autres, le premier vautré par terre sans culotte, à chialer et tenter de se mettre sur le ventre pour se traîner vers le mur, et quelques mètres plus loin, l'autre qui essayait de gagner la porte en roulant sur lui-même, toujours en culotte, mais elle avait un trou derrière et on voyait son derche. En plein milieu du couloir, une chaise fracassée, les trois pieds arrachés, le dossier démoli.

– Bandes de salauds ! Mes femmes ! C'était mes femmes à moi !

Je lui ai plaqué la main sur l'épaule, et il s'est retourné en arrêtant son poing à un centimètre de mon visage.

– Putain, Dani ! Mais fais gaffe !

Et le poing a quand même fini dans le mur.

– Ils cherchaient à me peloter, ces enculeurs ! Tu te rends compte ! Ils ont tapé l'incruste, comme ça, sans prévenir !

Deuxième coup dans le mur.

– C'est ma soirée, ma soirée, tu piges ! Et eux, ils commencent à me tripoter. Les taffioles. Mais c'est quoi, ce délire ? Hein, Dani ? C'est quoi, ce trip ? Franchement. Nan mais franchement, tu peux me dire ce qui se passe, ici ?

– Calme. On s'arrache, et vite !

– Ça marche. Toute façon, j'ai plus envie. C'est mort. Juste envie de rentrer.

J'ai passé le bras autour de ses épaules et on s'est traînés vers le bar. Je serais bien allé plus vite, mais Rico n'arrêtait pas de regarder en arrière.

– M'ont niqué tout le truc, ces porcs.

– C'est des porcs, pas de doute. Mais viens, on s'arrache de là. S'ils appellent la…

– Nique la police, Dani. Ça fait quelle différence ?

À la porte de l'espace bar, trois gonzesses et une poignée de mecs se sont écartés pour nous laisser passer, ils fixaient le fond du couloir exprès. Je me suis retourné encore une fois, du monde venait s'agenouiller à côté des types que Rico avait mis au tapis, deux nanas nous montraient du doigt, sûrement celles que Rico était en train de se faire quand ils avaient voulu s'incruster. On a traversé l'espace bar, la maman de Claudia attendait dans l'entrée. À côté d'elle, un type en uniforme. Pas un poulet, un privé.

– Vous partirez pas comme ça. C'est pas si facile. On va régler le problème, et tout de suite.

Elle avait passé une sorte de peignoir, et peut-être qu'avant elle caillait déjà, vu qu'elle tremblait toujours. Le vigile s'était planté au milieu de l'encadrement, assez mastoc, mais ça se lisait sur ses traits que c'était pas un furieux. Il avait l'air de douter de lui et nous fuyait du regard.

– Pas d'emmerdes, je leur ai fait. On veut juste rentrer chez nous. Et vous avez nos noms.

– Mais pourquoi vous faites ça ?

Elle tremblait, les bras serrés contre la poitrine.

– Pourquoi *je* fais ça, a coupé Rico. C'est mon affaire ! Il a rien à voir, compris ?

Le vigile a fait un pas vers nous.

– Vous comprenez, merde ! il a vociféré en tendant l'index sous le nez de l'autre. C'est mon affaire ! Et maintenant, je me casse, ou y aura encore plus de grabuge !

– Fais pas d'histoires, gamin ! a répondu le vigile, lui-même encore passablement jeune.

Rico s'est contenté de le mettre sur le côté en le chopant à la gorge, juste une seconde. Le vigile s'est pas défendu, il a juste mis le dos au mur, j'ai vu que ça tiquait et travaillait dans sa face, et il ne mouftait plus.

– Allez, Dani. Nos affaires !

– Je suis désolé…

La maman de Claudia détournait les yeux. Face à elle, j'ai répété :

– Désolé… Je vous le rembourse. Je paye tout…

Elle s'est tournée un peu plus et s'est éloignée vers le bar, le vigile sur les talons.

– Vas-y, Dani ! On bouge !

Rico était déjà à la porte du vestiaire. Je l'ai rattrapé devant le placard, en train de batailler avec le cadenas.

– Clé de mes deux. Mes clopes elles sont restées en haut.

En me voyant faire demi-tour, il a crié :

– 'tends, Dani ! Je le fais, je le fais.

Et là, il a extirpé une capote de son boxer.

– Gros délire !

Il a éclaté de rire en envoyant le bidule claquer contre le mur, retiré le boxer, l'a fait passer à travers la boucle du cadenas, et puis, saisissant les deux bouts qui dépassaient, il a tiré d'un coup sec. Normal, c'était des boxers de marque, flambant neufs, je les avais achetés le matin même. Quand on a passé la porte, déjà rhabillés, Rico avait de nouveau la main dans la poche de sa veste. Au bout du couloir, la maman de Claudia attendait toujours avec le vigile. Plus loin, dans l'encadrement de l'espace bar, j'ai vu Claudia. À cet instant, elle a levé une main en l'air, mais ce n'était qu'un instant, et elle a tourné le dos.

– Tu crois que les flics sont déjà là ?

– Chais pas, m'a fait Rico en sortant la main de sa poche. En tout cas, flippe pas. Pour ton sursis, ch'parle. Tout ça, c'est mon affaire, et je compte bien leur expliquer. Hein, Dani ?

– Mais je sais, Rico. Même pas besoin de me dire. Je sais bien.

Il a souri en me tendant son poing serré. J'ai tapé le mien contre.

Ils l'ont coincé quelques jours après, au moment où il sortait de chez Goldie. J'étais à ma fenêtre en train de m'en griller une, j'avais repris la clope, c'était sa faute.

Au moment où ils sont venus se planter devant lui, il n'a rien fait du tout, même pas essayé de prendre la fuite, il est resté là, debout, et leur a tendu ses poignets. Il avait décidé de se rendre, mais il repoussait son jour, encore et encore. Si ça se trouve, il voulait que ça se finisse comme ça s'était toujours fini, qu'ils le chopent « sauvage dans la nature », comme il disait. Après lui avoir mis le 8, ils l'ont emmené à la bagnole, et juste avant de monter, il a levé les yeux avec un hochement de tête, j'ai vu ses épaules qui tanguaient, sûrement qu'il essayait de lever une main, mais bon, pas moyen avec le 8 dans le dos. Ils ont claqué la portière. Ensuite, je l'ai vu appuyer sa tête contre la vitre. J'ai fait un signe, mais ils roulaient déjà.

QUAND ON ÉTAIT REPORTERS

– Vous… vous voulez faire n'interview de moi ? a dit le binoclard, celui que tout le monde appelait Fred. Il était braqueur de bagnoles, du moins à en croire Stefan.

– Carrément, je lui ai fait.

Rico, Mark et Walter hochaient la tête.

– On vient pour ça.

On était reporters, on faisait notre journal du collège, et y avait pas un prof qui était contre. Faut aussi dire que plein de profs avaient disparu, pareil pour les élèves, un ou deux ans avant, ils avaient été plein à disparaître, c'était leurs parents qui les avaient embarqués avec eux à l'Ouest. Mais les profs n'étaient pas partis à l'Ouest. Quand ils avaient disparu, du jour au lendemain (mais pas tous à la fois), on s'était chuchoté : « Z'étaient avec la Stasi. »

– Vous… vous êtes pas des mouchards, au moins ?

– Nan. Juste une interview. Pour notre journal du collège, tu vois.

– Hin ouais ! il a ricané. Journal du collège…

– On rigole pas. Tirage à cinquante.

Et c'est vrai qu'on rigolait pas, « le Journal du Collège, notre projet d'élèves », c'est comme ça que l'appelaient les profs qui étaient encore là. Ils parlaient de « cette ère nouvelle », de la « liberté de la presse », de « l'esprit d'initiative », ils disaient que ça faisait longtemps qu'ils attendaient tous ces machins.

– À cinquante ! La vache, si les keufs ils le lisent…

Il zyeutait partout, comme si on les avait ramenés pour de vrai. On était dans la cour d'un bloc d'immeubles abandonnés, c'était le rencard des braqueurs de bagnoles, à en croire Stefan. Il nous avait aussi expliqué que ces mecs allaient planquer des tonnes de BD et de mags de cul dans les immeubles après les avoir raflés dans les papeteries et les halles de la ville.

– Pour les flics, t'inquiète. Tout sera anonyme.

– T'entends quoi par là ?

– Ben, avec un autre nom.

– Ah ouais, et ch'peux prendre çui que j'veux ?

– À fond.

– Dans ce cas… dans ce cas, appelez-moi Don. Comme Don Johnson, tu vois l'truc ? Ah, et encore une chose…

Il tripotait ses binocles.

– Ouais ?

– Plus jamais tu dis qu'je flippe devant les keufs !

Là-dessus, il s'est barré vers l'entrée d'un immeuble.

– Mais Fred ! Et l'interview ?

– Je m'appelle Don !

Et il s'est arrêté devant un gros tas de camelote en nous faisant signe de le suivre :

– Bah alors, restez pas plantés !

Le temps de se jeter un coup d'œil, on a ramassé les blocs-notes et les stylos, sans oublier le dictaphone, plutôt un magnéto à vrai dire, et on a filé le rejoindre. Même avec ses quelques années de plus, il avait la tête d'un 5ᵉ ou d'un 6ᵉ, même au moment où il s'est perché sur une vieille banquette de bagnole qui couronnait le bric-à-brac. Il nous toisait de là-haut.

– Moi, je suis le braqueur de bagnoles numéro 1 sur Leipzig. Professionnel. Je rigole pas.

Y avait des caisses de bière et de limo au pied du tas, on s'est assis dessus. Rico avait posé le magnéto en équilibre sur sa cuisse, et Mark et Walter scribouillaient déjà leurs blocs-notes alors que l'interview n'avait même pas commencé.

– Bête de gros titre, a soufflé Mark près de mon oreille. « Le braqueur de bagnoles numéro 1 sur Leipzig » !

– Y a moyen. Je crois que c'est du solide.

J'ai fait le signal à Rico en appuyant sur un bouton imaginaire, et puis j'ai dit « action ! », j'avais vu ça à la télé. On était déjà des vrais pros, on avait réalisé masse d'interviews pour notre journal, une fois on avait même eu les néonazis, ceux de la seconde, les « peaux de derche », citation de Rico, qui se retrouvaient au terrain de sport, mais eux, ils avaient seulement témoigné des trucs genre « Sieg Heil » et « l'Allemagne aux Allemands » dans le micro, alors que leur chef, Mikloš Maray, ancien responsable du Conseil de l'Amitié, il était qu'à moitié allemand. Rico a rapproché sa caisse en plastique de

Fred, machiné le câble et appuyé sur REC en tendant le micro vers l'autre. Encore un coup d'œil sur l'heure, et j'ai annoncé :

– Témoignage de Don. Quinze heures trente-quatre à ma montre.

Don a ricané.

– Alors, Don, il paraît que t'es un vrai braqueur de bagnoles ?

– Professionnel, il a répondu avant de sortir une cigarette toute froissée de sa poche poitrine, d'enlever la moitié du haut et d'allumer celle du bas.

– Et... et qu'est-ce qui te pousse à faire ça, pourquoi tu braques des bagnoles ?

– Chais po.

Walter et Mark scribouillaient déjà leurs blocs-notes.

– ... qu'est-ce j'en sais ? C'est quoi steu question à la con ?

Rico l'a menacé du micro.

– Oh ! T'avais dit que tu jouais le jeu !

– Calmos, je lui ai fait. Rembobine et enregistre par-dessus.

– Ben, en vrai, c'est que, t'sais... ben, t'sais, c'est cool de se trimbaler comme ça, la nuit. Comment j'veux dire, c'est... comment que j'veux dire... T'es pas comme les autres, quoi. Même que tu... tu peux bouger où tu veux. Et puis les phares, la nuit...

Toujours perché sur sa vieille banquette, il fumait, les deux bras tendus devant lui comme s'il tenait le volant.

– ... tous les phares, t'sais, et t'as personne pour venir te... personne pour te marcher dessus, t'sais, et putain... (Il se remettait à ricaner)... 'tends, t'as vu toutes ces bagnoles, nan mais visez-moi un peu toutes ces bagnoles !

– Et... et la police ?

– Pfff, la police.

Il l'a chassée de la main et s'est avachi au fond de son siège, d'un seul coup il avait l'air tout petit.

– Les keufs, ils font que dalle contre le vieux Don.

N'empêche qu'il avait pas l'air d'y croire.

– Et sinon, tu t'es déjà fait choper ?

– Choper ? Choper ?

Il a brandi sa cigarette et l'a balancée plus loin.

– 'tends, mais ça fait partie du jeu ! Les keufs ils te foutent dans leur panier et après ils te laissent courir. Tu sais t'grouiller, jamais tu t'fais couiller. Z'avez déjà quatorze piges ?

– Ben ouais, je lui ai fait.

– Tu crois quoi, a fait Rico.

Walter et Mark hochaient la tête.

– Pas de cul. Douze ou treize, ça, c'est pile l'âge pour les caisses. Vu qu'aux yeux de la loi, t'es encore impénissable.

– Hein?

– Bah, ils peuvent te faire que dalle. J'en ai dans mon équipe. Douze piges, treize piges, peuvent pas y toucher. Bon, après, je préfère me la jouer solo. Je suis le braqueur de bagnoles n° 1 sur Leipzig. T'as bien noté? La nuit, quoi. Les phares, t'sais…

– T'as peur?

– C'est quoi steu question. Jamais.

Il gigotait sur son siège pendant que Mark et Walter scribouillaient toujours leurs blocs.

– Tu vas encore à l'école?

– L'école! il a ricané. Nan… La rue, tu comprends, c'est ça mon école. T'as bien noté! L'école, j'en ai ma claque. T'sais, dans le Ghetto…

– Quel Ghetto?

– Ah, laisse béton.

Mais j'ai vu Rico lever les yeux en hochant la tête. Son micro ne remuait plus du tout.

– T'as appris comment, pour les bagnoles?

– Boaf, super fastoche. Rien de plus fastoche. Mais bon, faut quand même savoir s'y prendre, il a ajouté en se frappant la poitrine. Quand même avoir la bosse, t'sais, coup de poignet, t'sais, le tournevis il doit rentrer tout doux dans la serrure. Faut le tour de main, faut que ça trace. Si tu traînes, t'es foutu. Les keufs, tu vois.

– Et après? Le tournevis, c'est la clé de contact?

– Mais naaan! il ricanait encore. La clé, tu l'oublies. Faut trafiquer sous le tableau de bord. Les fils, t'sais, t'as des couleurs, t'arraches, tu fous le contact, par contre là faut s'y connaître. Étincelles d'allumage. Même trip qu'en cours de techno.

J'ai sorti les notes que j'avais prises la fois où Stefan m'avait parlé de Fred et des braqueurs. Il en connaissait un ou deux, du coup il avait pas voulu venir, «… autrement ils diront que ch'parle trop, et moi, chuis pas une pipelette.»

– Et les drogues? Vous vous y connaissez en drogue?

– Wôpopop. Attends, tu te fous de ma gueule ? Tu t'es cru à Bahnhof Zoo ?

– Chais pas, moi. C'est les autres, ils m'ont dit...

– Nique sa mère ! Attends, j'hallucine !

Ça l'a fait bondir de son siège en flanquant des coups dans le vent :

– Jamais on touche à steu merde, nous, pigé ? Celui qui parle comme ça, j'y marave sa gueule !

Au dernier coup dans le vent, il a culbuté sur son siège en s'emmêlant les pieds. Rico s'est dressé, le micro vers le bas.

– Laisse couler, je lui ai fait, on a déjà des purs gros titres.

– Les gueudro ! T'as craqué ton slip ! Le vieux Fred, il a... nan ! stop ! merde ! le vieux Don ! tout le monde sait que les vignettes et le vieux Don, ça fait deux !

Il a levé le menton en se redressant bien et il s'en est allumé une nouvelle, encore plus mal en point que la première.

– Vignettes, a confié Rico à son micro. Saloperies de vignettes.

Et Mark et Walter ont hoché la tête en scribouillant leurs blocs. Des vignettes, plus personne en foutait sur les cartables, ni autre part d'ailleurs, parce que des fois ils mettaient de la drogue sur la face autocollante, si tu léchais, tu tombais accro en moins de deux. Depuis que les profs nous avaient parlé de ça, j'avais arrêté ma collec de timbres. J'ai repris :

– C'est bon... je disais ça parce que les bagnoles, vous les crashez toujours dans le mur, parce que vous bousillez toujours les belles bagnoles. Les autres, les profs et tout, ben, ils disent que vous vous shootez à l'héroïne et qu'après vous devenez zinzin.

– L'héro. Pfutain.

Après avoir recraché sa fumée dans un ricanement, il s'est levé en tournant les épaules vers l'immeuble de derrière :

– Steffen ! Descends du matos !

Nos regards ont dépassé Fred et son monticule pour venir se poser sur la tour. Derrière une vitre pétée, un gosse levait la main. Il a disparu, on a entendu ses pas résonner dans la cage d'escalier, et puis il a réapparu en bas, se ramenant vers nous avec trois canettes de bière serrées contre la poitrine. Au moment de les passer à Fred, il nous a fait un sourire de gros bêta. Même tête que devaient avoir ceux que les flics étaient toujours obligés de laisser courir ; tout minot, avec un t-shirt Mickey trop grand de plusieurs tailles. Walter le regardait en souriant, lui aussi était fan de Mickey. Fred a fait pschitter sa canette, se l'est collée aux lèvres, et il a bu, dix secondes, vingt secondes. Après l'avoir décrochée, il a éructé en la broyant dans sa main, et elle a fini sur le tas.

– C'est bon, Steffen. Tu peux remonter.

Steffen est parti en nous refaisant son grand sourire. Derrière une autre fenêtre, j'ai aperçu un visage, puis un autre, et d'un seul coup, une fille. C'était au deuxième, je pouvais voir ses longs cheveux, ses cheveux sombres, peut-être même noirs. J'ai penché la tête en arrière pour essayer de trouver ses yeux, mais elle avait changé de place, sa main ouverte posée à plat contre la vitre fendue. Elle portait un haut bleu clair avec des petits points, des points qui brillaient, ça faisait penser à des... étoiles...

– La vache! 'tends, Dani, mate-moi ça, nan mais mate un peu, t'as vu la descente! soufflait Rico en me filant des coups de coude.

– Rico, j'ai murmuré. Regarde là-haut. Y a une fille, là. Vraiment belle. Y a une fille.

– T'as fumé. Où t'as vu une fille?

Fred a lâché un rot. Bon volume. Un deuxième.

– Alors, ç'a une gueule d'héro, ça?

Il venait d'attaquer sa deuxième canette, et d'un seul coup sa face était devenue toute grise. Ça devait venir de la lumière. C'était encore l'après-midi, mais le soleil disparaissait, et là, levant encore les yeux, j'ai vu que la fille aux étoiles s'était éclipsée aussi.

– C'est ça, pigé! C'est ça mon seul matos!

– Et en fait, Fred, t'as quel âge?

– T'sais, quand j'dis foncer dans le mur, faut que j'vous explique. Pour ça, pas besoin de gros matos. Un peu de bière et c'est tout. T'es dans une tire, alors tu traces, t'sais. Et ça, ça vaut tous les matos. Dans une tire, t'es mieux que dans une meuf... Z'avez déjà été dans une meuf ou pas?

– T'inquiète, a lâché Mark, et on a regardé par terre.

– Comme dans les films, t'sais! Le number one c'est toi, c'est toi qu'es number one, tu percutes! C'est toi. Et puis la nuit. Et puis les phares. Et là, tu lâches les chiens, mais là pour de vrai, no limit, tu percutes, parce que tu vas pas t'arrêter avant que ta tire, là, avant que ta putain d'tire elle soit baisée. Mais pas tous les jours. Pas avec toutes.

– Et les gens à qui elles sont? Ils te font pas de la peine?

– Oh la la, les gens… Bon. Je t'ai dit, pas n'importe quelle tire, des fois elles prennent moins cher. Ouais, bon, les gens… C'est quand même une drôle d'époque.

Il nous a fait un grand sourire, et il a bu.

– Vas-y, demande-lui pour les mags de cul ! m'a soufflé Mark au creux de l'oreille, en gigotant sur sa caisse de bières, bloc-notes à hauteur du nez, les yeux qui dépassaient tout juste.

– Ah ouais, et au fait, j'voulais te demander. Vous chourez des trucs, nan ? Il paraît que vous vous faites des missions.

– Vrai. Clopes, schnaps, reubié.

Nouvelle gorgée, et puis il a levé la canette pour se secouer les gouttes qui restaient direct dans la bouche, avant de la broyer pour la jeter un peu plus loin.

– Ça, on sait faire !

– Et nous alors ! a rétorqué Mark.

Je l'ai toisé, toujours caché derrière son bloc. J'avais dû tendre l'oreille alors que j'étais tout près.

– Ferme-la.

– Ben quoi ? il a marmonné derrière son bloc. Tu te rappelles pas, le coup des pizzas…

– Tais-toi, ch'te dis.

– Vas-y mais laisse-le ! (Rico qui venait de mettre stop.) Il a raison, aussi. C'est vrai, quoi, on est plus des mômes.

Il s'est levé avec le micro qui pendouillait près de sa ceinture. Rico avait déjà une sacrée taille, des muscles aussi, normal, il faisait de la boxe, et même si l'autre restait perché sur son monticule, Rico pouvait le fixer quasiment droit dans les yeux.

– Bon ! il a lancé à Fred. Et tu veux pas nous dire tu te débrouilles comment à la halle ?

– Eh ! C'était mon job, on avait dit. Moi qui pose les questions, toi qui fais le micro.

J'avais aussi le poste de rédac-chef, mais vu qu'il avait été à une ou deux voix d'être élu, il aimait pas trop que je le dise.

– Relax, Dani, relax.

Alors, il a brandi le micro sous le nez de Fred en remettant REC, et j'ai pu continuer.

– Ouais donc, euh, comment vous faites pour la halle et tout ça, niveau chourave ?

– T'inquiète, on a la teschnique !

C'est là qu'il s'est mis à devenir nerveux, à encore se retourner pour regarder derrière la banquette, ses gars étaient dans l'immeuble, la fille aux étoiles aussi, planqués là à nous lorgner depuis les fenêtres, mais on les voyait pas.

– Alors, et les mags ! m'a soufflé Mark dans l'oreille. C'est le moment. Pour les mags !

Il commençait à hausser le ton, mais Fred poursuivait son blabla sans faire gaffe.

– … question de vitesse. Si tu sais t'grouiller, jamais tu t'fais couiller. Et puis, y a la technique, hein, toujours garder deux trois trucs en réserve.

– Dani, les mags !

Sauf que Mark a fini par les oublier, les magazines planqués là dans les vieux immeubles, enfin, à ce qui se disait, parce que Rico est revenu à la charge, envie d'être un dur, quoi, et au fond il l'était déjà.

– On te fait ça encore plus vite, Don, il lui a sorti en remettant pause. Même qu'on chourave super bien ! Pas vrai, Mark ?

– Tu m'étonnes, a confirmé Mark.

Et même Walter a acquiescé en posant son stylo, alors que de toute sa vie il avait encore rien chouré, même pas à sa mère.

– Sacrés reporters ! a crié Fred qui s'agitait toujours en direction de l'immeuble.

Et soudain, les doigts calés dans la bouche, il a sifflé. Les deux types d'avant sont repassés devant les fenêtres et ils ont déboulé dans la cour. C'était le gamin au t-shirt Mickey accompagné de son frérot, du moins l'autre en donnait l'impression. Vraiment vifs, ces mecs, et pas que question vol. J'ai lancé un autre coup d'œil là-haut, mais plus trace de la fille.

– C'est quoi cette entourloupe ? a fait Rico en pointant son micro vers les deux types restés plantés derrière le monticule de Fred.

Là-dessus, Fred est descendu du tas en écartant Rico, n'empêche qu'il lui arrivait à peine à l'épaule. Franchement, ça, c'était du vrai braqueur de bagnoles. Le braqueur de bagnoles numéro 1 sur Leipzig.

– Et maintenant, visez le spectacle. Vous mourrez moins cons, et en plus c'est gratos.

– Et notre interview ? Ça s'fait pas, vous allez nous gâcher notre super interview…

– Z'êtes des vrais reporters ? il m'a coupé en vidant sa dernière canette et en la broyant pour la jeter plus loin.

Vraiment vif, le mec, et pas que question vol.

– À ton avis ? a répliqué Rico en lui tapotant gentiment le micro contre l'épaule. J'ai quoi dans ma main ?

– Vous voulez un vrai reportage de ouf ? Ch'te parle d'un vrai reportage, là, dans les coulisses, tu piges, on vous emmène à la halle, et c'est nous qu'on s'occupe du spectacle. Gratos ! Histoire que vous voyez ce que c'est, la vraie vitesse !

– Je choure plus vite que toi, lui a fait Rico. Mes mains elles bougent plus vite. T'as qu'à voir !

Et il s'est mis à rouler les épaules comme sur le ring, à faire danser ses poings pendant quelques secondes. Walter est venu se poster à côté, pendant que Mark renchérissait :

– À la halle, c'est nous les plus grands !

Mais Fred nous est repassé devant sans rien dire. Il est allé voir ses deux collègues et leur a parlé à voix basse, avant de retourner vers l'entrée de l'immeuble. Il s'est arrêté sur le seuil.

– L'Astragirl !

Et puis, il s'est penché à l'intérieur pour l'appeler encore une fois. Tout le monde fixait la porte. Des pas dans l'escalier, tout doux. Et la fille est apparue. Jupe bleue, bleu foncé, presque la même que celles des petites pionnières, celle que Katia portait toujours. Et ses jambes, ses jambes blanches et frêles…

D'abord, elle est restée à nous regarder sans faire un geste, puis elle est allée se cacher derrière Fred, et j'ai vu qu'elle lui agrippait le bras avec sa main.

– T'en fais pas, il l'a rassurée. C'est des copains.

– Ouais, j'ai répété tout haut. Des copains.

Je hochais la tête, les autres hochaient la tête, elle nous a fait un petit sourire et s'est mise à jouer avec les étoiles de son haut, c'était du papier doré, on aurait dit qu'elles étaient cousues par-dessus. Elle avait l'air plus jeune que nous, douze ans, peut-être treize. Pourtant, sur sa poitrine, les étoiles se soulevaient un peu, et pas seulement quand elle respirait… mais elle n'avait toujours pas repris son souffle…

– Faut pas t'en faire, tu sais. C'est des…

– Ça va.

Elle a lâché le bras de Fred. Il lui a caressé le visage, et son visage à lui est passé du gris au rouge. Mais la seconde d'après, voyant comment tout le monde tirait les lèvres, il a rangé sa main vite fait.

– Je croyais qu'on allait à la halle, a repris Rico. Qu'on voulait chourer deux trois trucs ? Avec votre technique, là. Mais escuse-moi, c'est peut-être que t'as les jetons ?

– Mais nan.

– Fred, il a jamais les jetons, a dit l'Astragirl en lui boxant l'épaule de son petit poing.

– Sûr qu'on va y aller. Pour vous montrer qui c'est qui gère. L'Astragirl, elle vient aussi, elle va chanter pour nous.

Rico s'est claqué le front :

– Chanter ? Non mais il est con ?

– Attends un peu, pour voir !

Et Fred nous a lancé un grand sourire doublé d'un clin d'œil. Il a levé le bras pour rameuter les frangins, et le trio s'est mis en route, l'Astragirl un bout derrière.

– C'est parti ! j'ai crié.

Et on a suivi à toute allure.

– Courez ! a hurlé Mark une seconde avant de soulever la grosse mallette noire de son père qu'il avait ramenée exprès (logique, c'était sur le chemin), pour lui faire décrire un arc de cercle jusque dans la poitrine du vendeur qui à son tour a hurlé en perdant l'équilibre, dommage qu'il ait pas les mêmes amortisseurs que sa grosse collègue, justement en train de peiner pour s'extraire de son siège, ses bras trop courts déjà tendus vers moi.

Et on a couru. J'apercevais déjà le petit Walter de l'autre côté de la vitre. Étalées à mes pieds, sur quelques mètres, des barres en chocolat à la queue leu leu, probable que Walter les avait semées en route. J'ai filé le long des caisses, la sortie était en vue. L'Astragirl n'avait pas bougé de son poste, juste à l'entrée du rayon vins, elle chantait toujours, elle donnait dans les vieilles chansons et les chants de pionniers, mais en mélangeant tout à la fois, plutôt fort et plutôt faux ; elle se balançait d'un pied sur l'autre en bombant la poitrine et en tiraillant son petit haut plein d'étoiles et sa jupe, l'air complètement détraquée, je veux dire tellement belle. Une bouteille était tombée de l'étagère juste derrière, et elle piétinait en plein milieu de la flaque rouge. «De tous nos camarades, aucun n'était si bon…» Elle avait réussi à détourner les regards pendant un petit bout de temps, on avait pu s'en mettre plein les poches, mais ils avaient quand même fini par nous griller. «Dans la forêt lointaineuh…» Le vendeur avait glissé sur ses genoux, les deux mains crispées sur sa poitrine, bon boulot de la part de Mark. On s'est précipités vers la porte en abandonnant le type, Mark toujours avec l'énorme mallette, Rico, Fred et moi à ses côtés, les deux collègues s'étaient perdus. Un schnaps s'est barré de la poche de Fred. Explosion. J'ai lancé un autre regard par-dessus mon épaule, l'Astragirl chantait toujours en se trémoussant dans la flaque rouge, sauf que là, elle m'a souri. L'instant d'après, on détalait en bas de la rue direction la cour de Fred et les immeubles.

– Z'avez tout fait foirer! Putain, alors que l'Astragirl elle les av… tout fait foirer, bande de glands!

– Oh l'autre! Ferme ta gueule!

Rico essayait de lui montrer le poing malgré son bras qui valdinguait.

– … c'est même pas nous! C'était vous, là, avec vos yeux plus gros que le…

Tordant le cou, j'ai pu apercevoir deux tabliers blancs qui violentaient un gosse. Ils tenaient ferme. Sous son blouson, un t-shirt pétant, Mickey. On a bifurqué dans une petite rue, l'autre collègue avait refait surface à nos trousses et me balançait son gros sourire. Sous son pull, masse de bosses. Fred a freiné devant une Wartburg, le nouveau modèle, moteur Volkswagen.

– T'attends quoi! a crié Rico. Bouge! Ils vont se ramener!

Mais on a vu personne, la rue était restée quasi déserte. Fred n'a même pas eu besoin de contrôler le périmètre avant d'insérer son petit tournevis.

– Paye ton reportage! Le braquage pour les nuls.

Il avait à peine fini sa phrase que la portière sautait déjà.

– Wartburg. Rien de mieux pour se dégourdir les doigts.

Quelques mètres derrière, Walter a tiré son stylo de sa poche de chemise pour scribouiller son bloc. Fred déverrouillait l'arrière, le bras glissé près du siège conducteur.

– Z'en prie, messieurs. En voiture!

Et il nous a tenu la porte comme un chauffeur. Avec son grand sourire.

– Tu déconnes ? je lui ai fait. On est à vingt mètres.

Mais dès que j'ai vu Rico, Mark et même Walter se faufiler sur la banquette arrière avec de tels yeux, je me suis grouillé de me serrer avec eux. On a courbé l'échine par-dessus le dossier du siège conducteur pour voir comment Fred faisait avec les câbles. Un cri de femme dans la rue. Walter scribouillait toujours son petit bloc, j'ai fait le trajet à moitié sur ses genoux.

Mark faisait tourner les chiffres du cadenas. La mallette s'est ouverte.

– Aaalors, c'est qui qui rafle le plus ?

Posés chez Fred, au quatrième du vieil immeuble, on faisait les comptes. Lui et son collègue totalisaient huit paquets de cigarettes, cinq canettes de bière, deux jeux de cartes flambant neufs et douze tablettes de chocolat.

– Mouais, a fait Fred en s'en allumant une (il venait de crever un paquet de Marlboro). Pas mal, pour un début…

Une tarte Forêt-Noire du rayon surgelés était rangée bien droite dans la mallette du père de Mark. Rico a décoincé les deux savons de derrière sa ceinture pour les déposer sur le haut de l'emballage.

– J'avais dit quoi ? Rapides, les mains, rapides !

– Eh bah mon con, lui a fait Fred. Cinq bières, huit paquetons, plus des cartes et du choc' ! Faut avouer…

Son collègue a retroussé sa jambe de pantalon pour faire glisser une grosse boîte de sardines hors de sa chaussette.

– Pour not' repas du soir, il a expliqué avec un grand sourire.

– T'es un bon gars, a fait Fred en lui tapant sur l'épaule. Imagine un peu ce qu'on aurait si z'avaient pas coincé Steffen…

– Il va lui arriver quoi, à lui ? Et puis… et puis la fille…

– L'Astragirl ? Pfff, elle a juste chanté un brin, elle va bien se repointer. C'est pas interdit, merde. Et pour Steffen, pareil, sûr qu'il va revenir. Il a à peine douze berges, ils vont le raccompagner chez lui. Les keufs, j'veux dire. Un point c'est tout.

– Les keufs.

On a hoché la tête.

– Il a foutu la moitié de la boutique sous son t-shirt, mon Steffen ! Sûr ! Pouvez les remballer direct, votre savon et votre tarte !

– Chewing-gum. Paquet de dix.

Je l'ai extrait de ma poche de chemise pour l'aligner sur le haut de la tarte à côté des savons.

– Des schwings?

Fred les méprisait de la main.

– Ramenez-vous un peu! a lancé Mark en vidant la mallette.

On a tendu le cou. Écrasés tout au fond, trois magazines de cul, *New Week-End*, *Praliné*, plus une autre saloperie qu'on connaissait pas.

– Ça vous la bouche, hein?

– Tu t'es démerdé comment, mon gars? J'ai même pas…

– Rapide, les mains!

Mark en a extirpé un et l'a ouvert. Rempli de loches et d'autres bidules. Et d'un seul coup, la sirène des flics a retenti, très loin.

– C'est pour nous? a demandé Walter en se levant pour aller guetter à la fenêtre.

– Naaan, a fait Fred. Sécurisés, ici. Bière?

On s'est regardés.

– Un peu, ouais… a fait Rico.

Fred lui a passé une canette. Quand Rico l'a ouverte, la mousse lui a explosé au visage.

– Coup à prendre, a fait Fred. Toujours paisibles, les mains.

Rico l'a tendue à son voisin, on a étalé les mags par terre et on a commencé à tourner les pages.

– Nan mais vise-moi cette gonzesse! Vise-moi cette pure gonzesse!

Elle s'en prenait un peu quand on buvait. La bière était amère, ma langue piquait, trois, quatre gorgées et déjà la tête qui tourne, mais je souriais, et je continuais à boire.

– Elle a vraiment assuré, j'ai fait à Fred.

– De qui?

– Eh ben… Petite Étoile. Comment elle a chanté, et tout.

– T'en as pas deux comme elle, il a fait en me chipant la canette des mains.

Une fois descendue d'un seul trait, il l'a projetée contre le mur.

– L'Astragirl, elle est pas comme les autres.

– Ma Petite Étoile, j'ai murmuré, mais très bas, fallait pas qu'il entende.

– Elle crèche là. Des fois, elle crèche ici. Son paternel, t'sais, raclure de pochetron. Raclure tout court, d'ailleurs. C'est pour ça, elle reste chez moi. Parce que des fois, t'sais, il lui…

Une nouvelle bière a pschitté, et il a bu la moitié avant de faire tourner. Sa face avait repris sa couleur grise, mais je commençais à m'y faire.

Des pas dans l'escalier, tout doux. Ma Petite Étoile était revenue. Mark a fait glisser les mags de cul sous la mallette.

– Coucou, elle nous a fait en s'asseyant au milieu du cercle.

Ses jolies étoiles s'étaient éclipsées, elle avait mis un sweat Adidas.

– Alors ? J'ai pas une belle voix ?

– Si, je lui ai dit en hochant la tête. Elle est belle.

Et tout le monde hochait la tête, et l'Astragirl est devenue toute rouge. Fred a plongé la main dans la poche de son fute. Il en a sorti une fiole avec de la liqueur de menthe.

– Prends. Je sais que t'adores.

– Ça va.

Elle rougissait toujours, la petite fiole verte serrée contre sa joue. Mark a arraché l'emballage de la tarte et l'a déposée au milieu. Elle était encore congelée, alors on l'a cassée en gros morceaux pour la manger comme de la glace. On a aussi entamé le chocolat, et puis d'autres bières. Dehors, c'est devenu sombre, Fred a allumé des bougies, nous nous sommes rapprochés, avons mangé et bu, et nous étions heureux.

NOTES POUR L'ÉDITION FRANÇAISE

1. Les élèves scolarisés en RDA intégraient d'abord un groupe de jeunes pionniers (*Jungpioniere*) de la 1re à la 3e classe (soit de 6 à 8 ans), puis rejoignaient les pionniers de Thälmann (*Thälmannpioniere*) de la 4e à la 8e classe (de 9 à 14 ans), avant d'être incorporés dans la Jeunesse libre allemande (*Freie Deutsche Jugend*, ou *FDJ*), qu'ils ne quittaient qu'à 25 ans et qui régissait bon nombre d'activités censées «favoriser l'esprit de communauté». La nomenclature du système scolaire est-allemand a ici été transposée au système français.

2. Le Conseil de l'Amitié (*Freundschaftsrat*) avait pour rôle d'organiser, dans chaque école, la vie associative des jeunes pionniers et des pionniers de Thälmann. On peut comparer ses responsabilités à celles d'un conseil des professeurs.

3. Le spiritueux désigné sous l'appellation générique de *Goldkrone* est une eau-de-vie titrant entre 28 et 30°. Elle est produite à partir des années 1970 en ex-RDA, notamment par la distillerie Nordhäuser Goldkrone. Lorsque Dani évoque une «bouteille de Nordhäuser», il s'agit du même breuvage.

4. Le terme *Fidschi* (traduit ici par «Niaques»), à connotation nettement xénophobe (littéralement, «habitant des Îles Fidji»; manière de désigner par défaut une personne au faciès asiatique), trouve son origine dans le contexte de l'ex-RDA. D'abord usité par l'extrême droite pour désigner les immigrés vietnamiens, il entre au fur et à mesure dans le langage courant.

5. L'*apfelkorn*, à ne pas confondre avec le simple *korn* que consomment également les garçons dans le roman, est une recette d'eau-de-vie distillée à partir de céréales et mélangée à du jus de pomme. La liqueur ainsi produite titre à 18°.

6. Le *brauner*, littéralement «brun», traduit ici par «petite-brune», peut désigner plusieurs sortes de schnaps brun.

7. Le terme allemand de *klarer* désigne familièrement un spiritueux «limpide», ou incolore. Ainsi, il peut s'appliquer aussi bien à la vodka qu'au

korn, un type de schnaps fabriqué à partir de blé ou de seigle, et devant au moins titrer à 32° pour mériter son appellation. Dans l'ensemble du livre, lorsque les personnages commandent un «*klarer*», ils veulent boire un petit verre de *korn* (on dirait aujourd'hui un *shooter*), venant souvent accompagner une pinte de bière.

Face à la difficulté de rendre la nuance familière de ce terme, il a été choisi d'inventer une image : celle de «p(e)tites graines».

Quant au *korn*, le mot est utilisé par le narrateur et les personnages dans son acception générale, sans connotation familière. Il est alors simplement traduit par «schnaps», son synonyme – un choix qui présente l'avantage d'être plus immédiatement compréhensible au lecteur français, tout en lui évitant de confondre *korn* et *apfelkorn*.

8. Référence aux violentes émeutes xénophobes qui éclatèrent en août 1992 dans le quartier de Lichtenhagen et prirent pour cible la Sonnenblumenhaus («résidence des tournesols»), un immeuble de type HLM abritant plusieurs familles d'immigrés.

9. À l'époque de la RDA, Le Dynamo de Berlin était communément considéré comme le «club de la Stasi», en raison de la supposée protection dont il bénéficiait de la part d'Erich Mielke. Le ministre de la Sécurité d'État (*Staatssicherheit*), en fonction de 1957 à 1989, était de notoriété publique un supporter passionné ; à partir de 1953, il sera même président de l'Association sportive du Dynamo, à laquelle était rattaché le BFC.

10. La fonction d'*Abschnittsbevollmächtiger*, familièrement désignée sous l'abréviation *ABV*, et que l'on pourrait traduire par agent de la police du peuple en charge d'un secteur, a été créée en RDA en 1952 d'après le modèle soviétique. Ces agents, qui portaient le grade de lieutenant ou sous-lieutenant, étaient chargés de la prévention policière et de l'enregistrement des plaintes dans la commune ou le quartier qu'ils avaient à charge. Toujours à l'écoute des habitants, ils y effectuaient des patrouilles afin de garantir la paix publique.

11. Construite en 1973 dans le centre-ville de Leipzig, cette passerelle permettant de traverser le périphérique intérieur et des voies de tramway fut baptisée Blaues Wunder («Miracle bleu») en raison de sa structure d'acier initialement peinte en bleu. Le Miracle bleu devint un haut-lieu des «manifestations du lundi», la grande vague de protestations populaires également appelée «révolution pacifique», qui, à l'automne 1989, marqua une étape décisive vers la chute du régime socialiste. La passerelle permettait en effet d'embrasser du regard – et de photographier – le cortège des manifestants presque dans son entier. Le Miracle bleu fut démonté en juillet 2004.

TABLE

Les enfants jouent 9

Regarde les jolies mines 16

Au Palace 47

Les rayons 58

Le Trou Noir 69

    I. Contacts 69

    II. Concurrence 90

    III. Fugues 97

Les gros combats 117

Baraque à frites 138

Toujours prêts 150

De retour 157

Les nuits vertes 179

Prolongations 186

Zeithain, détention pour mineurs 194

Mes femmes à moi 251

Eastside Story 257

À la Colline d'argent 271

Thilo-l'Aiguille 291

Pauvre petit bâtard 297

Les tirs 333

De retour et adieu 347

Dans la Prairie 364

Le Chariot 399

P'tit pilote 418
   Premier virage 418
   Deuxième virage 420
   Troisième virage 422
Rassemblements 426
Travaux d'intérêt général 451
Cœur de clebs 457
L'Aviateur 477
Adieu 482
Quand on était reporters 518

Notes pour l'édition française 533

Ce volume, publié aux éditions Piranha,
a été achevé d'imprimer en mars 2015
sur les presses de l'imprimerie SEPEC
01960 Péronnas

Dépôt légal : mars 2015
Numéro éditeur : LC-004/1
Numéro d'impression : 12515150202